Katja Brandis, Jahrgang 1970, begann schon als Kind zu schreiben, oft Geschichten, die in fernen Welten spielten. Sie studierte Amerikanistik und Anglistik und arbeitete danach als Journalistin und Lektorin, bis sie ihren Traum wahrmachen und sich als freie Autorin selbständig machen konnte. Bekannt ist sie für ihre erfolgreichen All-Age-Romane wie *Ruf der Tiefe*, *Gepardensommer* sowie *Und keiner wird dich kennen*. Doch Kenner wissen, dass ihr Herz nach wie vor der Fantasy gehört: Nach ihren Trilogien *Kampf um Daresh* und *Feuerblüte* erschien von ihr unter dem Pseudonym Siri Lindberg der High-Fantasy-Roman *Nachtlilien* und dessen Fortsetzungen. Katja Brandis lebt mit Mann, Sohn und drei Katzen in der Nähe von München.

Weitere Informationen über die Bücher von Katja Brandis, Leseproben und eine Karte von Daresh finden Sie auf der Website *www.katja-brandis.de*

Katja Brandis

Feuerblüte

Band III

Das Mond-Orakel

Impressum

Bibliografische Information der Deutschen Nationalbibliothek: Die Deutsche Nationalbibliothek verzeichnet diese Publikation in der Deutschen Nationalbibliografie; detaillierte bibliografische Daten sind im Internet über http://dnb.dnb.de abrufbar.

Pfarrer-Bendert-Str. 2
82140 Olching
KatjaBrandis@web.de

2. Auflage 2016
Die erste Auflage ist erschienen im Verlag Ueberreuter, Wien/Berlin

Cover: Katja Brandis, Illustrationen: Sam100 (shutterstock.com), Kesu (Fotolia.com)
Herstellung und Verlag: CreateSpace
ISBN: 978-1532869938

Qindie steht für qualitativ hochwertige Indie-Publikationen. Achten Sie also künftig auf das Qindie-Siegel! Für weitere Informationen, News und Veranstaltungen besuchen Sie unsere Website: www.qindie.de

Abschied von Gilmor

Einen frisch verliebten Vater zu haben, war ein eigenartiges Gefühl. Alena gönnte ihm sein Glück und freute sich, dass Tavian so viel heiterer wirkte als sonst. Doch manchmal musste sie all ihre Geduld aufbringen, um den ungewohnten Alltag in Gilmor hinzunehmen. In der Schmiede durfte Tavians neue Gefährtin Sukie jeden Tag die Glut in der Esse entzünden, was in der Feuer-Gilde eine hohe Ehre für einen Gast war, tagsüber umarmten und küssten sie und Tavian sich ständig, und abends wurden der Reihe nach Sukies Lieblingsgerichte gekocht. Eigentlich war das alles nur erträglich, weil Alena inzwischen wusste, wie sich so was anfühlte. Sie musste auch ständig an Jorak denken und hätte am liebsten jeden Tag mit ihm verbracht. Was leider nicht immer möglich war – heute hatte ihr Vater ihn zum Beispiel zum nächsten Handelsposten mitgenommen.

„Kann es sein, dass Liebe so eine Art vorübergehende Geistesstörung ist?“, fragte Alena ihren besten Freund Cchraskar. Vielleicht war ein Iltismensch für solche Fragen nicht der beste Ansprechpartner, aber andere waren gerade nicht in Sicht.

„Sssieht fast so aus, fast“, maunzte Cchraskar amüsiert. „Du und Jorak, ihr tut ja so, als wolltet ihr euccch auffressen. Das kann nicht normal sein!“

„Ach, was weißt du schon“, grinste Alena, zog eine Schutzhaube über die Augen und setzte mit dem Fußpedal den Schleifstein in Gang, um einem Kurzschwert den ersten Schliff zu verpassen. Sonnenhelle Funken sprühten auf und erhellten die Schmiede einen Moment lang. Es war dunkel und warm und gemütlich hier, nur die heiße Glut der Kohlen erleuchtete die beiden Ambosse und die geschwärzten Wände, an denen Zangen, Hämmer und andere Werkzeuge hingen.

„Kann ich dir irgendwie helfen?“, fragte eine helle Stimme hinter ihr. Sukie!

Alena setzte das Schwert ab und blickte auf.

Zum Glück war Sukie wenigstens nett. Sie war erst zweiundzwanzig Winter alt, hatte heitere, rauchgraue Augen und rote Locken. So recht hatte Alena immer noch nicht verstanden, was sie mit einem Mann wie ihrem Vater wollte, einem Witwer, der doppelt so alt war wie sie und der als ehemalige rechte Hand des Propheten des Phönix den schlechtesten Ruf von ganz Tassos hatte. Musste wohl etwas mit der vorübergehenden Geistesstörung zu tun haben.

„Du könntest mir ein paar Klingen härten", schlug Alena vor und deutete mit dem Kinn auf zwei fertig geformte Rohlinge. „Weißt du, wie das geht? Du erhitzt das Metall stark und gleichmäßig, dann löschst du es in dem Eimer mit Öl da hinten ab."

„Mach ich gerne." Sukie legte die beiden Klingen in die Esse und murmelte eine Formel. Hell loderten die Flammen auf, fast eifrig gehorchten sie ihrem Befehl. Schon nach wenigen Atemzügen glühte das Metall im richtigen hellgelben Farbton. Mit der bloßen Hand nahm Sukie die Schwerter und trug sie zum Eimer. Zischend stieg Dampf auf, als die Klingen eintauchten.

Alena beobachtete Sukie fasziniert. Rostfraß, auch wenn sie selbst ebenfalls zur Feuer-Gilde gehörte, wäre ihr eine fette Brandwunde sicher gewesen, wenn sie das ohne Handschuhe und Zangen gemacht hätte! Eine so enge Beziehung zum Feuer wie Sukie hätte Alena auch gerne gehabt. Eine Waffe zu tragen wie alle anderen Menschen der Feuer-Gilde hatte sie nicht nötig. Wenn jemand Sukie dumm kam, röstete sie ihn wahrscheinlich einfach mit einer Salve blauen Feuers.

Am Nachmittag kehrten ihr Vater Tavian und Jorak zurück, schwer beladen mit Rohstahl und Barren von Kupfer, Telvarium, Silber und Caradium. Alena und Sukie hasteten aus der schwarzen Eisenpyramide, in der sich Schmiede und Wohnräume befanden, nach draußen, um den beiden Männern beim Einräumen ins Lager zu helfen.

„Puh." Jorak setzte seine Ladung ab und wischte sich den Schweiß von der Stirn. „Das reicht bestimmt wieder für ein paar Wochen, oder?"

Alena konnte nicht anders, sie musste einfach zu ihm gehen und ihn küssen. Jorak zog sie in seine Arme, und momentelang vergaß Alena die Welt um sich herum und alle anderen Menschen darin. Als sie und Jorak sich wieder voneinander lösten, waren ihr Vater und Sukie dabei, die Barren zu sortieren, und Cchraskar grinste von Ohr zu Ohr. Seine Fangzähne kamen dabei blendend zur Geltung.

Alena zog ihm eine Grimasse und fragte Jorak: „Wie war´s beim Handelsposten?"

„Toll war, dass mir dein Vater eine Menge über Metalle beigebracht hat. Aber sonst ... schrecklich. Niemand hat mit mir gesprochen und sie haben den Kopf über deinen Vater geschüttelt, dass er sich mit jemandem wie mir abgibt." Jorak seufzte und griff sich ein Bündel Kupferstäbe, um sie ins Lager zu bringen. „Hätte ich mit dem Händler – einem Kerl aus der Luft-Gilde – reden dürfen, hätte ich sicher einen besseren Preis für uns raushandeln können."

Weil man normalerweise wegen eines schweren Verbrechens seine Mitgliedschaft in einer der vier Gilden verlor, wurden Gildenlose in Daresh behandelt wie Dreck. Die Leute konnten nicht wissen, dass Jorak aus einem anderen Grund gildenlos war. Trotzdem machte die Art, wie die Menschen mit ihm umgingen, Alena wütend. „Das ist bitter. Du kannst es wahrscheinlich kaum noch erwarten, nach Ekaterin zurückzukommen, was? Da hast du wenigstens Freunde."

„Ja." Jorak blickte sie an. „Kommst du mit?"

Eine Woge tiefen Glücks stieg in Alena auf. Sie nahm sich einen Moment lang Zeit, Jorak einfach nur anzusehen. Sein schmales Gesicht mit den intelligenten grünbraunen Augen, seine dunkelbraunen Haare, die er sich selbst mehr schlecht als recht schnitt, seine einfache Tunika, die von einem Ledergürtel zusammengehalten wurde. Auf der Straße hätte niemand ihm einen zweiten Blick gegönnt. Und doch war er einzigartig, ein ganz besonderer Mensch.

„Ja, ich komme mit", sagte Alena ernst, fast ein wenig feierlich.

„Mit mir reden sie auch nicht – zumindest hier in Gilmor", bemerkte Sukie mit einem schiefen Lächeln. „Die Leute glotzen mich entweder an oder schauen schnell weg, wenn ich vorbeigehe. Ich bin eben die seltsame Fremde ..."

„Mach dir nichts draus, das wird schon noch", sagte Alena und schnappte sich ein halbes Dutzend Iridium-Stahl-Stäbe, aus denen einmal kostbare Meisterschwerter entstehen würden. „So ist es eben in Dörfern. Ich wüsste nur zu gerne, was die Leute hier anfangen würden, wenn sie mich und meinen Vater nicht hätten, um sich über uns aufzuregen."

„Wahrscheinlicch würden sie darüber diskutieren, wer sicch die schöneren Popel aus der Nase holt", meinte Cchraskar und kratzte sich mit einer Pfotenhand hinter dem pelzigen Ohr.

Ihr Vater war aus dem Lager zurückgekehrt und hatte die letzten Sätze gehört. Er trug wie so oft die traditionelle schwarze Tracht der Feuer-Gilde, in der lockeren, aufrechten Haltung des erfahrenen Schwertkämpfers stand er da. „Wir sollten uns nichts vormachen", sagte er und verschränkte die Arme. „Sukie und Jorak werden hier nie akzeptiert. Deshalb habe ich gestern mit Palek gesprochen. Er wäre daran interessiert, die Schmiede zu kaufen. Damit wäre der Weg frei, anderswo hinzuziehen. In eine größere Stadt, zum Beispiel nach Carradan. Was hältst du davon, Alena?"

Alena blieb vor Schreck beinahe der Mund offen stehen. Ihr Vater verkaufte ihr Zuhause, nach so vielen Wintern in Gilmor? Hier hatte sie mit Schwert, Hammer und Amboss umgehen gelernt, ihren allerersten Kuss bekommen, Gedichte geschrieben, im Phönixwäldchen ihren Tagträumen nachgehangen.

Das waren die guten Erinnerungen. Aber es gab auch schlechte. Den Streit mit vielen Nachbarn und Zarkos Bande, die Einsamkeit, die Langweile an einem Ort, in dem nie etwas zu geschehen schien. Ja, eigentlich hatte sie wegziehen wollen und keine große Lust gehabt, die Schmiede zu übernehmen. Und das wusste ihr Vater. Was wehtat, war, dass er sie erst jetzt in seine Pläne einweihte. Interessiert er sich überhaupt dafür, was ich darüber denke, wie ich mich fühle?, fragte sich Alena bitter. Oder dreht sich jetzt wirklich alles nur noch um seine neue Geliebte?

„Ich werde mal darüber nachdenken", sagte sie und versuchte sich nicht anmerken zu lassen, was ihr durch den Kopf ging.

„Carradan ist schon etwas ganz anderes als Gilmor ... aber für Sukie wäre es natürlich viel besser, dorthin zu ziehen ..."

„Es tut mir leid, dass das alles jetzt so schnell geht – wir haben erst gestern Abend darüber gesprochen", meinte Sukie mit einem entschuldigenden Blick zu Alena. „Ist nicht leicht, auf einmal eine Stiefmutter zu haben, was?"

Stiefmutter. Das Wort brannte in Alena. Sie hatte noch nie so über Sukie gedacht, und alles in ihr sträubte sich dagegen, es jetzt zu tun. Was bildete sich diese Frau eigentlich ein?

„Du könntest meine Mutter sowieso nie ersetzen", sagte Alena mit spröder Stimme. Sie legte die Stahlstäbe wieder hin, drehte sich um und ging weg. Sie wollte jetzt nicht mit Sukie reden, nicht mit ihrem Vater, mit niemandem.

Instinktiv schlug sie den Weg zum Phönixwald ein, ihrem Lieblingsplatz. Doch sie hatte Pech. Ein Lehrlingsmädchen im Dorf, mit dem sie mal befreundet gewesen war, sah sie und fing sie ab.

„Sag mal, Alena – stimmt es, dass dieser Gildenlose dein Freund ist? Dass ihr *zusammen* seid und er sogar bei euch *übernachten* darf?" Marvy sah gleichzeitig angeekelt und fasziniert aus. Ihre Stupsnase zuckte leicht und ihre Augen unter dem mausbraunen Haarschopf blickten fast schon gierig.

„Ja, es stimmt", sagte Alena knapp. Wahrscheinlich würde Marvy als Nächstes fragen, ob es nicht unerträglich widerlich war, einen Ausgestoßenen zu küssen. Dabei war Alena sich ziemlich sicher, dass Marvy noch nie einen Jungen geküsst hatte und sowieso nicht beurteilen konnte, wie sich das anfühlte.

Alena wusste, dass ihr Vater damit, einen Gildenlosen zu beherbergen, ein großes Risiko einging. Sie war dankbar, dass er darüber nie ein Wort verlor. Bisher hatte noch niemand im Dorf sie beim Rat der Gilde angeschwärzt, und Alena hoffte, es möge auch so bleiben. Trotzdem schaffte sie nicht, richtig freundlich zu Marvy zu sein. „Ich muss los", sagte sie nur, winkte Marvy zum Abschied zu und beschleunigte ihre Schritte, bis das Mädchen endlich aufgab und zum Dorf zurücktrottete. Endlich allein! Nur sie und die kargen schwarzen Silhouetten der Phönixbäume, die vor ihr aufragten.

Doch überrascht sah sie, dass an ihrem Lieblingsplatz schon jemand auf sie wartete. Cchraskar und Jorak! Die beiden hatten geahnt, wohin sie flüchten würde. Alena setzte sich zu ihnen und Jorak legte wortlos den Arm um sie. Es tat gut, so gehalten zu werden, und Alena spürte, wie der Tumult in ihrem Inneren sich allmählich legte.

„Eigentlich ein bisschen albern", sagte Alena und wischte sich kurz über die Augen. Vor Jorak konnte sie weinen, das wusste sie. Aber sie tat es trotzdem nicht gerne, es war noch zu tief in ihr verwurzelt, dass man als Mensch der Feuer-Gilde auf gar keinen Fall Tränen vergoss. „Ich war ja noch klein, als meine Mutter starb. Ich kann mich überhaupt nicht an sie erinnern. Trotzdem ist es ein komisches Gefühl, dass Pa jetzt eine andere Frau hat. Glaubst du, er wird Alix vergessen?"

„Das glaube ich nicht", sagte Jorak und strich ihr sanft über die Wange und über die schulterlangen, glatten rotbraunen Haare. „Sie war schließlich seine große Liebe, oder? Aber er hat vierzehn Winter um sie getrauert und irgendwann geht das Leben weiter. Ich glaube, dein Vater war ein sehr einsamer Mensch, bevor er Sukie getroffen hat."

Alena seufzte tief. Sie war auch einsam gewesen, bevor sie Jorak richtig kennengelernt hatte. „Weißt du, was besonders schlimm ist? Dass ich nichts mehr habe, was mich an sie erinnert. Mein Umhang, der mal ihr gehört hat, ist mir ja in Rhiannon verlorengegangen."

Sie hatten das eigenartige Reich Rhiannon bei ihrer gefährlichen Reise über die Grenzen von Daresh hinaus gefunden – seit die magische Grenze wieder belebt war, gab es keine Möglichkeit, dorthin zurückzukehren. Selbst, wenn sie das gewollt hätten.

„Deswegen musst du deine Mutter nicht aufgeben", sagte Jorak. „Du könntest versuchen ihr näher zu kommen, sie wiederzuentdecken ..."

Was für eine seltsame Bemerkung. Wiederentdecken. Wie sollte das gehen bei jemandem, der längst tot war? Doch Alena fragte nicht nach. Vielleicht war das etwas, was sie selbst herausfinden musste. Sie spürte, wie die Trauer in ihr etwas von ihrer

Schwere verlor. „Ich glaube, das hätte ich schon viel früher tun sollen. Hoffentlich ist es noch nicht zu spät dafür."

Daran, dass es auch riskant sein könnte, dachte sie nicht.

Es war seltsam. Schon auf dem Rückweg zur Schmiede spürte Alena, dass sie dabei war, sich von Gilmor zu lösen. Die anderen Pyramiden des Dorfes, die Schänke, der große Versammlungsplatz, die Menschen, die sie im Vorbeigehen grüßten – das alles hatte nicht mehr wirklich etwas mit ihr zu tun, sie betrachtete es wie aus weiter Entfernung. Eigentlich habe ich mich schon entschieden, dachte Alena.

An diesem Abend wartete sie, bis ihr Vater eine Pause bei der Arbeit einlegte, und setzte sich dann neben ihn. „Ich bin einverstanden, dass du die Schmiede verkaufst."

„Das ist gut", sagte er, legte Alena den Arm um die Schultern und drückte sie kurz. „Glaub mir, der Abschied fällt mir auch nicht ganz leicht." Nur selten zeigte ihr Vater seine Freude so offen. Alena war nachträglich froh, dass sie ihm seine Pläne, die ihm so viel bedeuteten, nicht verdorben hatte.

„Ich muss nur noch ein paar Aufträge abschließen, hilfst du mir, die restlichen Schwerter zu schleifen?", fuhr Tavian fort. „Und es gibt viel zusammenzupacken."

„Natürlich helfen wir. Jorak ist gut im Packen, weil er schon viele Expeditionen vorbereitet hat."

Doch Jorak musste schneller abreisen, als er gedacht hatte – am nächsten Tag kam eine Botschaft für ihn aus Ekaterin. Sein Kompagnon und bester Freund Kerrik würde schon in einer Woche zu einer längeren Expedition in den Lixantha-Dschungel aufbrechen, und vorher galt es noch einiges zu erledigen und zu planen.

Der Abschied fiel Alena furchtbar schwer. „Ich komme nach, sobald ich kann", versprach sie. Doch das konnte noch ein paar Tage dauern – schließlich musste sie helfen, den Umzug nach Carradan vorzubereiten.

Traurig machte sie auch, dass sie sich von Kilian und Jelica verabschieden musste. Im Laufe des letzten Winters waren die Geschwister gute Freunde geworden.

Kilian seufzte tief, als er die Neuigkeiten hörte. „Ich würden auch gerne nach Carradan ziehen“, sagte er. „Da ist wenigstens was los! Aber ich fürchte, wir gehen erstmal nirgendwo hin, bis wir selbst Meister sind.“

„Ganz schön gemein, dass du uns hier alleine in Gilmor zurücklässt.“ Jelica tat, als würde sie schmollen. „Nein, im Ernst, wir werden dich vermissen.“

„Ja, allerdings“, schob Kilian nach. „Aber irgendwie war mir immer klar, dass du nicht lange in diesem mickrigen Dorf bleiben würdest. Du passt einfach nicht hierher.“

„Kann sein“, sagte Alena. „Aber ihr werdet mir fehlen!“

In den nächsten Tagen war sie düsterer Stimmung, sie vermisste Jorak und es half auch nicht, dass Sukie und sie nun verkrampft und vorsichtig miteinander umgingen. Schade eigentlich, dachte Alena. Wir hätten Freundinnen werden können. Habe ich das jetzt kaputtgemacht? Sie hoffte fast darauf, dass Sukie wieder in die Schmiede kommen und ihr helfen würde, vielleicht konnte Alena sich dann ... entschuldigen oder so etwas. Oder sie könnten einfach Seite an Seite miteinander arbeiten, ab und zu etwas reden, bis alles wieder in Ordnung war. Doch Sukie kam nicht.

Nur einen Tag darauf nahm ihr Vater sie beiseite. „Vielleicht ist es besser, wenn du schon morgen reist.“

Alena spürte, wie sich alles in ihr zusammenzog. Was sollte das – wollte er lieber mit Sukie allein sein? Oder hatte Sukie sich über sie beklagt? Heiße Wut auf Sukie, auf ihren Vater, auf die Welt brodelte in ihr hoch. „Und warum, wenn ich fragen darf?“

Falls Tavian ihre Wut spürte, dann ließ er sich das nicht anmerken. Ruhig blickte er sie mit seinen goldgefleckten Augen an. „Ich habe ein schlechtes Gefühl bei dem Gedanken, dass Jorak wieder in Ekaterin ist.“

Verdutzt blickte Alena ihn an. Sie spürte, dass er die Wahrheit sagte – er war immer ehrlich, selbst wenn es wehtat. Doch diesmal tat es nicht weh, es überraschte sie nur. „Ein schlechtes Gefühl? Was meinst du damit?“

Ihr Vater hielt das kostbare juwelenbesetzte Schwert, an dem er gerade arbeitete, waagrecht und spähte die Klinge entlang. Der blanke Stahl glänzte im Licht des Feuers. „Schwer zu sagen. Ich kenne ihn ja noch nicht so lange.“ Er wandte sich wieder ihr zu. „Aber ich weiß, dass man nicht zurückgehen sollte an einen Ort, den man einmal gekannt oder geliebt hat. Das bringt nur Kummer und Gefahr.“

Alena runzelte die Stirn. „Das musst du mir erklären.“

„Ich habe dir doch mal erzählt, dass ich Söldner geworden bin, um aus meinem Dorf wegzukommen“, begann ihr Vater zögernd zu erzählen und legte das Schwert beiseite. „Dabei habe ich, als ich mal mit drei Dutzend Kameraden auf dem Weg zu einer Fehde war, durch Zufall ein Tal gefunden ... es war ein verzauberter Ort, überwachsen mit blühenden Kletterpflanzen, mitten hindurch schlängelte sich ein kristallklarer Fluss. Wir lagerten nur eine Nacht dort und zogen in der Morgendämmerung weiter – doch ich beschloss irgendwann einmal zurückzukommen.“

„Und das hast du getan?“

„Ja. Aber erst zehn Winter später. Da war von der wilden Schönheit des Tals schon nichts mehr übrig. Meine ehemaligen Kameraden hatten dort eine große Siedlung gegründet.“ Tavians Augen richteten sich in die Ferne, blickten ins Nichts. „Ich bekam bei einem einstigen Waffengefährten Quartier für die Nacht, doch wir merkten, dass unsere Ansichten sich sehr geändert hatten, und gerieten in Streit darüber, was mit dem Tal geschehen war. Um ein Haar hätten wir uns bei dem Duell getötet.“

Alena schwieg einen Moment lang. Jetzt verstand sie besser, warum ihr Vater sich Sorgen machte. „Na ja, aber du warst sehr lange weg, wir nur ein paar Wochen“, wandte sie schließlich ein. „Und Jorak lebt schon seit vielen Wintern in Ekaterin, er kennt es in- und auswendig und hat dort jede Menge Leute, die ihn unterstützen. Er kommt schon klar.“

„Ich hoffe beim Feuergeist, dass du recht hast“, sagte Tavian. „Aber es ist nicht immer so, dass der Ort sich verändert, während man weg ist. Es kann auch sein, dass man sich selbst verändert – dafür reichen schon ein paar Wochen aus. Und dann gibt es erst recht keinen Weg zurück.“

Ärger im Roten Bezirk

Als Jorak aus dem *Geflügelten Dhatla* trat, merkte er, dass ein Krug Polliak weniger besser gewesen wäre. Als er den Kopf drehte, um sich von Kerrik zu verabschieden, wurde ihm dabei beinahe schwindelig.

Auch Kerrik sah aus, als sei ihm schwindelig – aber das lag wohl eher daran, dass Jorak ihm in der Schänke erzählt hatte, was er und Alena in Rhiannon, dem Reich der Wolkentrinker, erlebt hatte. „Nicht zu fassen“, sagte Kerrik schon zum fünften Mal an diesem Abend. „Ich meine, ich gönne es dir natürlich, aber beim Erdgeist, ich wünschte, ich wäre dabei gewesen!“

„An deiner Stelle wäre ich heilfroh darüber, dass du nicht dabei warst“, sagte Jorak. Er blickte zum dunklen Himmel hoch und sah am Stand der Sterne, dass der dritte Mond bald aufgehen würde. „Ich muss los. Grüß Lilas von mir und pass auf dich auf im Dschungel!“

„Mach ich.“ Kerrik schlug ihm freundschaftlich auf die Schulter, was durch seine Kraft eine etwas schmerzhafte Angelegenheit war, und bog in den Weg zum Grünen Bezirk ein. Die meisten Menschen der Erd-Gilde wohnten dort.

Mit einem warmen Gefühl im Inneren blickte Jorak ihm nach. Die Verlegenheit zwischen ihnen war weg, sie hatten miteinander reden können wie früher. Sieht so aus, als wäre unsere Freundschaft auf einem guten Weg, dachte er. Ich könnte mir sogar vorstellen, wieder Expeditionen mit ihm zusammen zu führen. Immerhin ist die Sache mit Alena jetzt geklärt, sie hat sich entschieden, wen von uns beiden sie wirklich will.

Er schulterte sein Reisegepäck und machte sich auf den Weg zu seinem Quartier. Vorsichtig bewegte er sich am Stadtrand entlang und kaute dabei auf einem Stück Brot, das er aus dem Gasthaus mitgenommen hatte. Hier in der Nähe war der Schwarze Bezirk, in dem die anderen Gildenlosen lebten. Prompt heftete sich einer von ihnen auf seine Fersen – so, als hätte der Kerl das Essen gerochen.

Jorak kannte ihn. Fenk war ein Schläger, der ihm früher oft die wenige Nahrung abgejagt hatten, die Jorak irgendwo zusammengekratzt oder gestohlen hatte. Unter den Gildenlosen galt das Recht des Stärkeren, jeder war sich selbst der Nächste und kämpfte mit Zähnen und Klauen darum, am Leben zu bleiben. Doch in den letzten Wintern hatte Jorak gelernt, mit seinem Dolch umzugehen, und Kerle wie Fenk wussten inzwischen, dass sie ihn besser in Ruhe ließen. Warum kam er diesmal so dreist näher?

Bloß keine Schwäche zeigen, dachte Jorak und drehte sich um. „Na, Fenk, knurrt dir der Magen schon so laut, dass du dich mit mir anlegen willst?“, sagte er, grinste dabei und setzte den gemeinsten Blick auf, den er schaffte.

„Hab gehört, du hattest ´ne Audienz bei der Regentin“, knurrte Fenk und kam noch näher. Seit Jorak ihn das letzte Mal gesehen hatte, schien es ihm nicht gut ergangen zu sein. Unter seinem dünnen Hemd konnte man die hervorstehenden Rippen sehen, und sein Gesicht, auf dem ein struppiger Bart wucherte, wirkte hager und eingefallen. In seinen Augen war ein fiebriger Glanz, der Jorak beunruhigte.

„Geht dich nichts an, Fenk.“ Jorak achtete darauf, dem anderen keinen Moment lang den Rücken zuzudrehen.

„Hast bestimmt viel mitbekommen, was? Gold, Juwelen, Wegzehrung frisch aus den Speisekammern?“ Fenk leckte sich die Lippen.

Jorak spürte, wie Ärger in ihm aufstieg. „Gar nichts habe ich bekommen. Nur den neuen Umhang. Wahrscheinlich, weil sie vergessen haben, ihn zurückzufordern.“

Er merkte, dass Fenk nicht zuhörte. Das verstand Jorak gut. Wenn man Hunger hatte, echten Hunger, der schmerzhaft in den Eingeweiden wühlte, der die Kraft aus dem Körper stahl, dann genügte der Gedanke an etwas zu Essen, um einen schier um den Verstand zu bringen. Besser, ich mache mich aus dem Staub, und zwar schnell, dachte Jorak. Bevor Fenk auf die Idee kommt, mich anzuspringen und niederzuschlagen. Jorak hatte keine Lust, sich auf einen Kampf einzulassen. Der Lärm würde weitere Gildenlose heranlocken, die sich womöglich auf Fenks Seite schlugen.

Zum Glück war ein verlassenes Haus in der Nähe, das Jorak kannte – dank einer seiner Gewohnheiten. Er hatte einmal beschlossen, jeden Tag irgendetwas zu tun, was er nie zuvor getan hatte. So hielt er seinen Geist beweglich. Das Haus zu erkunden, war eines dieser Dinge gewesen.

Jorak riss die Tür auf, hechtete ins Innere und warf von innen den Riegel vor, der zwar rostig war, aber noch funktionierte. Brüllend wie ein verwundetes Dhatla warf Fenk sich auf die morsche Tür und machte sich daran, sie zu demolieren. Das störte Jorak nicht weiter. Zwei Atemzüge später war er aus der Hintertür geschlüpft.

Der Appetit war ihm allerdings vergangen. Er schenkte den Rest des Brotes einem mageren, verschüchterten Mädchen, das an einer Straßenecke bettelte. Auch sie war gildenlos, eine Ausgestoßene. Wenn sie ihren Körper jetzt noch nicht anbot, würde sie es vermutlich bald tun.

Nach der Sache mit Fenk ahnte Jorak, dass er den Schwarzen Bezirk in nächster Zeit besser mied. Vielleicht musste er sogar ganz aus Ekaterin verschwinden. Es würde sich in Windeseile herumsprechen, dass er jetzt „reich" war – ein halbes Dutzend Banden würde versuchen ihn zur Strecke zu bringen. Ein Gildenloser stand nicht unter dem Schutz des Gesetzes, er war eine leichte Beute.

Jorak überlegte kurz, ob er es riskieren konnte, statt durch den Schwarzen Bezirk quer durch den Roten zu gehen. Gildenlose wie er durften sich dort nicht aufhalten. Aber die Straßen von Ekaterin waren um diese Zeit fast leer, und gerade erst war eine Patrouille der Stadtwache vorbeigekommen. Bis die hier wieder nach dem Rechten schaute, würde es noch dauern. Was soll´s, dachte Jorak und tauchte wieder in die Gassen des Vergnügungsviertels ein. Natürlich waren ihm auch die Schänken hier verboten, aber die Wirtin des *Geflügelten Dhatla,* in dem er mit Kerrik gewesen war, kannte ihn und riskierte es, ihn hier ab und zu einen Krug trinken zu lassen. Eine ihrer Schwestern war selbst gildenlos – ausgestoßen worden, weil sie Amulette gefälscht hatte, um einen höheren Meistergrad vorzutäuschen.

Die kühle Nachtluft klärte Joraks Kopf. Wie immer ging er schnell und verzichtete auf eine eigene Fackel. Seine Gedanken schweiften zu Alena und er kostete die Vorfreude aus, dass sie bald in Ekaterin sein würde. Unglaublich, ein paar Tage konnten einem erscheinen wie ein langer, eisiger Winter – nur weil man ohne den Menschen auskommen musste, den man liebte ...

Eine Straße weiter rief jemand etwas, ein Mann lachte. Jorak schreckte aus seinen glückgetränkten Gedanken auf. Da kamen Leute – und er hatte es viel zu spät gemerkt! Wieso war er nicht auf der Hut gewesen, besonders nach dem Zwischenfall vorhin?

Er schätzte, dass es vier oder fünf Männer waren. Ihrer Sprechweise nach Feuer-Gilde und ihrem Lärm nach ziemlich berauscht. Zum Glück verzweigte sich die Gasse hier. Schnell bog Jorak ab, um die Gruppe zu meiden. Doch als er sah, wer am anderen Ende gerade aus einem Haus kam, drehte er sofort wieder um. Ach du große Wolkenschnecke, eine zweite Patrouille. Jetzt saß er in der Falle.

Jorak entschied sich, es lieber mit den Feuerleuten zu riskieren. Er zwang sich zu gleichmäßigen, ruhigen Schritten und schlug den Kragen seiner Tunika hoch, damit man nicht so leicht sah, dass er kein Gildenamulett trug. Die vier Kerle waren jetzt nur noch fünf Menschenlängen entfernt und kamen schnell näher. Es waren kräftige Burschen, zwar nicht größer als er, aber breitschultriger und muskulöser. Alle vier trugen Schwerter.

Jorak ließ seinen Blick gleichgültig an den Männern vorbeistreifen, als sie ihn passierten, und versuchte keinerlei Unsicherheit zu zeigen. Das war seiner Erfahrung nach das beste Rezept, Ärger zu vermeiden. Doch diesmal nutzte es nichts.

„He, du da!“, grölte einer der Männer und trat ihm in den Weg.

Jorak schlug einen leichten Ton an. „Falls ihr mich ausrauben wollt, sucht euch lieber jemand anders – ich hab meine letzten Münzen gerade im *Geflügelten Dhatla* gelassen.“

Zwei der Männer lachten, der dritte sagte: „Ach wo, wir wollen nur wissen, wie wir von hier aus zum Gildenhaus kommen, *tanu,* Gildenbruder ... du bist doch einer von uns, oder?“

Einen Moment lang entspannte sich Jorak. Er wusste, dass er mit seinen dunkelbraunen Haaren und dunklen Augen wie ein Mensch der Feuer-Gilde aussah, und im schwachen Licht der Gasse erst recht. Vielleicht würde er doch noch davonkommen. Nur wäre es besser gewesen, wenn er seinen Calonium-Armreif abgelegt hätte, hoffentlich verriet ihn das Ding nicht. „Da müsst ihr die Straße hoch, dann links und anschließend bei der kleinen Statue rechts ...“

„Klingenbruch, der trägt ja gar kein Amulett – dafür spür ich irgendein komisches Metall an ihm!“, mischte sich einer der Männer ein und packte Jorak an der Vorderseite der Tunika. „He, Leute, das ist ein Gildenloser, mitten im Roten Bezirk!“

Jorak reagierte sofort. Flink wie ein Iltismensch riss er sich los, glitt zwischen den Männern hindurch und rannte die Gasse hinunter. Er war vielleicht nicht so stark wie sie, aber dafür viel schneller. Und während sie anscheinend nur auf der Durchreise waren, kannte er jeden Fußbreit dieser Stadt.

Er hörte, dass die Feuerleute ihn verfolgten, doch sein Vorsprung wurde immer größer. Bis er zum dritten Mal in dieser Nacht Pech hatte. Aufmerksam gemacht von dem Lärm kamen ihm zwei Männer der Luft-Gilde, wahrscheinlich Händler, entgegen. Viele Händler, die in Ekaterin lebten, kannten und mochten Jorak, aber diese beiden waren Fremde. Und als sie ihn fliehen sahen, versperrten sie ihm den Weg und kamen drohend auf ihn zu.

Jorak stoppte ab, sah sich um. Kein Ausweg in Sicht. Jetzt blieben ihm nur noch die Formeln. Natürlich durfte ein Gildenloser sie nicht benutzen, aber daran hatte er sich nie gehalten. Er konzentrierte sich und murmelte die Formel, die Feuer aus der Luft rief. Eine Flamme loderte zwischen ihm und den beiden Neuankömmlingen auf und ließ sie erschrocken zurückweichen.

Doch die Flamme war längst nicht so groß, wie er geplant hatte. Und als er versuchte, die Formel für die drei Tornados hinzukriegen, spürte er, dass auch das nicht klappen würde. Verdammt, ich habe zu viel getrunken, dachte Jorak verzweifelt. Außerdem fiel es ihm schwer, sich zu konzentrieren. Immer wieder musste er daran denken, was passieren würde, wenn sie ihn zu fassen bekamen. Dann konnten sie ihn nicht nur straffrei verprügeln, sondern sogar töten, und die Stadtwache würde gar nicht daran denken, einzugreifen. Was für eine Ironie – hatte er die furchtbare Außengrenze Dareshs und den brutalen Stadtstaat Rhiannon überlebt, nur um hier auf seinem Heimatterrain erledigt zu werden?

Konzentrier dich, Jo, dachte er und schloss die Augen, um seine Kräfte zu sammeln. Wenn dieser letzte Versuch nicht klappte, musste er seinen Dolch ziehen und kämpfen.

„Moment mal“, sagte jemand laut. Eine klare, weibliche Stimme. Jorak erkannte sie sofort und sein Herz setzte einen Schlag aus. *Alena!*

Er riss die Augen wieder auf und sah, dass sich hinter den beiden Männern der Luft-Gilde die schlanke Gestalt eines Mädchens gegen den Hintergrund des Fackelscheins abzeichnete. Alena zog ihr Schwert und ging in Kampfpose, alles in einer einzigen geschmeidigen Bewegung. Das Licht glänzte auf der Klinge, auf dem grünen Edelstein im Griff ihrer Waffe.

„Ihr hattet doch nicht etwa vor, meinem Freund zu schaden?“ Die kalte Wut in Alenas Stimme ließ die beiden Händler zurückweichen. Sie verzichteten auf eine Antwort und verdrückten sich in eine Seitengasse. Doch gleich darauf echote der Lärm von rennenden Füßen, von aufgeregten Stimmen in der Gasse – die vier Feuerleute waren eingetroffen! Sie starrten Alena verblüfft an, dann rissen auch sie ihre Waffen heraus.

Besser, ich gehe aus dem Weg, dachte Jorak und zog sich in den Eingang eines kleinen Lagerhauses zurück. Keinen Moment zu früh, schon klang ihm das Geräusch von Stahl, der auf Stahl trifft, in den Ohren.

Es war ein ungleicher Kampf. Alena kämpfte leichtfüßig, mit kühler Präzision, während die vier Männer plump und langsam versuchten ihrer Klinge auszuweichen und dabei selbst irgendwie anzugreifen. Als ihnen klar wurde, mit was für einer Gegnerin sie es zu tun hatten, war es fast zu spät. Nach zehn mal zehn Atemzügen machten sich die Männer taumelnd und fluchend in Richtung der Gasthäuser davon. Jorak musste grinsen. Wetten, dass die Kerle nie jemandem von dem kleinen Zwischenfall erzählen würden? Wahrscheinlich hätte ihnen sowieso niemand geglaubt, dass sie zu viert nicht gegen ein siebzehnjähriges Mädchen angekommen waren. Aber auch er selbst hatte wenig Lust, jemandem von der Sache zu erzählen. Dass er sich von seiner Freundin retten lassen musste, war schon ein wenig peinlich.

Alena steckte das Smaragdschwert weg und kam besorgt auf ihn zu. „Alles klar mit dir?“

Jorak nickte, obwohl ihm noch immer die Knie zitterten. „Die Zeit in Rhiannon hat mich wohl unvorsichtig gemacht. So knapp ist es schon lange nicht mehr gewesen. Was machst du eigentlich hier? Du wolltest doch erst in ein paar Tagen nachkommen?“

„Bedank dich bei meinem Vater“, meinte Alena. „Der hatte irgendwie eine Vorahnung und hat mir geraten früher abzureisen. Erst habe ich drüber gelacht, dann hab ich´s doch getan.“

Sie nahmen sich in die Arme, küssten sich. Es war ein unglaubliches Gefühl, Alena wieder bei sich zu haben, und Jorak genoss jeden Atemzug. Doch viel Zeit hatten sie dafür nicht. „Besser, wir verziehen uns“, sagte er. „Bevor die Stadtwache doch noch auf die Idee kommt nachzuschauen, was hier los ist.“

Ohne sich abzusprechen, schlugen sie eine ganz bestimmte Richtung ein. Hier in Ekaterin hatten sie ein Versteck, das ganz ihnen gehörte und das für sie beide ein magischer Ort war. Alena wusste, dass sich der Haupteingang hier in der Nähe befand, aber um ihn zu erreichen, mussten sie ein stückweit in den Schwarzen Bezirk hinein, die Gegend der Gildenlosen. Alena schauderte, als ihr der Gestank nach menschlichen Ausscheidungen und verrottenden Dingen entgegenschlug. Im schwachen Licht konnte sie die ersten Hütten und selbst gegrabenen Erdhöhlen erkennen.

Kein Wunder, dass Jorak das Risiko einging, immer irgendwo anders in der Stadt unterzuschlüpfen.

„Wo hast du eigentlich Cchraskar gelassen?", fragte Jorak jetzt leise.

„Ach, der jagt sich gerade sein Abendessen. Ich schätze, er wird bald wieder auftauchen."

Sie fanden die richtige Erdhöhle und krochen hinein. Alena war unruhig. Würde alles noch so sein wie letzten Winter oder hatte jemand das Versteck entdeckt? Vielleicht hatte sich irgendein anderer Gildenloser im Vorraum eingenistet, sodass sie nicht durch die geheime Tür in Keldos ehemalige Gemächer kamen?

„Keine Sorge", flüsterte Jorak, als hätte er ihre Gedanken gelesen. „Gleich nachdem ihr aus Ekaterin weg wart, habe ich eine Familie von Iltismenschen gebeten, hier einzuziehen. Seither hat sich niemand mehr hergetraut."

Alenas Gedanken wanderten zu Keldo. Der reiche Händler war, wie sich erst nach seinem Tod herausgestellt hatte, ihr Verbündeter gewesen. Ohne sein geheimes Wissen hätten sie und ihre Gefährten den Kampf gegen den Propheten des Phönix nicht überlebt. Und Keldos Kammern, in denen er sich vor der Welt zurückgezogen hatte, waren zu ihrem Versteck geworden. Ob es Keldo Recht gewesen wäre, dass sie und Jorak immer wieder hierherkamen? Bestimmt, dachte Alena. Schließlich ist auch er von seiner Gilde – den Wasser-Leuten – ausgestoßen worden.

Die Iltismenschen waren gerade auf der Jagd, und so durchquerten Alena und Jorak den Vorraum schnell und öffneten die verborgene Tür. Abgestandene Luft flutete ihnen entgegen. Alena nahm einen Kerzenhalter, rief eine Flamme herab und sah sich um. Sie wanderten durch die prächtigen Räume, in denen sich edle geschnitzte Möbel befanden, die Kissen darauf mit Goldfäden bestickt. Auf den Tischen standen kunstvoll geschmiedete Schalen und Kerzenleuchter. Der große Vorratsraum war gefüllt mit ganzen Krügen voller Wasserdiamanten, Ballen edler Stoffe, Gewürze und seltener Kräuter; in einer Ecke häuften sich Oriak- und Schneehörnchen-Felle.

„Sieht alles noch genauso aus wie zuvor", stellte Alena fest. Plötzlich war sie verlegen. In jeder Ecke schienen Erinnerungen zu lauern. Als sie das letzte Mal zusammen hier, in Keldos Versteck, gewesen waren, hatte sie Jorak noch nicht ausstehen können. War sie damals ein anderer Mensch gewesen? Oder er? Ja. Und wahrscheinlich einfach zu blöd, um zu kapieren, dass er jemand Besonderes war.

Rasch durchsuchten sie den Lagerraum neben der Küche und sortierten mit spitzen Fingern alles aus, was in der Zwischenzeit verdorben war. Zum Glück waren noch genügend getrocknete Kräuter da. Sie brauten daraus einen Krug frischen Cayoral und setzten sich an den großen Tisch im Hauptraum. Jorak nahm seinen Becher in beide Hände und wärmte sich daran. Er ist ganz schön still, dachte Alena. Sie hätte gerne gewusst, was ihm durch den Kopf ging.

„Ich kann so nicht weiterleben“, sagte Jorak plötzlich. Seine Stimme klang gepresst. Als Alena ihm erschrocken die Hand auf den Arm legte, fühlte sie die Anspannung in seinem Körper.

„Früher hat mir das nicht ganz so viel ausgemacht“, fuhr er fort. „Ein Ausgestoßener zu sein, mich durchschlagen zu müssen, ständig auf der Hut zu sein. Aber seit Rhiannon ...“

Alena nickte und musste daran denken, was ihr Vater gesagt hatte. „Auf der anderen Seite der Grenze bist du ein paar Wochen lang ein normaler Bürger gewesen. Wenn du dortgeblieben wärst und dem Rat der Fünf nicht die Meinung gesagt hättest, dann müsste ich mich wahrscheinlich vor dir verbeugen und dich ´edler Herrscher´ nennen oder so was. Und hier ...“

Sie brauchte nicht weiterzusprechen, der Schreck über den Angriff vorhin saß ihnen beiden noch in den Knochen. Also fragte sie einfach: „Was wirst du tun?“

Jorak blickte hoch, sah ihr direkt in die Augen. „Gilt dein Angebot noch? Du weißt schon, welches.“

„Das war kein Angebot, das war ein Schwur. Natürlich gilt er.“ Alena wusste noch genau, was sie ihm in der Felsenburg der Regentin gesagt hatte. Ich schwöre, dass ich dir helfen werde von einer Gilde anerkannt zu werden. Und wenn die Vulkane von Tassos dabei verlöschen, dann sei´s drum. Alle hatten sie für verrückt erklärt. Denn Joraks Mutter gehörte der Luft-Gilde an, sein Vater der Feuer-Gilde – Jorak hatte das Pech gehabt, dass keine der beiden Gilden ihn anerkannt hatte, als er noch ein Kind gewesen war. Inzwischen war er zwanzig Winter alt. Weit über das Alter hinaus, in dem man sich noch um Mitgliedschaft bewerben konnte.

„Aber du musst dir überlegen, in welche Gilde du überhaupt eintreten willst“, fiel Alena ein. „Feuer oder Luft. Beides geht nicht.“ In ihren Tagträumen sah sie ihn längst im Schwarz der Feuerleute, das neue Amulett mit dem Flammensymbol um den Hals. Doch sie hatte nicht vor, ihm das zu gestehen.

Jorak verzog das Gesicht. „Das wird schwer. Beides wäre am besten, ich fühle mich ziemlich halb-halb. Lass mich darüber nachdenken, ja? Immerhin muss ich über meine Zukunft entscheiden. Morgen sage ich es dir.“ Er zögerte. „Übrigens ... es könnte sein, dass ich den Calonium-Armreif eine Weile ablegen muss. Das Ding verrät mich, jeder Mensch der Feuer-Gilde spürt es an mir.“

Ihre Armreife waren ein Symbol ihrer Liebe, sie hatten sie gemeinsam geschmiedet. Alena schmerzte es, dass Jorak den Armreif ablegen wollte, aber sie verstand seine Gründe. „Du kannst ihn abgeschirmt bei dir tragen“, erklärte sie ihm. Zum Glück fanden sie in Keldos Lager einige flache Dosen aus Nachtholz, in die der Armreif genau hineinpasste.

In dieser Nacht lagen sie lange wach. Alena starrte mit hinter dem Kopf verschränkten Armen in die Dunkelheit. Sie hatte eine bittere Ahnung davon bekommen, was es bedeutete, einen Ausgestoßenen als Gefährten zu haben. Wenn er gildenlos bleibt, dann werden wir ständig kämpfen müssen, dachte Alena. Wir werden nie einfach so in eine Schänke gehen, zusammen durch einen der Bezirke schlendern können. Zusammen leben? Können wir vergessen, die Gilde würde mich sofort ächten. Ich dürfte ja eigentlich nicht mal mit ihm reden. Ein kleiner Fehler und mein Leben ist genauso ruiniert wie seins.

Und was war mit ihrer eigenen Zukunft? Sie wusste noch immer nicht, was ihr Weg war, wie sie ihren Lebensunterhalt verdienen sollte – daran hatten ihre Erkundungen jenseits der Grenze nichts geändert. Alle anderen jungen Meister hatten längst ihren Platz im Leben gefunden, nur sie driftete noch herum und hatte nicht einmal eine vage Ahnung von dem, was sie machen konnte und wollte. Nicht mal die Schmiede ihres Vaters zu übernehmen ging jetzt. Natürlich, sie konnte ihre eigene Schmiede aufmachen, aber das reizte sie nicht wirklich.

Alena fühlte sich fast erdrückt von all diesen Problemen. Aber dann dachte sie trotzig: und wenn schon. Wir schaffen das – irgendwie. Und ich gebe Jorak nicht auf – komme, was wolle!

Totensee und Lebensbaum

Es war das erste Mal, dass Rena eine Todes-Zeremonie der Wasser-Gilde miterlebte. Still stand sie neben Tjeri, ihrem Gefährten, zwischen den anderen Leuten und wartete ab. Ihre bloßen Füße gruben sich in den feuchten Sand des Ufers und fühlten sich an, als würden sie bald abfrieren. Es war früher Morgen, noch schwebte Nebel über dem Heiligen See nahe Xanthu. Mit einem Schauder sah Rena, dass sich Hunderte von weißen Fischen im Flachwasser eingefunden hatten – sie wussten aus Erfahrung, was bald kommen würde.

Nur wenige Schritte von den Fischen entfernt, am Ufer, hatte sich eine dichte Menschenmenge versammelt. Der Große Udiko war ein berühmter Sucher gewesen, er hatte vielen Bewohnern Dareshs geholfen. Viele von ihnen waren heute gekommen, um Abschied zu nehmen. Rena bemühte sich mit ihnen gemeinsam das Ner´uljipa zu sprechen, die Abschiedsformel der Wasser-Gilde. Sie ärgerte sich darüber, dass sie sich im fünften Satz verhaspelte, und bewegte lieber nur noch die Lippen.

Sie spürte, wie Tjeri neben ihr mit den Tränen kämpfte, und nahm tröstend seine Hand. Als er von Udikos Tod erfahren hatte, hatte er seinen Suchauftrag in Alaak sofort abgebrochen, um hier sein zu können.

Udikos massiger Körper wurde in ein Kanu getragen und von zwei Hütern hinausgerudert. Rena wandte den Blick ab, als die Leiche in den See fiel – sie wollte nicht sehen, wie sich die Fische darüber hermachten. Tjeri hatte ihr das Ritual schon oft erklärt, aber so richtig hatte sich Rena nie an diese Art der Bestattung gewöhnen können. Sie war einfach zu verschieden von dem, was sie aus der Erd-Gilde gewohnt war. Wie der Grund des Gewässers wohl aussah – der Boden dicht bedeckt von weißgebleichten Knochen und Schädeln?

Die Hüter des Heiligen Sees hatten sich zurückgezogen, hielten sich im Hintergrund. Es war die Aufgabe der Gäste, die Totenreden zu halten. Jeder, der eine Erinnerung beitragen wollte, konnte es tun. Tjeri war der Erste, der vortrat.

Rena ließ die Augen nicht von ihm. Er sah gut aus in seiner förmlichen dunkelblau-silbernen Tunika. Sein kurzes dunkles Haar glänzte wie poliertes Nachtholz. Zwei Libellen umschwirrten ihn, und aus dem Gestrüpp an den anderen Seiten des Sees lugten viele Augen; auch seine nichtmenschlichen Freunde spürten seine Trauer und blieben in seiner Nähe.

„Dass Udiko mich damals als seinen letzten Lehrling annahm, hat mein Leben bestimmt“, sagte Tjeri. Er hatte sich wieder gefangen, und nur wer ihn gut kannte, konnte hören, dass seine Stimme leicht zitterte. „Der Alte konnte ein echter Bastard sein, grob und respektlos. Besucher, die ihm nicht gepasst haben, hat er einfach aus der Kuppel geworfen. Aber wer ihn besser kennengelernt hat, der merkte schnell, dass er ein wunderbarer Mensch war, einer, dem man bedenkenlos vertrauen konnte.“ Tjeri erzählte ein paar Anekdoten aus seiner Zeit mit Udiko. Dann sagte er schlicht: „Er hat mir mehr bedeutet als mein wirklicher Vater“, senkte kurz den Kopf und überließ dann seinen Platz einer Frau, die berichtete, wie Udiko ihrem Kind das Leben gerettet hatte.

Es dämmerte schon, als endlich der letzte Besucher seine Erinnerung an Udiko vorgetragen hatte. Renas Füße schmerzten und fühlten sich gleichzeitig an wie Eisklumpen; am liebsten hätte sie sich vor einem Lagerfeuer aufgetaut. Doch als Tjeri vorschlug „Lass uns in einem See übernachten, unter freiem Himmel“, nickte sie. Sie wusste, dass er das jetzt brauchte.

Langsam wanderten sie Richtung Norden und ließen sich in das ruhige silberne Wasser des Vanatu-Sees gleiten, der sich Hunderte von Baumlängen weit erstreckte, bis fast vor ihre Haustür. Im Wasser war Tjeri in seinem Element, er schwamm kraftvoll und geschmeidig. Aber nach fünfzehn Wintern mit ihm in Vanamee war auch Rena eine gute Schwimmerin, und sie schaffte es, mitzuhalten.

Als sie ein gutes Stück vom Festland entfernt waren, gaben sie etwas Luft in die Schwimmhaut, ließen sich auf dem Rücken treiben und blickten in den sternbesetzten Himmel. Nur die Rufe der Gelbspötter und das leise Sirren einzelner Mücken begleiteten sie. Sie begannen zu reden – über das Leben, über das Sterben, über Freunde, die sie an den Tod verloren hatten. Schon seltsam, wie man nach einer Bestattung auf einmal über so was spricht, dachte Rena. Dabei zähle ich erst fünfundreißig Winter und Tjeri ist nicht viel älter.

„Ich muss unbedingt mal wieder meinen Baum besuchen", sagte Rena.

„Ja, mach das", meinte Tjeri. „Möchtest du, dass ich mitkomme?"

„Das wäre schön. Du musst dir ganz genau einprägen, wo er steht. Du weißt ja, was du zu tun hast, falls ich vor dir sterbe ..."

Er grinste. „Ich habe mir längst gemerkt, wo er steht. Du hast mal wieder vergessen, dass du den Bund mit einem Sucher geschlossen hast."

„Gib bloß nicht so an", gab Rena lächelnd zurück, rollte die Kapuze ihrer Schwimmhaut aus und legte den Kopf hinein, um zu schlafen. Sie war froh, dass es Tjeri schon etwas besser ging.

Sie hatte ihren Baum im Alter von zehn Wintern gefunden, als ihr Onkel sie mal wieder zum Holzsammeln in den Weißen Wald ausgeschickt hatte. Erschöpft und hungrig war sie auf eine Lichtung gehinkt – und hatte die Luft angehalten beim Anblick einer großen, freistehenden Viveca, die ihre Äste majestätisch über die Lichtung wölbte. Ihre Blätter waren silberweiß und glänzten, als der Wind in die Baumkrone fuhr, wie Tausende von kleinen Spiegeln im Sonnenlicht. Wie alle Menschen der Erd-Gilde konnte auch Rena Bäume im Wind sprechen hören, und das Gedicht, das die Viveca flüsterte, verzauberte sie mit seiner schlichten Schönheit.

Sofort entschied sich Rena, bei diesem Baum zu rasten. Um ihn herum wuchs dichtes weiches Wintergras, und Rena machte es sich darin gemütlich und lehnte sich gegen den Baumstamm. Von hier aus hatte man einen herrlichen Blick über die Lichtung. Es war ein kalter Tag, doch der Stamm schien Wärme auszustrahlen. Zwischen den Blättern hingen noch ein paar kleine dunkle Früchte, ein wenig verschrumpelt, aber süß von der

Herbstsonne. Rena brauchte nur die Hand auszustrecken, um sie zu pflücken. Sie fühlte sich geborgen wie selten zuvor.

Seit diesem Tag kehrte sie immer wieder zu der Viveca zurück, zu ihrem Lieblingsplatz. Im Frühling und Sommer blühte der Baum in prachtvollem Rot, im Herbst war er überladen mit schmackhaften Früchten, die er freigiebig anbot. Dieser Baum war ein einziges Geschenk, das Wunder ihrer Kindheit.

Als ihr Onkel und Lehrmeister sie drängte, endlich einen Lebensbaum zu pflanzen – so war es in der Erd-Gilde Sitte –, sagte Rena: „Brauche ich nicht. Ich habe schon einen." Als er die Stirn runzelte, nahm sie ihn zum ersten Mal mit auf die Lichtung, zu der Viveca. Ihr Onkel warf einen langen Blick auf den Baum und nickte. Dann half er ihr, den grünen Stoffstreifen mit ihrem Namenszeichen am Stamm zu befestigen und sich mit dem Baum bekannt zu machen. Seitdem war die Viveca ganz offiziell ihr Baum und Renas Herz klopfte vor Freude.

Inzwischen wohnte Rena mehrere Tagesreisen entfernt an der Grenze zu Vanamee, sie konnte ihren Lebensbaum nicht mehr so oft besuchen. Zu ihm zurückzukehren war wie immer ein Fest. Obwohl es Spätsommer war, blühte die Viveca noch und der Duft durchzog die geschützte, sonnenbeschienene Lichtung. Tjeri ließ sich ein Stück entfernt im Gras nieder und stützte sich auf einen Ellenbogen. „Lass dich nicht stören, ich schaue unauffällig zu ..."

Rena setzte sich neben den Stamm und streckte sanft die Hand aus, legte sie auf die glatte Rinde. Die Aura der Viveca war stark und warm, hüllte Rena ein wie eine Umarmung. „Ich bin es", sagte Rena leise, aber das war gar nicht nötig, schon veränderten sich die Gedichte, die ihr Baum im Wind flüsterte, hießen sie willkommen.

„Kann gut verstehen, dass du hier begraben sein willst", seufzte Tjeri zufrieden und kaute auf einem Grashalm. „Das hier ist einer der schönsten Flecken von ganz Daresh. Das Seenland mal ausgenommen."

Rena ging zu ihm hinüber. „So, jetzt muss ich dir noch genau zeigen, wo ich später mal zwischen den Wurzeln liegen will. Du wirst das schließlich mal organisieren müssen."

Doch Tjeri schüttelte den Kopf und zog sie neben sich ins weiche Gras. Sanft nahm er ihre Hand. „Erklär das vielleicht besser auch jemand anders.“

„Wie meinst du das?“ Gedanken rasten durch Renas Kopf. Er schien zu denken, dass er früher sterben würde als sie! War er krank? Hatte er ihr etwas verschwiegen? Hatte der Angriff des Eis-Dämons im letzten Winter ihn irgendwie vergiftet?

„Erstens habe ich als Sucher eine Berufung, die nicht ganz ungefährlich ist“, sagte er ruhig. „Und zweitens hatte ich, als ich damals aus dem Kerker der Felsenburg zurückkam, so eine Art Vision, eine Traumsuche. Ich weiß, wie alt ich werde, und ich habe kein Problem damit. Es ist noch einige Winter hin, keine Sorge.“

„Ah. Eine Vision.“ Rena war etwas wohler zumute. Sie glaubte nicht an solche Dinge. Aber gefährlich war an Visionen, dass sie zu selbsterfüllenden Prophezeihungen werden konnten. Wenn er an die Vision glaubte, verhielt sich Tjeri vielleicht so, dass er nicht alt wurde ... und dann würde wahr werden, was er gesehen hatte.

„Weißt du was, wir könnten mal beim Mond-Orakel vorbeischauen“, schlug Rena vor. Sie schaffte es schon fast, heiter zu klingen. „Das ist nur ein paar Stunden Fußmarsch von hier. Dann soll uns das Orakel einen Tipp geben, wer wessen Begräbnis organisieren muss.“

Tjeri horchte auf. „Das Orakel, diese drei eigenartigen Kinder? Ja, das fände ich interessant. Man hört ja so viel davon in letzter Zeit. Warst du schon mal da?“

„Nein – aber das wäre doch ein guter Anlass“, meinte Rena. Sie gestand sich ein, dass auch sie neugierig war auf das Orakel. So etwas hatte es auf Daresh noch nicht gegeben. Ein guter Grund, um es sich anzusehen, selbst wenn ihre Frage nicht gewesen wäre.

Als Alena erwachte, merkte sie, dass Jorak wieder – oder immer noch? – mit offenen Augen an die Decke des Verstecks starrte. Sie legte den Arm über ihn. Ob er sich schon entschieden hatte? „Na, hast du gar nicht geschlafen?"

Ein brauner pelziger Kopf mit runden Ohren und menschlichen Zügen tauchte über der Kante des Bettes auf. „Nee, die Jagd war zzu gut heute, viel zzzu gut."

Alena warf ein Kissen nach ihm und brüllte: „Cchraskar, du sollst mich nicht immer erschrecken! Außerdem will ich nicht, dass du hier einfach so reinplatzt!" Sie war froh, nicht bei Zärtlichkeiten mit Jorak ertappt worden zu sein.

Jorak lächelte nur. Er hatte wohl tatsächlich kein Auge zugetan und mitbekommen, dass der junge Halbmensch früh am Morgen eingetroffen war. „Schade um das Kissen. Ich wette, gleich fliegen die Federn."

„Yau! Gute Idee", maunzte Cchraskar, warf sich auf das Kissen, verbiss sich darin und rollte damit durch den Raum.

„Gut, dass es im Versteck reichlich Bettzeug gibt", meinte Alena und stützte sich auf die Ellenbogen, damit sie Jorak besser in die Augen sehen konnte. „Gut, fangen wir nochmal von vorne an. Hast du dich für eine Gilde entschieden?"

Er seufzte tief. „Nach stundenlangem Grübeln, ja. Für Luft."

Alena war enttäuscht. Er wollte nicht in ihre Gilde! Sie hatte gehofft, sie könnte ihre Welt mit ihm teilen. Die Talente, die er dafür brauchte, hatte er ja.

„Ich musste auch daran denken, wofür ich die besseren Voraussetzungen habe", versuchte Jorak zu erklären. „Ich bin in Nerada aufgewachsen, bei den Luft-Leuten, meine Mutter hat mir alles beigebracht, was ein Händler können muss. In der Feuer-Gilde wäre ich vermutlich nie gut genug, um irgendeiner Berufung zu folgen. Diese Welt ist mir noch zu fremd."

„Das ist kein Problem – ich könnte dir alles beibringen, was du wissen musst!"

„Nein", sagte Jorak, und auf einmal war sein Gesicht eine Spur kühler als zuvor. „Ich will es bei Luft versuchen."

„Gut“, sagte Alena schnell. Er sollte nicht denken, dass sie ihn bevormunden wollte. „Dann müssen wir uns jetzt überlegen, wie wir es anstellen, dass du aufgenommen wirst.“

„Das ist genau das Problem.“ Jorak wand sich eine von Alenas glatten rotbraunen Haarsträhnen um den Finger. „Ich habe mich schon ein halbes Dutzend Mal beim Rat beworben und ich fürchte, die kriegen höchstens einen Wutanfall, wenn ich mich schon wieder melde.“

„Aber du bist nicht mehr derselbe Mensch, der sich damals beworben hat! Du hast die Grenze überquert, hast im Thronsaal vor der Regentin gestanden – und du hast in Rhiannon eine Formel gefunden, die hier unbekannt ist.“ Alena erinnerte sich noch gut an die drei Tornados, die Jorak mit dieser Formel rufen konnte!

„Stimmt, die Formel ist ein Tauschgut der Extraklasse.“ Joraks Miene wurde wieder etwas heiterer. „Mit etwas Glück nehmen sie mich in die Gilde auf, nur um an die Formel heranzukommen.“

„Nur musst du ihnen irgendwie das Angebot machen. Und das geht schlecht, wenn sie nicht mehr mit dir reden.“ Alena überlegte. „Ich glaube, das ist ein Fall für einen anonymen Brief.“

Jorak grinste. „Das ist gut. Ich habe noch nie einen anonymen Brief geschrieben. Zählt also als etwas Neues für den Tag.“

In der Bibliothek des Verstecks war reichlich Schreibmaterial. Zusammen setzten sie sich daran, die Botschaft zu formulieren. Einen geeigneten Empfänger dafür wusste Jorak schon: zurzeit hielt sich, wie er gehört hatte, ein mächtiger Meister vierten Grades namens Elaudio in Ekaterin auf. Wenn sie es schafften, ihn zu überzeugen, dann war das ihr Freibrief für eine Audienz beim Hohen Rat der Luft-Gilde. Er befand sich in Eolus in der fernen Provinz Nerada.

„Hast du Elaudio schon mal gesehen?“, fragte Alena neugierig.

Jorak nickte. „Ja, auf dem Markt. Er ist ziemlich fett, hat immer eine zahme Bolgspinne dabei, die auf ihm herumkriecht, und dazu einen Schwarm von Leibwächtern um sich herum.“

Nach langem Brüten über die richtigen Formulierungen hatten sie die Nachricht zusammen. Jorak übersetzte sie in die alte Handelssprache, um zu signalisieren, dass sie von jemandem aus der Luft-Gilde kam, und schrieb in seiner besten Schönschrift:

Meister Elaudio,
es gibt eine Formel der Luft-Gilde, die bisher niemand außer mir kennt. Ich habe sie auf einem alten Pergament entdeckt und ausprobiert. Sie hat eine sehr starke Wirkung. Wenn Ihr mehr über die Formel erfahren wollt, dann findet Euch morgen Nacht bei Aufgang des dritten Mondes allein an der Stelle ein, an der früher der Palast der Trauer gestanden hat.

„Er wird platzen vor Neugier", meinte Jorak zufrieden.

Alena war sich nicht ganz so sicher. „Aber was ist, wenn er nicht kommt? Vielleicht sollten wir ihm lieber einen Treffpunkt in der Stadt nennen. Wenn er wirklich so dick ist, schleift er sich bestimmt nicht gerne auf diesen Hügel zur Palastruine rauf. Und was, wenn er nicht mit sich handeln lässt?"

„Er wird. Zu handeln ist seine Berufung. Er hat aus einem kleinen Stützpunkt am Rand von Nerada ein schwerreiches Netzwerk von Handelsposten gemacht, so was schafft man nur mit viel Geschick."

Doch Alena war noch nicht beruhigt. Und so wie ihr Vater nahm sie es ernst, wenn sie ein schlechtes Gefühl hatte. „Er wird nicht allein kommen."

„Ich auch nicht. Oder wollt ihr etwa daheim bleiben, Cchraskar und du?"

„Vergisss es!", fauchte Cchraskar durch die halb offene Tür.

„Na also, dachte ich mir", sagte Jorak und lachte.

Das Orakel

Das Mond-Orakel lag am Rand der Alestair-Berge, nahe der Felsenburg der Regentin. Schroff, fast ohne Übergang, erhoben sich die grauen Zinnen des Gebirges aus der grün bewachsenen Ebene, ließen den Tempel an ihrem Fuß winzig erscheinen.

Neugierig blickte Rena von einem Hügel aus auf den Tempel des Orakels hinunter. Mit seiner Kuppelform glich er einem Erdhaus, aber er war nicht mit Gras überwachsen, sondern schien aus weißem Stein gebaut zu sein. Fünf Baumlängen weit um den Tempel herum schien eine Art Bannmeile zu verlaufen, dahinter sah Rena ein Lager, Dutzende von Menschen in Zelten und provisorischen Unterkünften aus Zweigen. Der Rauch der vielen Feuerstellen stieg ihr in die Nase.

„Sieht so aus, als hätte das Orakel jede Menge Besuch", meinte Tjeri.

Als sie durch das Lager wanderten, sah Rena an Kleidung, Ausrüstung und Gildenzeichen, dass hier Menschen aus ganz Daresh, aus allen Provinzen und Gilden, zusammengekommen waren. Sie tauschte einen Blick mit Tjeri und er nickte. So eilig hatten sie es nicht – erst wollten sie herausfinden, was das hier für Menschen waren. Sie steuerten eine der Feuerstellen an. Fünf Leute der Luft-Gilde – zwei davon mit einem Pfadfindervogel auf der Schulter – saßen dort und kochten gerade in einer geschwärzten Eisenkanne Wasser für Cayoral auf.

„Friede den Gilden", sagte Tjeri und hob die Hand. Eine seiner Libellen ließ sich davon nicht stören und hockte weiter auf seinem Handgelenk.

Ein bärtiger Mann etwa Mitte zwanzig winkte sie näher und lud sie mit einer Handbewegung ein, sich zu setzen. Er schenkte ihnen zwei Becher Cayoral ein. „Na, wollt ihr auch eine Deutung?"

„Ich nicht, ich habe in meinem Leben schon ein paar zu viel bekommen", meinte Tjeri und zog eine Grimasse. „Aber meine Gefährtin hat eine Frage."

Der Mann lachte bitter auf. „Na, dann viel Spaß beim Warten!"

„Wieso? Wie lange seid ihr denn schon hier?", fragte Rena erstaunt.

Diesmal antwortete eine junge Frau. „Ich erst seit zwei Wochen, aber er da ist schon drei Monate hier und Grawo schon seit letztem Sommer."

„Seit letztem Sommer?!"

Grawos Gesicht war zerfurcht, seine grauen Haare lang und zottelig. Ganz langsam blickte er auf. Seine Augen waren trübe. Erloschen, dachte Rena. „Meine Tochter wird vermisst", murmelte er. „Seit letztdem Frühjahr. Wir waren auf Handelsreise durch Alaak, als sie verschwunden ist. Ich muss wissen, was mit ihr geschehen ist. Ob sie noch lebt."

Mitleidig blickte Rena ihn an. Die Ungewissheit musste schlimm sein.

„Aber wieso habt ihr keinen Sucher beauftragt?", fragte Tjeri verständnislos.

Der Alte seufzte. „Wisst Ihr, was das kostet? So was kann ich mir nicht leisten."

Tjeris Augen waren ganz schmal geworden. Abrupt stand er auf. „Komm, Rena. Wir gehen jetzt zum Orakel. Ich hätte inzwischen auch eine Frage. Nämlich, warum diese Leute hier nicht wenigstens ihr Anliegen vortragen dürfen."

Sie bedankten sich für den Cayoral und machten sich auf den Weg.

„Du wirst ihm helfen, nicht wahr?", fragte Rena ihren Gefährten leise.

Tjeri ließ den Blick nicht von den Toren des Tempels, denen sie sich näherten. „Ja, ich übernehme seine Suche und verzichte auf den Lohn." Er verzog das Gesicht. „Jedenfalls, wenn wir heil wieder rauskommen und uns das Orakel nicht in ein paar wollköpfige Tunnelschnecken verwandelt."

Die zwei Menschenlängen hohen Tore waren aus poliertem Silber, in das ein Abbild des nächtlichen Himmels eingraviert war. Dareshs drei Monde – Ellowen, Deeowen und Benawen – waren in verschiedenfarbigen Metallen eingefügt. Irgendjemand mit viel Geld hält große Stücke auf dieses Orakel, ging es Rena durch den Kopf.

Vier bewaffnete Wachen standen neben dem Tor stramm. Als Rena sich näherte, hoben sie ihre Schwerter – und ließen sie wieder sinken, als der kommandierende Offizier Rena erkannte und seinen Leuten ein Handzeichen gab.

„Seid gegrüßt, Rena ke Alaak", sagte er. „Schön, dass Ihr wieder in der Gegend seid. Ihr sucht eine Deutung?"

Es hat doch seine Vorteile, berühmt zu sein, dachte Rena. Seit ihren Friedensmissionen war sie auf Daresh bekannt und geachtet. Der Mann vor dem Tor musste ein Offizier sein, der sie aus der Burg kannte. Zum Glück ließ ihr Namensgedächtnis Rena nicht im Stich. „Das tue ich, Lanjo. Außerdem bin ich schlicht und einfach neugierig."

„Verständlich. Ich lasse Euch gleich anmelden."

Einer der Soldaten verschwand durch einen kleineren seitlichen Eingang und kam kurz darauf zurück. „Geht klar, sie sind bereit."

Das große Tor öffnete sich knarrend. Bevor Rena und Tjeri hindurchgingen, winkte Lanjo Rena noch einmal beiseite. Plötzlich war seine Stimme eindringlich. „Wenn ich euch einen Tipp geben darf, Meisterin – fragt sie auf keinen Fall nach ihren ..."

„Wo bleiben denn diese Besucher?" Eine schrille Stimme aus dem Inneren schreckte Rena auf. Suchend blickte sie sich um und erkannte eine Erd-Gilden-Frau mit verkniffenem Gesicht, die eilig auf sie zuwatschelte. Sie trug eine kostbare silberne Robe mit dem gleichen Sternenmuster wie das Außentor, doch an ihr wirkte die Kleidung nicht elegant, sondern beulte sich aus wie ein Rübensack.

„Sie kommen ja schon, Ellba, reg dich ab", brummte der Offizier.

Rena und Tjeri gingen in den Innenhof und sahen sich um. Sie standen in einem großen Garten mit Obstbäumen, Büschen und Wiesenflächen. In seiner Mitte erhob sich das weiße Gebäude. Unter den Bäumen liefen drei blonde, dünne und blasshäutige Kinder umher – die Drillinge! Gemeinsam bildeten sie das Mond-Orakel.

Rena schätzte die Kinder auf acht oder neun Winter. Sie sahen sich so ähnlich, dass es schwer war, sie zu unterschieden.

Anderskinder nannte man solche Menschen mit besonderen Fähigkeiten auf Daresh. Es kam nur alle paar Jahrzehnte vor, dass eines geboren wurde, und meistens starben sie jung, nicht immer durch natürliche Ursachen. Ein solches Anderskind hatte Rena schon kennengelernt: Moriann, die Tochter einer früheren Regentin. Sie konnte Gegenstände zum Leben erwecken. Eines Tages machte sie den Fehler, in eine der Säulen des Sommerpalasts hineinzugehen ... und fand nicht mehr hinaus. Sie war Herrscherin und Gefangene des Palasts zugleich gewesen, bis das Gebäude im letzten Winter beim Kampf gegen Cano, den einstigen Propheten des Phönix, zerstört worden war.

Die Kinder beachteten die Besucher nicht. Unbekümmert spielten sie auf der Wiese, als gäbe es im Garten niemanden außer ihnen.

„Wer seid Ihr?“, keifte die Alte, als sie Rena und Tjeri sah. „Wichtige Persönlichkeiten, ha, Ihr kommt nicht vom Rat, das sehe ich! Wieso haben die Wachen Euch einfach so hereingelassen? Ihr wollt sicher nur die Kinder stören!“

In Tjeris dunklen Augen blitzte der Schalk auf. Er machte einen Schritt vor und ergriff die Hand der Frau. „Wir sind hier, weil wir schon viel von Euch gehört haben, alle haben uns gesagt, Ellba ist es, die ihr besuchen solltet, Ihr hättet so viel zu erzählen“, sagte er. Verblüfft starrte die Alte ihn an, versuchte wohl zu entscheiden, ob das alles Ironie war oder doch womöglich ernst gemeint.

Rena nutzte Tjeris Ablenkungsmanöver sofort und schlenderte auf die Kinder zu. „Hallo“, sagte sie beiläufig. „Wie heißt ihr? Ich bin Rena.“

Zwei der Kinder waren Mädchen, das dritte ein Junge. „Xaia“, sagte das eine Mädchen, „Daia“, das andere, „Taio“, meinte der Junge.

Sie schienen nicht sehr neugierig. Rena entschied sich noch ein bisschen mehr zu erzählen, vielleicht tauten die drei dann auf. „Ich bin hier in der Gegend aufgewachsen und gerade da, um meinen Lebensbaum zu besuchen. Eine wunderschöne, zweihundert Winter alte Viveca auf einer kleinen Lichtung westlich von hier. Sagt mal, aus welcher Gilde seid ihr eigentlich? Erde?“

Keine Antwort, nur leere Gesichter. O je, falsche Frage, dachte Rena. Wahrscheinlich sind sie nie aufgenommen worden. Hätte ich besser vorher rausfinden sollen. War es das, was mir der Offizier sagen wollte – dass ich sie nicht nach ihrem Element fragen soll?

„Deutungen können wir nur machen, wenn die Monde aufgehen“, sagte eines der Mädchen, wahrscheinlich war es Daia.

„Inspiriert euch das?“ Rena war gespannt.

„Es geht eben vorher nicht.“

„Macht euch das eigentlich Spaß, Deutungen zu treffen, Vorhersagen zu machen?“

Die drei Kinder zuckten die Schultern. „Manchmal ist es ganz lustig“, sagte Xaia. Rena konnte sie nur dadurch unterscheiden, dass sie ein Armband aus geflochtenem Gras trug.

Rena entschied, sich ein Stückweit vorzuwagen. „Ihr habt wahrscheinlich ganz schön zu tun, was? Manche Leute vor dem Tor warten schon seit Monaten auf eine Antwort von euch.“

„Sie sind dumm“, sagte Taio. „Warum gehen sie nicht einfach wieder?“

„Weil ihre Fragen für sie sehr wichtig sind“, meinte Rena geduldig und dachte: Verurteil sie nicht. Wahrscheinlich haben sie ihr halbes Leben hier drin verbracht, sie wissen nichts von der Welt. „Ich hätte auch eine Frage. Es wäre toll, wenn ihr mir die beantworten könntet.“

„Vielleicht“, sagte Daia keck. „Sag mir, was du wissen willst!“

Rena schloss kurz die Augen. Plötzlich hatte sie Angst, ihre Frage zu stellen. Vielleicht war es besser, wenn sie die Antwort nicht wusste. Nein, sie musste es wissen, sie wollte nicht, dass Tjeri sich da in etwas hineinsteigerte. „Wer wird zuerst sterben, ich oder mein Gefährte?“

Die Kinder nickten. Im Hintergrund hörte Rena wieder die keifende Stimme ihrer Aufpasserin, die schnell näherkam. Anscheinend konnte Tjeri sie nicht länger in Schach halten. „O je, da kommt Ellba", entfuhr es Rena. „Ist sie eigentlich mit euch verwandt, eure Mutter oder Tante oder so?"

In dem Moment, da Rena ihre Eltern erwähnte, veränderten sich die Gesichter der drei Kinder – kalt und hasserfüllt wurden sie. Plötzlich fiel Rena wieder ein, dass dies hier unberechenbare Anderskinder waren.

„Na, dann noch viel Spaß", sagte Rena hastig und zog sich zurück.

Wie sich herausstellte, beruhigte sich Ellba sogleich, als Rena wieder Abstand zu den Kindern wahrte. „Sie sind sehr empfindlich, müsst Ihr wissen", belehrte sie die Besucher mit strenger Miene.

Hab ich gemerkt, dachte Rena.

„Ellba ist schon seit zwei Wintern hier", erzählte Tjeri munter. „Sag mal, Ellba, wo kommen die Kinder eigentlich her? Hier aus der Gegend?"

„Nein, nein, sie sind aus dem Karénovia-Tal an der Grenze von Alaak zu Tassos und Vanamee. Aus dem gleichen Dorf wie ich", berichtete Ellba in wichtigem Ton. „Wir haben die Kinder erst entdeckt, als die Eltern einen Unfall hatten und gestorben sind, möge der Erdgeist ihnen gnädig sein! Sie müssen die Kleinen versteckt gehalten haben. Aber nach dem Unfall kam natürlich alles ans Licht, ha, so was geht schließlich nicht, so was kann man doch einfach nicht machen, Kinder verstecken!"

„Haben die drei um ihre Eltern getrauert?", fragte Rena neugierig. Nach der Reaktion der Kinder vorhin zweifelte sie daran.

„Getrauert?" Ellbas Stimme wurde noch ein wenig schriller. „Keine Träne, keine! Ehrlich gesagt, sie waren uns ein bisschen unheimlich. Niemand wollte sie aufnehmen. Schließlich habe ich mich erbarmt, ich, obwohl mir schon damals der Rücken wehtat und ich manchmal kaum gehen konnte!"

Tjeri fragte: „Wann hast du gemerkt, dass sie ... besondere Fähigkeiten haben?"

„Ich habe sie beobachtet bei ihren seltsamen Spielen und habe genau zugehört bei dem, was sie gesungen haben, ha, sonst hat das keiner gemacht! Dabei habe ich gemerkt, dass sie die Zukunft vorhergesagt haben. Gleich habe ich das dem Rat gemeldet. Tja, und heute weiß der Rat gar nicht mehr, wie er ohne meine drei auskommen soll. Jawohl!" Stolzgeschwellt blickte Ellba zu Xaia, Daia und Taio hinüber, die die Erwachsenen nicht mehr beachteten. Doch dann stutzte sie. „O je, ich muss noch das Essen machen! Sie werden leicht wütend, wenn es nicht pünktlich auf dem Tisch steht. Ihr könnt gerne hier im Garten warten. Aber nur bis der Mond aufgeht. Sie mögen es nicht, wenn man sie bei den Vorhersagen beobachtet, das mögen sie ganz und gar nicht!"

„Vielen Dank", sagte Tjeri freundlich. „Wir machen es uns bequem."

Sobald sie allein waren, wurde er schlagartig ernst. „Und, was hast du herausgefunden?"

„Leider nicht viel. Auf den ersten Blick wirken sie wie normale Kinder, aber das sind sie nicht. Bei vielen Themen blocken sie sofort ab."

Er verzog das Gesicht. „Es würde mich sehr interessieren, was für ein seltsamer Unfall das war, bei dem ihre Eltern umgekommen sind. "

„Ja, mich auch", gestand Rena und blickte hinüber zu den Kindern. „Glaubst du, dass wir hier in Gefahr sind? Ich fürchte, ich war ihnen nicht sonderlich sympathisch. Warum habe ich mich bloß nicht besser vorbereitet?"

„Womit denn vorbereiten? Habe ich irgendwo dicke Schriftrollen über das Orakel übersehen?" Tjeri neckte die Libelle, die sich auf seiner Hand niedergelassen hatte. „Lass uns einfach mal abwarten, was die drei zu deiner Frage sagen. Meinst du, sie können wirklich in die Zukunft sehen?"

„Ich hoffe es sehr", sagte Rena trocken. „Sonst wird der Rat gerade fein an der Nase herumgeführt."

Es war eine warme Sommernacht, und da die beiden ersten Monde am Himmel standen, lag ein sanfter Schimmer über der Landschaft. Joraks Atem ging schnell, als er sich einen Pfad durchs hüfthohe Gestrüpp von Silberthymian und Disteln bahnte.

Es war ein Fehler, diesen Treffpunkt zu wählen, ging es ihm immer wieder durch den Kopf, während er die Fackel hob, um einen guten Blick auf den Pfad zu haben. Zwar hatten sie auf dem Hügel außerhalb der Stadt einen guten Blick auf die Umgebung und reichlich Platz, um seine drei Tornados zu demonstrieren. Aber im freien Gelände war die Flucht auch viel schwerer, wenn sie Pech hatten und Elaudio sich als nicht vertrauenswürdig erwies. Und seit der Palast der Trauer im letzten Winter abgebrannt war, erschien ihm das Gemäuer noch unheimlicher als zuvor. Wie die Rippen eines toten Tieres ragten die übriggebliebenen Säulen in den Himmel, der einst weiße Stein war vom Feuer geschwärzt. Es beruhigte Jorak, dass er Alena und Cchraskar in der Nähe wusste. Sehen konnte er sie nicht, sie schlichen ihm gut versteckt nach und würden sich etwas westlich von hier auf Beobachtungsposten begeben.

Pünktlich kurz vor dem Aufgang des dritten Mondes war Jorak an Ort und Stelle. Von hier oben konnte man auf die Lichter der Stadt herunterblicken. Wer sich auskannte, konnte sogar die einzelnen Bezirke erkennen. Jorak hörte Elaudios Herannahen schon von Weitem. Schnaufend wie ein krankes Dhatla arbeitete er sich durchs Gebüsch, eine kleine Laterne in der Hand, und unterhielt sich dabei wütend mit sich selbst oder vielleicht mit seiner Spinne. Jorak musste lächeln, auch wenn er nervös war. Wachsam hielt er die Augen nach Leibwächtern offen, aber er sah keine. Wetten, die lagen irgendwo auf dem Bauch im Gebüsch – so wie Alena?

Jetzt hatte der Mann ihn erreicht. Sein Körper war fast tonnenförmig, und mit einem Schaudern sah Jorak die fast kopfgroße schwarze Spinne, die auf seiner Brust hockte. Eine so riesige Bolgspinne hatte er noch nie gesehen, sie musste mehr als zwanzig Winter alt sein.

Elaudio hob seine Laterne, musterte Jorak mit zusammengekniffenen Augen. „Ihr seid also der Kerl, der mich herzitiert hat", brummte er. „Musste einen Gala-Empfang dafür sausen lassen! So was schätze ich gar nicht!"

Äußerlich gelassen hielt Jorak dem Blick stand. Er trug eine neue Tunika und hatte seinen Umhang so um Hals und Nacken drapiert, dass man nicht sehen konnte, ob er ein Gildenamulett hatte oder nicht. Die übliche Begrüßung Friede den Gilden hatte Jorak schon lange nicht mehr über die Lippen gebracht, also sagte er einfach: „Freut mich, dass Ihr hergefunden habt."

Angewidert sah sich Elaudio um. „Scheußlicher Fleck Erde, das hier. Hoffe, wir brauchen nicht allzu lange zu bleiben. Wer beim Nordwind seid Ihr eigentlich?"

„Das tut erst mal nichts zur Sache", sagte Jorak. Vielleicht hatte Elaudio schon von seinen vielen Versuchen gehört, in die Gilde aufgenommen zu werden – Jorak wollte nicht, dass der Mann zu früh ahnte, worauf das Geschäft hinauslaufen sollte. „Ich habe von Euren guten Verbindungen zum Rat gehört und brauche einen Fürsprecher. Vielleicht kann ich Euch ja davon überzeugen, mein Anliegen zu unterstützen."

„Möglich", knurrte der Mann. „Aber ich warne Euch, ich bin nicht leicht zu beeindrucken. Bin durch alle Provinzen gereist, hab schon viel gesehen. Also los, wollt Ihr mir Eure tolle Formel vorführen oder nicht?"

„Moment noch", sagte Jorak vorsichtig. „Erst brauche ich Euer Versprechen, dass Ihr nur dem Rat von dem erzählen werdet, was Ihr heute hier sehen ..."

Mit erstaunlicher Schnelligkeit schoss Elaudios Hand vor und packte Joraks Umhang. Ebenso schnell hatte Jorak den Arm hochgerissen, um sich zu schützen. Doch der Händler hatte so viel Kraft, dass die Schließe des Umhangs aufsprang und der schwere dunkle Stoff zu Boden fiel.

„Dacht ich´s mir doch!", brüllte Elaudio und stieß Jorak vor die Brust, dass er zurücktaumelte. „Gut angezogen, aber doch ein verdammter Gildenloser. An der Begrüßung verraten sie sich immer. Hast du mich nur herbestellt, um mich auszurauben?

Wachen! Wachen!" Es raschelte im Gebüsch und drei schwer bewaffnete, stämmige Männer stürzten heran.

Doch diesmal hatte Jorak nichts getrunken, er war ausgeruht und gesund. Er schloss einen kurzen Moment die Augen, konzentrierte sich, rief all seine Kraft zusammen. Dann murmelte er, fast ohne die Lippen zu bewegen, die Formel, die er in Rhiannon entdeckt hatte. Er fühlte, wie die Kraft durch ihn hindurchströmte. Ein tiefes Brausen erklang, das in ein Donnern überging. Im schwachen Licht der Monde erhob sich eine wirbelnde Säule aus Luft, dann eine zweite, eine dritte. Sie schienen bis zu den Wolken zu reichen. Ein zweiter Befehl, und die Säulen begannen zu tanzen, auszuschwärmen, Elaudio und Jorak zu umkreisen und die Wachen zurückzudrängen.

Der Händler – und die Männer, die ihm zu Hilfe eilen wollten – blieben erschrocken stehen. Aber nicht lange. Dann rief Elaudio „Na warte!" und begann ebenfalls die Lippen zu bewegen. Ein heftiger Windstoß fegte über den Hügel und brachte eine Seitenwand der Ruine zum Einsturz. Jorak musste die Arme um die Reste einer halb verfallenen Säule schlingen, um nicht umgeworfen zu werden. Seine Tornados wurden vom Wind zerfasert, sie schwankten, drohten in sich zusammenzustürzen.

Ach du große Wolkenschnecke, dachte Jorak erschrocken. Seine Demonstration war gerade dabei, ziemlich spektakulär in die Hose zu gehen! Stark war er, dieser Elaudio, und viel besser ausgebildet als er selbst. Doch Jorak war nicht bereit, aufzugeben. Er sammelte all seine Kraft, um den Wind zu besänftigen, zu bremsen und gleichzeitig seine arg wackeligen Tornados aufrecht zu halten. Es klappte.

Elaudio runzelte die Stirn und ganz plötzlich ließ der Wind nach.

Doch Jorak hatte keine Zeit, aufzuatmen. Etwas Schwarzes sauste ihm entgegen, prallte auf seine Brust. Haarige Beine liefen über seinen Hals, auf sein Gesicht zu. Die Bolgspinne! Giftig war sie nicht, aber dieses Biest war so groß, dass es sich auf sein Gesicht legen und dort festklammern konnte, bis er erstickt war!

Voller Ekel griff Jorak nach der Spinne, versuchte sie von sich herunterzureißen. Doch die Insektenbeine hakten sich in seine Kleidung, unaufhaltsam strebte das Tier auf seinen Mund zu. Irgendwo im Hintergrund hörte er Elaudio lachen.

Jetzt könnte Alena langsam mal eingreifen, dachte Jorak verzweifelt. Verdammt, wo ist sie? Wo ist Cchraskar?

Bilder rasten durch seinen Kopf. Er hatte mal mit Bolgspinnen zu tun gehabt, als er auf dem Tiermarkt ausgeholfen hatte. Der Händler hatte ihm erklärt, mit welchem Griff man sie wieder unter Kontrolle bekam, wenn sie Ärger machten. Es gab da einen bestimmten Punkt knapp hinter dem Kopf, wenn man den mit drei Fingern einklemmte ... aber wo hatte dieses Biest überhaupt seinen Kopf? Er fühlte nur einen runden Leib und jede Menge Beine! Und es hatte schon sein Kinn erreicht, er schaffte es nicht, es festzuhalten oder von sich herunterzureißen. Vielleicht sollte er sich auf den Boden werfen und das Vieh einfach unter sich zerquetschen ...

Es war sein Glück, dass Elaudio in diesem Moment die Fackel hob, vielleicht um das Schauspiel besser zu genießen. Jorak sah kreisrunde schwarze Augen ganz nah vor sich, und plötzlich wusste er wieder, wo der Lähmungspunkt war. Instinktiv griff er zu, richtig diesmal. Die Spinne spürte, dass es ihr an den Kragen ging, und begann zu zappeln, versuchte zu fliehen. Aber es war zu spät. Einen Atemzug später hing sie schlaff in Joraks Griff.

Jorak wartete einen Moment, bis er sich etwas beruhigt hatte und sein Atem wieder leichter ging. Dann sagte er in gespielt gleichmütigem Ton: „Dürfte ich Euch die hier zurückgeben?“ und hielt Elaudio die erstarrte Bolgspinne hin.

Vorsichtig nahm Elaudio das haarige Tier. Er massierte es kurz, bis es sich wieder bewegte, dann streichelte er es und setzte es sich auf die Schulter. Als Elaudio sich wieder Jorak zuwandte, lächelte er. „Du hast es geschafft, Junge“, sagte er. „Ich bin beeindruckt. Ein Schwächling bist du nicht, und diese drei Tornados sind ein nettes Spielzeug. Jetzt weiß ich auch, mit wem ich´s zu tun habe. Du bist der Kerl, der mit dem Feuer-Gilden-Mädel über die Grenze gegangen ist, stimmt´s?“

„Ja“, sagte Jorak. „Mein Name ist Jorak ke Tassos.“ Er war so erschöpft, dass er sich erst einmal auf einen Säulenstumpf setzen musste. Es kostetete ihn immer enorme Kraft, die Tornados zu rufen.

„Also, was willst du?“, fragte Elaudio. „Ich gebe dir fünfhundert Tarba, ein starkes Dhatla und ein Haus in einem meiner Handelsposten, wenn du mir die Formel nennst.“

Jorak schluckte. Ganz offensichtlich waren seine Tornados mehr als ein Spielzeug, sonst hätte Elaudio nicht so viel geboten – und ganz sicher würde er sich noch hochhandeln lassen. Das hieß, er, Jorak, wäre reich, von einem Tag auf den anderen. Aber er wäre immer noch der verdammte Gildenlose, den jeder mit Abscheu ansah. Er zwang sich „Kein Interesse“ zu sagen.

„Hm ... zusätzlich eine hübsche Frau, ganz für dich allein?“

„Danke. Hab ich schon.“

„... und dazu einen eigenen Pfadfindervogel, der dich durchs Grasmeer führt, der dir verbunden ist wie ein Freund und Bruder?“

„Seinen Pfadfinder bekommt man vom Rat und dazu muss man der Gilde angehören“, sagte Jorak bitter. Pfadfinder waren ganz besondere Vögel – sie waren sehr klug und standen mit „ihrem“ Menschen in geistigem Kontakt. Außerdem hatten sie einen untrüglichen Orientierungssinn. Ohne einen dieser Vögel als Begleiter verirrten sich im Grasmeer von Nerada selbst Menschen, die dort ihr ganzes Leben verbracht hatten. Jorak hatte, als er im Grasmeer aufgewachsen war, viele Winter lang von einem eigenen Pfadfinder geträumt, aber irgendwann die Hoffnung aufgegeben.

Gutgelaunt schlug Elaudio ihn auf die Schulter und störte sich nicht daran, dass Jorak zurückzuckte. „Jetzt weiß ich, was du willst. Lass mich raten. In unsere Gilde aufgenommen werden, stimmt´s? Im Austausch gegen die neue Formel?“

„Ja“, sagte Jorak schlicht. „Werdet Ihr mich unterstützen?“

„Jedenfalls werde ich dem Hohen Rat eine Botschaft schicken und ihnen empfehlen, dich dein Anliegen vortragen zu lassen. Mehr kann ich nicht tun.“ Elaudio lachte. „Du könntest sogar Erfolg haben, ja, möglich ist´s. Aber weißt du, was für ein gefährliches Spiel du spielst? Der Rat ist tausendmal mächtiger als du, und du willst ihm die Bedingungen diktieren. Ich hoffe für dich, Junge, dass du damit davonkommst!"

„Viel habe ich nicht zu verlieren", sagte Jorak und sah zu, wie Elaudio sich mit seinen Leibwächtern den Weg durch die Sträucher zurück in die Stadt bahnte.

Als die Männer weg waren, kroch Alena ganz in der Nähe aus dem Gebüsch und klopfte sich den Dreck von der Tunika. Neben ihr klaubte sich Cchraskar mit verzogenem Gesicht Disteln aus seinem cremefarbenen Bauchfell. „Das hast du prima gemacht, Jo", sagte Alena fröhlich. „Mit etwas Glück können wir schon bald nach Nerada aufbrechen!"

Jorak nickte, seufzte und setzte sich erst mal. Grinsend holte Alena eine kleine Flasche aus einer Tasche ihrer Tunika und hielt sie ihm hin. „Wie wär´s mit einem Schluck Grünkorn-Schnaps auf den Schreck?"

„Ja, ich glaube, den kann ich jetzt gebrauchen", sagte Jorak verlegen, setzte die Flasche an die Lippen und nahm einen Schluck von der bitteren Flüssigkeit, die nach Kräutern und den Tiefen des Waldes schmeckte. Auf einmal war er froh, dass Alena vorhin nicht eingegriffen hatte. Hatte er sich schon zu sehr daran gewöhnt, dass sie ihn im Notfall aus der Patsche holte? Dabei war er immer so stolz darauf gewesen, sich selbst helfen zu können.

Jorak verdrängte den Gedanken. „Komm, lass uns zurückgehen nach Ekaterin", sagte er und stand auf.

GHO

Vor dem Aufgang des ersten Mondes scheuchte Ellba Rena und Tjeri ins Haus, damit das Mond-Orakel ungestört seine Rituale vollziehen konnte. Kurz bevor Tjeri ins Innere ging und die Tür hinter sich schloss, warf er einen Blick zum Himmel und runzelte die Stirn. „Schau mal, eine Flederkatze! Seit wann gibt´s die denn hier?"

„Was? Nein, du musst dich irren, es leben keine Flederkatzen in Alaak."

„Vielleicht hat sie sich verirrt und wollte ganz woanders hin." Tjeri setzte sich an den großen runden Tisch, an dem Ellba gerade die Essensreste abräumte. Sie hatte ihnen nichts angeboten; so weit ging ihre Gastfreundschaft dann doch nicht. Rena war nicht traurig deswegen; es roch muffig in dem niedrigen, dunklen Tempel und ein wenig nach angebranntem Blätterbrei.

„So, ich muss gehen – es ist so weit, ja, gleich geht der Mond auf", sagte die alte Frau und raffte hastig Schreibzeug zusammen. „Ich lese ihnen die Fragen vor, sie singen die Antworten, ja, und ich schreibe natürlich mit, so schnell ich kann!"

Rena und Tjeri warteten schweigend. Die Atmosphäre im Erdhaus war so drückend, dass Rena sich an einen anderen Ort wünschte, egal wohin, nur weg. Sie ließ die Augen über das Innere des Hauses wandern. Über die drei Schlafmatten mit den drei Decken in verschiedenen Farben, über das kunstvoll aus Holz geschnitzte Spielzeug, das neu und unbenutzt herumlag, über den Vorrat an Schreibmaterialien. Schriftrollen gab es keine. Auch keinen Krimskrams. Kaum zu glauben, dass hier drei Kinder lebten.

Es schien endlos zu dauern, bis die alte Frau mit einem voll gekritzelten Pergament wieder zum Vorschein kam.

„Ha, sie waren sehr gut eingestimmt heute, meine drei!" strahlte sie und rollte das Pergament umständlich auseinander, bis sie zu der Antwort auf Renas Frage kam. „Für Euch heißt es: ‚Er hat es auf der Insel gesehen, er weiß es schon!' Na, Ihr werdet sicher wissen, was das bedeuten soll, das ist ja Eure Sache! Von mir kann keiner erwarten, dass ich die Sprüche auch noch erkläre."

Rena nickte nur schwach, als Tjeri sich von Ellba verabschiedete, ging dann mit ihm den Gartenweg entlang zum Tor. Als sie draußen waren und außer Hörweite der Wachen, blieb Tjeri stehen und nahm sie in die Arme. „Nimm es nicht so tragisch, ich habe noch eine ganze Menge Zeit", versuchte er sie zu trösten. „Zumindest wissen wir jetzt, dass das Orakel kein Schwindel ist – ich habe niemandem außer dir von dieser Traumsuche damals erzählt, und keiner weiß, dass sie mich auf die Insel Caris Terada geführt hat."

Also konnten die Kinder wirklich die Zukunft vorhersagen. Seltsamerweise beruhigte das Rena überhaupt nicht.

Während Tjeri sich auf die Suche nach der Tochter des alten Mannes machte, wanderte Rena weiter nach Osten, um ein paar Verwandte in der Nähe zu besuchen. Der größte Teil von Renas Verwandtschaft lebte im Weißen Wald, im Dorf Fenimor. Rena übernachtete im Erdhaus ihrer Tante Nirminda. Dort gab es ein herzliches Willkommen, Neuigkeiten über Renas zahlreiche Cousins und Cousinen und jede Menge Nusskekse. Am zweiten Tag war ein Festessen zu ihren Ehren angesagt. Doch Rena konnte es nicht so genießen, wie sie gedacht hatte. Schon nach der ersten Hälfte des Abends protestierte sie schwach: „Nein, ich bin wirklich satt, ja, ganz wirklich, nein, ich will nicht noch ein Stück Pastete ..."

Sie brauchte dringend frische Luft. Rena stolperte nach draußen, lehnte sich schwer atmend an die grasbewachsene Außenwand des Erdhauses. Doch das nützte gar nichts, sie fühlte sich immer schlechter. Vielleicht vertrage ich keine Nusskekse mehr, dachte Rena. Doch dazu ging es ihr zu mies. Inzwischen war ihr ganzer Körper mit kaltem Schweiß bedeckt, sie zitterte. Dann schoss ein reißender Schmerz durch ihren ganzen Körper. Es war so schlimm, dass Rena kaum atmen konnte und es nicht einmal schaffte, um Hilfe zu rufen.

Zum Glück wunderte sich ihr Cousin Kip irgendwann, wo sie blieb, und fand sie. „Beim Erdgeist, was ist denn mit dir los?", rief er erschrocken. Da er mehr als einen Kopf größer war als sie, machte es ihm keine Schwierigkeiten, sie aufzuheben und ins Haus zu tragen.

„Ich weiß nicht", stöhnte Rena. „Es war ein ganz schlimmer Schmerz, aber ich glaube, es wird jetzt besser."

Kurz darauf lag sie auf einer bequemen Schlafmatte und fünf ihrer Verwandten standen kopfschüttelnd um sie herum. Ihr Cousin kratzte sich den Kopf. „Es kam ganz plötzlich, sagst du ..."

Rena nickte schwach. In jedem anderen Haus hätte sie vermutet, dass gerade jemand versucht hatte sie zu vergiften. „Vorher ist mir der Schweiß ausgebrochen, ich war wie in Panik – ganz seltsam."

„Die Pastete war jedenfalls noch gut, ich habe sie heute erst gebacken!", sagte Tante Nirminda spitz.

„Darauf wollte ich nicht hinaus", sagte Kip und blickte Rena ernst an. „Sag mal, wie steht es um deinen Lebensbaum? Geht es ihm gut? Ich finde, das klingt wie ein typischer Fall von Verbindungskrise. Dein Baum leidet und dir geht es ebenfalls schlecht."

„Ich war erst vor ein paar Tagen da, es ging ihm prächtig", murmelte Rena.

Ihre Tante verabreichte ihr Yerba Nierro, den gängigsten Heiltrank Dareshs, und irgendwann schaffte es Rena einzuschlafen. Als sie aufwachte, fühlte sie sich schwach und zittrig. Und immer wieder ging ihr im Kopf herum, was Kip gesagt hatte. Er war Holzmeister, kannte sich hervorragend mit Pflanzen aus. Was, wenn ihrem Baum tatsächlich etwas passiert war? Sie musste Gewissheit haben.

Vorsichtig schlug sie die rauen Leinendecken zurück, setzte sich auf. Ihr war schwindelig und es dauerte eine Weile bis sie sich traute aufzustehen. Mit zögernden Schritten ging sie in den Wohnraum hinüber, eine gemütlich dunkle Kuppel mit Wänden aus unverputzter Erde und Möbel aus weißem Colivar-Holz. Ihre Tante und Kip musterten Rena besorgt, als sie hereinkam.

„Ich muss los", sagte Rena. „Zu meinem Baum."

„Du kannst nicht alleine gehen – ich komme mit", sagte Kip entschlossen, und Rena protestierte nicht. Schnell schrieb sie eine Nachricht an Tjeri und schickte sie mit einem Wühler auf den Weg, dann packte sie ihre Sachen.

Mit Axt und Schwert

Im nächsten Ort lieh Rena ein Dhatla, damit ging es schneller. Kip half ihr, auf den Rücken des schnaubenden, zwei Menschenlängen hohen Reptils zu klettern und es sich hinter dem hornigen Nackenschild bequem zu machen. Sie brauchten nur einen halben Tag bis zu der Lichtung. Rena band das Dhatla ein Stückweit entfernt an; zu ihrer Viveca führte kein Pfad, man musste sich durchs Unterholz winden. Beunruhigt sah sie an geknickten Pflanzen und niedergetretenem Gras, dass Menschen hier entlanggegangen waren. Sie wechselte einen Blick mit Kip.

„Etwa vier Leute", sagte er.

Renas ungutes Gefühl wurde immer stärker. Das letzte Stück bis zur Lichtung rannte sie. Als sie sah, was geschehen war, stockte ihr der Atem und ihr Körper schien taub zu werden. Tränen drängten aus ihren Augen, überschwemmten ihre Wangen.

Jemand hatte ihre Viveca gefällt. Nur noch ein kniehoher Stumpf war zu sehen, auch der Stamm war schon weggebracht worden. Abgerissene Blätter und Blüten lagen herum, in den Boden getrampelt.

Rena krümmte sich vor Kummer. Jetzt wusste sie also, was sie gestern gespürt hatte.

Inzwischen hatte Kip die Reste des Baumes und die Fußspuren untersucht und kam zurück, um ihr Bericht zu erstatten. „Das waren keine Erd-Leute. Erstens, weil keiner von uns so etwas tun würde. Eine lebende Pflanze! Zweitens haben die Kerle die Viveca mit ihren Äxten dermaßen laienhaft umgeschlagen, dass sie sich vermutlich um ein Haar selbst etwas abgehackt hätten."

Rena wischte sich die Tränen aus dem Gesicht und putzte sich die Nase mit einem Blatt. „Vielleicht haben sie nicht geahnt, dass es ein Lebensbaum ist. Nicht jeder, der zu einer anderen Gilde gehört, weiß, was das grüne Band um den Stamm bedeutet."

Den Stamm, den es nicht mehr gab. Sofort strömten ihre Tränen wieder.

Kip legte den Arm um sie. „Ich schätze, es waren Soldaten. Denen sind Bäume so was von egal."

„Aber warum haben sie es gemacht?", schluchzte Rena. Doch dann stieg eine Ahnung in ihr hoch, eine Ahnung, die so furchtbar war, dass sie sie selbst kaum glauben konnte. Nur sehr wenige Menschen wussten von diesem Baum, wo er stand und was er ihr bedeutete. Aber vor zwei Tagen hatte sie jemandem davon erzählt – den Kindern des Mond-Orakels. Rena musste an den hasserfüllten Blick denken, den die drei ihr zugeworfen hatten, als sie nach ihren Eltern gefragt hatte.

Wenn das stimmt, dachte Rena, wenn sie es mich auf eine solche Art büßen lassen wollten ... dann gibt es dafür nur ein passendes Wort. Bösartig.

Rena ging hinüber zum Stumpf ihres Baumes, legte die Hände darauf, versuchte einen Lebensfunken darin zu spüren. Seine Aura war sehr schwach. Der Baum, den sie gekannt hatte, war tot und verschwunden. Kip half ihr, die Lichtung nach übriggebliebenen Früchten abzusuchen, nach Samen, aus denen neue Bäume wachsen konnten. Sorgfältig knotete Rena sie in ein Tuch und verstaute sie in ihrer Tunika. Wenigstens würde die Viveca Nachkommen haben. Rena beschloss ihren neuen Lebensbaum an einem sicheren Ort zu pflanzen, neben ihrem und Tjeris Haus in Vanamee.

Sie warf noch einen Blick zurück, bevor sie losritten. Es war fast unerträglich, wie leer der Himmel über der Lichtung jetzt war ohne die ausladende Krone der Viveca.

„Wohin reiten wir?", fragte Kip, als sie wieder auf dem Rücken des Dhatlas saßen.

„Zum Orakel", sagte Rena mit zusammengebissenen Zähnen.

Auf halbem Weg holte Tjeri sie ein. Als sie ihm erzählte, was passiert war, nahm er sie ganz fest in die Arme. Wir sind in letzter Zeit nur noch damit beschäftigt, uns gegenseitig zu trösten, dachte Rena erschöpft und fragte ihn: „Hast du wenigstens Erfolg gehabt?"

Er seufzte. „Ich habe es Grawo schon sagen müssen: Seine Tochter ist tot. Anscheinend hat sie sich nachts vom Lager entfernt und dabei haben Blitzranken sie erwischt. Alles, was ich finden konnte, waren ihre Knochen, und die waren völlig überwuchert."

„O nein", sagte Rena traurig. Blitzranken waren neben Lanzenbäumen eine der größten Gefahren in der Provinz Alaak. Sie wuchsen im Frühjahr so schnell, dass sie sich mit erstaunlicher Geschwindigkeit bewegen und unvorsichtige Reisende umschlingen konnten.

Schon bald standen Rena, Tjeri und Kip wieder vor dem schimmernden Tor des Orakels. Doch diesmal schüttelten die Soldaten die Köpfe, als Rena Einlass forderte. „Wir haben Befehl, Euch nicht mehr vorzulassen", sagte der Offizier Lanjo bedauernd. „Da kann man nichts machen. Die Kinder ändern ihre Meinung selten."

Rena wusste nicht genau, was sie eigentlich erreichen wollte – eine Bestätigung, dass ihr Verdacht stimmte, Strafe, Rache, zumindest eine Erklärung. Aber sie wusste, dass sie nun den Weg über den Rat gehen musste. Anders kam sie an das Orakel nicht mehr heran.

Schon am frühen Nachmittag erreichten sie die Felsenburg. Tjeri und Kip lagerten ein Stück weiter weg im Wald – nach dem, was Tjeri in der Felsenburg erlebt hatte, bekam man ihn nicht mehr dazu, diesen von zahllosen Tunneln und Räumen durchzogenen Berg zu betreten. Als junger Agent seiner Gilde hatte er sich in der Burg dazu verleiten lassen, die geheimnisvolle Quelle zu berühren. Zehn Monate lang hatte die Regentin ihn im Kerker dafür büßen lassen.

Rena stürmte durch das Haupttor und sofort zu den Räumen von Dorota, einer Delegierten des Hohen Rates, die Rena gut kannte. Sie wirkte gemütlich und nicht besonders helle, doch das täuschte.

„Schön, dich zu sehen, Rena – beim Erdgeist, was ist dir denn passiert?"

„Jemand hat meinen Lebensbaum gefällt“, sagte Rena und unterdrückte mühsam die Tränen. „Eine Viveca auf einer Lichtung westlich von hier.“

Entsetzen breitete sich auf Dorotas Zügen aus. „Wir haben angeordnet, dass eine Viveca gefällt wird. Blattfäule, war das dein Lebensbaum? Die Soldaten haben nichts Auffälliges an ihm bemerkt.“

„Ihr habt das angeordnet?“

„Wir hatten keine Wahl. Das Orakel hat es gefordert. Es meinte, der Baum würde die Energien des Mondes stören. Wenn wir ihn nicht geopfert hätten, dann hätten wir keine Vorhersagen mehr bekommen.“

Rena war sprachlos. Immerhin hatte Dorota den Anstand, beschämt dreinzublicken. Sie konnte sich wohl denken, dass das mit den Energien des Mondes ein großer Unsinn war.

„Ihr habt euch erpressen lassen“, sagte Rena schließlich mühsam beherrscht. „Das Orakel wollte sich an mir rächen und durch euch konnte es das ohne jede Gefahr machen.“

„Was hätten wir denn tun sollen?“ Dorota ließ sich in einen gepolsterten Stuhl nieder. „Der Rat muss Daresh regieren, seine Zukunft sichern. Wenn man dabei die Möglichkeit hat, in die Zukunft zu sehen, dann macht man viele Fehler erst gar nicht. Natürlich wäre es zu viel von dir verlangt, dass du deinen Lebensbaum als Opfer für Dareshs Zukunft siehst.“

„Ja, das ist zu viel verlangt“, sagte Rena. Als sie sich an den kalten Blick der drei Kinder erinnerte, lief ihr ein Schauer über den Rücken. „Und wenn das Mond-Orakel die Zukunft von Daresh ist, dann habe ich Angst um uns alle.“

Die Nachricht, dass der Hohe Rat der Luft-Gilde Jorak empfangen würde, kam schon drei Tage später. Er sollte sich zum Mittsommertag in Eolus einfinden und eine Bestätigung seiner Mutter mitbringen, dass sie zur Luft-Gilde gehörte und er tatsächlich ihr Sohn war.

Staunend drehte Jorak den kleinen Pergamentzettel in den Händen. So weit war er noch nie gekommen, in all den Wintern nicht. Bisher waren seine Anliegen immer von untergeordneten Bediensteten des Rates abgewimmelt worden.

Er zeigte Alena den Zettel, sie las ihn und dann lagen sie sich jubelnd in den Armen, tanzten wie wild im unterirdischen Versteck herum.

„Nerada, ich komme!“, brüllte Jorak.

„Und diesmal werden die Kerle vom Rat dich nicht so leicht wieder los!“, schrie Alena.

Mit geröteten Gesichtern und glänzenden Augen ließen sie sich schließlich auf die dicken Teppiche des Wohnraums fallen. „Eigentlich können wir sofort los“, überlegte Jorak. Sein Herz pochte wild vor Aufregung und Vorfreude. „Wir müssen nur noch Ausrüstung, Proviant und so weiter organisieren.“

Alena lächelte zufrieden. „Ich wollte schon immer mal das Grasmeer sehen.“ Sie stützte sich auf einen Ellenbogen. „Wie war das eigentlich, als du damals dem Rat vorgestellt worden bist?“

Auf einmal war Joraks Hochstimmung weg. Die Erinnerung schmerzte noch immer. „Zuerst waren wir beim Rat der Feuer-Gilde, frag mich nicht warum. Vielleicht hat meine Mutter gehofft, dass sich mein Vater doch noch für mich interessieren würde, wenn die Feuerleute mich aufnehmen.“ Jorak seufzte. „Damals war ich sieben. Ich war völlig eingeschüchtert von diesem riesigen Turm mit den silbernen Flammen, den Schwertern und dem ganzen Drumherum, ich habe kaum ein Wort rausbekommen. Und weil ich keinen Unterricht gehabt hatte, konnte ich natürlich nicht mal eine winzige Flamme herbeirufen. Obwohl ich heute weiß, dass ich die Fähigkeit dazu habe. Kurz, sie wollten mich nicht.“

Jetzt war auch von Alenas Gesicht das Lächeln verschwunden. „Aber was war mit der Luft-Gilde?“

„Als ich mit neun da vorgestellt worden bin, waren ich und meine Mutter schon ein bisschen verzweifelt, weil wir wussten, dass das meine letzte Chance war. Ich hatte mich monatelang vorbereitet, um nicht wieder die gleichen Fehler zu machen. Aber denen war ich unheimlich, weil ich so sehr nach Feuer-Gilde aussah. Obwohl meine Mutter mich nach den Traditionen der Luft-Leute aufgezogen hatte."

Alenas Augen blitzten. „So was *eine Chance geben* zu nennen ist ein schlechter Witz."

„Diesmal wird alles anders", sagte Jorak, und einen Moment lang glaubte er tatsächlich daran. Doch tief in ihm saß ein kalter, harter Kern der Angst. Nicht die weite Reise nach Eolus machte ihm Sorgen. Es war ein Ort namens Torreventus – im Norden von Nerada, direkt auf dem Weg nach Eolus –, der seine Gedanken beherrschte. Dort war Jorak aufgewachsen, dort lebte seine Mutter noch immer. Mit dreizehn Wintern hatte Jorak sich einer Händlergruppe angeschlossen, um seinen Vater zu suchen, und war schließlich in Ekaterin gelandet. Seither hatte er seiner Mutter jedes Mal, wenn er irgendwie das Geld für einen Wühler hatte zusammenkratzen können, eine Nachricht geschickt. Aber es waren nur wenige Sätze gewesen, die sie alle paar Monate austauschen konnten. Und vor ein paar Wintern waren die Botschaften seiner Mutter seltsam zurückhaltend geworden. Er hatte nach Torreventus reisen wollen, um sie zu sehen, aber sie hatte ihm davon abgeraten – und danach hatte sie ihn nie wieder gefragt, wann er sie denn nun besuchen würde. Das tat weh. Ein Dutzend mögliche Erklärungen hatte er sich für ihr Verhalten ausgedacht. Nun, bald würde er wissen, was wirklich los war – wenn er diese Bestätigung wollte, hatte er keine Wahl, er musste nach Torreventus.

In den letzten Wintern hatte er versucht, nicht mehr so oft an seine Mutter und seinen Heimatort zu denken. Es war leichter so. In einer großen Handelsstadt wie Ekaterin war es möglich, als Gildenloser zu überleben, hier hatte er echte Freunde gefunden. Auch in Torreventus hatte es Menschen gegeben, die ihn mochten, aber viele Bewohner hatten mehr als deutlich gemacht, dass er unerwünscht war.

Schade, dass ich nicht erst auf dem Rückweg dort vorbeischauen kann, dachte Jorak. Wie sich das wohl anfühlen würde, mit einem brandneuen Gildenamulett um den Hals dort hinzukommen?

Feigling, Feigling, Feigling!, schrie seine innere Stimme. Wenn Alena wüsste, dass du dich nicht nach Hause traust! Sie ist so viel stärker als du.

Jorak zwang seine innere Stimme, Ruhe zu geben, und half seiner Gefährtin, das Versteck nach möglichem Tauschgut durchzugehen. Keldo war ohne Erben gestorben, und auch er war aus der Gilde ausgestoßen worden, deshalb gehörte das Versteck und alles darin im Prinzip den Findern, also Alena und ihm. Es tat Jorak in der Seele weh, einige der wertvollen Gegenstände verkaufen zu müssen. Aber es ging nicht anders – sie brauchten dringend Ausrüstung, und Geld hatte keiner von ihnen. Jorak entschied sich, ein paar Wasserdiamanten anzubieten, und zum Glück fand er unter den Händlern schnell einen Abnehmer. Einen Tag später war alles bereit und sie machten sich auf dem Weg nach Nerada.

Durch Alaak – die Provinz der Erd-Gilde – zu reisen war längst nicht so beschwerlich wie der Weg ins Grenzgebiet und die Wüste jenseits davon. Wiesen voller Blumen und Felder, auf denen Flachs, Pfeilwurzeln und Grünkorn wuchsen, umgaben Jorak und Alena. Hin und wieder durchquerten sie ein kleines Wäldchen, in dem die Luft kühl und frisch war. Nahe Ekaterin wanderten sie über breite Straßen aus gestampfter Erde, in denen man die Spuren von Dhatla-Krallen sah. Familien, Händler und Boten waren unterwegs, und an fast jeder Kreuzung standen kleine, aus Holz gezimmerte Stände, die Waren und Wegzehrung verkauften. Cchraskar schnupperte jedes Mal erwartungsvoll. Aber nur einmal schaffte er es, Alena davon zu überzeugen, dass er jetzt unbedingt ein Stück gebratenes Torquil brauche.

„Das ist ja fast ein Spaziergang", meinte Alena. Sie schritt kräftig aus und ihre knöchelhohen Lederstiefel wirbelten den gelbgrauen Straßenstaub auf. „Müssen wir jetzt einfach weiter nach Osten?"

„Erst mal ja", sagte Jorak nach einem Blick auf die Karte, die er mit der übrigen Ausrüstung einem Händler abgekauft hatte. „Aber in der Stadt habe ich gehört, dass ein Erdrutsch vor ein paar Tagen möglicherweise den Hauptweg nach Nerada blockiert hat. Kann sein, dass wir ausweichen müssen, dann brauchen wir ein paar Tage länger."

„Ach, auf ein paar Tage kommt es doch nicht an", meinte Alena. „Im Gegenteil, ist doch schön, so zu reisen."

Das stimmte. Hier im Wald konnten sie sich küssen, ohne dass jemand zuschaute – außer dem garantiert nicht neidischen Cchraskar – und niemand störte sich daran, dass sie sich beim Einschlafen in den Armen hielten. Als sie an ihrem ersten Lagerplatz an einem Waldsaum in Alaak mit einer Formel ein Kochfeuer entzündeten, fühlte sich Jorak einfach nur glücklich. Es wurde gerade dunkel und die Flammen beleuchteten Alenas ovales Gesicht und tanzte auf ihrem rotbraunen Haar. Jorak konnte sich kaum an ihr sattsehen.

Alena blickte ihn unverwandt an. „Was ist, wollen wir mit dem Schwerttraining weitermachen? Selbst wenn du einmal zur Luft-Gilde gehörst, wirst du dich wehren müssen."

Freude durchflutete Jorak – und verebbte gleich wieder. „Furchtbar gern. Aber ich weiß nicht, ob wir dieses Risiko jetzt, so kurz vor dem Ziel, noch eingehen sollten. In Rhiannon war das mit den Übungen in Ordnung. Aber wenn hier in Daresh jemand beobachtet, dass du mir etwas beibringst ..."

Alena zuckte die Schultern. „Wir lassen uns einfach nicht erwischen. Cchraskar kann Wache halten, während wir üben. Der wittert eine Grollmotte aus einer Tagesreise Entfernung."

„Eher zwei", behauptete Cchraskar.

„In Ordnung", sagte Jorak zögernd.

Alena stand auf und stapfte in den Wald. Nach ein paar Atemzügen hatte sie zwei glatte, gerade Äste gefunden und mit einigen gezielten Tritten auf die Länge eines Schwerts zurechtgestutzt. Dann warf Alena Jorak einen der Äste zu und ging mit dem anderen in Grundstellung. „Ich warne dich", sagte sie, „das wird anstrengend für dich und blaue Flecken wirst du in nächster Zeit reichlich haben."

„Blau ist meine Lieblingsfarbe", behauptete Jorak. Zwar hatte er nicht die Hoffnung, einmal so gut kämpfen zu können wie Alena, aber er wollte sich und sie auf keinen Fall mit seiner schlechten Schwerttechnik blamieren.

Er kreuzte sein Übungsschwert mit ihrem und kurz darauf flogen Rindenstücke in alle Richtungen. Wie versprochen schonte Alena ihn nicht und hatte keine Hemmungen, ihn herumzukommandieren. Das machte Jorak nichts aus. Denn es gehörte eben dazu, wenn man von jemandem lernen wollte, und er lernte für sein Leben gern. Außerdem war Alena trotz ihres rauen Tons eine gute Lehrerin. Sie erfasste schon nach wenigen Atemzügen, wo seine Stärken und Schwächen lagen, und improvisierte Übungen für ihn, die ihn forderten, aber nicht überforderten.

Als sie eine kurze Pause einlegten und sich keuchend an einen Baum lehnten, meinte Jorak: „Du hast echtes Talent dafür, einem etwas beizubringen. Hast du so was schon öfter gemacht, Leute unterrichtet?"

„Nein, aber das sollte ich vielleicht, es macht Spaß", sagte Alena und trank einen Schluck aus ihrem Trinkbeutel. „Los, weiter geht´s! Wir müssen an deiner Abwehrtechnik arbeiten."

Sie übten so konzentriert, dass sie beide zusammenzuckten, als Cchraskar ein warnendes Fauchen ausstieß. „Acchtung, jemand kommt! Haben sich gegen den Wind genähert, nah sind sie schon, nah!"

„Wie war das mit der Grollmotte und den zwei Tagesreisen?", beschwerte sich Jorak. Es war zu spät, um sich zu verstecken, sie schafften es nur noch, ihre Äste ins Gebüsch zu werfen. Keine drei Atemzüge später traten die Wanderer – zwei stämmige Frauen der Erd-Gilde – aus der Dunkelheit in den Lichtkreis des Feuers. Als sie die beiden jungen Leute sahen, wirkten sie erst verblüfft und kamen dann näher. „Wir haben Lärm gehört. Alles in Ordnung, Mädchen, belästigt er dich?"

Der verächtliche Blick, mit dem die beiden Frauen ihn musterten, traf Jorak bis ins Mark. Zum Glück ließ sich Alena nicht aus der Ruhe bringen und antwortete: „Nein, natürlich nicht, ich habe ihn nur nach dem Weg gefragt."

Das war nicht sehr überzeugend; sie waren beide durchgeschwitzt und Jorak ahnte, dass ihm nach mehreren Stürzen beim Üben vermutlich Gras und Laub in den Haaren hingen. Außerdem war da noch ihr Lagerfeuer, das darauf hindeutete, dass zumindest einer von ihnen sich hier für die Nacht eingerichtet hatte. Es überraschte ihn nicht, als eine der Frauen die Stirn runzelte. „Mädchen, weißt du nicht, dass es verboten ist, mit Gildenlosen zu tun zu haben?"

„Soll ich mich denn lieber verlaufen als nach dem Weg zu fragen?" Alena stemmte die Arme in die Hüften.

Misstrauisch blickten die beiden Frauen zwischen Alena und Jorak hin und her. Die ahnen was, dachte Jorak. Er grub die Hände in die Taschen seiner Tunika, senkte den Kopf in der typischen Haltung der Ausgestoßenen und begann davonzugehen. Das wirkte endlich. Als die beiden Frauen verschwunden waren, hob Alena ihr hölzernes Übungsschwert wieder auf und rief: „Du kannst zurückkommen, sie sind weg!" Als er wieder herangekommen war, fügte sie hinzu: „Hoffentlich sagen sie nicht dem nächstbesten Gildenvertreter Bescheid."

Das schien Alena wenig Angst einzujagen. Doch Jorak ließ den Ast liegen, mit dem sie geübt hatten. Ihm war der Spaß an der Lektion vergangen. Alena hat etwas Besseres verdient als einen Gildenlosen, ging es ihm immer wieder durch den Kopf. Ich bin nicht gut für sie. Ich bringe sie in Schwierigkeiten. Wie soll das nur weitergehen? Vor allem dann, wenn keine dieser verdammten Gilden mich aufnimmt?

„Lassen wir´s gut sein für heute, ich bin müde", sagte er laut. Schon bald darauf rollte er sich in seine Decke.

Alena schielte zu Jorak hinüber. Er hatte sich auf die andere Seite ihres Feuers verzogen und mit dem Rücken zu ihr gelegt. Es war ziemlich klar, dass er jetzt keine Gesellschaft wünschte.

Ich war zu ungeduldig mit ihm, dachte Alena schuldbewusst. Rostfraß, ich hätte ihn nicht so anbrüllen sollen, als er diesen Abwehrschlag verpatzt hat. Das war sowieso ziemlich dumm von mir, weil uns dadurch diese Erd-Gilden-Glucken gehört haben. Ich scheine doch kein Talent zum Unterrichten zu haben. Schade!

Um sich von ihren düsteren Gedanken abzulenken, zog Alena ihr Smaragdschwert, legte es quer über ihre Knie und kramte einen Lappen und Polierpaste aus ihrem Gepäck. Sie strich über den grünen Edelstein im Griff, begann dann geduldig die schmale Klinge auf Hochglanz zu bringen. So ein Schwert braucht Jorak, dachte Alena. Einen leichten Zweihänder. Der passt zu dem Kampfstil, den ich ihm beibringen will.

Wenn man die Klinge etwas schräg hielt, konnte man die fein eingravierten Buchstaben lesen, das Gedicht ihres Vaters. Ein Hauch der Ewigkeit, begann es. Das hatte Tavian für Alix geschrieben. Alena seufzte. Sie hatte immer noch keine Ahnung, wie sie es anstellen sollte, ihre Mutter „wiederzuentdecken", wie Jorak es vorgeschlagen hatte. Vielleicht sich mit Menschen treffen, die in Alix´ Leben eine wichtige Rolle gespielt hatten? Aber mit wem zum Beispiel? Sie wusste nichts über das Leben von Alix, bevor sie Rena und Tavian kennengelernt hatte. Pa hatte nur erzählt, dass sie Agentin für den Rat der Feuer-Gilde gewesen war.

Als Alena beim besten Willen kein Stäubchen mehr auf ihrer Klinge erkennen konnte, legte auch sie sich zum Schlafen nieder – eine Armlänge von Jorak entfernt, um ihn nicht aufzuwecken. Sie behielt die Hand am Griff ihres Schwerts, denn ihre eigenartige Waffe hatte die Macht, ihr Träume zu senden. Träume, die etwas über die Zukunft verrieten oder ihr halfen.

Doch Alena schlief traumlos und tief.

Am nächsten Tag schien zu Alenas Erleichterung alles wieder im Lot, keine wütenden Gildenvertreter waren erschienen und Joraks Guten-Morgen-Kuss war verliebt wie eh und je. Bei Sonnenaufgang wanderten sie weiter. Je weiter sie sich von Ekaterin, der großen Handelsstadt, entfernten, desto schmaler wurden die Wege; aber immerhin waren sie noch breit genug, um sie mit einem Dhatla benutzen zu können. Sie sahen kaum noch Felder und wanderten jetzt fast nur noch durch tiefe Wälder, rechts und links des Pfades war das Dickicht undurchdringlich. Kühl war es hier, die Kronen der Bäume ließen kaum Sonnenlicht durch.

Cchraskar schlurfte nicht mehr gelangweilt hinter ihnen her, sondern lief voran und witterte immer wieder neugierig, die dunklen Augen blank und aufmerksam. „Nicht viel Dörflinge hierrr“, knurrte er und Alena nickte. Stimmt, ihnen war schon seit längerer Zeit niemand mehr entgegengekommen.

Woran das lag, stellten sie am Nachmittag ihres zweiten Reisetages fest. Erschrocken musterten sie die Verwüstungen vor ihnen: Der Pfad war durch eine gewaltige Schlammlawine verschüttet, feuchte Massen von Matsch und Steinen, durch die sich noch immer Wasserrinnsale schlängelten. Kreuz und quer ragten entwurzelte Bäume aus dem Schlamm hervor. Cchraskar verschränkte die Pfoten. „Iccch gehe da nicht rein, ich nicht!“

Alena versuchte es, sank bis zu den Schienbeinen ein und machte, dass sie wieder zurückkam. „Rostfraß, hier kommen wir nicht weiter!“

Auf einem Baumstamm hockend diskutierten sie, was sie tun konnten. „Vor einer Stunde habe ich gesehen, dass ein Weg abgezweigt ist“, meinte Alena. „Wie wäre es, wenn wir den nehmen?“

Jorak nickte. „An den kann ich mich auch erinnern. Er führt wenigstens in die richtige Himmelsrichtung.“

Der Pfad, der abzweigte, war so klein, dass sie ihn fast übersehen hätten. Aber er war besser als nichts. Cchraskar trippelte auf seinen kurzen Beinen voran, Alena und Jorak folgten ihm. An diesem Abend fanden sie keine Lichtung, auf der sie rasten konnten, und sie mussten sich einen Lagerplatz freihacken. Alena benutzte ihr Smaragdschwert dafür und spürte seinen Widerwillen dagegen, die Pflanzen zu durchschneiden. Schwer und plump lag es in ihrer Hand.

Am nächsten Tag wanderten sie weiter. Und als die Sonne im Zenith stand, fanden sie die toten Vögel. Aufgeregt flitzte Cchraskar im Unterholz umher. „Hier ist einer, und hier noch einer!“, fauchte er. Überall lagen tote Vögel herum, alle Arten waren darunter, vom Rubinvogel bis zum Quidipa. Sie befanden sich in verschiedenen Stadien der Verwesung. Manche schienen gerade erst gestorben zu sein, andere waren nur noch ein zerfleddertes Bündel Federn und Knochen. Ratlos stupste Alena einen der kleinen Körper mit der Schwertspitze an. „Schwer zu sagen, woran der hier gestorben ist. Gebrochener Flügel, glaube ich.“

„Bei dem hier auch“, rief Jorak, der bekümmert einen toten Gelbfeder-Bussard inspizierte. „Was kann hier passiert sein? Es sieht aus, als wäre er gegen ein Hindernis geflogen. Aber er hätte ja blind sein müssen, um die Bäume nicht zu sehen!“

Verstört setzten sie ihren Weg fort.

Rena und Tjeri mussten zu ihrem Haus in Vanamee zurückkehren. Noch immer ging es Rena schlecht, sie fühlte sich schwach und apathisch. Es war, als hätte der Tod ihres Baumes ihren Körper jede Kraft gekostet. Die Heilerin der Erd-Gilde, die sie kommen ließen, zuckte nur die Schultern: „So was dauert, du musst dich eben eine Weile schonen.“ Schlimm fand Rena auch, dass ihr nicht einmal ein Stück Holz von ihrem Baum geblieben war – die übereifrigen Diener der Burg hatten den Stamm schon zu Wagenrädern verarbeitet. Ihre Viveca, zu Wagenrädern!

Tjeri wies alle Ratsuchenden ab, die Rena sprechen wollten. Er brachte ihr einen Trank mit Yerba Nierro ans Bett, betrachtete sie besorgt und strich ihr eine Haarsträhne aus der Stirn. Rena musste die Tasse mit beiden Händen halten, um sie nicht fallenzulassen. „Ich muss irgendetwas unternehmen“, sagte sie.

„Verdammt, Rena, du bist krank.“ Tjeri seufzte. „Außerdem gibt es genug andere Leute, die für Daresh verantwortlich sind.“

„Ja, und?“ Rena dachte nach. „Ich glaube, der erste wichtige Schritt wäre, mehr über die Kinder herauszufinden. Dann können wir uns ja immer noch entscheiden, wie man mit ihnen umgehen sollte.“

Tjeri nickte. „Auf jeden Fall wird es besser sein, bald etwas zu tun ... jetzt kann man sie vielleicht noch lehren, dass sie ihre Macht nicht missbrauchen sollten. Vielleicht kann man sie sogar noch dazu bringen, dass sie sich für das schämen, was sie anderen Menschen angetan haben.“

Rena fröstelte und wickelte sich enger in ihre Decken. „Aber wenn sie verwöhnt und mächtig aufwachsen und schließlich Erwachsene sind ... dann sieht´s böse aus für uns alle.“

Sie beschloss in der kommenden Woche nach Karénovia zu reisen. Dort, in der abgelegenen Gegend am Schnittpunkt dreier Provinzen, waren die Kinder aufgewachsen und entdeckt worden.

Wie erwartet war Tjeri nicht begeistert von ihren Plänen. „Nächste Woche? Brackwasser, ich fürchte, dann müsstest du allein losziehen. Ich habe ein paar wichtige Aufträge."

„Ich komme schon klar", versicherte ihm Rena, obwohl ihr beim Gedanken, allein zu reisen, nicht ganz wohl war. Was, wenn sie einen Rückfall hatte?

„Weißt du was – Ruki könnte mit dir kommen", schlug Tjeri vor. „Er kann mir oder einem anderen deiner Freunde schnell Bescheid geben, falls du in Schwierigkeiten gerätst."

Rena lächelte. „Gute Idee." Ruki, ein Storchenmensch, hatte sie bei ihrer Reise zum Smaragdgarten begleitet. Damals war er ein kleiner, fetter Außenseiter gewesen, den seine Sippe verstoßen hatte. Nach der Reise mit ihr hatte er im Grasmeer neue Gefährten gefunden. Inzwischen war er längst ausgewachsen und arbeitete hin und wieder als fliegender Kundschafter und Bote im Dienst des Rates.

Keine drei Tage später – es war ein windiger, regnerischer Tag – landete jemand vor ihrem Haus. Er schüttelte lautstark seine nassen Federn und hob abwechselnd die Klauenfüße, wenn mal wieder eine Welle den Steg überspülte. „Alles nass, nass, nass!"

„Ruki! Sag bloß, du hast dich immer noch nicht ans Wasser gewöhnt!" Lachend umarmte Rena ihren alten Freund. Seidigglatt fühlten sich die großen schwarz-weißen Schwungfedern seiner Arme an, als er sie an sich drückte. Inzwischen überragte er sie und sie musste zu ihm aufblicken, wenn sie ihm ins Gesicht sehen wollte. Wirklich dürr – so wie die anderen Storchenmenschen – war er nie geworden, aber seine Flugmuskeln schienen kräftig genug, das auszugleichen.

„Iich habe eiine Nachricht für diich, Rena", verkündete er stolz und zog ein Pergament hervor. Neugierig rollte Rena die Nachricht auseinander. Sie war von Alena. Schnell überflog Rena die wenigen Zeilen.

„Sie reisen gerade nach Nerada, dort darf sich Jorak dem Hohen Rat der Luft-Gilde vorstellen", berichtete Rena ihrem Gefährten. „Ich wünsche ihm so sehr, dass er wirklich von einer Gilde aufgenommen wird!"

„Eher wird der Regen von unten nach oben fallen, fürchte ich", sagte Tjeri. „Aber ich wünsche ihm auch, dass es klappt. Wenn wir Kinder gehabt hätten, wären sie heute wahrscheinlich in der gleichen Lage wie er."

Rena verzog das Gesicht. „Ja. Leider denken noch viel zu viele Leute, dass Schlamm rauskommt, wenn sich Erd- und Wassergilde vermischen."

Sie kannte Alena schon von Kindheit an, ihre Mutter Alix war Renas beste Freundin gewesen. Doch wirklich befreundet waren sie und Alena erst seit einem Winter, seit ihren Erlebnissen in Ekaterin. Auch Tjeri verstand sich gut mit ihr und Jorak. Als die beiden zu Besuch im Seenland gewesen waren, hatte er sie zwar nicht zu einem Bad im See überreden können. Dafür hatte er ihnen ein paar Tricks beigebracht, wie man beim Tauchen länger die Luft anhalten konnte. Also genau das, was jemand wissen musste, der die meiste Zeit in einer Wüste lebte.

Rena war gespannt, wann sie und Alena sich wiedersehen würden. Vielleicht schon bald? Das Schicksal würde es zeigen.

Der Geschichtenerzähler

Alena stieg vorsichtig über einen toten Vogel hinweg, der mitten auf dem Pfad lag, und spähte voraus. „Da hinten wird es heller. Sieht so aus, als wäre der Wald dort zu Ende."

Kurz darauf brach der Weg ab. Der Anblick, der sich ihnen bot, machte sie stumm vor Staunen. Vor ihnen erstreckte sich ein Wald ganz anderer Art. Die Morgensonne schien durch unzählige, fast durchsichtige Stämme hindurch. „Ein Wald aus Glas", flüsterte Jorak. „Wunderschön ..."

Alena nickte und sah sich fasziniert um. Dünn waren sie, diese Bäume, lang und gerade wie Lanzen. Nur wenige waren überhaupt so dick wie Alenas Handgelenk, bei dieser Sorte war das Glas leicht trübe. Es gab alle Farbvarianten, von farblos bis zu einem zarten Rosa, Gelb oder Blau. Das Licht brach sich in den Glasstäben, zeichnete eigenartige Linien auf den Boden. So dünn die Gebilde auch waren, sie schienen so hoch zu sein wie normale Bäume. Weit, weit oben konnte man, wenn man genau hinsah, winziges, durchscheinendes Blattwerk erkennen. Seitenäste sah Alena gar keine.

Bei aller Schönheit dieses Waldes – Alena fand ihn auch unheimlich. Sie musste an die Vögel denken, die in dieser Gegend den Tod gefunden hatten. Wahrscheinlich, weil sie die durchscheinenden Stämme nicht gesehen hatten und dagegen geflogen waren. Verletzt hatten sie dann versucht zu fliehen. „Erkennst du irgendeinen Pfad?", fragte sie Jorak, doch ihr Freund schüttelte den Kopf.

„Fürchte, wir müssen uns einen Weg mitten durch bahnen. Vielleicht sollten wir besser zurückgehen? Ich bin mir gar nicht sicher, ob wir hier weiterkommen, ohne eine Menge kaputtzumachen. Und das wäre wirklich eine Schande."

Alena musste ihm recht geben. „Aber zurückzugehen bringt auch nichts, wir würden uns nur verirren. Lass es uns mal mit dem Glaswald versuchen. Wir müssen eben vorsichtig sein."

Cchraskar schnupperte an einem Baum, streckte dann die Zunge heraus und leckte daran. „Ccriecht nach nix, schmecckt nach nix“, stellte er enttäuscht fest. Er inspizierte den Boden und verzog das Gesicht, als er feststellte, dass hier an nicht wenigen Stellen Scherben lagen, die Reste von gesplitterten Stämmen. Alena opferte eine Ersatztunika und half ihm seine Pfotenhände mit dem Stoff zu umwickeln. Das war zwar kein echter Schutz, aber besser als nichts.

Alena übernahm die Führung. Vorsichtig schob sie sich zwischen den dünnen Stämmen hindurch, versuchte auf dem Boden irgendeinen Pfad oder Fußspuren zu erkennen. Vergeblich.

Es war Übungssache, sich zwischen den Glasbäumen hindurchzuwinden – zum Glück standen sie nicht allzu eng, immer war ein paar Fußbreit Platz zwischen ihnen. Es half, dass die Sonne schien, dadurch sah man die Stämme besser. Doch dann prallte Alena mit dem Gesicht gegen etwas Hartes und hörte ein scharfes, trockenes Knacken. „Au! Habe ich einen Baum abgebrochen?“ Aber wo war das Ding? Sie sah nichts!

Jorak riss sie zurück, zu sich hin. Instinktiv drehte Alena sich herum und barg das Gesicht an seiner Brust. Doch das gläserne Klirren hörte sie trotzdem. Ein Klirren, das schnell zu einem Splittern wurde. Cchraskar jaulte auf, und kurz darauf zuckte auch Alena zusammen, als sie einen scharfen Schmerz im Rücken spürte.

Irgendwann war es vorbei. Vorsichtig richteten sie sich auf und musterten grimmig die Reste des Baumes um sie herum. Er war nur fingerdick gewesen und so durchsichtig, dass die Bruchstücke selbst jetzt kaum zu sehen waren.

Sie zogen sich gegenseitig die Splitter heraus. Alena hatte etwas am Rücken abbekommen und Jorak am Kopf; zum Glück waren die Wunden nicht tief und hörten schnell auf zu bluten.

„Der Baum muss ein ganz junges Exemplar gewesen sein“, stellte Jorak fest; seine Stimme klang zittrig. „Die sind anscheinend noch nicht trübe, sodass man sie kaum sieht. Beim Nordwind, wenn man gegen so ein Ding stößt, dann kommt es auf einen herunter wie eine Lanze!“

Es half nichts, sie mussten weiter. Vorsichtig tasteten sie mit den Händen voran, immer darauf gefasst, auf einen der fast unsichtbaren Stäbe zu stoßen, ständig in der Angst, einen der größeren Bäume zu beschädigen, der dann alle anderen Lanzen in der Umgebung auf sie herunterreißen würde. Tiere sah Alena keine, von Menschen ganz zu schweigen. In diesem Wald schien nichts zu leben – nur ein paar Insekten bemerkten sie, auch sie waren durchsichtig. In ihren winzigen Körpern konnte Alena die Organe pulsieren sehen.

Es dauerte drei Tage, bis sie völlig erschöpft, verschwitzt und dreckig aus dem Glaswald herausstolperten.

Ungläubig sahen sie einen Ort vor sich, einen ganz normalen Ort der Erd-Gilde, in dem Menschen zwischen grün bewachsenen Erdhäusern hindurch schlenderten, unter freiem Himmel einen Baumstamm bearbeiteten, einen Hirschmenschen mit frischen Karededa-Wurzeln belohnten und Steinplatten von einem Wagen luden. Am liebsten hätte sich Alena einfach fallenlassen und auf diesem saftigen Gras ausgestreckt. Im Glaswald hatte es kaum einen Platz gegeben, an dem man liegen konnte, und so hatten sie nur wenig Schlaf bekommen.

Alena war zu müde, um so zu tun, als würde sie Jorak nicht kennen, als würde sie nicht mit ihm zusammen reisen. Außerdem widerstrebte ihr das im tiefsten Herzen. Sollen sie uns doch verpetzen, wenn sie wollen, dachte sie trotzig.

Als die Menschen sie sahen, unterbrachen sie ihre Arbeit und starrten sie an. „Seid ihr drei etwa durch den Lanzenwald gekommen?“, fragte einer von ihnen.

Jorak nickte. Er wankte vor Müdigkeit. „Wir wollten eine Abkürzung nehmen ... aber das war keine gute Idee ...“

„Können wir hier irgendwo Proviant kaufen, bevor wir weiterreisen?“, meinte Alena. Doch die Dörfler hatten sich schon grußlos abgewandt, beachteten sie nicht mehr oder gingen einfach davon. Verblüfft blickte Alena ihnen nach. „Was ist denn mit denen los?“

„Was wohl“, sagte Jorak schroff. „Sie haben gemerkt, dass ich ein Gildenloser bin. Hast du das vergessen?“

„Nein, habe ich nicht“, gab Alena ebenso patzig zurück. Warum regte er sich so darüber auf?

„Vielleicht sollte ich mich besser verstecken.“

„Lass mal, ist sowieso zu spät.“

„Verdammt, nächstes Mal müssen wir wieder drauf achten!“

Schweigend nickte Alena. Wir werden uns entscheiden müssen, dachte sie. Wenn wir die ganze Reise über so tun müssen, als würden wir uns nicht kennen, dann wird es anstrengend. Ach, Rostfraß, soll doch jeder sehen, dass wir zusammen sind, ich schäme mich nicht für ihn!

Wie sie erfuhren, hieß das Dorf Vidrano – und es gab auch einen normalen Weg, der aus ihm hinausführte. Ihre Strapazen hatten vorerst ein Ende. Erleichtert machte sich Alena auf den Weg zu einer kleinen Schänke in der Dorfmitte. „Wunderbar, da können wir ... äh, ich ... etwas zu Essen besorgen.“

„Ja, ich bleibe besser draußen – mir verkaufen sie sowieso nichts“, sagte Jorak und mühte sich ein Lächeln ab. „Na ja, Cchraskar wird mir Gesellschaft leisten.“

Jorak händigte ihr das restliche Geld aus, das er noch in der Tasche hatte, dann ging er mit Cchraskar davon.

Alena hatte gehofft, er würde sie noch einmal küssen. Traurig blickte sie ihm einen Moment lang nach, als er sich auf den Weg zum Rand des Dorfes machte. Es war sicher schwer für ihn, von den Menschen so schlecht behandelt zu werden – und noch dazu vor seiner Gefährtin. War das der Grund, warum er sich in letzter Zeit so seltsam benahm? Oder gab es noch andere Gründe? Hatte er sich das Zusammensein mit ihr anders vorgestellt? Vielleicht war sie doch nicht die Frau, die er sich erhofft hatte. Schließlich kannten sie sich nicht besonders gut, lange war er nur aus der Ferne in sie verliebt gewesen ...

Die Schänke lag in einem Erdhaus unter der Oberfläche, kühl und trocken war es darin. Ein Baum erhob sich direkt darüber und die Decke des Schankraumes war ein dichtes Netz aus Wurzelwerk. Manche der Wurzeln waren armdick und knorrig. Doch nicht das war es, was Alena erstaunte. Sie wunderte sich, dass selbst zu dieser Tageszeit ein Dutzend Menschen in der Schänke hockten. Bis sie sah, dass ein reisender Geschichtenerzähler hier war – das war immer ein Fest für die Einheimischen, besonders in abgelegenen Ortschaften wie dieser. Andächtig lauschend saßen die Dörfler um einen ziemlich seltsam aussehenden Kerl herum.

Alena hatte Hunger und der Wortwechsel mit Jorak echote noch in ihrem Kopf, ihr war nicht nach einer Geschichte zumute. Sie wollte gerade an der kleinen Gruppe vorbei auf den Wirt zugehen, als ihre Ohren einen vertrauten Namen auffingen und sie stutzte.

„... und als Alix Ekaterin verlassen hatte, wurden sie und Rena angegriffen von den Verschwörern des Roten Auges ..."

Den Namen ihrer Mutter zu hören – und ausgerechnet hier, im Nirgendwo dieser fremden Provinz! – berührte Alena tief. Sie blieb stehen und hörte zu.

„... Alix schaffte es, sie zu vertreiben, doch sie wurde verletzt dabei, und die Männer blieben ihr auf den Fersen, warteten, bis sie schwächer wurde. Also versuchten sie, Schutz bei den Iltismenschen zu suchen, obwohl das ein großes Risiko war, denn damals herrschte wenig Zuneigung zwischen Menschen und Halbmenschen ..."

Alena kannte die Geschichte. Damals, vor vielen Wintern, hatten Alix und Rena sich auf eine gefahrvolle Reise gemacht, um die verfeindeten Gilden gegen die Regentin zusammenzubringen. Rena hatte ihr davon erzählt, und gerade den Teil, wie sie bei den Iltismenschen Schutz gesucht hatten, mochte Alena besonders gerne. Der Geschichtenerzähler hatte Talent, wichtige Szenen schilderte er, indem er abwechselnd in die Rolle von Menschen und Iltissen schlüpfte und bei letzteren dramatisch fauchte und knurrte. Alena musste lächeln.

Sie besah sich den Mann genauer. Er war groß und blond wie viele Menschen der Luft-Gilde. Sein Gesicht mit dem breiten Mund war lebhaft in Bewegung, während er erzählte, und seine strahlendblauen Augen leuchteten – er genoss es offensichtlich, im Mittelpunkt zu stehen. Auf seiner Schulter saß ein kleiner dunkelbrauner Pfadfinder, der seine Jugend schon hinter sich zu haben schien. Gerade war er friedlich auf der Schulter des Erzählers eingenickt. Doch das Ungewöhnlichste an dem Fremden war sein langer Kapuzenumhang, den er über den Stuhl gehängt hatte. Er war aus Hunderten von verschiedenen bunten Stofffetzen genäht.

Nun war der Erzähler fast am Ende seiner Geschichte angelangt. „... und schließlich schafften die Iltismenschen es, Alix mit ihren eigenartigen Tänzen und Beschwörungen zu heilen, sodass sie und Rena ihre Reise wieder aufnehmen und ins Grasmeer weiterziehen konnten."

Mit einer kleinen Verbeugung schloss der Geschichtenerzähler seinen Vortrag ab und sammelte die Münzen ein, die ihm seine Zuhörer hinschoben. Sein alter Pfadfinder schrak auf und blinzelte mit den Knopfaugen. Höflich beteiligte sich Alena an dem Applaus, obwohl der letzte Teil der Geschichte ziemlicher Blödsinn gewesen war. Iltismenschen tanzten und beschworen nicht. Rena selbst hatte ihr erzählt, dass die Halbmenschen Alix mit einem Pflanzenbrei geheilt hatten, und Alena neigte dazu, dieser Version zu glauben. Schließlich war Rena dabeigewesen.

Vielleicht sollte sie dem Luft-Gilden-Kerl berichten, wie es sich wirklich zugetragen hatte? Sie hätte auch gerne gewusst, welche Geschichten über ihre Mutter der Erzähler noch kannte. Alena zögerte. Doch dann steckte Cchraskar den Kopf durch die Tür und maunzte: „Wann kommt endlich das Essen, wann?"

Alena rief zurück: „Klingenbruch, du bist vielleicht verfressen!" und ging nun doch zum Wirt hinüber.

Als sie – ausgerüstet mit einer Wildpastete, mehreren gerösteten Broten, einem Dutzend Pfeilwurzeln und einem Trinkbeutel mit frisch gebrauten Cayoral – zur Tür ging, merkte sie, dass der Geschichtenerzähler sie aus den Augenwinkeln beobachtete. Plötzlich war es Alena zu peinlich, ihn anzusprechen, und verlegen ging sie an ihm vorbei nach draußen.

„Wo warst du so lange, wollte der Wirt nichts rausrücken?", fragte Jorak missmutig.

Schon wieder Vorwürfe. Alenas Freude sickerte weg und sie küsste ihn nicht, wie sie es vorgehabt hatte. „Es war ein Geschichtenerzähler da, ich hatte Lust, einen Moment zuzuhören."

„Meinssst du den da?", erkundigte sich Cchraskar.

Alena blickte überrascht auf, als ein bunt gekleideter Mann aus der Schänke gestürzt kam. Der Geschichtenerzähler! Wild blickte er sich um, dann rannte er direkt auf sie zu.

„Schnell! Versteckt mich!“, flüsterte er und kauerte sich hinter sie und Cchraskar.

Verdutzt blickte Alena ihn an, aber Jorak reagierte instinktiv und warf seinen dunklen Umhang über den jungen Mann. Schnell setzten sie sich so, dass sie ihn verdeckten, und aßen weiter, um einen friedlichen und unschuldigen Eindruck zu machen. Vielleicht hat der Gute die falsche Geschichte erzählt, überlegte Alena neugierig. Oder einen Witz zum Besten gegeben, der nicht so gut angekommen ist ...

Ein paar Atemzüge nach dem Erzähler stürmte auch der Wirt nach draußen und blickte sich wutentbrannt um. Doch er sah nichts Verdächtiges und zog sich schließlich grollend wieder in sein Erdhaus zurück. Kaum war er verschwunden, warf der blonde Erzähler seine Abdeckung von sich und streckte seinen langen Körper.

„He, danke, Leute“, meinte er fröhlich. „Muss los!“

Innerhalb von ein paar Atemzügen hatte er den Waldrand gegenüber des Glaswalds erreicht und war zwischen den Stämmen verschwunden.

„Was war das denn?“, fragte Alena kopfschüttelnd.

Interessiert blickte Jorak dem Blonden hinterher. „Lustiger Vogel. Vielleicht hat er die Zeche geprellt.“

„Oh. Dann hat er uns ja zu Komplizen gemacht!“

Jorak zuckte die Schultern. „Und wenn schon. Ich helfe lieber jemandem, der verfolgt wird, als dem Verfolger.“

Alena nickte – es ging ihr genauso. Sie ärgerte sich nur darüber, dass sie den Geschichtenerzähler vorhin in der Schänke nicht einfach angesprochen hatte. Damit hatte sie sich eine wertvolle Chance entgehen lassen, mehr über Alix zu erfahren!

Doch die Gelegenheit, das nachzuholen, sollte schneller kommen, als ihr lieb war.

Von allen Farbwäldern, die es in Daresh gab, fand Jorak den Blauen Wald am eindrucksvollsten. Hier glänzten die Blätter in allen Schattierungen von Hellblau bis zum tiefen Indigo. Doch durch diesen Wald zu reisen war nicht sehr angenehm: Die Baumart, die hier wuchs, hatte kurze, massige Stämme und dichte Kronen. Es drang kaum Licht hindurch zum Boden, man brauchte selbst dann eine Lampe oder Fackel, wenn die Sonne am höchsten stand und den Wald in ein traumhaft blaues Licht tauchte.

„Niccht meine Lieblingsfarrbe", teilte Cchraskar ihnen mit.

Alena blickte interessiert auf. „Hast du denn eine? Das wusste ich gar nicht."

„Manchmal blaugrau. So wie das Fell von Nachtwisslern. Manchmal rot. Hübsch, das. Manchmal auch Gelb. Wie die Sonne. Wärmt so schön, wärmt."

Jorak musste lächeln. „Wenn du ein Mensch wärst, würdest du dir wahrscheinlich auch so einen scheußlich-bunten Mantel zulegen wie dieser Geschichtenerzähler."

Wie durch einen glücklichen Zufall stießen sie gegen Abend auf eine Schänke – es war das erste Haus, das sie seit ihrem Abschied aus dem Dorf sahen. Dem gedrungenen Gebäude der Erd-Gilde dienten vier lebende Bäume als senkrechte Eckbalken. Man konnte leicht sehen, dass das Haus schon sehr alt war. Dadurch, dass die Bäume wuchsen, hatten die Bewohner oben schon ein paar Stockwerke anbauen können.

„Ich glaube, heute können wir uns mal ein richtiges Bett leisten", stöhnte Alena.

Jorak nickte grimmig. „Falls sie einen wie mich reinlassen. Einen Versuch ist es wert." Wie so oft schlug er den Kragen seines Umhangs hoch, damit er nicht so leicht als Gildenloser zu erkennen war. Er wollte auf keinen Fall, dass sich die Blamage von gestern wiederholte. Es war ihm furchtbar peinlich, dass Alena nun praktisch für ihn sorgen musste, weil niemand ihm etwas verkaufen würde. Natürlich hätte er problemlos etwas zu Essen besorgen können, er war gewohnt, sich zu beschaffen, was er brauchte. Aber nachdem Alena über die mögliche Zechprellerei dieses Erzählers so entsetzt gewesen war, hatte er seine Zweifel, ob eine zusammengestohlene Mahlzeit ihr schmecken würde – und das wäre dann noch viel, viel peinlicher!

Mit den Fackeln, die vor den Türen leuchteten, und dem traditionellen Gasthaus-Schild, das zwei ineinander verschränkte Hände zeigte, wirkte das Gebäude sehr einladend. Der Wirt, der ihnen entgegentrat, war ein dunkelhaariger, muskulöser Mann mit dichtem Bart – sein Amulett wies ihn als einen der friedlichen Erdleute aus. „Friede den Gilden!“, sagte er mit einer tiefen, heiseren Stimme. „Kommt doch rein.“

Jorak war froh, dass er es so problemlos geschafft hatte, ins Gasthaus zu gelangen. Aber nur, bis das Essen kam. Eine mürrische Frau brachte ihnen ein Mahl aus angebrannten Frühlingsmehl-Pfannkuchen und völlig zerkochten Kurg-Sprossen. „Entweder hat der Koch zu viel Beljas gekaut oder er ist einfach schlecht“, murmelte Alena und verzog das Gesicht.

Außer ihnen waren nur zwei andere Gästepaare da, die nach dem exotischen Schnitt ihrer Kleidung von weither zu kommen schienen – Jorak tippte auf Vanamee und den Süden von Nerada. Sie hatten schon ein paar Polliak intus, waren aber trotzdem noch klar genug im Kopf, um sich über das schlechte Essen zu beklagen.

„Komisch“, sagte Cchraskar und hob das Gesicht in die Luft, um zu schnuppern. „Der Witterung nach müssten eigentlich viel mehr Leute da sein, viel mehr.“

Alena blickte ihn mit gerunzelter Stirn an. „Seltsam. Vielleicht riechst du die Gäste, die vorher hier waren?“

Wie aufs Stichwort öffnete sich die Tür und ein blonder Mann mit buntem Mantel schlenderte herein. Jorak musste ein Auflachen unterdrücken. Da war er wieder, der Geschichtenerzähler! Na, diesmal würde er ihnen einiges erklären müssen.

Der Erzähler setzte sich, winkte den Wirt heran – und runzelte die Stirn. Jorak konnte verstehen, was er sagte: „He, wo ist Zentar? Krank etwa?“

„Krank, ja“, erwiderte der Wirt mit seiner heiseren Stimme. „Ich bin sein Cousin und helfe hier aus.“

Der Fremde betrachtete die Bedienung. „So. Und Arelyn?“

„Auch krank. Sie haben sich alle angesteckt. Ein Pech aber auch!“

Langsam stand der Geschichtenerzähler auf. „Schade, eigentlich wollte ich die beiden nur begrüßen und dann weiterreisen.“ Doch dann fiel sein Blick auf Jorak und Alena. Er zögerte, setzte sich dann ganz langsam wieder. „Aber vielleicht nehme ich doch ein Zimmer für die Nacht.“

Was geht hier eigentlich vor?, dachte Jorak. Gerade wollte er Alena vorschlagen, sich zu dem Fremden hinüberzusetzen und sich mit ihm zu unterhalten, da traf ihn ein warnender Blick des Erzählers. Irgendwie begriff Jorak, was der Fremde ihm damit sagen wollte. Zeigt nicht, dass ihr mich kennt!

„Lasst uns hochgehen auf unsere Zimmer“, schlug Jorak stattdessen vor, und Alena nickte. Cchraskar tappte hinter ihnen her, als sie sich vom Wirt ihr Zimmer zeigen ließen. Es war eine fensterlose, kleine Kammer ganz oben im Gasthaus, unter einer Dachschräge aus roh gezimmerten Balken. Außer einem Bett, einem runden Teppich aus Kirwani-Wolle und einer Waschschüssel enthielt sie nichts. Es roch nach Holz und frisch gewaschenem Bettzeug.

Beim ersten Blick auf das gemütlich aussehende Bett stellte Jorak fest, dass auch er todmüde war. Er hatte sich immer noch nicht ganz an den Luxus gewöhnt, in einem richtigen Bett zu nächtigen statt auf der Straße oder in einem Stall.

Aber auch das wäre ihm jetzt egal gewesen, Hauptsache er konnte mit Alena zusammen sein. Manchmal schien ihm sein Glück noch immer unfassbar. Kaum hatte der Wirt die Tür hinter sich geschlossen, nahm er Alena in die Arme und strich ihr zärtlich eine Haarsträhne aus dem Gesicht. „Habe ich dir heute schon gesagt, dass ich dich liebe, Feuerblüte?“

Alena lachte. „Heute noch nicht“, meinte sie und küsste ihn, bis ihnen beiden die Luft ausging. Dann warf sich Alena angezogen aufs Bett. „Morgen unterhalten wir uns aber mit diesem Erzähler. Dann soll er uns nochmal erklären, was in Vidrano los war!“

Jorak nickte. „Er hat mir vorhin einen ganz seltsamen Blick zugeworfen. Keine Ahnung, was das alles soll.“

„Jedenfalls hat er uns schon mal die Erklärung geliefert, warum das Essen hier so schlecht ist. Wenn der Wirt und die Köchin krank sind, kann das ja nichts werden.“

„Na, hoffentlich stecken wir uns nicht an. Vielleicht hätten wir doch im Wald übernachten sollen.“

Jorak streifte sich das Hemd über den Kopf, um sich zu waschen. Das Wasser war eisig kalt, aber klar und frisch. Gerade als er sich gründlich abreiben wollte, klopfte es leise und verstohlen an die Tür. Mit einem Satz sprangen Alena und Cchraskar auf.

Draußen stand der blonde Geschichtenerzähler. „Schnell, lasst mich rein, bevor mich jemand sieht! Es ist wichtig!“

„Na, da bin ich ja mal gespannt“, sagte Alena.

„Du kannst gerne unterss Bett kriecchen, unters Bett, da findet dich keiner“, schob Cchraskar nach.

Der Blonde verzog das Gesicht und schlich sich herein. „Nur, dass eins klar ist“, flüsterte er. „Ich bin nur wegen euch geblieben – sonst wäre ich jetzt schon weit weg und in Sicherheit.“

„Was meinst du damit, in Sicherheit?“ Jorak legte den Lappen hin, mit dem er sich gewaschen hatte.

„Habt ihr nicht gemerkt, dass hier etwas gewaltig faul ist? Das Gasthaus in der Hand von völlig fremden Leuten, und dass der Wirt und alle seine Leute krank sind, nehme ich denen keinen Moment lang ab!“

Jetzt waren Jorak und Alena wieder hellwach. „Was hat das zu bedeuten?“

„Ganz einfach“, sagte der Fremde; seine blauen Augen funkelten im schwachen Licht. „Nach dem Aufgang des dritten Mondes, wenn man euch und die anderen Gäste im seligen Schlaf wähnt, werden vermutlich Bewaffnete von Zimmer zu Zimmer ziehen und alle Gäste um ihre Wertsachen erleichtern. Besagte Räuber warten im Moment sehr wahrscheinlich im Keller darauf, dass es endlich losgeht.“

Erschrocken blickte Jorak ihn an. Er wusste sofort, dass der Geschichtenerzähler recht hatte, und verfluchte sich dafür, dass er das alles nicht selbst rechtzeitig begriffen hatte. Zwar besaß er nicht viel, aber sein Dolch war wertvoll und er hätte lieber einen

Finger seiner Hand hergegeben als seine selbst geschnitzte Flöte. Außerdem konnte es sein, dass die Räuber ihre Opfer anschließend umbrachten, damit es keine Zeugen gab. „Kommen wir noch raus?“

„Vergiss es. Die lassen euch nicht mehr gehen.“

„Aber warum haben sie sich die ankommenden Reisenden nicht gleich in der Gaststube vorgenommen?“, mischte sich Alena ein.

Der Erzähler zuckte die Schultern. „Anscheinend wollen sie keinen offenen Kampf riskieren. Es muss ja nur einer entwischen, um die ganze Sache auffliegen zu lassen.“

„Wir wissen nicht, wie viele Leute es sind“, überlegte Alena. „Wenn wir Glück haben, zu wenige, um es mit wachen und gewarnten Gästen aufzunehmen.“

„Aber vielleicht bekommen sie heute Nacht auch noch Verstärkung aus dem Wald.“

„Die sssollen ruhig kommen!“, fauchte Cchraskar. „Bisschen kämpfen ist gut für den Kreislauf, gut!“

Jorak verzog das Gesicht. Seinem Kreislauf wäre mit einer Runde Schlaf besser gedient gewesen. Er und Alena waren so erschöpft von ihrer Reise durch den Lanzenwald, dass sie im Moment besser keinen Kampf riskierten.

„Wie heißt du eigentlich?“, fragte Alena den Blondschopf.

Der verzog den breiten Mund zu einem Grinsen. „Finley ke Nerada. Bin zwar Geschichtenerzähler, sage aber ansonsten meistens die Wahrheit. Und ihr?“

Nachdem sie sich vorgestellt hatten, beschlossen sie, dass sie sich vorübergehend trennen würden – Jorak und Cchraskar sollten sich durchs Haus schleichen und die anderen Gäste warnen. Alena und Finley würden nach unten gehen und möglichst weit unten auf der Treppe Wache halten, damit sie nicht von den Räubern überrascht werden konnten.

„Nar dann los“, brummte Cchraskar und trippelte neben Jorak her zu den anderen Zimmern.

Das Karénovia-Tal war eine abgelegene Gegend abseits der Handelsrouten – der nächstgrößere Ort, Novias, lag fünf Stunden Fußmarsch entfernt auf der anderen Seite der Berge.

Ganz ähnlich wie hier sieht es in den Vorbergen des Alestair-Gebirges aus, wo der Tempel des Orakels heute steht, dachte Rena, als sie über den Bergpass kraxelte und vorsichtig den von Wildblumen gesäumten schmalen Pfad zum Talgrund abstieg. Vielleicht mögen die Drillinge einfach die Berge und wollen ihnen nah sein?

Kleine Steinchen kollerten vor ihren Füßen davon, und Rena graute davor, zu stolpern und über die Kante in den Abgrund zu fallen. Wie alle Menschen der Erd-Gilde hatte sie Höhenangst. „Ich glaube, mir wird gleich schwindelig", stöhnte sie und presste sich mit dem Rücken gegen die Felswand.

„Ist doch toll hiiier!" Ruki schwebte über ihr vergnügt in den Aufwinden, die die Flanken der Berge hochströmten. Manchmal waren seine großen Schwingen kaum eine Menschenlänge von dem grauen Fels entfernt, der von Höhlen durchzogen war. In vielen der Höhlen nisteten Bergzarahs, wendige graue Vögel mit spitzen roten Schnäbeln. Das Piepen ihrer Brut klang wie ein vielstimmiger Chor.

Trotz ihrer Angst musste Rena zugeben, dass die Aussicht etwas für sich hatte. Wenn man sich um die eigene Achse drehte, konnte man gleich drei Provinzen sehen: Im Nordosten blickte man ins grüne Alaak, im Westen schimmerte das Seenland verheißungsvoll zu ihr herauf, und im Südosten, auf der anderen Seite der Berge, erstreckte sich das schroffe, trockene Tassos.

Von hier oben erkannte man, dass die Menschen im Tal nicht sehr gesellig zu sein schienen – der Kern des Ortes lag neben einem See und umfasste nur zwei Dutzend zusammengewürfelt aussehende Hütten. Der Rest verteilte sich in Form von abgelegenen Höfen. Auf einem davon mussten die Drillinge des Orakels geboren sein; mitten im Ort hätte man ihre Existenz nie geheim halten können.

Es gibt mehrere Möglichkeiten, wie ihre Eltern gestorben sein könnten, überlegte Rena. War es wirklich ein Unfall und pures Pech? Hatten sie Selbstmord begangen? Hatte irgendein Erwachsener sie umgebracht – oder waren es die Kinder selbst gewesen? Noch konnte sie keine dieser Möglichkeiten ausschließen. Nur eines war sicher, der Rat hatte sich bisher nicht um die Angelegenheit gekümmert und keine Nachforschungen angestellt. Vielleicht wollten er gar nicht so genau wissen, was damals vor ein paar Wintern passiert war, Hauptsache, er hatte sein Orakel.

Je näher Rena dem Dorf kam, desto erstaunter war sie. Einige der Hütten gehörten unverkennbar zur Luft-Gilde, waren aus Gras geflochten und hatten nur dünne Strohdächer. Aber sie sah auch Erdhäuser, Pyramiden nach Art der Feuer-Gilde und aus Stein gebaute Gebäude. Und wenn sie nicht alles täuschte, dann war auch der See bewohnt – im flachen Bereich sah sie den silbrigen Stoff von Luftkuppeln schimmern, wie sie die Menschen der Wasser-Gilde bauten. Alle vier Gilden in einem Ort! Sieht so aus, als wäre man dem Rest von Daresh hier meilenweit voraus, dachte Rena erfreut.

Neugierig ging sie zu einem der Felshäuser, das ein Dach aus glattem schwarzen Stein und sorgsam zugemauerte Fenster hatte, und stieß den traditionellen Begrüßungsruf aus. Drinnen hörte sie ein Rumoren, dann wurde die Tür aufgerissen und aus dem Halbdunkel im Inneren spähte ein spitzes, misstrauisches Gesicht mit den großen Augen der Erd-Gilde. Rena begann freundlich: „Friede den Gilden, *tani,* ich ...“

„Was wollt Ihr?“

„Nur ein paar Fragen stellen ... ich interessiere mich für ...“

„Scher dich weg!“

Verblüfft machte Rena einen Schritt zurück. „Ich wollte doch nur ...“

Die Tür knallte zu.

„Wurzelfäule und Blattfraß“, sagte Rena. Warum hatte sich die Frau bloß so angestellt? Hasste man Fremde hier oder hatte sie etwas zu verbergen? Auf diesen Schreck setzte sie sich lieber erst mal ans Ufer des Sees und kühlte ihre Füße im Wasser. Mit rauschenden Schwingen setzte Ruki neben ihr auf und grub die

Zehen in den Ufersand. „Beim Nordwind, iiich habe Hunger. Gibt´s hier was zu Essen?"

„Du hast dich überhaupt nicht verändert", seufzte Rena und lächelte.

Es dauerte einen halben Tag, bis sie herausgefunden hatten, welches Haus einmal den Eltern des Orakels gehört hatte. Ruki flog voraus und meldete ihr, wie weit es entfernt war und dass es leerstand. Rena wanderte los und gegen Nachmittag war sie da. Mitten auf einer bunten Sommerwiese kauerte ein flaches Steingebäude mit grasbewachsenem Dach, aus dem ein Schornstein hervorlugte. Hinter dem Haus strömte ein zwei Menschenlängen breiter Fluss entlang. Das Haus begann schon zu zerfallen; auf dem Dach erhoben sich stolz wie Eroberer ein halbes Dutzend junge Bäume.

Rena stapfte durch das hohe Gras der Wiese, umrundete das Haus und versuchte ins Innere zu spähen. Doch die Fenster waren zugenagelt, sie konnte nichts erkennen. Rena überlegte, ob sie einbrechen sollte, entschied sich aber dagegen. Unwahrscheinlich, dass da drinnen des Rätsels Lösung zu finden war.

Enttäuscht kehrten sie ins Dorf zurück. „Wir müssen noch einmal versuchen mit einem der Dorfbewohner zu reden", meinte Rena. „Wie wär´s, wenn du mitkommst? Wir probieren´s mal bei der Luft-Gilde."

Zu ihrer Überraschung wurde sie in der Grashütte sofort eingelassen. Das war allerdings nicht Renas Verdienst, sondern Rukis. Kaum hatte sich die Tür einen Spalt vor ihnen geöffnet, begann er schon die Bündnisformel zu schmettern. Obwohl die eigentlich dazu da war, dass Menschen die mit ihrer Gilde verbündeten Halbmenschen um Hilfe bitten konnten. *„Windschwester, Wolkenbruder, Nestgefährte ..."*

„Halt den Schnabel, beim Nordwind, weißt du denn nicht, dass das geheim ist?", zischte es erschrocken hinter der Tür hervor. „Los, kommt rein!"

„... im Namen des Nordwinds, hilf", beendete Ruki seinen Spruch, tauschte einen triumphierenden Blick mit Rena und stelzte ihr voran in die Hütte.

Mit misstrauischen Blicken musterte sie der alte Mann, der ihnen geöffnet hatte. Er hatte lange, lockige silbergraue Haare und trug ein abgewetztes Gewand, das selbst genäht aussah. Ein großer Schrank aus dunklem Holz mit vielen Fächern bedeckte eine Wand, ansonsten war der Raum schlicht, fast kahl eingerichtet. Sein einziger Schmuck waren die verblassten Muster in den geflochtenen Wänden.

Ruki beäugte die Keksdose, die auf der Anrichte stand, mit gierigen Blick. Wahrscheinlich hoffte er, dass der Alte ihnen etwas daraus anbieten würde. Aber der machte keine Anstalten dazu.

„Es kommen selten Fremde in die Stadt", bemerkte der Mann. Rena sah, dass seine Hände knotig und schwer beweglich waren, und beobachtete verlegen, wie er sich mühte ihnen einen Cayoral zu brühen. Wortlos half sie ihm, so gut sie konnte. Er dankte ihr mit einem Nicken.

„Wir sind auf der Suche nach Wissen", sagte sie. „Es heißt, dass die Anderskinder, die jetzt das Mond-Orakel bilden, von hier stammen."

Der Alte verzog den Mund, öffnete eine Schublade seines Schranks und reichte Ruki ein kleines Fläschchen mit der Aufschrift *Nuss-Öl*. „Da, Wolkenbruder. Könnte noch regnen heute."

Rena wusste, dass viele Storchenmenschen dieses Öl benutzten, um ihre Flügel gegen Feuchtigkeit abzuschirmen. Ruki schien etwas enttäuscht, dass er nichts Essbares bekommen hatte und die Keksdose verschlossen geblieben war. Aber er griff trotzdem nach dem Fläschchen und machte sich an die Gefiederpflege. Damit war er, wie Rena wusste, erst einmal gut beschäftigt.

„Es ist besser, dass das mit den Kindern kaum jemand weiß", sagte der Alte zu Rena gewandt. „Sonst wäre es aus mit unserer Ruhe."

„Kanntet Ihr die Familie?"

„Ja, natürlich, ich habe mein ganzes Leben in diesem Tal verbracht", sagte der Alte. „Nichts gegen sie zu sagen. Nein, nichts."

Doch seine Stimme war zurückhaltend, und das machte Rena misstrauisch. „Zu welcher Gilde gehörten sie?"

„Hier ist das nicht so wichtig, Meisterin. Hier, am Schnittpunkt der Provinzen.“ Schwerfällig schlurfte er zum Tisch und goss ihnen den Cayoral ein.

Rena ließ nicht locker. „Hat es die Leute nicht misstrauisch gemacht, als die Eltern sich so plötzlich zurückgezogen haben, nachdem die Kinder geboren waren?“

„Wir mischen uns nicht in anderer Leute Angelegenheiten.“ Der Alte nippte an seinem Becher und blickte auf die geflochtene Wand. „Der Südwind weht mal wieder. Könnte regnen heute. Oder vielleicht morgen. Besser, Ihr reist weiter, bevor es Euch erwischt. Meine Kräfte reichen nicht mehr, um Regen aufzuhalten oder Wolken zu verscheuchen.“

Er will das Thema wechseln, dachte Rena. Gut, das kann er haben. „Wie sind die Eltern gestorben? Wisst Ihr, wer sie entdeckt hat?“

Schweigend blickte der Alte sie an. Er sah aus, als bedaure er, sie hereingelassen zu haben – und als würde er sie am liebsten wieder vor die Tür setzen, Regen hin oder her. „Wer ist es, der das wissen will?“, fragte er schließlich. „Wer seid Ihr? Kommt Ihr vom Rat?“

„Mein Name ist Rena ke Alaak“, sagte Rena sanft.

Das Gesicht des Alten entspannte sich. „Die Friedensbringerin. Euch kann ich es sagen. Ihr werdet mich nicht preisgeben.“

Rena schüttelte den Kopf. „Natürlich nicht. Aber wieso habt Ihr solche Angst?“

Der Alte beugte sich vor, winkte sie zu sich heran. „Die Kinder dürfen nicht erfahren, dass ich von diesen Dingen gesprochen habe“, flüsterte er. „Nie, versteht Ihr! Und den Kerlen in der Felsenburg vertraue ich nicht.“

Angespannt wartete Rena ab. Ruki hatte aufgehört, sein Gefieder zu putzen, und hörte unruhig zu.

Und der Alte begann zu erzählen.

Finley war im Gegensatz zu Jorak offenbar nicht gewohnt, leise zu gehen. Er stieß ständig irgendwo an und ließ keine knarrende Stelle auf den Stufen aus.

„Probier´s mal mit Zehenspitzen“, zischte Alena ihm zu und drehte sich kurz zu ihm um. Erschrocken wich der Geschichtenerzähler vor dem blanken Smaragdschwert zurück. „He, vorsichtig mit dem Ding da!“

Alena seufzte und drehte sich wieder um. Sie konnte Stimmen aus der Gaststube hören, aber es schienen nur die beiden Reisenden vom Nebentisch zu sein. Hoffentlich kamen nicht noch mehr Leute an. „Wir müssen versuchen, die anderen Reisenden zu warnen, wenn sie die Treppe hochkommen. Zu blöd, dass wir sie nicht schon vor der Tür abfangen können.“

Sie zogen sich in einen kleinen Vorratsraum neben der Treppe zurück und ließen die Tür einen Spalt offen, damit sie kontrollieren konnten, wer heraufkam. In der Dunkelheit standen sie nebeneinander und atmeten den Duft von getrockneten Blättern und in Sirup eingelegten Corusyn-Blüten ein, der sie umgab. Aus den Küchen unten zog der Geruch von Kurg-Sprossen, die wahrscheinlich gerade zu einem faden Brei zerkochten.

Ein paar Atemzüge lang lauschte Alena auf das, was unten vorging, dann konzentrierte sie sich auf Finleys regelmäßigen Atem neben ihr. „Sag mal, was war da in Vidrano eigentlich los? Du hattest es ziemlich eilig ...“

Sie hörte das Lächeln in seiner Stimme. „Ach, das war nichts. Der Wirt hat es ein wenig übel genommen, dass ich keine Geschichte über seinen Lieblingshelden Gibra Jal erzählen wollte und auch ziemlich genau gesagt habe warum. Ich kann nichts dafür, ich finde manche Legenden der Erd-Gilde tödlich langweilig!“

„Na, zum Glück hast du wenigstens was für uns Feuerleute übrig“, sagte Alena. Ihr Herz pochte laut, als sie hinzufügte: „Deine Geschichte über Alix ke Tassos hat mir gefallen.“

„Ich kenne noch zwei Dutzend andere über sie, die kommen immer gut an.“ Finley klang sehr zufrieden mit sich. „Wieso interessierst du dich dafür, kanntest du Alix? Nee, geht nicht, dafür bist du zu jung.“

„Sie hatte eine Tochter."

„Moment mal – bist du das etwa?"

„Bin ich."

„Ich bin vom Glück verwöhnt! Dann weißt du sicher mehr über sie als ich und wir können unsere Geschichten vergleichen."

Es war bitter, eingestehen zu müssen: „Leider kann ich mich nicht an sie erinnern und ich weiß bestimmt nicht mehr über sie als du. Eher im Gegenteil, fürchte ich." Alena wusste nicht genau, warum sie plötzlich hinzufügte: „Ich würde ihr gerne noch einmal begegnen. Bisher hat das nur im Traum geklappt ... "

Finley schwieg eine Weile und Alena lauschte wieder auf die Geräusche aus der Gaststube. Es klang nicht so, als wollten die anderen Besucher demnächst ins Bett gehen. Gut – so hatte Jorak genug Zeit, alle anderen Gäste zu warnen. Wo er wohl gerade herumschlich? Hoffentlich glaubten ihm die anderen Leute überhaupt ...

Plötzlich sprach Finley wieder. Doch jetzt klang seine Stimme anders. Nüchterner. „Ich will dir keine zu großen Hoffnungen machen, aber auf einer meiner letzten Reisen habe ich von einem Trank gehört, der genau das möglich macht. Tiefen-Elixir wird er genannt."

Wollte dieser Kerl sich über sie lustig machen? „Soso", sagte Alena knapp.

„Nein, wirklich! Man fällt in einen Schlaf und sinkt sehr, sehr tief in sich selbst hinein – bis man das Zwischenreich betritt, in dem man sogar Toten begegnen kann, wenn sie dazu bereit sind."

Erst wollte Alena skeptisch schnauben, doch dann erinnerte sie sich an ihr Erlebnis im Tempel der Träume in Rhiannon. Dort war genau das geschehen, sie gelangte versehentlich in dieses Zwischenreich ... und konnte kurz mit ihrer Mutter sprechen, bevor eine Freundin sie zurückholte!

Aber Alena erinnerte sich auch daran, wie nah sie dem Tod damals gewesen war. „Das klingt nicht ganz ungefährlich."

„Ist es auch nicht. Was ist, soll ich versuchen, das Elixir für dich zu besorgen?"

Alena überlegte lange – und merkte, wie in ihr eine unendliche Sehnsucht hochquoll, die ihre Augen feucht werden ließ. Alix sehen. Mit Alix sprechen, ihr sagen, was sie ihr bedeutete. Sie endlich ein klein wenig kennenlernen. Das war tausendmal mehr wert als irgendeine junge Feuermeisterin, die sich als ihre Stiefmutter aufspielte! „Ja", sagte Alena mit fester Stimme. „Aber wie willst du das anstellen – und du tust das doch sicher nicht aus reiner Menschenliebe, oder? Was kostet das Zeug überhaupt? Ich habe nicht viel Geld ..."

„Habe ich mir schon gedacht. Aber es gibt noch andere Dinge, die mich interessieren."

Alena zog die Augenbrauen hoch.

„Nicht was du denkst", sagte Finley schnell. „Aber ein Mensch der Feuer-Gilde hat ja noch anderes zu bieten, oder? Ich denke darüber nach, in Ordnung?"

„Gut, mach das. Nur unsere geheimen Formeln kann ich dir nicht sagen, das weißt du."

„Natürlich. Ich bin ja nicht lebensmüde. Du würdest sie mir verraten und müsstest mich gleich darauf töten!"

Alena grinste. „So in etwa." Sie wusste, dass sie Jorak nicht von diesem seltsamen Trank erzählen konnte. Er würde Angst um sie haben und heftig dagegen protestieren, dass sie ein so gefährliches Zeug nahm. Aber Angst brachte einen selten weiter. Manchmal musste man eben etwas riskieren. Und hatte er ihr nicht selbst dazu geraten, sich ihrer Mutter anzunähern?

Finley zuckte zusammen, legte ihr kurz die Hand auf den Arm. Jetzt hörte Alena es auch, jemand kam die Treppe herauf. Alenas Körper spannte sich, sie packte den Griff des Schwertes fester. Es sah so aus, als würde sich jetzt erst mal entscheiden, ob sie heil aus diesem Gasthaus herauskommen könnten oder nicht!

Zeit der Wahrheit

Gideo und Loraja, die Eltern der Drillinge, sind zu mir gekommen", erzählte der Alte Rena. „Sie waren sehr beunruhigt und voller Angst. Sie wollten einen Kräutertee, der beruhigend wirkte, stark beruhigend. Sie wollten mir nicht sagen, wofür, aber ich gab ihnen eine gute Portion davon. Es war deutlich zu sehen, dass sie ihn brauchten."

„Ihr seid der Heilkundige des Dorfes?"

„Ja. Ich gab ihnen den Kräutertee. Ein paar Tage später wurde ich unruhig, wanderte zu ihrer Hütte hinaus, um zu sehen, ob alles in Ordnung war. Nie werde ich diesen Anblick vergessen. Die Kinder – etwa sieben waren sie damals – spielten vor der Hütte, sorglos und fröhlich wirkten sie. Aber als ich nach drinnen schaute, sah ich ..." Der Alte stockte. „Sah ich Gideo und Loraja. Tot. Ohne eine einzige Verletzung an ihren Körpern. Gideo lag im Bett, Loraja war über dem Küchentisch zusammengebrochen. Wir haben nie herausgefunden, woran genau sie gestorben sind. Auf der Anrichte stand eine volle Kanne mit dem Kräutertee – und vier unberührte, volle Tassen."

„Also können sie nicht versehentlich zu viel des Tees getrunken haben."

„Nein. Und er ist ohnehin nicht stark genug, um Leben auszulöschen."

Ganz langsam kroch das Grauen in Rena hoch. Wenn der Alte die Wahrheit sprach, deutete alles darauf hin, dass die Kinder ihre Eltern auf irgendeine Art ermordet hatten. Wahrscheinlich, als diese versuchten, sie unter Kontrolle zu bekommen. Ja, jetzt wusste Rena, warum der Alte zögerte, jemandem davon zu erzählen, auch wenn vermutlich das ganze Dorf davon wusste. Wenn das Orakel schon auf Renas gedankenlose Frage nach ihren Eltern so hart reagiert hatte, wie würde es dann den Alten oder das Dorf bestrafen, wenn sich diese schlimme Geheimnis herumsprach?

„Vielleiicht dachten sie, ihre Eltern wollten sie vergiften", meinte Ruki und rutschte näher an die Keksdose heran, um heimlich hineinzugreifen.

„Mag sein", sagte Rena nachdenklich. „Ich muss wissen, welcher Gilde sie zumindest nahestanden, denn das entscheidet ja darüber, welche Talente die Kinder haben ..."

Der Alte breitete in einer hilflosen Geste die Hände aus. „Das ist furchtbar schwer zu sagen. Loraja war offiziell Luft-Gilde, hatte aber auch Erd-Gilde und Feuer-Gilde in ihrer Abstammung. Gideo gehörte zur Wasser-Gilde, hatte unter seinen Vorfahren aber auch Luft- und Erd-Gilde. So ist das Grenzland eben."

Rena staunte. Sie hatte nicht einmal gewusst, dass es so etwas gab! Ihr kam der Gedanke, dass es vielleicht dieser abenteuerliche Mix von sehr unterschiedlichen Fähigkeiten und Eigenschaften gewesen war, der die Drillinge so seltsam gemacht hatte. „Sagt, gab es hier in der Gegend schon mal Anderskinder?"

„Ja, vor zwanzig Wintern hatten wir einen Fall. Die Kleine konnte Tag und Nacht beeinflussen, hat die Natur völlig durcheinandergebracht. Aber die Gabe war wohl zu stark für sie, sie ist schon als Kind gestorben."

Rena wurde aufgeregt. Wusste der Alte nicht, wie selten Anderskinder waren? Bisher hatte sie gedacht, dass nur alle hundert Winter mal eins geboren wurde. Also kam so etwas in dieser Gegend tatsächlich öfter vor. Es war ein eigenartiger Gedanke, dass in Zukunft vielleicht immer mehr Anderskinder geboren würden, weil jetzt Frieden herrschte und sich die Gilden vermischten ...

Ein Gedanke durchzuckte sie und schnell stellte sie ihre nächste Frage: „Sagt mal, wer wohnt eigentlich in dem Steinhaus in der Nähe des Ufers? Es hat ein Dach aus schwarzem Fels."

„Ach ja, ich weiß, welches Ihr meint. Es gehört Arianna und ihrem Sohn; sie leben sehr zurückgezogen. Sie sind Erd-Gilde, haben aber Vorfahren aus der Feuer-Gilde."

Plötzlich hatte Rena es eilig. Sie hatte einen Verdacht, wieso Arianna eine Gildenschwester so ungastlich von ihrer Tür gewiesen hatte, und wollte ihn möglichst schnell nachprüfen. „Komm, Ruki, wir gehen. Danke für Eure Hilfe, Meister."

„Passt auf Euch auf, Rena", sagte der Alte und seine Hand zitterte, als er den Becher mit dem Cayoral zum Mund führte und in einem Zug austrank.

Auf dem Weg zur Tür hörte Rena ein leises Flattern und ein Sperlingsfalke erschien in der Fensteröffnung. Der Alte nahm die Keksdose von der Anrichte, holte eine tote Maus heraus und reichte sie dem Falken, der den Schnabel hineinschlug.

Ruki verzog das Gesicht und stelzte eilig hinaus.

Rena bat ihn, sich im Hintergrund zu halten, und klopfte noch einmal an die Tür des Steinhauses, in dem Arianna lebte. Diesmal öffnete niemand, nicht einmal, um sie zu beschimpfen und fortzuschicken. Doch Rena ahnte, dass jemand im Inneren war und sie beobachtete.

„Ich kenne Euer Geheimnis", sagte Rena laut. „Aber Ihr braucht Euer Kind wirklich nicht vor mir zu verstecken."

Eine Weile tat sich nichts. Dann ging die Tür einen Spaltweit auf. Rena schob sich hindurch und betrat die dunkle Behausung. Sofort weiteten sich ihre Pupillen, um das Restlicht aufzufangen – Menschen der Erd-Gilde hatten Augen, die an die ewige Nacht unter der Erde angepasst waren.

Ein Schauer lief ihr über den Rücken, als sie im Halbdunkel zwei Gestalten entdeckte – die einer erwachsenen Frau, und eine, die einem Alptraum entsprungen schien. Auf den ersten Blick wirkte sie wie ein riesiges Insekt, das auf dem Boden herumkroch. Halb so groß wie ein Mensch, mit vielen spindeldürren Beinen. Doch auf den zweiten Blick sah Rena, dass es ein Junge war, verkrüppelt und dürr, der sich auf allen Vieren fortbewegte.

„Was wollt Ihr?", fauchte eine weibliche Stimme. Die Frau. „Uns ausliefern?"

„Er ist ein Anderskind, nicht wahr?", meinte Rena ruhig. „Ihr müsst es schwer gehabt haben in den letzten Wintern."

Schweigen. Dann leise, seufzend: „Sein Vater ist auf und davon, als er gesehen hat, was er gezeugt hat. Kein anderer Mensch weiß von Mikas. Nach dem, was mit den Kindern von Gideo und Loraja war, haben sie Angst – sie würden ihn töten, wenn sie wüssten, was er ist."

Rena kam es albern vor, dass sie noch immer mitten im Raum stand. Sie ließ sich auf den Boden aus gestampfter Erde nieder und lehnte sich mit dem Rücken gegen die Wand. „Was sind denn seine Fähigkeiten?"

„Er hat zwar keine Augen, aber er kann in Dinge hineinsehen. Er braucht sie nur zu berühren, um ihr innerstes Wesen zu erkennen." Die Stimme der Frau klang bitter. „Wenn ich ihn auf den Markt mitnehmen könnte, würde ich ihn bitten, mir das frischeste Gemüse auszusuchen. Keine Fäulnis im Inneren würde ihm entgehen."

Der Junge begann langsam und vorsichtig auf Rena zuzukriechen. Rena musste sich zwingen, nicht zurückweichen. Was würde dieses Kind in ihr sehen, was würde es mit ihrem Geist anstellen? Sie war nicht perfekt, und dem Ziel, ein guter Mensch zu sein, hechelte sie schon seit vielen Wintern hinterher. Es gab Dinge in den Tiefen ihrer Seele, die sie sich nicht mal selbst gerne eingestand.

Schließlich war das Gesicht des Jungen ganz nah vor ihr, bewegte sich suchend hin und her. Wo die Augen hätten sein sollen, erstreckte sich glatte Haut, Nase und Mund waren nur Schlitze, durch die zischend Luft ein- und ausströmte.

„Hallo", sagte Rena leise.

Mikas streckte die Hand aus und ein zitternder Finger berührte Renas Arm. Ganz kurz nur, und doch fühlte Rena den Schock in Körper und Geist. Einen Moment verharrten sie so. Dann kroch Mikas weiter auf sie zu, zog sich auf ihren Schoß und machte es sich dort bequem. Er begann ein leises, zufriedenes Summen auszustoßen.

Ganz langsam entspannte sich Rena. Vorsichtig strich sie dem Jungen über den fast kahlen Schädel, auf dem nur ein zarter Flaum wuchs. Spürte die Wärme seiner Haut. „Vielleicht wäre es ganz gut für ihn, mal andere Menschen kennenzulernen, neue Eindrücke zu bekommen", meinte sie zu seiner Mutter.

Doch die schüttelte heftig den Kopf. „Nein, nein! Das geht nicht. Hier ist er sicher, draußen ist er nur in Gefahr."

„Wie teilt er sich eigentlich mit? Kannst du sprechen, Mikas?"

Mikas nickte, sagte aber nichts.

„Wir sind sehr eng verbunden", versuchte Arianna zu erklären. „Ich nehme seine Gedanken wahr. Er aber nicht meine, deshalb spreche ich ganz normal zu ihm."

Rena blickte sie neugierig an. Also hatte auch Arianna besondere Begabungen. Was wohl passieren würde, wenn Rena sie irgendwann mal in die Felsenburg mitnahm? Vielleicht gehörte Arianna zu den seltenen Menschen, die die *Quelle* fühlen konnten. Zum ersten Mal fragte sich Rena, ob sie und Tjeri nicht vielleicht auch ehemalige Anderskinder waren. Sie beide konnten die *Quelle* spüren, und Tjeri musste schon vorher – ohne davon zu wissen – das Potenzial gehabt haben, Kontakt zu den Gedanken anderer Wesen aufzunehmen. Denn die *Quelle* verstärkte bestimmte Talente nur, schuf keine neuen. So wie manche Sucher hatte auch er die Fähigkeit, den Geist zu sondieren, das passte ebenfalls ins Bild.

Sie unterhielten sich noch eine Weile, dann hob Rena Mikas vorsichtig von ihrem Schoß, wo er eingeschlafen war, und stand auf. „Ich muss weiter. Aber ich wünsche Euch viel Glück, Arianna, der Erdgeist sei mit Euch."

Erst als Rena wieder draußen war, im gleißenden Sonnenlicht, merkte sie, wie erschüttert sie war. Was für ein schreckliches Schicksal, sein ganzes Leben in dieser engen Hütte zu verbringen! Das war fast so schlimm wie das Leben von Moriann, die mit dem Palast der Blüten verschmolzen war und ihn zum Palast der Trauer gemacht hatte.

Vielleicht fiel ihr doch noch ein, wie sie die beiden davon überzeugen konnte, ihre Zuflucht zu verlassen. Aber erst einmal musste sie zum Rat, um über das Orakel zu sprechen.

Sie hatte schon eine Idee, wie sie noch mehr über die drei eigenartigen Kinder herausfinden konnte.

Alena spähte aus dem schmalen offenen Spalt. Aber sie sah nur den schwachen Schein einer Kerze. Erst als der Mann auf den Stufen sich räusperte, erkannte sie die heisere Stimme des

„Wirts". Er kam genau auf die Vorratskammer zu, in der sie kauerten!

Über ihren Köpfen begann ein Tumult. Erschrocken hörte Alena einen Schrei und ein schrilles Jaulen, das Poltern von Gegenständen, Kampfgeräusche. Rostfraß, es sah fast so aus, als seien Jorak und Cchraskar in den oberen Stockwerken in Schwierigkeiten! Ihr Herz krampfte sich zusammen beim Gedanken, dass Jorak vielleicht verletzt wurde, und sie musste sich beherrschen, um ihm nicht sofort zu Hilfe zu eilen.

Die schweren Schritte stockten auf der Treppe. Mit einem lauten Alarmruf begann der Mann die Treppe hinaufzustürmen. Kein Zweifel, das war einer der Banditen! Ohne nachzudenken warf sich Alena durch die Tür und stellte sich ihm mit dem Smaragdschwert in der Hand entgegen, Finley auf den Fersen.

Ihr Gegner schien genauso schlecht im Dunkeln zu sehen wie sie, nein, zur Erd-Gilde gehörte er nicht! Er bemerkte sie zu spät – und rannte sie einfach um. Eine riesige Masse Mensch traf Alena und riss sie von den Füßen. Ehe sie sich´s versah, hatte sie ihr Schwert verloren und kugelte die Treppenstufen herunter. Das tat höllisch weh, jede Kante verpasste ihr einen neuen blauen Fleck.

Mit einem Krachen landete sie in der warmen, hellen, nach Essen riechenden Gaststube. Dort wimmelte es von Menschen, drei Paar Hände packten Alena alles andere als freundlich und zerrten sie auf die Füße. Doch diesmal ließ sich Alena absichtlich fallen und rollte ab. Noch im Fallen zog sie ihr Messer heraus. Einen Atemzug später war sie auf den Füßen und in Kampfhaltung.

Ein rothaariger, mit einer Eisenstange bewaffneter Mann warf sich auf sie, doch sie wich seinem Schlag mit Leichtigkeit aus und erwischte ihn beim Vorbeiwirbeln mit dem Messer am Arm. Ein zweiter Mann griff sie von hinten an und umklammerte ihren Hals eher zögerlich als fest mit einem Arm. Er trug Handschuhe aus hellem Leder. Alena warf den Kopf nach hinten gegen seine Nase und hörte den Mann vor Schmerz aufstöhnen. Ein schneller Hieb mit dem Ellenbogen und ein kräftiger Tritt auf die Zehen, mehr brauchte es nicht, ihn außer Gefecht zu setzen. Instinktiv duckte sich Alena unter einem Schlag des Rothaarigen weg. Sie täuschte mit ausgestreckten Fingern einen Stoß gegen seine Augen vor und führte mit dem Messer einen Scheinangriff gegen seinen Bauch. Erschrocken wich der Mann nach hinten aus und stürzte polternd zwischen Tische und Bänke.

Der angebliche Wirt hatte das Smaragdschwert aufgehoben und besaß nun die Frechheit, sie mit ihrer eigenen Waffe anzugreifen. Doch Alena kannte ihr Schwert zu gut, um sich vor ihm fürchten zu müssen. Es weigerte sich, für jemanden zu kämpfen, der nicht sein Besitzer war, und gegen Alena geführt würde es diesem Kerl schwer wie Blei in den Händen hängen. Ohne große Mühe wich Alena dem Stoß aus und trat ihm das Schwert aus der Hand. Mit einem hohen Klirren schlitterte es über den Steinboden. Alena hielt es mit dem Fuß auf und bückte sich schnell danach.

„Hast Glück, dass ich meine Axt nicht hier habe, Mädchen", knurrte der angebliche Wirt. „Haruco, nächstes Mal hälst du sie richtig fest."

Der Angesprochene hielt sich noch immer die blutende Nase. Betrübt betrachtete er das Blut auf dem hellen Leder seiner Handschuhe. „Klar doch – dafür übe ich am besten an Wasserschlangen!"

Niemand aus der Bande schien große Lust zu haben, sie noch einmal anzugreifen. Jetzt war eine gute Gelegenheit, die Kerle zu überwältigen und gefangen zu nehmen. Aber dazu brauchte sie Unterstützung. Wo war Finley abgeblieben? O je, den und die Gäste hielt die „Bedienung" mit dem Messer in Schach ...

„Achtung!", hörte Alena Finley brüllen. Alena sah, dass einer der Gäste nach oben schielte, und riss den Kopf hoch. Doch es war schon zu spät. Ein Netz fiel von oben auf sie und innerhalb weniger Atemzüge hatte sich Alena hoffnungslos in den Maschen verheddert. Triumphierend warfen sich ihre Gegner auf sie. Kurz darauf lag Alena gefesselt auf dem kalten Steinboden und ärgerte sich über sich selbst. Wieso hatte sie nicht daran gedacht, nach oben zu schauen? Ihr Vater hatte recht, sie machte immer noch gefährliche Flüchtigkeitsfehler!

„Gut gemacht, Kiion“, lobte der angebliche Wirt den Mann mit dem Netz. „So, den Kerl mit dem bunten Mantel und die anderen fesselt ihr an Stühle, los jetzt!“

Finley ergab sich der Übermacht und war kurz darauf ebenso verschnürt wie die verdutzten Reisenden. Doch in den oberen Stockwerken polterte es immer noch mächtig. Sah aus, als wären Jorak, Cchraskar und ein paar der anderen Gäste nach wie vor frei. Alena ahnte, dass das nicht von Dauer sein würde.

Aus den Augenwinkeln beobachtete Alena die Männer, die sie gefangen genommen hatten. Der schwarzbärtige, muskulöse Anführer der Bande stammte aus der Feuer-Gilde. Er strahlte Kraft und Autorität aus, sein Blick war stolz und selbstbewusst. Der junge blonde Mann mit den Lederhandschuhen war vermutlich Wasser-Gilde. Alena schätzte ihn auf Anfang zwanzig. Er zupfte verlegen an seiner Tunika und wich ihrem Blick aus. Der Rothaarige war etwas älter; er schielte leicht, vielleicht kämpfte er deswegen so erbärmlich. Die Frau, die sie beim Essen bedient hatte, sah aus, als langweile die ganze Sache sie zu Tode.

Interessanter fand Alena den Kerl, der sich zwischen den Deckenbalken versteckt und das Netz auf sie geworfen hatte. Er war knochig, hatte ein schmales, blasses Gesicht, feine, helle Haare und hellblaue Augen. Als einer seiner Ärmel hochgerutscht war, hatte sie die verkümmerten Federkiele an seinen Armen gesehen. In seiner Ahnenreihe gab es einen Storchenmenschen!

Entmutigt sah Alena, wie andere Mitglieder der Bande Jorak, Cchraskar und vier andere Gäste hereinschleppten. Sah so aus, als hätten sich auch ein paar der Banditen in einem der oberen Zimmer versteckt, wo Jorak auf sie gestoßen war. Zum Glück schienen alle nur leicht verletzt zu sein, auch wenn Cchraskars Augen vor Wut Blitze sprühten. Tja, jetzt saßen sie alle zusammen inklusive Finley im Aschehaufen.

Der falsche Wirt schlenderte zu Jorak hinüber und begann ihn zu durchsuchen. Dabei förderte er die Flöte zutage und betrachtete sie fasziniert. Vorsichtig steckte er sie ein. Alena zerriss es das Herz, als sie es sah; sie wusste, was diese Flöte Jorak bedeutete.

Die Hände des Bärtigen griffen an Joraks Hals, suchten nach dem Gildenamulett – griffen ins Leere. Erschrocken richtete sich der Mann auf. „Moment mal, Leute“, sagte er mit seiner heiseren Stimme. „Sieht so aus, als hätten wir einen Fehler gemacht! Das hier ist einer von uns.“

Bevor Jorak es sich versah, hatte er seine Flöte zurück und war dafür seine Fesseln los. Verdutzt setzte er sich auf und rieb sich die Handgelenke. Grinsend hielt ihm der Bärtige die Hand hin, um ihm aufzuhelfen. „Na, zu wem hast du früher mal gehört, Bruder? Ich war in Feuer. Hab mir im Streit um eine Frau die Zukunft verpfuscht. Eryn der Schwarze ist mein Name.“

Jorak überlegte schnell. Wie würden die Kerle reagieren, wenn sie erfuhren, dass er nie einer Gilde angehört hatte, nicht ausgestoßen worden war? Damit gehörte er ja nicht mehr zu ihnen, und es konnte gut sein, dass sie ihn dann gleich wieder festsetzten. Dennoch entschied sich Jorak, es mit der Wahrheit zu riskieren. „Ich war noch nie in einer Gilde. Bin zwischen Luft und Feuer geboren worden.“

Genau, wie er befürchtet hatte, wurden sie sofort vorsichtig. „Was machst du hier, was hast du vor?“, stellte Eryn ihn zur Rede.

„Ich bin auf dem Weg nach Nerada, zum Rat der Luft-Gilde. Sie haben mir in Aussicht gestellt, dass sie mich aufnehmen.“

Mit einem Sprung federte ein knochiger blonder Mann, der zwischen den Deckenbalken gehockt hatte, die zwei Menschenlängen zu Boden. „Sie wollen dich aufnehmen? Obwohl du erwachsen bist?“, fragte er schüchtern. Voller Hoffnung, fast schon gierig, blickte er Jorak an. „Wie hast du das geschafft?“

Jorak erzählte es ihnen und fügte hinzu: „Doch Formel hin oder her, ich vermute, dass sie es mir nicht leicht machen werden. Aber ich kann einfach nicht anders, ich schaffe es nicht länger, gildenlos zu leben.“

Staunendes Schweigen legte sich über den Saal. Der blonde junge Bandit mit den Lederhandschuhen hatte vor Aufregung rote Ohren bekommen. Schließlich seufzte der knochige Mann. „Wenn´s dir gelingt ... dann habe ich vielleicht auch eine Chance. Ich wünsche dir alles Glück der Welt."

„Wir alle wünschen es dir", sagte Eryn, zupfte an seinem Bart und seufzte. „Du kennst es ja, das Leben ohne Gilde. Wir haben nicht viel Spaß dran, Leute auszurauben, aber was für eine Wahl haben wir?"

„Ich weiß", sagte Jorak. Plötzlich taten ihm diese Menschen einfach nur leid. „Mir bleibt auch keine Wahl. Ich liebe eine Frau der Feuer-Gilde, sie hat mehr verdient als einen Ausgestoßenen."

Die Sorge um Alena ließ ihm keine Ruhe. Jorak war egal, was die anderen Gildenlosen über ihn dachten, er musste einfach nach ihr sehen. Er ging zu ihr hinüber und kniete sich neben sie. Zum Glück war sie unverletzt, wirkte nur ziemlich wütend. Am liebsten hätte er ihre Fesseln gelöst, aber dann würden sie alle über ihn herfallen, Bruder hin oder her.

Als Jorak sich den Gildenlosen wieder zuwandte, sah er das Erstaunen auf ihren Gesichtern. „Was, diese kleine Dämonin ist deine Gefährtin?", knurrte ein Rothaariger, der am Arm blutete. „Du willst doch nicht etwa, dass wir die freilassen?"

Jorak wusste, dass er viel verlangte, aber es ging nicht anders. „Äh, doch. Und der Iltismensch da und der Geschichtenerzähler, die gehören auch zu mir. Wir reisen zusammen nach Eolus."

„Wir haben ein besseres Angebot für dich", brummte Eryn. „Du kommst mit uns und wir bringen dich selbst nach Nerada. Der gute Kiion hier kriegt nämlich langsam Heimweh." Er nickte zu dem mageren blonden Mann hinüber.

„Du verstehst aber auch gar nichts von Liebe", fauchte die mürrische Frau ihren Anführer an. „Hättest du das etwa gemacht, Eryn, deine Gefährtin hier liegen lassen?"

Eryns heiseres, brüllendes Lachen erfüllte die ganze Gaststube. „Wenn ich was von Liebe verstehen würde, wäre ich nicht hier."

„Ach, ist das romantisch“, seufzte Finley, obwohl sein Gesicht halb an den Boden gepresst war. „Ich liebe romantische Geschichten.“

Eryn machte eine kurze Bewegung mit dem Kopf. Vier Paar Hände ergriffen Jorak, warfen ihn auf den Boden und verschnürten ihn wieder. „Tut mir leid, Junge“, sagte Eryn. „Ich sag dir was. Wir nehmen dir und deinen Freunden euer Geld nicht ab – ihr werdet es noch brauchen, wenn ihr bis Nerada kommen wollt. Und wir schicken jemand aus dem nächsten Dorf her, damit er euch befreit. Spätestens morgen früh könnt ihr euch wieder auf den Weg machen.“

„Danke“, murmelte Jorak und wälzte sich herum, bis er trotz der Fesseln halbwegs bequem lag. Er fühlte sich nicht besonders dankbar, aber er wusste, dass er und Alena Glück gehabt hatten. Diese Sache hier im Gasthaus hätte übel ausgehen können. Er hätte nie gedacht, dass es einmal hilfreich sein würde, gildenlos zu sein.

„... und wenn du mal Hilfe brauchst, dann schick einfach eine Botschaft an Eryn den Schwarzen“, fügte der Bärtige hinzu. „Wenn du es schaffst, aufgenommen zu werden, Junge, dann ist das ein Stück Hoffnung für uns alle. Also streng dich an, klar?“

„Klar“, sagte Jorak und beobachtete, wie die Gildenlosen schnell und geschickt von einem fluchenden Gast zum nächsten gingen und ihnen die Taschen leerten. Schließlich zogen sie ab, das Gasthaus war wieder still und dunkel.

Nachdem sie genug geflucht und diskutiert hatten, siegte doch die Müdigkeit. Alena hörte Joraks tiefen Atem, aber sie selbst konnte nicht einschlafen. Durch all das, was geschehen war, hatte sich ihr Körper auf Gefahr eingestellt und wies Schlaf als nutzlos und gefährlich ab. So hörte sie auch das Flüstern neben sich.

„Alena, bist du wach?“ Finleys Stimme.

„Ja.“

„Ich habe mir überlegt, was ich als Gegenleistung für das Tiefen-Elixir will. Ich will eure Geschichte. Deine und Joraks."

„Unsere Geschichte?!" Alena wäre nie auf die Idee gekommen, dass eine Geschichte überhaupt etwas wert sein konnte. Aber für einen Erzähler war sie das natürlich. „Im Moment ist es vor allem Joraks Geschichte. Ihn musst du fragen."

„Täusch dich da nicht. Es ist genauso deine Geschichte. Sonst wärst du nicht hier."

„Kann sein. Aber die Geschichte beginnt erst, noch gibt´s nicht viel zu erzählen."

„Genau. Deswegen will ich mit euch reisen. Versteh mich nicht falsch – Gildenlose interessieren mich auch nicht mehr als andere Leute, ich halte die meisten für dreckig, gefährlich oder bestenfalls nutzlos. Aber ich habe das Gefühl, dass hier ... hm ... dass hier etwas passiert, was sich später mal gut erzählen ließe."

Alena schwieg. Na toll. Wenn er so über Gildenlose dachte, würde es wahrscheinlich nicht besonders angenehm werden, ihn als Reisegefährten zu haben. Außerdem war sie noch nicht sicher, ob sie ihn mochte. Zu allem Übel würde sie Jorak nicht erzählen können, warum der Geschichtenerzähler mit ihnen reisen sollte – sonst musste sie ihrem Gefährten auch beichten, was Finley ihr als Gegenleistung versprochen hatte.

Ach, was sollte es. Immerhin hatte er sich in Gefahr gebracht, um sie zu warnen. „Na gut. Wenn Jorak und Cchraskar nichts dagegen haben. Aber das mit dem Trank bleibt unter uns. Und du zeigst auf keinen Fall, dass du mit Gildenlosen ein Problem hast. Sonst ist unsere Abmachung Asche. Jorak hat schon genug auszustehen."

„Geht klar. Sobald wir in Nerada sind, versuche ich das Elixir für dich aufzutreiben."

Frei! Wie versprochen waren Leute aus dem nächsten Dorf gekommen und hatten ihre Fesseln gelöst. Nun lag das Gasthaus hinter ihnen und sie waren wieder unterwegs. Das fühlte sich gut an. Mit jedem Schritt kamen sie ihrem Ziel näher. Bald würde er vor dem Rat stehen! Jorak streckte sich und tat so, als wolle er nach den untersten Ästen der Bäume springen. „He, Finley, wohin in Nerada willst du?"

„Eolus", sagte der Geschichtenerzähler. „Kennt ihr vielleicht – hübsche Stadt, Sitz des Rates der Luft-Gilde. Bisschen sandig vielleicht, aber nett."

„Da wollen wir auch hin." Jorak zögerte. Wollte der Kerl etwa mit ihnen reisen? Andererseits – vielleicht war es besser so. Sie würden Finley brauchen. Oder genauer gesagt seinen Pfadfinder. Zwar sah das braunfedrige Vieh so aus, als würde es ihm demnächst mit Herzinfarkt von der Schulter fallen. Aber falls es das nicht tat, war es die Lösung für ihr Problem, wie sie sich im Grasmeer zurechtfinden sollten. Und immerhin: Wenn Finley Vorurteile gegen Feuerleute oder Gildenlose hatte, behielt er sie für sich.

„Wir könnten zusammen reisen", schlug Jorak vor und fragte Alena mit einem Blick, ob sie einverstanden war. Alena machte ein seltsames Gesicht, nickte aber. Jorak war nicht sicher, warum sie so eigenartig reagierte. Vielleicht wäre es besser gewesen, er hätte sie unter vier Augen gefragt ...

Sie reisten schnell und erreichten die Grenze von Alaak nach weiteren drei Tagen. Finley hatte offensichtlich Angst vor einer Verwarnung seiner Gilde und achtete sehr darauf, dass keine anderen Reisenden sie zusammen sahen. Jorak akzeptierte das, aber es ärgerte ihn ein bisschen, dass Alena so viel mit Finley zusammensteckte – ständig schien sie in ein Gespräch mit ihm vertieft zu sein. Damit hatte Jorak nicht gerechnet. Fand sie diesen geschwätzigen, buntscheckigen Kerl etwa anziehend? Hatte er mehr oder interessantere Dinge zu erzählen als ein Gildenloser aus Ekaterin? Sei nicht blöd, natürlich hat er das, rief sich Jorak zur Ordnung. Schließlich ist er Erzähler.

Es half nichts. Jorak konnte der Versuchung nicht widerstehen, die Ohren zu spitzen. Doch Alena erzählte nur, wie sie sich kennengelernt hatten, beim Kampf gegen den Propheten des Phönix und seinen Eisdämon. „Erst mochte ich Jorak nicht besonders – unsere ersten Begegnungen in Ekaterin waren ziemlich grässlich ... aber jenseits der Grenze merkte ich, wie er mir immer wichtiger wurde, wie nett er wirklich war, wie sehr man sich auf ihn verlassen konnte ... tja, irgendwann war es dann mehr als Freundschaft, obwohl ich das in Rhiannon erst nicht begriffen habe und wir es lange nicht geschafft haben, es uns zu sagen ..."

Jorak lächelte still in sich hinein und konzentrierte sich wieder auf den Weg, auf die Art, wie sich das Wetter entwickelte, und darauf, was er vor dem Rat sagen wollte.

Abends, am Lagerfeuer, erzählte Finley Geschichten von Alenas Mutter Alix. Wie sie mühelos innerhalb kürzester Zeit alle vier Meistergrade errungen hatte. Wie bei der Prüfung für den vierten Grad ein Leuchtsturm getobt hatte, aber Alix sich nicht davon aus der Ruhe hatte bringen lassen und ihre nervösen Prüfer überredet hatte, den Prüfungskampf trotzdem zu Ende zu führen. Wie sie im Alter von einundzwanzig Wintern, nach dem Tod ihres Vaters, Agentin für ihre Gilde geworden war, obwohl manche im Rat ihre Erscheinung zu auffällig fanden für die verdeckte Arbeit.

Finley gab sich Mühe beim Erzählen, sprang bei dramatischen Szenen sogar auf und tat so, als würde er ein Schwert schwenken. An diesen Stellen bekam Alena meist einen Lachkrampf. „Das sieht aus, als würdest du ein Dhatla verprügeln!"

Finley kannte auch viele Geschichten aus Alix´ Zeit als Agentin. Wie Alix es geschafft hatte, einen berüchtigen Schwindler selbst übers Ohr zu hauen. Wie sie in der Verkleidung einer Köchin einen Pilgerzug begleitet hatte, um ihn vor Banditen zu schützen, und wie sie dabei allein eine ganze Bande von Angreifern in die Flucht geschlagen hatte. Wie sie es gemeinsam mit dem Agenten Cezary schaffte, eine geheimnisvolle Serie von Brandstiftungen in Alaak aufzuklären und das Rätsel der wandernden Bäume zu lösen.

Bei manchen Geschichten wurde Alena ganz still. Zum Beispiel, als Finley die Geschichte von Alix und Eo erzählte. „Eines Tages verliebte sich Alix auf ihren Reisen in Eo, einen Mann der Luft-Gilde, der in Belén lebte", begann er. „Sie zögerte lange, bevor sie sich eingestand, dass er ihr etwas bedeutete. Und niemand wusste davon. Cezary, ihrem Reisegefährten, hätte sie es nicht sagen können – er hätte es an den Rat gemeldet. Alix entschloss sich, ihre Arbeit als Agentin aufzugeben, um dem Ruf der Liebe zu folgen.

Doch dann kam der Tag, an dem Alix´ Feinde ihr und Eo auf die Spur kamen. Sie boten Eo Gold, viel Gold, damit er ihnen sagte, wo sie sich als Nächstes mit ihm treffen wollte. Seine Gier nach Reichtum war groß und er verriet Alix. So konnten ihre Feinde ihr auflauern. Es war ein harter Kampf und Alix musste fliehen. Doch sie nahm Rache. In der großen Fehde von Belén erschlug sie viele ihrer Feinde, nur Eo nicht, denn der war geflohen. Den Rest ihres Lebens trug Alix einen Hass auf die Luft-Gilde im Herzen."

„Die Geschichte kannte ich nicht", sagte Alena leise. „Bist du sicher, dass die stimmt?"

„Ziemlich sicher", sagte Finley. „Sie gefällt dir nicht?"

„Nicht besonders", sagte Alena. Jorak konnte sich denken, warum. Wenn Alix die Luft-Gilde gehasst hatte, dann hätte sie ihn, Jorak, nie als Gefährten ihrer Tochter akzeptiert. Sein Luft-Erbe war zu stark.

Dann, viele Geschichten später, lag das Grasmeer vor ihnen. Blau und wogend und wunderschön. Jorak spürte, wie etwas in ihm sich löste, wie die Freude aus ihm herausbrach. Er hob Alena hoch und küsste sie, dann ergriff er Cchraskar am Nackenfell und schüttelte ihn, bis der junge Iltismensch spielerisch um sich biss. „Das ist Nerada, siehst du es, das ist Nerada!"

Alena musste lachen. „He, ich glaube, du hast doch irgendwie Heimweh gehabt in den letzten Wintern!"

Auch Finley lachte, sein breiter Mund schien von einem Ohr zum anderen zu reichen. Er kitzelte seinen Pfadfinder an den Bauchfedern. „Aufwachen! Jetzt kommt endlich mal Arbeit auf dich zu! Was ist unser nächstes Ziel, Jorak?"

„Torreventus", sagte Jorak und die Freude wurde zu Asche in seinem Mund.

Torreventus. Der Ort, an dem seine Mutter wohnte. Bald würde er wissen, woran er war. Er wusste schon jetzt, dass er all seinen Mut brauchen würde, um nicht an der Stadtgrenze umzukehren.

Torreventus

Nur zwei Menschen aus der Felsenburg hatte Rena in ihren Plan eingeweiht – Dorota, die Vertreterin der Erd-Gilde, und Bilgan, den Vorsitzenden des Rates. Er war ein stämmiger, kraftvoller Mann mit buschigen Augenbrauen, ebenfalls einer der Erdleute. Rena schätzte die nüchterne, praktische Art, mit der er den Rat leitete, und die Entschlossenheit, mit der er sich für den Frieden einsetzte. Aber sie hasste es, wenn er über eines seiner Lieblingsthemen – die Reinheit der Gilden – sprach. Wenn es nach ihm ging, wären Verbindungen wie die zwischen ihr und Tjeri verboten. Er hatte nie ein Hehl daraus gemacht, dass er ihre Beziehung zu einem Mann der Wasser-Gilde missbilligte.

Als Rena den beiden Delegierten ihren Vorschlag erklärt hatte, versank Bilgan erst einmal in brütendes Schweigen und dachte nach. Dorota dagegen wirkte nicht erfreut. „Wozu genau soll das gut sein, dass du dich in den Tempel des Orakels einschmuggeln willst? Wenn du einen Fehler machst und herauskommt, dass der Rat hinter diesem Versuch gesteckt hat, geben uns die Kinder womöglich keine Vorhersagen mehr!"

„Nichts wird darauf hindeuten, dass ich eure Einwilligung habe – natürlich werde ich das auch standhaft leugnen", versicherte Rena.

„Und trotzdem ..." Dorota war noch nicht überzeugt.

„Eine Frage, Dorota", sagte Rena. „Wollt ihr, dass das Orakel euch kontrolliert, oder wollt ihr das Orakel lieber selbst unter Kontrolle haben?"

„Sie hat recht", meinte Bilgan plötzlich. „Wir sollten uns diese Sache nicht aus der Hand nehmen lassen. Wir wissen viel zu wenig über diese Kinder."

Dankbar sah Rena ihn an. Immerhin, er hatte sofort verstanden, worauf sie hinauswollte. „Das glaube ich auch", sagte sie und berichtete kurz und ohne Namen zu nennen darüber, was sie in Karénovia herausgefunden hatte. Die Tatsache, dass dort ungewöhnlich viele Anderskinder geboren wurden, ließ sie aus. Denn inzwischen war ihr klar geworden, dass Arianna recht gehabt hatte – es war erst einmal sicherer, wenn niemand von Mikas wusste.

Dorota sah entsetzt aus. „Wenn die Kinder wirklich so unberechenbar sind, könnte es aber gefährlich für dich werden."

„Ich weiß." Rena war selbst nicht glücklich darüber. Aber sie war bereit zu tun, was getan werden musste. Außerdem – hatte sie eine ähnliche Mission nicht schon einmal geschafft? Damals hatte sie sich unerkannt in das Lager von Canos Anhängern eingeschmuggelt. Nur so hatte sie herausbekommen können, was der Prophet des Phönix plante .... Moment, du vergisst, dass das ordentlich schiefgelaufen ist, erinnerte sich Rena. Sie haben dich enttarnt und du wärst beinahe draufgegangen!

Rena schob den Gedanken von sich und sprach weiter. „Mir ist nur noch nicht klar, wie ich es schaffe, dass die Kinder und Ellba mich als Helferin in den Tempel lassen. Ich fürchte, sie legen nicht gerade viel Wert auf Gesellschaft."

Bilgan lächelte schief. „Meine Gefährtin ist genauso. Aber als sie und meine Söhne sich neulich alle zusammen mit dem Roten Fieber angesteckt haben, waren sie dankbar, als eine Heilerin vorbeikam und sich um sie kümmerte. Wie wäre es, wenn du als reisende Heilerin auftrittst, Rena?"

„In den letzten Wintern habe ich mich viel mit Kräuterkunde beschäftigt", sagte Rena zögernd. Sie ahnte, worauf das hinauslief, und es gefiel ihr nicht besonders.

„Ein schlimmer verdorbener Magen würde vermutlich reichen", überlegte Bilgan. „Da der Rat dem Orakel sämtliche Vorräte liefert, könnten wir so einen, äh, Zwischenfall leicht arrangieren."

„Na gut, es geht wohl nicht anders. Das würde mir ein paar Tage verschaffen, in denen ich das Orakel beobachten und besser kennenlernen kann."

So vereinbarten sie es und machten sich daran, die Einzelheiten zu besprechen.

Rena schlug vor: „Wenn ich erst mal drin bin, könnte ich wahrscheinlich leicht mit der Außenwelt in Kontakt treten, indem ich hin und wieder an einer vereinbarten Stelle und zu einer bestimmten Zeit Nachrichten über die Mauer des Tempels nach draußen werfe."

„Wir schicken gleich noch ein paar Agenten zum Orakel", beschloss Bilgan. „Die können eingreifen, wenn du ein verabredetes Notsignal gibst."

Soso, dachte Rena. Unter den Ratsuchenden waren also schon ein paar Agenten. Es wunderte sie nicht – alles andere wäre fahrlässig gewesen, wenn man bedachte, wie wertvoll das Orakel war.

Dorota nickte. „Wir könnten auch die Wachen am Tor informieren ..."

„Nein, nein!" Rena war erschrocken. „Je weniger Leute davon wissen, desto besser. Am liebsten wäre mir, wenn außer euch beiden überhaupt niemand informiert wird. Wenn ein Gerücht die Runde macht und die Kinder Verdacht schöpfen, während ich bei ihnen im Tempel bin ..."

„Na gut, ich werde es nur Aron von den Feuerleuten sagen, damit es nicht so aussieht, als würde die Erd-Gilde sich gegen das Orakel zusammenrotten." Bilgan runzelte die Stirn. „Aber was ist, wenn die Kinder es selbst herausfinden? Wenn sie mithilfe ihrer Gabe vorausahnen, dass wir versuchen, eine Spionin bei ihnen einzuschleusen?"

Dann wird es mir womöglich gehen wie den Eltern der Drillinge, dachte Rena und einen Moment lang wünschte sie sich, sie hätte diese dämliche Idee mit dem Einschmuggeln nie gehabt. Aber dann dachte sie an ihre Viveca, von der nichts geblieben war außer ein paar Wagenrädern. „Ich muss es einfach riskieren. Wahrscheinlich lassen sie mich gar nicht erst ein, wenn sie einen Verdacht haben. Dann kehre ich einfach um, und wir vergessen das Ganze."

Dorota seufzte, nickte und stimmte ihr zu.

Der Pfadfinder mochte alt sein, aber das machte er durch Erfahrung wett. Geschickt lotste er Finley und damit auch seine Begleiter über die schmalen Pfade des Grasmeers nach Süden.

Alena war sehr froh darüber, dass die beiden sich hier auskannten. Sie hätte das Grasmeer gerne so gemocht, wie Jorak es tat, aber das fiel ihr nicht leicht. Zurzeit herrschte starker Wind und die langen blassblauen Halme wogten und bogen sich über den Pfad. Es fühlte sich an, wie ständig von Hunderten von dünnen Fingern am Arm gestreift zu werden. Das Rauschen des Grases übertönte alle Geräusche, und Alena und die anderen mussten fast schreien, wenn sie sich verständigen wollten. Feiner, heller Staub wurde von den Pfaden aufgewirbelt und wehte Alena in die Augen, bis sie rot und entzündet waren. Es roch nach Sand, trockenem Gras und ein wenig muffig, nach Matsch. Alena sehnte sich nach der klaren Luft der Wüste zurück.

Wenn notwendig, übernahm es Finley, hin und wieder in einem Dorf neue Esswaren zu holen. „Glaubst du, dass du hier auch irgendwo das Tiefen-Elixir bekommst?“, fragte Alena ihn, als Jorak sich gerade in einen Seitenpfad zurückgezogen hatte, um sich zu erleichtern.

„Nein, in den Dörfern hier auf dem Weg oder von den Karawanen kriege ich das Zeug nicht. Aber Torreventus hat ein paar große Handelsposten, dort könnte ich es versuchen.“

Zu spät merkten sie, dass Jorak schon wieder aufgetaucht war, und verstummten erschrocken. Das entging Jorak nicht und er warf ihnen einen kurzen, scharfen Blick zu. O je, dachte Alena. „Wir haben uns gerade darüber unterhalten, wie gut deine Tunika mit den Umgebungsfarben harmoniert“, behauptete Finley grinsend.

„Ach“, sagte Jorak nur kurz.

Finleys Bemerkung gefiel Alena nicht, es hatte geklungen, als würde er sich über ihren Gefährten lustig machen. Alles in ihr drängte danach, ihm die Wahrheit zu sagen, ihm von dem Elixir zu erzählen. Doch Jorak hatte sich schon abgewandt und schulterte sein Gepäck, um sich auf den Abmarsch vorzubereiten. Alena fühlte sich elend und es dauerte eine Weile, bis ihre niedergedrückte Stimmung schwand.

An diesem Abend hatte Finley keinen leichten Stand. Normalerweise hörte Jorak ihm genauso begeistert zu wie Alena, doch diesmal zerlegte er Finleys Geschichte gnadenlos. Wahrscheinlich war es Finleys Pech, dass er eine angeblich wahre Begebenheit aus der Luft-Gilde ausgewählt hatte statt einer Legende oder einer Geschichte über Alix.

„... und so zogen sie nach Vanamee, um dort Nüsse gegen Fisch einzutauschen", erzählte Finley gerade.

„Das ist ziemlicher Blödsinn", mischte sich Jorak ein. „Fisch ist so viel wertvoller als Nüsse, dass sie tonnenweise davon mitgenommen haben müssten. Eine solche Ladung über Land zu transportieren geht nicht."

„Keine Ahnung, vielleicht haben sie eine Formel dafür benutzt", meinte Alena. „Oder die Wertverhältnisse waren damals anders."

Zehnmal zehn Atemzüge später erzählte Finley davon, dass ein Kurier wie vereinbart fünf Tage später aus der Eiswüste von Socorro zur Felsenburg zurückgekehrt sei.

„Das ist unlogisch", unterbrach Jorak ihn höflich. „In der Zeit kann er unmöglich so weit gekommen sein. Selbst mit einem Dhatla nicht."

Finley verzog das Gesicht. „Die Geschichte geht eben so. Beim Nordwind, jetzt lass mich endlich weitererzählen!"

Betont gleichmütig sagte Jorak: „Mich hätte nur interessiert, ob die Geschichte gelogen ist oder ob du sie dir einfach falsch gemerkt hast."

Das hat gesessen, dachte Alena, halb amüsiert, halb abgestoßen. „Ich finde es auch egal, ob es nun fünf Tage waren oder mehr."

„Mir ist es auch gleichgültig, die Geschichte ist sowieso langweilig", meinte Jorak, ohne Finley einen Moment aus den Augen zu lassen.

Alena hatte die Nase voll von dem Schlagabtausch. „Tut mir schrecklich leid, ihr beiden, aber hättet ihr was dagegen, wenn wir uns für heute zur Nachtruhe begeben?" Sie gähnte lautstark, obwohl sie noch gar nicht müde war.

Jorak zuckte die Schultern.

„Nein, ich habe nichts dagegen", sagte Finley beleidigt. „Ihr wisst ja offensichtlich nicht zu schätzen, dass ich euch kostenlos erzähle, wofür andere bare Münze springen lassen. Und übrigens, Jorak: Eine gut erfundene Geschichte ist nicht erlogen!"

„Vielleicht habe ich im Gegensatz zu dir ein paarmal zu oft unfreiwillig lügen müssen", erwiderte Jorak kühl. „Solche Unterschiede weiß ich nicht mehr zu schätzen."

Finley zog eine Grimasse. „Ich weiß schon, warum ich selten was vor Gildenlosen erzähle! Die sind meistens ein schlechtes Publikum und Geld haben sie natürlich auch keins."

Jorak funkelte ihn an. Auch Alena war wütend, weil Finley so deutlich gezeigt hatte, was er von Gildenlosen hielt. Eigentlich war ihre Vereinbarung damit nichtig! Doch sie wusste, dass sie es nicht über sich bringen würde, Finley seiner Wege gehen zu lassen. Sie wollte dieses Elixir haben. Und sie hatte noch längst nicht alle Geschichten über Alix gehört, die er kannte.

„Ich könnte auch mal eine Gescchichte erzählen", mischte sich plötzlich Cchraskar ein. Erstaunt blickten ihn alle an und er grinste schüchtern. „Eine Geschichte der Caristani. Wollt ihr ssie hören, wollt ihr?"

„Ja, gerne", sagte Alena sofort.

Auch Jorak nickte und Finleys Augen leuchteten vor Neugier. „Ja, natürlich! Wer sind die Caristani?"

„So nennen sich die Iltismenschen selbst", erklärte Alena ihm leise.

Cchraskar setzte sich aufrecht hin und sein Gesicht wurde ernst und würdevoll. Als er zu sprechen begann, war sein Akzent fast verschwunden. „Dies ist die Geschichte von Cchraskar, Sohn von Cchrelia, die Tochter ist von Cchrassila, die Tochter ist von Cchripa, die Tochter ist von Cchradonai ..."

Seine eigene Geschichte, dachte Alena erstaunt und aufgeregt. Die hatte er ihr nie erzählt, obwohl sie sich schon so lange kannten!

„Die Mutter seiner Mutter seiner Mutter kam aus dem Weißen Wald, wo sie lebte wild und frei", erzählte ihr Freund. „Doch dann gecchah es, dass sie eingefangen wurde von Soldaten, die ihr Fell wollten als Winterpelz für sich. Sie bat um Gnade, und einer war dabei, einer, der die Gnade gewährte. Er nahm sie mit in die Felsenburg, wo sie ihm dienen musste, dienen. Dort in der Burg traf sie auf einen Bruder, Caristani wie sie selbst, edel und stark. Sie liebte ihn viele Male, viele. So wurde die Mutter meiner Mutter geboren. Auch sie Ssklavin, aber klug. Eines Tages überredete sie die Regentin, sie mitzunehmen auf eine Jagd, und dabei konnte sie fliehen, das konnte sie. Doch die Regentin rächte sich. Alle Caristani der Gegend, die nicht rechtzeitig entkommen konnten, wurrden getötet, das Blut rann über den Waldboden und es war Trauer vielerorten. Besonders traurig war die Mutter meiner Mutter, ihre Schuld war groß. Sie hörte auf zu essen und war tot sieben Tage darauf, tot."

Alena war erschüttert. Sie hatte schon einmal davon gehört, dass die Halbmenschen sich selbst Strafen auferlegten. Aber dass Cchraskars Großmutter sich zur Buße totgehungert hatte ... das war ein furchtbarer Gedanke. Im Vergleich dazu schien es harmlos, aus einer Gilde ausgestoßen zu werden. Nur mühsam schaffte Alena es, sich wieder Cchraskars Geschichte zuzuwenden.

„Ihre Tochter ging weg aus dem Weißen Wald, ins Land des schwarzen Sandes, wo es immer heiß ist und das Essen zurückbeißt. Dort wurde Cchraskar geboren, in einer kleinen Höhle im Sand, im Schatten eines Phönixbaums. Dorthin kam einmal ein kleines Mädchen aus dem Dorrf und hatte keine Angst vor den Caristani und fragte, ob einer der Welpen vielleicht Lust habe, mit ihr zu spielen. Cchraskars Mutter war erschrocken, wollte nichts mit Dörflingen zu tun haben, mit Dörflingen. Doch Cchraskar begann die kleine Feuerblüte zu mögen und er verließ sie niemals, niemals."

Alena musste lächeln. Seine eigene Geschichte und ihre. Sie wusste noch genau, wie einsam sie damals gewesen war. Und die Iltismenschen mit ihrem frechen Mut hatten ihr gefallen. Ihr wurde bewusst, dass sie Glück gehabt hatte, damals. Hätte es in Cchraskars Familie noch Hass gegeben, wäre sie vielleicht verletzt worden.

„Danke für die Geschichte, Cchraskar", sagte Alena feierlich. „Ich werde sie im Herzen bewahren."

„Sie gehört dir allein, Cchraskar, ich werde sie nicht weitererzählen“, versprach Finley.

Cchraskar blickte ihn an und nickte.

In nachdenklichem Schweigen rollten sich alle drei in ihre Decken. Alena legte sich dicht an Jorak heran, damit sie sich wie üblich in die Arme nehmen und aneinanderkuscheln konnten, doch diesmal erwiderte er ihre Zärtlichkeiten nicht und drehte sich ihr nicht zu.

So langsam wurde Alena ärgerlich. Gut, er hatte sie dabei ertappt, dass sie mit Finley geflüstert hatte. Aber war das ein Grund, jetzt so hartnäckig zu schmollen? Schließlich hatte sie oft genug gezeigt, was er ihr bedeutete. Sie bekannte sich zu ihm, sie half ihm, so gut sie konnte, und trotzdem lief es immer schlechter zwischen ihnen!

Alena stand auf und suchte sich einen Schlafplatz in Cchraskars Nähe. Doch es fiel ihr nicht leicht, einzuschlafen. Mit jeder Faser sehnte sie sich danach, wieder zu Jorak zu gehen. Doch sie tat es nicht. Sollte er doch kommen, wenn er sie angeblich so sehr liebte.

Jorak lag nahe beim Feuer und fühlte sich elend. Gut, er war wütend auf Alena gewesen, weil sie beim Streit eben nicht zu ihm gehalten, irgendwie Finleys Partei ergriffen hatte. Aber warum hatte er sie eben abgewiesen? Gab es nicht wichtigere Dinge im Leben als solche albernen Streitereien, hatte Cchraskars Geschichte ihnen das nicht gezeigt?

Er wünschte sich nichts mehr, als sich zu ihr zu legen, sie zärtlich in den Armen zu halten. Doch jetzt würde sie das nicht mehr wollen und recht hatte sie. Er hatte sich genauso mies benommen, wie man es von einem Gildenlosen erwartete. Vielleicht wäre es sogar besser gewesen, Finley zum Duell zu fordern – Jorak wusste, dass Menschen der Feuer-Gilde Respekt davor hatten, wenn jemand entschieden und wehrhaft auftrat. Aber

Jorak hatte noch nie jemanden zum Duell gefordert und er hatte nicht vor, das zu ändern.

Sollte er zu ihr gehen? Oder lieber doch nicht? Er grübelte so lange, bis er an Alenas Atemzügen hörte, dass sie eingeschlafen war. Verdammt!

Am nächsten Morgen war Alena kühl zu ihm und der Guten-Morgen-Kuss fiel kurz und nicht sehr gefühlvoll aus. Jorak wusste, es war Zeit, sich für gestern zu entschuldigen. „Alena, ich ...", begann er zerknirscht und Alena hob den Kopf, sah ihn fragend an.

Doch dann rief Finley. „He, worauf wartet ihr? Können wir endlich los?" und der Moment war vorbei. Grimmig packte Jorak seine Sachen und folgte Alena und Finley auf die sandigen Pfade des Grasmeers hinaus. Er schloss die Hand um das polierte Holz des Kästchens, in dem er seinen Armreif verwahrte, und fragte sich, ob er ihn jemals wieder tragen würde, tragen konnte.

Inzwischen trafen sie immer mehr Menschen und es gab keine Möglichkeit, ihnen auszuweichen. Jedesmal verkrampfte sich Jorak innerlich, fragte sich, ob jemand ihn als Gildenlosen erkannt hatte, und wer von diesen Reisenden Finley und Alena beim Gildenrat anschwärzen würde. Doch Tag um Tag verging und nichts geschah, keine vernichtende Botschaft erreichte sie. Konnte es sein, dass ihnen die Strafe erspart bleiben würde, bis er in Eolus war und sich das Problem vielleicht von selbst löste?

Endlich verkündete Finley: „Wir kommen jetzt in die Nähe von Torreventus."

Schon von Weitem hörte man ein sirrendes Rauschen, wenn man sich dem Ort näherte. Jorak wusste, woher es stammte: Auf den ersten Blick schien Torreventus vor allem aus riesigen Windrädern zu bestehen, sie drehten sich so schnell, dass man ihre Flügel nur noch als flirrende bunte Scheiben sah. Die aus silbrigem Gras geflochtenen Gebäude wirkten im Vergleich zu ihnen unscheinbar. Manche waren kaum zu sehen, weil sich an ihren Seitenwänden Sanddünen auftürmten.

„Der Ort ist berühmt für seine Windräder", sagte Jorak zu Alena, um sich von den Gedanken an seine Mutter abzulenken.

„Mit ihnen kann man Korn mahlen, Tiefenbrunnen anzapfen und vieles andere.“

Kurz vor dem Ortseingang stießen sie auf eine Kolonie von Gildenlosen, wie es sie auch in Ekaterin gab – eine Ansammlung von jämmerlichen Hütten, Elendsquartiere ohne ein einziges Windrad. Über hundert Menschen schienen hier zu leben.

„Die waren letztes Mal noch nicht da“, sagte Jorak verblüfft und vergaß ganz, sich wie üblich zu tarnen und den Umhang dicht um sich zu ziehen. Viele Augen folgten ihm neugierig, als die Gildenlosen in ihm einen Leidensgenossen erkannten. Jorak grüßte jeden höflich, hielt aber nicht an. Er wollte gerade nicht daran erinnert werden, dass er zu ihnen gehörte.

Am Ortsausgang, bei den respektableren Gebäuden, sahen sie ein Paar, dass sie stutzen ließ. Der Mann gehörte zur Erd-Gilde, die Frau aber zur Luft-Gilde. Das kleine Mädchen, das die Frau an der Hand hielt, trug kein Amulett.

„Arme Kleine“, murmelte Alena. „Wetten, der blüht ein ähnliches Schicksal wie dir, Jorak? Ich würde gerne mal wissen, wie viele solcher Kinder es inzwischen gibt ...“

Finley hatte sich von ihrer düsteren Stimmung nicht anstecken lassen, sondern blickte sich vergnügt um. „So, bis später dann. Hab einiges zu erledigen, nicht zuletzt neue Geschichten austauschen im Gildenhaus ... zum Beispiel über Mütter.“

Jorak bemerkte, wie Finley und Alena einen Blick tauschten. Aber diesmal achtete er kaum darauf, ihm ging zu viel im Kopf herum. Der Geschichtenerzähler winkte ihnen zu und verschwand in einer Seitengasse. Er schien sich hier auszukennen.

Auch Cchraskar verabschiedete sich, um zu schauen, ob andere Caristani in der Stadt waren.

Alena schien zu merken, dass Jorak nervös war. Sie zögerte kurz, nahm dann seine Hand. „Wo wohnt deine Mutter?“

Es war ein herrliches Gefühl, dass Alena sich ihm wieder zuwandte, ihn jetzt nicht im Stich ließ. Dankbar drückte Jorak ihre Hand und hielt sie fest. „Ein paar Straßen nördlich von hier“, sagte er.

Sie betraten den inneren Kreis der Stadt, und nun zog sich Jorak doch die Kapuze seines Umhangs über den Kopf, sodass niemand ihn auf der Straße erkannte. Vor der kleinen, schäbigen Hütte, in der sie so lange gewohnt hatten und in der er aufgewachsen war, hielt Jorak an. Das Dach sah noch zerfranster aus als früher, und im schmalen Sandstreifen um das Haus wuchs kein Gemüse mehr, aber sonst war alles noch wie früher. Das Herz klopfte Jorak bis zum Hals, als er den Begrüßungsruf ausstieß. Doch es war nicht seine Mutter, die öffnete, sondern ein alter Mann. „Was wollt Ihr?", fragte er gleichgültig.

Jorak stutzte. „Wohnt Nola nicht mehr hier?"

„Da seid Ihr hier falsch. Da müsst ihr weiter im Westen schauen, sie wohnt jetzt im protzigen neuen Haus direkt gegenüber dem Großen Brunnen."

Erstaunt dankte ihm Jorak und schlug eine andere Richtung ein. Wie hatte sich seine Mutter ein neues Haus leisten können, und noch dazu in so guter Lage neben dem Brunnen? Endlich hatten sie den Platz des Großen Brunnens erreicht. Trotz des hochtrabenden Namens war es nur eine kleine, runde Fläche, in deren Mitte ein durch Mäuerchen vor Flugsand geschützter Brunnen stand. Jorak sah das Haus, das der alte Mann gemeint haben musste, sofort. Er fand es nicht protzig, eher auffallend. Die hohen, aus Gras geflochtenen Außenwände waren geschwungen wie eine wehende Fahne und blau blühende Kletterpflanzen rankten sich neben dem Eingang nach oben. Mit gerunzelter Stirn blickte Jorak hoch zu dem Windrad, das sich über dem Gebäude drehte. Es war ein fremdes Muster, das sich dort auf der flirrenden Scheibe abzeichnete.

Alena hielt sich im Hintergrund, als Jorak über den hellen Sandboden zum Eingang des Hauses ging. Es dauerte fast zehn Atemzüge, bis ihm jemand öffnete. Jorak erkannte seine Mutter sofort und Freude strömte in ihm hoch. Im Bruchteil einer Sekunde nahm er das Bild auf, das sich ihm bot. Wie jung sie aussah! Kein Wunder eigentlich. Nola war erst siebzehn Winter alt gewesen, als sie ihn bekommen hatte. Ihr schönes aschblondes Haar trug sie hochgesteckt und das blaue, praktisch geschnittene Reisekleid betonte ihre immer noch schlanke Figur. Sie trug die Insignien einer Händlerin und Meisterin zweiten Grades, sie hatte ihm ja auch von der bestandenen Prüfung geschrieben.

Doch warum blickte sie ihn so seltsam an, fast starr? Erkannte sie ihn etwa nicht?

„Ich bin´s", sagte Jorak, und jetzt endlich lächelte sie, sah er Freude in ihren Augen, aber sie sah auch erschrocken aus. Noch immer kam sie nicht auf ihn zu, umarmte ihn nicht. Jorak zögerte und blieb ebenfalls stehen.

Ein blondes kleines Mädchen rannte durch den Flur und drückte sich ans Bein seiner Mutter. „Mama, wer ist das?"

„Geh wieder ins Haus, Cheris", befahl Nola leise. „Los, geh!" Enttäuscht wandte sich das Mädchen ab und rannte mit einem letzten neugierigen Blick auf Jorak ins Haus zurück.

Er hatte eine Schwester! Eine Schwester, von der er noch nie etwas gehört hatte. Auf einen Schlag begriff Jorak, verstand das lange Schweigen, den seltsamen Empfang. Seine Mutter hatte sich einen neuen Partner gesucht. Einen, der nicht gerade arm war, der ihr ein gutes Leben bieten konnte. Und jetzt wollte sie mit alten Sünden – mit ihm genauer gesagt – nichts mehr zu tun haben.

„Warum hast du mir das nicht geschrieben?", flüsterte Jorak erschüttert.

„Jorak, ich ..." Nervös wandte sich seine Mutter um, blickte über die Schulter ins Haus zurück. Jorak begriff, dass sie nicht offen reden konnte. „Später!", flüsterte sie – und schloss die Tür vor ihm, sperrte ihn wieder aus ihrem Leben aus.

Als Jorak sich umdrehte und zurückging zu Alena, fühlte er sich wie betäubt. Im Schock, wie nach einer schweren Verletzung. Zum Glück sagte Alena nichts, fragte nichts. Sie zog ihn fort von dem kleinen Platz. Hinter den Häusern fanden sie einen verlassenen Bereich, ein fast zugewehtes Feld mit Kürbissen. Dort ließen sie sich im Schatten einer kleinen Sanddüne nieder.

Endlich traute sich Jorak wieder zu sprechen. „Sie hat sich mit so viel Kraft für mich eingesetzt, als ich noch klein war. Meinst du, sie hat mich aufgegeben?"

„Klingenbruch, natürlich nicht", meinte Alena sofort. „Aber vielleicht hättest du dich vorher ankündigen, eine Nachricht schicken sollen ... so war es für euch beide eine ganz schöne Überraschung ..."

„Vor allem für mich!“, ächzte Jorak. „Hast du das Mädchen gesehen? Meine Schwester? Sie hat anscheinend keine Ahnung, dass es mich gibt.“

Sand rieselte weg, als ein Wühler seinen spitzen Kopf aus der Düne streckte. Er kroch zielstrebig auf Jorak zu. Jorak konnte sich schon denken, von wem die Nachricht war. Eilig löste er die silberne Hülse vom Hals des Tieres.

Bitte entschuldige das eben, glaub mir, ich freue mich, dass du da bist! Komm bei Aufgang des ersten Mondes noch einmal, dann können wir reden. Ma.

Die Zeit bis zum Aufgang des ersten Mondes dehnte sich ins Endlose. Statt sich den Ort anzusehen, wie es ihr sicher gefallen hätte, blieb Alena bei ihm. Jorak war ihr dankbar dafür. Endlich waren sie allein miteinander, wenigstens etwas! Zum Glück verzichtete Alena auch darauf, über Finley zu reden. Irgendetwas lief zwischen ihr und diesem Geschichtenerzähler, aber er wurde nicht schlau daraus. Besser, jetzt nicht dran zu denken.

Schließlich schob sich der Mond über den Horizont. „Kommst du mit?“, fragte Jorak Alena. Er hatte nicht vor zu verbergen, dass er mit einem Mädchen der Feuer-Gilde zusammen war!

Diesmal öffnete sich die Tür des Hauses sofort vor ihm. Seine Mutter trat auf ihn zu und umarmte ihn gleich. Ein Teil der Freude kehrte zurück, als Jorak sie an sich drückte.

Alena wurde von seiner Mutter zurückhaltend begrüßt, nur mit einem Kopfnicken.

Als Nola sie in den Wohnraum führte, hatte Jorak Gelegenheit, sich umzusehen. Allein der Flur – auch er aus sorgsam geflochtenen Gräsern – war so breit wie Joraks ganzes Zimmer im alten Haus! Überall hingen Käfige mit Leuchttierchen, die ein weiches Licht verbreiteten. Früher hatten sie sich nur ein einziges leisten können.

Dann waren sie im großen Wohnraum. Die Wand gegenüber dem Eingang war mit einem mannshohen abstrakten Bild aus Federn unterschiedlicher Farbe geschmückt. Auch die anderen Wände trugen aufwendige Ornamenten aus Federn. Jorak ahnte, dass seine Mutter sie selbst gemacht hatte – früher, als Jorak noch ein Kind gewesen war, waren sie an den Sommerabenden manchmal zusammen zum Brunnen gegangen, um dort mit anderen zu schwatzen, mitgebrachtes Essen zu teilen und währenddessen mit flinken Fingern Federbilder zu binden. Das hatte ihnen ein wenig Geld eingebracht, aber auch Spaß gemacht. Denn als Jorak klein gewesen war, hatten alle Nachbarsfrauen noch damit gerechnet, dass er von der Luft-Gilde aufgenommen werden würde. Später waren sie nicht mehr so freundlich gewesen.

Auf der anderen Seite des Raumes hingen große, geflochtene Glocken von der Decke, die an einer Seite offen waren – wie es schien, bevorzugte seine Mutter inzwischen eine traditionelle Einrichtung. Früher hatte sie einfach eine gewebte Decke über den Sand gebreitet und sich auf den Boden gesetzt, ohne sich darum zu kümmern, dass ihre bunten, selbst genähten Röcke dreckig wurden.

„Was sind das für Dinger?“, flüsterte Alena und Jorak flüsterte zurück: „Sitzgelegenheiten.“ Er machte es ihr vor, wie man sich in die Glocken setzte, und Alena versuchte vergeblich es sich bequem zu machen. Doch auch Jorak merkte, wie seine Beine sich verkrampften. Er war inzwischen normale Stühle oder das Sitzen auf dem Boden gewohnt.

Vor ihnen stand eine große hölzerne Schale mit Juliknospen, ja, die Knospen hatte seine Mutter immer gerne gegessen, obwohl man davon leicht Bauchweh bekam. Zu besonderen Gelegenheiten hatte sie sich ein halbes Dutzend auf dem Markt gekauft und Jorak eine Handvoll Rillza-Nüsse spendiert.

„Ich war so stolz auf dich, Jorak, als ich gehört habe, dass du eine Audienz bei der Regentin hattest“, sagte seine Mutter mit gedämpfter Stimme – wahrscheinlich schlief Cheris schon.

Jorak war nicht danach zumute, um den Kern der Sache herumzureden. „Aber warum hast du mich dann … ? Ich hätte es bestimmt verstanden, wenn du mir von deinem neuen Partner geschrieben hättest ...“

„Aber er hätte es nicht verstanden“, sagte seine Mutter und seufzte. „Er ist sehr streng, was Gildentraditionen angeht, und wenn er auch nur ahnen würde, dass du gildenlos bist ... dass ich mich mit jemandem von den Feuerleuten eingelassen habe ..."

„Wer ist der Kerl überhaupt, dein neuer Mann?" So langsam merkte Jorak, wie es in ihm zu kochen begann. Hatte sie es überhaupt nötig, sich mit einem Kerl zusammenzutun, der solche eigenartigen Ansichten hatte?

Seine Mutter war aufgestanden, ging unruhig hin und her. „Er heißt Relgan und ist ein Händler aus Belén – er handelt mit wertvollen Stoffen, ist oft unterwegs. Vor ein paar Wintern war er auf Durchreise hier, wir haben uns kennengelernt, er hat angefangen mich zu umwerben und sich mir zuliebe sogar hier niedergelassen."

Du hast dich verkauft, dachte Jorak und Nola schien es ihm vom Gesicht abzulesen. Sie baute sich ihm gegenüber auf und stemmte die Arme in die Hüften. „Es geht mir gut, Jorak! Ich brauche nicht mehr Tag und Nacht zu schuften, wie damals, als ich dich und mich am Leben erhalten musste! Verstehst du, was das für mich bedeutet?"

Ja, dachte Jorak. Ich habe lange genug wie eine Straßenratte gelebt, um genau zu wissen, wie sich das anfühlt. „Ist er wenigstens nett?", sagte er und hörte, wie spröde seine Stimme klang. „Bedeutet er dir etwas?"

„Natürlich ist er nett. Wenn er gut gelaunt ist, kann man wunderbar mit ihm auskommen. Und was ist mit dir, Jorak? Hast du noch nicht gelernt, dass man sich von der Feuer-Gilde besser fernhält?" Nola warf Alena einen feindseligen Blick zu.

„Lass es bitte nicht an ihr aus, dass dich ein Mann der Feuer-Gilde im Stich gelassen hat." Jorak spürte, wie seine Wut immer weiter wuchs. „Das ist Alena ke Tassos, meine Gefährtin. Und ehrlich gesagt, Ma, es ist mir ziemlich egal, ob dir das passt oder nicht."

Ohne es zu wollen waren sie beide laut geworden. Und dann stand auf einmal das kleine Mädchen in der Tür zu den Schlafgemächern und rieb sich die Augen. „Ma, wer ist das denn jetzt?", fragte sie. „Ist er böse?"

„Nein, natürlich nicht", erwiderte seine Mutter erschrocken. „Wie kommst du denn auf so was?"

Sag es ihr schon, sag es ihr, dachte Jorak. Sag ihr, dass ich ihr Bruder bin.

Doch Nola tat es nicht.

„Ich gehe dann mal besser", sagte Jorak, trank den Cayoral aus und stand auf. Nola nickte schweigend.

„Vielleicht bin ich nicht mehr lange gildenlos", sagte er über die Schulter hinweg. „In fünf Tagen habe ich eine Audienz vor dem Rat." Mit Verspätung erinnerte er sich daran, dass er von seiner Mutter die Bescheinigung brauchte. Er sagte es ihr und sie suchte sofort Pergament und Schreibkohle heraus, um ihm den Brief zu schreiben. Dann verabschiedeten sie sich.

„Komm auf der Rückreise nochmal vorbei, ja?", flüsterte seine Mutter ihm schnell ins Ohr. „Ich würde mich freuen. Schick mir einfach kurz vorher einen Wühler, dann kann ich dir sagen, wann Relgan nicht im Haus ist und du vorbeischauen kannst ..."

Sie glaubt nicht daran, dass sie mich aufnehmen werden, dachte Jorak. Und wer würde es ihr verdenken, nach dem, was wir damals vor dem Rat erlebt haben. Aber diesmal wird es klappen, es muss klappen!

Auch am nächsten Morgen, als sie sich zum Treffpunkt mit Finley aufmachten, wirkte Jorak noch immer traurig und in sich gekehrt. Kann ich gut verstehen, dachte Alena. So hat er sich das Heimkommen bestimmt nicht vorgestellt. Was für eine Mutter! Und mich hätte sie am liebsten gleich wieder rausgeworfen!

Cchraskar hatte eine angenehme Zeit bei seinen Brüdern verbracht und kam bestens gelaunt zurück. Doch als er merkte, wie schlecht es Jorak ging, fiepte er kurz. „Sowas tut vielgroß weh, ich weiß. Schlimmer als der Stich einer Skorpionkatze."

„Uns Menschen bringt der Stich einer Skorpionkatze um", gab Alena zu bedenken.

Cchraskar staunte. „Aber das ist docch nur ein bisschen Gift. Ihr Dörflinge sseid so empfindlich. Komisch, dass es nocch so viele von euch gibt, so viele."

Am Treffpunkt kam Finley ihnen schon entgegen. Munter schritt er durch die staubigen Straßen, sodass sein bunter Umhang hinter ihm herwehte, und klimperte mit dem Geld in der Tasche seiner Tunika. „Eure Geschichte kommt sehr gut an", grinste er. „Hab sie überall erzählt und mehr eingenommen als sonst an drei Tagen. Die Leute lieben romantische Verwicklungen!"

Ungläubig blickte Jorak ihn an. „Moment mal – du hast Geld verdient mit unserer Geschichte?"

„Ja, klar", sagte Finley unbekümmert. „Das ist meine Berufung, schon vergessen?"

Alena sah, dass Jorak sich nur mühsam beherrschte. „Beim Nordwind, muss das wirklich sein? Kannst du uns nicht einfach raushalten?"

Schuldbewusst blickte Alena zur Seite. O je, da hatte sie ihnen was eingebrockt.

„Das, was ihr erlebt, wird sowieso erzählt werden", sagte Finley. Er hatte den lockeren Ton abgelegt, sprach nun überraschend sanft. „Weil es nicht nur eure Sache ist, sondern ein Teil unserer Geschichte. Der Geschichte Dareshs."

Die Wut wich aus Joraks Gesicht, er zog eine Grimasse gespielter Verzweiflung. „O gnädiger Nordwind! Ich bin auf dem Weg zum tragischen Helden!"

Alena zuckte die Schultern. „Na ja, es gibt Schlimmeres."

„Zum Beispiel für die Anzahl sseiner Flöhe berühmt zu werden, berühmt", sagte Cchraskar und kratzte sich hinter dem Ohr.

„Zum Beispiel. Ich hoffe, du hast nicht vor, den bisherigen Rekord zu brechen." Jorak wandte sich um und machte sich auf den Weg zum Ortsausgang. Über die Schulter hinweg sagte er: „Was ist, gehen wir?"

Das war ja gerade nochmal gut gegangen. Alena war froh, dass Finley nicht gepetzt hatte. Hinter Joraks Rücken suchte Alena Finleys Blick, fragte ihn wortlos danach, ob er das Tiefen-Elixir bekommen hatte. Doch Finley schüttelte leicht den Kopf. In Eolus, formte er mit den Lippen.

Als sie in Torreventus schon beinahe bei den Behausungen der Gildenlosen angekommen waren, mussten sie einer Eskorte von sechs bewaffneten Männern ausweichen. Vom Straßenrand beobachteten sie neugierig, wer da vorbeiging – wie sich herausstellte, ein reich gekleideter Händler von etwa vierzig Wintern. Er hatte ein kantiges Gesicht mit einer leicht schiefen Nase, vielleicht war sie ihm einmal gebrochen worden.

„Wer ist das?“, fragte Alena einen der Umstehenden.

„Relgan – er handelt mit Stoffen, hat´s gut getroffen damit“, lautete die Antwort. Alena erkannte den Namen sofort. Das war also Joraks Stiefvater! Auch Jorak hatte die Antwort gehört und beobachtete den Mann mit durchdringendem Blick.

Langen Schrittes ging der reiche Händler durch die Straßen. Als er die Gildenlosen sah, die sich neugierig am Straßenrand versammelt hatten, ließ er sich von einem seiner Leute einen Beutel reichen und griff hinein. Mit achtloser Geste streute er eine Handvoll kleine Münzen auf den Boden, und die Menschen stürzten sich darauf, krochen im Straßenstaub herum, um keins der Geldstücke zu übersehen. Auch Finley war dabei.

Zufrieden kehrte er schließlich zu ihnen zurück und zählte die Münzen in seiner Hand. „Zusammen fast zwei Ruma, eine gute Beute!“

Er sah Alenas angewiderten Blick und grinste. „Ach, ihr seid euch wohl zu gut dafür, Geschenke anzunehmen?“

Jorak hatte sich nicht vom Fleck gerührt, als die Münzen über den Boden rollten. Er ließ die Augen nicht von Relgan und beobachtete genau, wie er mit seiner Eskorte in den Gassen verschwand. Doch jetzt wandte er den Blick wieder Finley zu. „Lieber würde ich verhungern“, sagte er.

Zu Alenas Überraschung wartete auch auf sie, Jorak und Finley eine kleine Menschenmenge, als sie Torreventus verlassen wollten. Die meisten der Menschen waren Gildenlose, abgerissene, verdreckte Gestalten, denen man die Armut ansah. Doch ihre Augen leuchteten auf, als sie Jorak und die anderen sahen. Verdutzt begegnete Jorak ihrem Blick.

„Viel Glück, Junge!“, rief ein Mann und andere stimmten in seinen Ruf ein.

„Der Nordwind sei mit dir!“ – „Zeig es den Kerlen vom Hohen Rat!“

Alena war beeindruckt. „Sieht aus, als hätte sich schnell herumgesprochen, was du in Eolus willst.“ Finley lächelte nur selbstzufrieden, sagte aber nichts.

„Ja, sieht ganz so aus“, sagte Jorak – er wirkte noch immer ein wenig verblüfft, aber seine Haltung straffte sich, er nickte und lächelte den Menschen zu, die am Wegesrand standen.

„Ich werde mein Bestes geben“, versprach er wieder und wieder.

Sieht aus, als wäre es doch keine so schlechte Idee gewesen, Finley unsere Geschichte zu erzählen, dachte Alena. Wir können alle Unterstützung gebrauchen, die wir kriegen können.

Ein schlechter Tausch

Wenn ich nicht so blöd gewesen wäre, neulich in meiner richtigen Erscheinung zum Orakel zu gehen, hätte ich diese Verkleidung vielleicht gar nicht nötig, dachte Rena missmutig. Nicht mal gute Freunde würden sie jetzt auf Anhieb erkennen, da war sie sicher. Sie hatte sich das hellbraune Haar mit dem Extrakt von Tannenfrüchten dunkel gefärbt, sich die Augenbrauen in eine andere Form gezupft, trug Schuhe mit Sohlen, die sie größer erscheinen ließen, und hatte sich einen leicht schlurfenden Gang angewöhnt, der sie gut zehn Winter älter machte. Der Wurzelsud, mit dem sie die Haut ihres Gesichts eingerieben hatte, betonte ihre Falten.

„Iiiieh, jetzt bist du richtig hässlich", rief Ruki fasziniert.

„Oh danke." Rena lächelte schwach. Nur gut, dass Tjeri sie nicht so sah! Als er von ihrer Mission erfahren hatte, war es ihr nur knapp gelungen, ihn vom Herkommen abzubringen. Sicher wäre seine Hilfe wertvoll gewesen, er als ehemaliger Agent der Wasser-Gilde hatte viel mehr Erfahrung in solchen geheimen Vorhaben. Doch sie hatte ihn gebeten, im Seenland zu bleiben. Besser, sie hielt die Menschen, die sie liebte, so weit von diesem Orakel weg wie möglich.

Bitte, Erdgeist, sorge dafür, dass alles klappt, ging es ihr durch den Kopf und ihre Hand fuhr wie so oft zu dem Gildenamulett, das sie um den Hals trug. Es war vorübergehend ein anderes, ein einfaches aus Dalama-Holz, das nicht verriet, dass sie inzwischen Meisterin dritten Grades war. Den zweiten Grad hatte sie durch ihre Schlichtungsarbeit in Vanamee erworben, den dritten hatte der Rat ihr nach dem Kampf gegen Cano verliehen, als klar geworden war, welche Katastrophe sie, Alena und Jorak verhindert hatten.

Sie musste wieder an Jorak denken. Hatte er seine Audienz vor dem Rat schon gehabt? Wie hatten die Luft-Leute reagiert?

„Nicht vergessen, alle zwei Tage kurz vor Sonnenaufgang kannst du eine Nachricht von mir abholen!", rief Rena Ruki zu, der mit rauschenden Schwingen abhob und auf die Berge zusegelte. Dann schulterte sie die Tasche mit Kräutern, die sie als Heilkundige auswies, und trat aus dem Wald. Die Ebene lag vor ihr und der weiße Tempel des Orakels, der sich an den Fuß des Berges schmiegte. Wenn die Berechnungen des Rates stimmten, dann mussten seine Bewohner etwa um diese Zeit ein erstes unangenehmes Bauchzwicken bemerken.

Rena richtete ihr kleines Lager nicht weit vom Tempel ein, zwischen den anderen Wartenden. Sie kochte sich ein paar frische Viskarienblätter – diese typische Speise Alaaks bekam sie im Seenland nicht oft – und plauderte mit ihren neuen Nachbarn. Beiläufig erwähnte sie, dass sie etwas von Kräutern verstand.

Als Rena am nächsten Morgen erwachte, blinzelte sie verdutzt. Auf den ersten Blick sah sie nur Beine, jede Menge Beine um sich herum. Das halbe Lager schien hier zu sein. „Was wollt ihr?", ächzte Rena und rieb sich den Schlaf aus den Augen. Es war peinlich, vor so vielen Leuten leicht bekleidet aus ihren Decken kriechen zu müssen.

„Wir haben gehört, Ihr seid Heilerin", sagte eine Frau, die blass aussah.

„Oh", sagte Rena. Mit ein paar Kranken hatte sie gerechnet, aber nicht damit, dass der Aufenthalt hier *so* ungesund war!

„Was fehlt dir?", fragte Rena den ersten, einen halbwüchsigen Jungen. Wie sich herausstellte, hatte er sich einen Dorn eingetreten und die Wunde hatte sich entzündet. Sie gab ihm ein kleines Töpfchen Salbe mit. Als Nächste war die blasse Frau dran. Sie fühlte sich schwach und schwindelig. Rena hatte keine Ahnung, woran das liegen konnte, und drückte ihr ein Fläschchen Yerba Nierro, dem Allzweck-Heiltrank Dareshs, in die Hand. Beim dritten Kranken, einen Mann, der Geisterstimmen hörte, war Rena endgültig hilflos. „Schon mal probiert, einfach nicht hinzuhören?"

„Ja", stöhnte der Mann. „Aber das geht nicht immer – manchmal singen sie im *Chor!*"

Immerhin erfüllte der Krankenaufmarsch seinen Zweck: Die Wachen vor dem Tempel des Orakels schauten neugierig, was im Lager vor sich ging, und begriffen, dass eine Heilkundige sie beehrt hatte. Am Morgen danach war es nicht eine lange Schlange von Hilfsbedürftigen, die Rena weckte, sondern der harte Stiefel eines Soldaten, der sie anschubste. Rena rollte sich aus den Decken und richtete sich gähnend auf. Nur die Soldaten standen an ihrem Lager, die Kranken hatten sich beim Anblick der Staatsmacht aus dem Staub gemacht.

„Ihr versteht etwas vom Heilen?"

„Ja, in der Tat", meinte Rena. Inzwischen war sie hellwach. Sie sah an der Spitze der Gruppe den Offizier Lanjo. Es war ein guter Anfang, dass er sie nicht erkannt hatte.

Lanjo nickte zufrieden. „Dann kommt mit!"

Was für einen Unterschied, wie man mich als Rena ke Alaak und als unbedeutende Kräuterfrau behandelt, dachte Rena, packte schnell ihre Sachen zusammen und folgte den Wachen zum Tempel des Orakels.

Dann stand sie wieder im Garten des Tempels und das schwere Metalltor schwang hinter ihr zu.

Einen Tag vor Mittsommer erreichten Alena, Jorak und Finley Eolus, die Stadt des Windes. Sie bestand aus einem unübersichtlichen Gewirr von Grashütten, in denen die Menschen der Luft-Gilde lebten. In der Innenstadt gab es Handelsposten der anderen Gilden. Und in den Außenbezirken fanden sie die jämmerlichen, stinkenden Behausungen derjenigen, die nichts mehr zu verlieren hatten. „Mir scheint, die Gilden stoßen inzwischen mehr Leute aus, als sie aufnehmen", sagte Jorak erschüttert. Als er das letzte Mal hier gewesen war, hatte es längst nicht so viele gegeben.

Auch einige zerlumpte, abgemagerte Kinder liefen im Dreck herum. Sie waren blond, stammten vermutlich aus der Luft-

Gilde, trugen aber kein Gildenamulett. Eingeschüchtert beobachteten sie die Fremden, trauten sich kaum näher heran.

„Und hier ist die nächste Generation", meinte Alena. „Die haben fast schon die Garantie, dass sie und ihre Nachkommen nirgendwo hingehören!"

Selbst Finley wirkte nachdenklich. Und als ein Mädchen sich an ihn heranschlich, um bewundernd die Finger über seinen bunten Umhang gleiten zu lassen, steckte er der Kleinen verstohlen eine Münze zu.

An diesem Tag pfiff ein trockener, heißer Wüstenwind durch die Straßen. „Ah, das erinnert mich an Tassos", sagte Alena genüsslich, als sie zum Palast des Hohen Rates wanderten. Es war ein ganz aus Gras geflochtenes, zeltartig spitzes Gebäude, das über der Stadt thronte. Jorak konnte sich noch gut daran erinnern, wie er mit neun Wintern darin gewesen war. Hoffentlich lief die Audienz diesmal besser!

Als Jorak seinen Namen nannte, wurde er ohne Umstände eingelassen. Die Wache versuchte Alena den Weg zu vertreten und wurde wütend angefunkelt. Obwohl Jorak sagte: „Sie gehört zu mir", gab der Offizier den Befehl, Alena nicht durchzulassen. Auch Finley hatte kein Glück bei seinem Versuch, sich bis zum Audienzsaal durchzumogeln – obwohl er gestikulierte, was das Zeug hielt. „Ich bin Geschichtenerzähler! Wichtiger Anlass, da sind doch sicher Erzähler zugelassen, stimmt´s? Ist Tradition!"

„Keine Geschichtenerzähler", sagte der Offizier eisern. „Befehl des Rates."

Alena, Finley und Cchraskar mussten draußen bleiben und waren alle drei wütend.

Über fünfzig Stufen aus Sandstein stiegen Jorak und die Wachen in die Residenz des Rates empor. Jorak ließ die Hand über das kunstvolle Flechtwerk der Wände gleiten. Überall sah er die Symbole von Hand und Flügel, die Zeichen der Luft-Gilde, die er seit seiner Kindheit kannte.

Der Rat ließ ihn einen halben Tag warten. Macht jetzt auch keinen Unterschied mehr, dachte Jorak grimmig. Schließlich sind wir einen weiten Weg gekommen, um hier zu sein. Er wusste, dass man ihn mit Absicht warten ließ, um ihm zu zeigen, wie unwichtig er für den Rat war.

Die Sonne stand schon hoch am Himmel, als er endlich vorgelassen wurde. Joraks Nerven waren zum Zerreißen gespannt, als er den großen Saal betrat und den drei Hohen Meistern der Gilde gegenüberstand. Jorak hatte sich nicht an ihre Gesichter erinnern können, und er staunte darüber, dass er nun zwei von ihnen wiedererkannte. Avius war ein großer, schlanker Mann mit einem blonden Bart und eisblauen Augen. Jorak konnte sich vorstellen, dass er ein Mensch war, der Gehorsam forderte und erhielt. Der zweite Rat Terek wirkte weniger ehrfurchtgebietend, er war nur mittelgroß und hatte ein rundes, jungenhaftes Gesicht. Doch Jorak hatte gehört, dass er ein brillanter Taktiker war; in der Zeit der Gildenfehden war es nur ihm zu verdanken gewesen, dass Eolus nicht von Feuerleuten eingenommen worden war. Dritte im Bunde des Rates war Sirina ke Nerada, eine Glasbläserin, die Stadtkommandantin von Nehiri gewesen war. Jorak sah sie zum ersten Mal. Zu seiner Überraschung war auch ein vierter Mensch anwesend, ein junger Mann im traditionellen Schwarz der Feuerleute.

Höflich verbeugte sich Jorak und überwand sich sogar dazu, „Friede den Gilden" zu sagen, doch als Antwort erhielt er nur ein Kopfnicken von Avius und einen nachdenklichen Blick von Sirina. Terek ignorierte ihn und fuhr fort, eine Schriftrolle zu studieren. Die wollen mich spüren lassen, dass ich kein normaler Bürger bin, dachte Jorak. Dass ich nur durch ihre Gnade hier bin.

„Zeig uns die Wirkung der Formel", sagte Avius. In angespanntem Schweigen ging die kleine Gruppe zu einem freien Areal hinter den Palast. Jorak wandte sich ab, damit niemand die Formel von seinen Lippen ablesen konnte, und rief seine drei Tornados. Donnernd tanzten die Wirbelstürme umeinander, bis Jorak die Kraft ausging und er sie mitsamt der Ladung Sand, die sie in sich hochgesaugt hatten, in sich zusammenfallen ließ. Er war sehr zufrieden mit seiner Darbietung – die Tornados waren immer wieder eindrucksvoll, selbst wenn man sie schon so oft gesehen hatte wie er.

Doch als Avius wieder zu sprechen begann, war sein Ton kühl. „Du hast Glück, Junge, dass wir dich nicht in Ketten haben herbringen lassen. Die Formel, in deren Besitz du gekommen bist, gehört rechtmäßig der Luft-Gilde. Du hättest die Pflicht gehabt, sie uns unverzüglich mitzuteilen."

Ein unangenehmes Prickeln durchlief Jorak. Die wollen mich einschüchtern, versuchte er sich Mut zu machen. Lass nicht zu, dass sie dich unsicher machen! „Ihr habt die Formel nie besessen", gab er zurück und versuchte seine Stimme ruhig und sicher klingen zu lassen. „Ein solcher Fund gehört dem Finder und sonst niemandem."

Die Mitglieder des Rates spürten wohl, dass Jorak auf diesem Weg nicht beizukommen war, denn sie wechselten die Taktik. „Würdest du dich wirklich unserer Gilde zugehörig fühlen, hättest du uns die Formel freiwillig ausgehändigt", sagte Sirina. „Sag uns ehrlich – bist du Luft oder Feuer, oder gar beides? Hast du unsere Fähigkeiten, oder die der Feuer-Gilde?"

Alle Augenpaare richteten sich gespannt auf Jorak.

Die Lüge lag Jorak schon auf der Zunge. Aber aus irgendeinem Grund brachte er es nicht fertig, sie auszusprechen. Vielleicht, weil er damit etwas verleugnet hätte, was ihm wichtig war – seinen Vater, das Feuer-Erbe, das ein Teil von ihm war. Ja, auch Alena.

„Ich bin beides", sagte Jorak fest. „Ich kann den Wind rufen und die Flamme."

Terek runzelte die Stirn. „Wenn wir dich aufnehmen würden, wie du es begehrst ... würdest du dann für den Rest deines Lebens darauf verzichten, die Formeln der Feuer-Gilde anzuwenden?"

Wahrscheinlich hätte er damit rechnen müssen – und doch war es ein Schock. Es war, als hätten sie ihn gefragt, welchen seiner Sinne er bereit wäre aufzugeben. Als müsse er zwischen seinen Augen und Ohren wählen. Nie wieder Flammen rufen? Sich zwingen, all das zu vergessen, was er konnte?

Jorak entschied sich zum Gegenangriff. „Warum muss das sein? Hat es nicht einen Wert für Euch, dass ich beides kann und mich trotzdem für Luft entscheide? Seid Ihr nicht interessiert an der Formel?"

Es gab eine kurze, geflüsterte Diskussion, in die auch der Mann aus der Feuer-Gilde einbezogen wurde. Dann meinte Avius etwas freundlicher: „Wir fragen nur so genau nach, weil wir dir im Gegenzug für die Formel eine Chance anbieten wollen, wie sie noch niemandem gewährt worden ist. Wir können dich nicht aufnehmen, weil du nicht eindeutig Luft-Gilde bist, und der Feuer-Gilde geht es ähnlich – aber es wäre vielleicht eine Mitgliedschaft in beiden Gilden möglich."

Jorak stockte der Atem vor Freude. Jetzt wusste er also, warum der Feuer-Mensch hier war. Sie hatten sich vor seiner Ankunft längst über ihn informiert, all das vorhergesehen und geplant. „Das wäre wunderbar!", entfuhr es ihm. War das nicht, was er sich immer gewünscht hatte? Zu beiden Seiten seines Wesens stehen zu dürfen? Er geriet ins Träumen. Würden sie ihm zwei Amulette geben oder vielleicht eins, auf dem beide Gildensymbole abgebildet waren? Wie würde wohl seine Mutter darauf reagieren, dass ihr Sohn als erster Mensch in ganz Daresh von beiden Gilden anerkannt worden war?

„Aber erst – die Formel", sagte die Rätin – Sirina – milde lächelnd und zückte Pergament und Kohlestift.

„Natürlich." Noch immer zögerte Jorak. Schließlich gab er jetzt seinen Trumpf – seinen einzigen Trumpf! – aus der Hand.

„Die Formel!", sagte Avius, kühler diesmal. „Ohne sie kann es keinen Austausch geben."

Jorak nickte. Die Botschaft war klar: Entweder er sagte ihnen jetzt, was er wusste, oder er war in zehn Atemzügen draußen aus der Residenz. Irgendwie hatte der Rat ja auch recht, die Formel war nicht sein Privatbesitz, sondern gehörte allen. Kurz dachte Jorak darüber nach, ob er einen Fehler in die Formel einbauen sollte. Nur zur Sicherheit. Aber dann überlegte er: Das würde nicht funktionieren. Sie werden sie sofort testen, und wenn es nicht funktioniert, stehe ich da wie ein Idiot oder Verräter.

Klar und deutlich sagte Jorak die Formel, langsam genug, damit Sirina auch die kleinste Betonungsnuance mitschreiben konnte. Bei den Gildenformeln waren die richtigen Betonungen sehr wichtig, und bei seiner Tornadoformel hatte er sie durch Versuch und Irrtum herausfinden müssen. Nur das letzte Wort sprach Jorak nicht, damit die Tornados nicht plötzlich hier im Raum auftauchten, und schrieb es stattdessen mit eigener Hand in die Aufzeichnungen.

Gespannt beugten sich die Räte über das Pergament, lasen sich die Formel durch. „Perfekt", sagte Avius befriedigt. „Dann kommen wir jetzt zu den Bedingungen für die Doppelmitgliedschaft ..."

Bedingungen?! Jorak erinnerte sich nicht daran, dass vorhin davon die Rede gewesen wäre! Das schlechte Gefühl, das er am Anfang gehabt hatte, schlich sich in sein Herz zurück.

„Du wirst beweisen müssen, dass du beiden Gilden würdig bist", mischte sich der Mann aus der Feuer-Gilde ein.

„Deswegen wirst du vor der Aufnahme zwei Aufgaben erfüllen müssen – jede Gilde stellt eine", sagte Avius, und auf einmal war sein Tonfall wieder so arrogant wie zu Anfang.

Jorak wurde klar, dass er einen großen Fehler gemacht hatte, als er die Formel herausgegeben hatte. Es wäre vielleicht eine Mitgliedschaft in beiden Gilden möglich. Diese vorsichtige, schwammige Formulierung hätte ihn misstrauisch machen müssen! Auf einmal kam es ihm auch sehr seltsam vor, dass der Hohe Rat bei einem so wichtigen Anlass auf gar keinen Fall einen Geschichtenerzähler dabei haben wollte. Niemanden, der als Zeuge dienen konnte, um zu berichten, was genau abgelaufen war ...

„Erst unsere Aufgabe." Avius genoss es sichtlich, sie ihm zu verkünden. „Finde heraus, wohin die weißen Adler fliegen, die beim Tod eines Mitglieds der Luft-Gilde erscheinen und den Körper wegtragen."

Nur mit Mühe schaffte Jorak, sich nichts anmerken zu lassen. Diese Aufgabe war unmöglich zu erfüllen! Seit Tausenden von Wintern erschienen diese geheimnisvollen weißen Adler bei den Todeszeremonien der Luft-Gilde, und nie hatte jemand geschafft, das Rätsel zu lösen, das sie umgab. Man ging allgemein davon aus, dass sie vom Geist des Windes selbst gesandt wurden und die Körper in ein jenseitiges Reich trugen, das kein lebender Mensch betreten konnte ...

Bevor Jorak protestieren konnte, begann auch der Abgesandte der Feuer-Gilde zu sprechen. Um seine Lippen spielte ein verächtliches Lächeln. „Und nun unsere Aufgabe. Wir haben ein kleines Problem mit einem unserer Feuerberge. Ein junger Vulkan im Racisco-Gebirge ist überraschend erloschen. Finde heraus, warum, und bring ihn wieder in Gang!"

Er sollte einen Vulkan wieder in Ordnung bringen?! Beinahe wäre Jorak in ungläubiges Lachen ausgebrochen. Zwar wusste er, dass Vulkane für die Feuerleute heilige Berge waren, aber dass sie jeden einzelnen Kegel hätschelten und pflegten, hatte er nicht geahnt. Wenn diese Meister des Feuers schon ratlos waren, was sollte er dann ausrichten? Kein Zweifel, auch die zweite Aufgabe war unerfüllbar.

Jorak wurde sich bewusst, dass er ausgetrickst worden war. Er hatte seinen Trumpf hergegeben und dafür keine echte Chance bekommen. Mit diesen Aufgaben machten sich die Gildenräte über ihn lustig, zeigten ihm, wie machtlos er war. Sie hatten nie wirklich vorgehabt, ihn aufzunehmen und damit eine grundsätzliche Entscheidung über Menschen mit gemischter Abstammung zu treffen.

Jetzt hatte Jorak die Wahl. Er konnte ablehnen – und weiterleben so wie bisher, als Ausgestoßener. Oder er konnte diese absurden Herausforderungen annehmen und hoffen, dass er dabei nicht draufging.

Jorak entschied sich, auf sein Glück und auf seinen Verstand zu vertrauen. Er sah die Gildenräte an, einen nach dem anderen. Dann sagte er: „Ich nehme die Aufgaben an." Und genoss einen kurzen Moment lang die ungläubigen Blicke.

Boten des Schattenreichs

Der Tag schleppte sich endlos dahin. Während Finley sich auf seinen großen bunten Umhang gesetzt hatte und geduldig wartete, ging Alena rastlos hin und her und verfolgte die langsame Bahn der Sonne über den Himmel.

Finley beklagte sich: „Mir wird ja ganz schwindelig, wenn ich dir zuschaue!"

Alena war zu nervös, um nett zu sein. „Dann schau mir nicht zu."

„Ich hole dir Nimmalkraut, das ist gut gegen Schwindel", bot Cchraskar fürsorglich an. „Aber es schmeckt leider wie Läuseblut, leider!"

„Weiß ich. Nein, danke." Angewidert stand Finley auf und klopfte sich den Sand vom Umhang. „Ich werde was Sinnvolles mit meiner Zeit anfangen. Nämlich mich im Gildenhaus umhören und mal sehen, ob ich das Tiefen-Elixir irgendwo auftreiben kann ..."

Wenn er es hier nicht bekommt, dann gibt es das Zeug vermutlich gar nicht, dachte Alena. Cchraskar blickte sie fragend an und sie sagte ihm: „Das ist so eine Art Heilmittel."

„Wofür?"

„Gegen die Sehnsucht" Alena seufzte. Cchraskar legte den Kopf schief und sah sie besorgt an.

Finley war fast einen halben Sonnenumlauf weg. Als er zurückkam, grinste er. „Hab es", sagte er und überreichte Alena mit einer kleinen Verbeugung ein Fläschchen, das nur halb so lang war wie ein kleiner Finger. Wenige Tropfen einer goldfarbenen Flüssigkeit befanden sich darin. Alena nahm es ihm aus der Hand und hielt es gegen das Licht. Sie merkte, wie eine Gänsehaut ihre Arme überzog. In welche Tiefen würde sie dieses Elixir führen? Würde sie ihrer Mutter begegnen? Und würde sie wieder an die Oberfläche finden? Unwillkürlich musste Alena daran denken, wie knapp sie ihre Begegnung mit dem Traumwasser in Rhiannon überlebt hatte.

„Eigenes Risiko", sagte Finley, als habe er ihre Gedanken gelesen. „Wenn es Probleme gibt, weiß ich von nichts."

Alena nickte. „Versteht sich von selbst." Jetzt musste sie nur noch einen ungestörten Moment finden, in dem sie das Zeug nehmen konnte.

Dann begann das Warten wieder.

Doch sie warteten nicht mehr alleine. Nach und nach fanden sich immer mehr Gildenlose, aber auch Halbmenschen und Mitglieder der Luft-Gilde um den Palast herum ein, bis sich eine Menge von ein paar hundert Menschen gebildet hatte. Alena beobachtete sie und versuchte festzustellen, warum sie hier waren. Dann ging ihr ein Licht auf. „Finley, wo hast du in Eolus unsere Geschichte erzählt?"

„Einmal im Gildenhaus und einmal bei den Ausgestoßenen. Sieht so aus, als hätte sich´s schnell herumgesprochen ... na ja, Eolus ist nun mal eine geschwätzige Stadt."

Als Jorak am späten Nachmittag endlich zurückkam, sprangen Alena und Finley beide auf und blickten ihm gespannt entgegen. Alena versuchte ihm vom Gesicht abzulesen, wie es gelaufen war. Ihr Gefährte sah grimmig entschlossen aus. O je, dachte Alena.

„Sie haben mich reingelegt", berichtete Jorak und setzte sich langsam in den warmen Sand hinter einem Haus. Als er erzählte, was für Aufgaben die Gilden ihm gestellt hatten, war Alena entsetzt.

„Und darauf hast du dich eingelassen? Rostfraß, die haben ja die schönsten ungelösten Rätsel Dareshs für dich zusammengekratzt!"

„Du interessierst diesen blöden Rat so sehr wie der Furz eines Käfers", empörte sich Cchraskar. „Schande ist es, eine Schande!"

Nur Finley blickte eher interessiert als aufgebracht drein. Wahrscheinlich versprach er sich von der ganzen Sache gute neue Geschichten.

Die Menge drängte sich dichter um sie und Jorak betrachtete sie verwundert. Nachdem er begriffen hatte, dass sie wissen wollten, wie es ihm ergangen war, berichtete er es mit lauter Stimme noch einmal. Ein Murren der Empörung lief durch die Menge.

„Wenn wir dir irgendwie helfen können, sag Bescheid", sagte ein verschrötiger Gildenloser, der weit vorne stand.

„Das einzig Gute an der Sache ist, dass ich vorerst ganz offiziell mit Gildenmitgliedern Umgang haben darf", ergänzte Jorak, holte das Nachtholz-Kästchen aus seiner Tasche und legte den Calonium-Armreif wieder an. „Außerdem kann ich mir bei den Vorbereitungen helfen lassen. Nur die Aufgabe selbst muss ich alleine meistern."

„Gut, dann können wir ja weiterhin zusammen reisen", meinte Finley heiter.

Jorak und Alena blickten ihn an und Alena sah, wie Joraks Augen schmal wurden. Schnell sagte sie: „Ist doch praktisch, dass du dann jemanden aus Luft und jemanden aus Feuer bei dir hast, um dich zu unterstützen." Das Fläschchen mit der goldenen Flüssigkeit schien ihr fast ein Loch in die Tasche zu brennen. Sie war eine Verpflichtung eingegangen und musste ihr Versprechen halten – und wenn Jorak Finley ablehnte, dann ging das alles in Rauch auf.

„Wir könnten als Erstes die Storchenmenschen fragen, ob sie uns bei der Sache mit den Weißen Adlern unterstützen können", schlug Finley vor. „Manchmal lassen sie sich dazu überreden, jemanden durch die Luft zu tragen. Sie schaffen das nicht über längere Strecken, aber einen Versuch ist es wert."

„Ja, daran habe ich auch gedacht." Jorak blickte ihn an. „Die Luft-Gilde ist mit den Storchen verbündet. Du kennst die Bündnisformel, nicht wahr?"

„Natürlich", sagte Finley mit verletztem Stolz. „Schließlich bin ich nicht gildenlos."

„Hör mal, Finley", sagte Jorak, und auf einmal war sein Blick hart. „Wenn du weiter mit uns reisen willst, dann hör bitte mit den Sticheleien auf. Ganz oder gar nicht. Überleg´s dir."

Finley sah erschrocken und ein wenig beschämt aus. „Entschuldige. Ist mir nur so rausgerutscht, reine Gewohnheit."

Es gefiel Alena, dass Jorak sich durchsetzen konnte, sich nichts bieten ließ. Sie blickte sich um und entdeckte in der Menge tatsächlich auch den einen oder anderen Storchenmenschen. Als sie ihnen zuwinkte, stelzte eine der dürren, gefiederten Gestalten zögernd heran. Finley flüsterte ihnen die Bündnisformel zu und ihre Miene wurde herzlich.

„Was ist dein Anliegen, Buntfleck?", sagte eine alte Storchenfrau freundlich. „Geht es um Grenzgänger?"

Alena musste sich das Lachen verbeißen. Buntfleck! Der Name, den die Halbmenschen Finley gegeben hatten, war nicht gerade hübsch. Es gefiel ihr besser, wie sie Jorak nannten: Grenzgänger.

Doch als sie der Storchenfrau erklärten, was für eine Aufgabe Jorak bewältigen sollte, wurde ihre Miene wieder verschlossen. „Verboten ist es, den Adlern zu folgen, verboten! Keiiner von uns hat es je gewagt, und keiner wird es je wagen. Dabei können wiir nicht helfen." Sie wandte sich direkt an Jorak, sah ihn mitleidig an. „Aber vielleicht können wiir trotzdem anders helfen, anders. Was wiirst du als Erstes tun?"

„Schauen, dass ich ein Abschiedsritual der Luft-Gilde miterlebe", meinte Jorak. „Schließlich habe ich diese geheimnisvollen weißen Adler noch nie gesehen."

„Sei vorsichtig dabei, Grenzgänger, und stell dich ihnen nie in den Weg – auch nicht versehentlich", sagte die Storchenfrau leise. „Es heißt, dass man dann selbst sterben muss, noch vor dem nächsten Neumond."

Alena lief ein Schauer über den Rücken.

Ihr Kopf war so mit Sorgen angefüllt, dass sie erst einen halben Tag später die Nachricht öffnete, die ein Wühler ihr gebracht hatte. Sie war von ihrem Vater! Erst jetzt wurde ihr bewusst, wie sehr sie Tavian vermisste, seine gelassene Sicherheit, seinen Rat und das Schwerttraining mit ihm. Aufgeregt faltete sie die Botschaft auseinander.

Liebe Allie,
wir sind inzwischen in Carradan angekommen und haben eine Bleibe im Viertel Londor gefunden, in der Telvariumsgasse West10. Es ist ein sehr

alter Teil von Carradan – die Häuser haben die prachtvollsten Gravierungen der Stadt, alle Gäste von außerhalb sehen sie sich an. Als neue Schmiede habe ich uns absichtlich eine ganz schlichte Pyramide beschafft, um die Gravierungen kümmere ich mich selbst. Sukie und ich hoffen, dass du uns sehr bald besuchen kommst!
Dein Vater Tavian

Alena steckte die Nachricht ein. Sukie und ich! Auf einmal hatte sie nicht mehr so viel Lust, Tavian bald zu besuchen.

Rena folgte Offizier Lanjo ins Innere des Mond-Tempels, in dem das Orakel lebte. Doch als sie das Gebäude betrat, war sie entsetzt. Hier stank es ganz schön! Ellba hatte sich unter drei Decken vergraben, ihr Gesicht war käsig weiß und der Spucknapf neben ihrem Bett war halb gefüllt. Auch die Drillinge lagen blass und apathisch auf ihren Schlafmatten. Heftige Reue packte Rena. Wie hatten sie das nur tun können? Kinder krank zu machen! Denn letztlich waren es eben nur Kinder. So wie sie jetzt dalagen, hatten sie nichts Bedrohliches mehr, sie wirkten einfach nur jämmerlich.

Rena achtete nicht mehr auf die Soldaten, sondern machte sich schuldbewusst daran, zu lüften, die Spucknäpfe auszuleeren, Decken auszuschütteln und den Kindern die Stirn mit kalten Umschlägen zu kühlen. Vorsichtshalber warf sie den Teil der Esswaren weg, der möglicherweise schädlich war, und kochte aus dem, was sich sonst noch so im Vorratslager fand, eine nahrhafte Suppe.

Etwas belämmert standen die Soldaten dabei und schauten ihr zu. „Wie lange wollt ihr eigentlich hier herumlungern?“, fuhr Rena sie schließlich an. „Entweder ihr helft oder ihr verschwindet!“

„Äh, ich bin mir sicher, dass das Orakel bei Euch in guten Händen ist“, sagte Lanjo hastig, dann kehrten die Wachen eilends wieder zum Tor zurück. Nur einer, wahrscheinlich der Jüngste, wurde zurückgelassen, um sie zu unterstützen und vermutlich auch im Auge zu behalten. Er hatte sandfarbenes Haar, ein freundliches Gesicht und beeindruckende Armmuskeln. „Ich heiße Curt. Und Ihr?"

„Eleni", sagte Rena und lächelte ihn an. Diesen Namen hatte sie damals benutzt, als sie zum ersten Mal unerkannt nachgeforscht hatte; er würde es auch noch ein zweites Mal tun.

„Ich brauche ein frisches Nachthemd! Jemand soll mir einen Heiltee bereiten! Warum kommt denn niemand?", jammerte Ellba.

„Komme sofort", flötete Rena und machte sich eilig daran, ihr den Heiltee zu kochen. Emsig rannte sie hin und her, um der alten Frau ein frisches Nachthemd zu holen und ihr den Trank zu bringen.

Die Drillinge hatten in all der Zeit keinen Laut von sich gegeben. Rena war froh, als Ellba endlich Ruhe gab und sie sich um die Kinder kümmern konnte. Sie hatte auch ihnen Heiltrank gebracht, aber sie griffen nicht nach den Bechern. Ich muss es ihnen einflößen, dachte Rena und zögerte. Etwas in ihr warnte sie davor, die Kinder zu berühren. Sie musste daran denken, wie es gewesen war, als der kleine Mikas sie angetippt hatte. Was, wenn das Orakel eine ähnliche Fähigkeit besaß?

Hilft nichts, ich muss es tun, dachte Rena, stützte einem der Mädchen – Xaia – den Kopf und setzte ihm den Becher an den Mund. Erleichtert merkte sie, dass kein Schock sie durchlief, sie nicht das Gefühl hatte, dass ihr Geist angezapft wurde.

Nachdem die Kinder den Trank bekommen hatten, wusch Rena sie mit einem feuchten Stück Baummoos, während Curt sich der Wäsche widmete und einen Raum weiter mit einem Waschzuber herumplantschte. Die Körper der Drillinge sahen fast normal aus. Nur ihre Haut war sehr blass und dünn, an manchen Stellen fast durchscheinend, sodass man die Adern darunter deutlich erkennen konnte.

Plötzlich merkte Rena, dass sie beobachtet wurde, und schaute auf. Eines der beiden Mädchen sah sie an. Seine Augen waren groß, dunkel und ausdruckslos. Schnell bemühte sich Rena, an etwas Unverfängliches zu denken – bis sie ganz sicher war, dass die Kinder keine Gedanken lesen konnten, ging sie besser kein Risiko ein.

Endlich wandte das Mädchen den Blick ab und Rena entspannte sich wieder. Sie bemerkte einen Kerzenhalter auf dem Seitentisch und mühte sich mit Feuerstein und Stahl herum, bis der Docht endlich brannte. „So, jetzt wird´s ein bisschen gemütlicher hier", sagte Rena und stellte die Kerze an das Bett des Jungen, der, wenn sie sich recht erinnerte, Taio hieß. Er wandte sich der Flamme zu und streckte neugierig die Hand aus.

„Achtung!", rief Rena, aber da war es schon zu spät. Taio hatte sich den Finger verbrannt und zuckte mit einem leisen Schmerzenslaut zurück.

Schnell stellte Rena die Kerze aus seiner Reichweite. Ihr war mulmig zumute. Nicht, weil der Junge sich so seltsam verhalten hatte – eigentlich wusste schon ein Kleinkind, dass es schmerzte, Feuer zu berühren! –, sondern wegen der Reaktion der anderen Kinder. Im gleichen Moment, in dem Taio die Flamme berührt hatte, hatte nicht nur er aufgestöhnt. Auch die beiden Mädchen waren zurückgezuckt, als wäre es ihr Finger gewesen, der verletzt wurde.

Ich werde nicht schlau aus diesen Wesen, dachte Rena und holte schnell eine kühlende Salbe aus ihrer Kräutertasche. Am liebsten hätte sie sich in irgendeine Ecke des Tempels verzogen, um über alles nachzudenken. Aber jetzt beobachteten sie alle drei Kinder mit ernsten Augen. Das machte Rena ganz kribbelig. „Soll ich euch eine Geschichte erzählen?", fragte sie, um die lastende Stille zu durchbrechen.

Ganz leichtes Nicken.

Sie war keine Geschichtenerzählerin, das war eine Domäne der Luft-Leute, aber sie hatte schon viel gelesen und würde keine Schwierigkeiten haben, sich daran zu erinnern. Rena entschied sich für die Legende von Gibra Jal und dem Weltenfresser, eine in der Erd-Gilde sehr beliebte Geschichte. Es war schwer zu sagen, aber sie hatte den Eindruck, dass die Kinder zuhörten. Bis ihnen von dem beruhigenden Heiltrank nach und nach die Augen zufielen.

Rena fühlte sich völlig erschöpft. In solchen Momenten merkte sie, dass sie selbst erst vor Kurzem krank gewesen war; der Tod ihres Baumes steckte ihr noch in den Knochen. Sie sagte Curt, dass sie jetzt auch eine Runde schlafen würde, und richtete sich ein behelfsmäßiges Bett in einem der Lagerräume. Dort lagerten in der kühlen Dunkelheit Kisten mit Obst aus dem Vorwinter und Gemüse aus der Umgebung. Der süße Duft reifer Winteräpfel umgab sie und langsam fühlte Rena, wie die Anspannung von ihr abfiel.

Der erste Schritt war geschafft.

Der Rat hatte Jorak und seinen Gefährten eine schlichte Unterkunft am Stadtrand besorgt und ihm mit Brief und Siegel die Erlaubnis erteilt, für die Dauer der beiden Aufgaben mit Gildenmitgliedern in Kontakt zu treten.

Jetzt kam es darauf an, eine erste Begegnung mit den weißen Adlern zu arrangieren. Jorak wandte sich an den Ersten Priester der Luft-Gilde in Eolus und bat ihn Bescheid zu sagen, wenn es einen Todesfall in der Stadt gab. „Eigentlich ist das ja nur Mitgliedern der Luft-Gilde erlaubt, ein solches Ritual mitzuerleben", sagte der Priester, ein hagerer Mann mit schütterem Haarkranz, und musterte Jorak mit zusammengekniffenen Augen. „Stellt euch vor, die Adler kommen nicht, weil du – ein Gildenloser – dabei bist! Und was dann? Ich weiß nicht, was der Rat sich bei der ganzen Sache gedacht hat. Es ist sterblichen Menschen nicht bestimmt, mehr über die Adler zu erfahren, als ihnen zusteht! Ist es nicht genug zu wissen, dass der Nordwind sie sendet, zu unserer ewigen Gnade?"

Jorak antwortete nicht und lächelte nur höflich. Er wusste ziemlich genau, was der Rat sich bei der ganzen Sache gedacht hatte. Warum habe ich immer das dumme Gefühl, dass hier alles auf meinen Tod hinausläuft?, dachte er. Sterbliche Menschen, bei der großen Wolkenschnecke!

Trotz seiner Unfreundlichkeit gab ihm der Priester schon am nächsten Tag Bescheid, dass wieder ein Begräbnisritual anstehe. Kurz vor Tagesanbruch eilte Jorak mit seinen Gefährten vor Ort. Etwas Neues für den Tag – zum ersten Mal die weißen Adler sehen, dachte er aufgeregt, fast heiter. Einen Moment lang schaffte er es, die gute Seite der ganzen Angelegenheit zu betrachten. In Ekaterin hatte er sich kaum noch neue Erfahrungen verschaffen können, oft hatte es ihn viel Mühe und Fantasie gekostet, seine Tradition weiterzuführen. Das würde sich durch seine beiden Aufgaben schnell und gründlich ändern!

Doch als sie auf der Lichtung ankamen, schlug Joraks Stimmung um. Erschüttert sah er, dass es eine junge Frau war, die heute den Adlern übergeben werden sollte. Ihre Verwandten hatten sie mit einem würzigen Duftöl eingerieben und ihr ihre Festtagskleidung angezogen, ein hübsch gewebtes blau- und sandfarbenes Kleid. „Woran ist sie gestorben?“, fragte Jorak den Priester, doch der zuckte nur die Schultern.

Jorak, Alena und die anderen richteten sich mit ein paar hölzernen Planken einen Beobachtungsposten im Gras ein, von dem aus sie nicht gesehen werden konnten. So verfolgten sie, wie sich im Laufe des Nachmittags die Trauernden auf dem Platz versammelten. Der Körper der jungen Frau war schon wie vorgeschrieben hergerichtet, er lag mit dem Gesicht zum Himmel und ausgebreiteten Armen in der Mitte der Lichtung auf dem Boden. Angehörige und ein Priester fassten sich an den Händen, bildeten einen Kreis um den Körper und sprachen die rituellen Abschiedsformeln. Die Formeln, die – wenn alles klappte – die weißen Adler rufen würden.

Auf einmal begann sich Jorak Sorgen zu machen, dass die Adler tatsächlich nicht kommen würden, weil er da war. Er wollte diesen Leuten nicht noch mehr Kummer bereiten.

Die Sonne begann zu sinken, bald würde es dunkel sein. Jorak spähte zwischen den hohen Grashalmen hindurch. Ein paar Menschen hatten Lampen mitgenommen – offenes Feuer war hier mitten im Grasmeer keine gute Idee –, und ihr schwacher Schein erhellte die Lichtung.

„Icch höre was“, fauchte Cchraskar. „Sie kommen!“

Auch die Trauernden schienen es gehört zu haben, denn sie zogen sich ehrfürchtig bis ganz an den Rand der Lichtung zurück. Schwingen rauschten, dann erschien ein Adler und setzte auf dem Körper auf, grub die Krallen hinein. Seine schneeweißen Schwingen glänzten im Licht; sie waren größer als Joraks ausgebreitete Arme. Misstrauisch blickten die wilden gelben Augen über dem leicht gebogenen Schnabel um sich. Der Raubvogel senkte den Kopf über die Leiche, wie um sie zu inspizieren, und stieß dann einen schrillen Ruf, fast einen Schrei, aus.

Alena flüsterte: „Die erinnern mich ein bisschen zu sehr an die weißen Panther, die Eisdämonen ..."

„Ich glaube, dass es echte Tiere sind, keine Geister", sagte Jorak. „Was meinst du, Cchraskar?"

„Schwer zu sagen, zu weit weg ..."

Finley sagte nichts und klammerte sich mit der Hand an dem Gildenamulett um seinen Hals fest. Die Gegenwart dieser Tiere, die seiner Gilde heilig waren, hatte ihm ausnahmsweise die Sprache verschlagen.

Ein zweiter Adler erschien, dann ein dritter und ein vierter.

„Vielleicht käme ich einen Schritt weiter, wenn ich einen davon fangen würde", überlegte Jorak leise. „Und ihn irgendwie markiere, damit ich herausfinden kann, wohin er fliegt ..."

Finley blickte ihn mit weit aufgerissenen Augen von der Seite an. „Das meinst du nicht ernst, oder?"

Alena blieb gelassen. „Du könntest dich totstellen, die Priester dazu bringen, die Adler anzulocken und dann eines der Viecher kennzeichnen. Nur – womit?" Sie ließ keinen Blick von dem, was auf der Lichtung vorging.

„Es müsste irgendein Material sein, das man stark und deutlich fühlen kann ... zum Beispiel mein Calonium-Armreif", flüsterte Jorak. „Den kann ein ausgebildeter Erzsucher auch aus der Entfernung aufspüren."

Finley schien einer Ohnmacht nahe über ihre Respektlosigkeit. Cchraskar packte mit einer Pfotenhand Finleys Handgelenk und fühlte ihm den Puls. „Du brauchst doch Nimmalkraut", sagte er vorwurfsvoll.

„Kann sein", erwiderte Finley schwach.

Die Adler hatten inzwischen Arme und Beine der toten jungen Frau gepackt. Dann schlugen sie mit den Flügeln, sodass auf der Lichtung Staub aufgewirbelt wurde. Langsam erhoben sich die Adler mit ihrer menschlichen Last in die Lüfte. Freudig stimmten die Menschen am Rand der Lichtung Gesänge an. Die Adler wandten sich nach Westen und waren kurz darauf im Nachthimmel außer Sicht.

Ein paar Atemzüge lang lagen Jorak und seine Gefährten einfach nur da, fasziniert und verzaubert von dem, was sie gesehen hatten. Dann sagte Jorak: „Kommt es eigentlich auch vor, dass sie die Leiche nicht mitnehmen?"

Finley nickte. „Das ist eine große Schande für die Familie und der Körper muss würdelos im Matsch des Grasmeers verscharrt werden. Man sagt, dass die Adler die Sünden spüren, die ein Mensch auf sich geladen hat, und wenn ihnen diese Last zu schwer erscheint, dann lassen sie den Körper da."

Alena grinste schief. „Und es liegt nicht nur daran, dass derjenige zu wohlgenährt ist?"

„Nein, wenn jemand sehr schwer ist, kommen einfach noch mehr Adler."

Nachdenklich richteten sie sich auf und kehrten mit den Angehörigen und Freunden der Toten in den Ort zurück.

Mit Adlerschwingen

Sie diskutierten noch lange in dieser Nacht. Alena merkte kaum, wie die Zeit verstrich – die weißen Adler faszinierten sie.

„Ich könnte einem Toten den Calonium-Armreif anlegen", meinte Jorak. „Aber ich frage mich, ob das viel bringen würde. Das Risiko ist groß, dass wir die Spur verlieren, und dann ist mein Armreif weg – das kommt gar nicht in Frage."

Alena nickte. Schließlich waren die Armreife die Symbole ihrer Liebe, sie waren einzigartig.

„Dein Plan mit dem Totstellen ist vermutlich der weit bessere", überlegte Jorak weiter. „Ich lasse mich mitsamt Armreif von den Adlern mitnehmen und schaue mir selbst an, wo sie die Toten hinbringen. Bleibt nur die Frage – was genau machen sie mit den Körpern?"

„Was ist, wenn sie die Leichen einfach auffressen?", überlegte Alena.

Finley blickte entsetzt drein. „Nein, nein, das tun sie sicher nicht, sie sind nur Boten, die die Verstorbenen ins Schattenreich tragen."

„Schon gut, schon gut. Aber wo soll das sein, dieses Schattenreich? Ist es ein realer Ort?"

„Ich weiß nicht – darüber haben die Priester nie gesprochen."

„Das Problem wird erst mal sein, dass mich die Adler überhaupt nehmen", meinte Jorak. „Du hast ja gesehen, dass sie sich den Körper genau anschauen, bevor sie alle vier kommen, um ihn wegzubringen. Ich werde mir ein gefälschtes Amulett der Luft-Gilde anlegen müssen. Und wenn sie merken, dass ich noch lebe, ist es sowieso aus. Dann lassen sie mich liegen oder auf halbem Weg fallen."

„Mich interessiert viel mehr, wie du aus diesem Schattenreich wieder zurückkommen kannst", sagte Alena. „Was ist, wenn es keinen Rückweg gibt? Finley, kennst du irgendwelche Geschichten über Scheintote, die versehentlich mitgenommen worden sind, oder Menschen, die aus dem Schattenreich zurückgekehrt sind?“

„Nicht dass ich wüsste, tut mir leid.“ Finley schauderte.

„Sind die Adler mal irgendwo außerhalb Neradas gesichtet worden?“

„Nein – nachts ist es zu dunkel, um sie genau zu erkennen, und tagsüber hat sie nie jemand gesehen.“

„Das ist seltsam. Aber vielleicht ganz gut für uns. Wenn man davon ausgeht, dass sie sich nicht unsichtbar machen können, dann fliegen sie höchstens eine Nacht oder eine halbe Nacht lang.“

„Dabei können sie aber eine ganz schöne Strecke zurücklegen, selbst mit der Last eines Körpers!“

Alena nickte nachdenklich. „Ja, es wird nicht leicht, dir vom Boden aus zu folgen, ich werde mindestens einen Erzsucher brauchen, der mir hilft. Meine Fähigkeit, Metalle zu spüren, ist nicht stark genug.“

„Die Frage ist erst mal, wie wir Jorak scheintot kriegen“, meinte Finley. Allmählich schien auch er seine Skrupel überwunden zu haben, und Unternehmungslust blitzte in seinen Augen auf. „Ich kenne einen vertrauenswürdigen Heiler, der mir vielleicht einen starken Betäubungstrank gibt.“

Seine und Alenas Augen trafen sich, und Alena wusste, dass sie jetzt beide an das Tiefen-Elixir dachten – auch das sollte sie ja tief nach unten bringen. Aber fürs Erste konnte sie es nicht nehmen, solange Jorak sie brauchte.

„... aber ein gefälschtes Gildenamulett ... nein, das ist mir zu heiß. Wenn das rauskäme, dann hieße es für mich ab in die Elendsquartiere, für immer!“

„Für ein Amulett sorge ich schon“, mischte sich Jorak ein. „Aber es wird ein gutes Stück Arbeit, einen Priester davon zu überzeugen, dass er mitspielt. Bestimmt haben die Kerle alle eine Höllenangst, dass ich die Adler mit meinen Versuchen vergraule und sie sich nie wieder blicken lassen.“

Entsetzt verzog Finley das Gesicht. „Die Adler vergraulen? Lieber Jorak, das würde deinen Namen für alle Zeit zu einem Schimpfwort in meiner Gilde machen!“

„Stört mich nicht“, schoss Jorak zurück. „Und ich sag dir eins – deiner Gilde würde es recht geschehen, so wie sie mich mit dieser Aufgabe reingelegt hat!“

Alena übernahm die Aufgabe, einen Erzsucher zu finden. Als Erstes hörte sie sich in der kleinen Gemeinschaft der Feuerleute um, die in Eolus lebte oder auf Durchreise hier war. Doch ihre Gildenbrüder zuckten nur die Schultern. „Niemand mit der Berufung in der Gegend, tut uns leid, Mädchen.“ Alena merkte, dass sie vermieden ihr in die Augen zu blicken. Konnten diese Menschen – ihre Gildenbrüder! – ihnen wirklich nicht helfen oder wollten sie nur nicht?

Niedergeschlagen wanderte Alena durch die Stadt und fragte sich, was sie jetzt machen sollte. Vielleicht gab es unter den Gildenlosen einen oder eine, der die Fähigkeiten hatte, Metalle aus der Entfernung zu spüren? Sie schlug den Weg zu den Elendsvierteln ein und nahm die erst beste Person beiseite, die ihr dort begegnete. „Sag mal, habt ihr jemanden unter euch, der Erzsucher war, bevor er ausgestoßen wurde?“

Erst blickte der Mann sie misstrauisch an und sagte: „Wir dürfen unsere Berufung nicht mehr ausüben, weißt du das nicht?“, doch als Alena erklärte, wofür sie jemanden mit diesen Fähigkeiten brauchte, leuchtete sein Gesicht auf. „Warte hier“, sagte er und eilte davon.

Kurz darauf war Alena von einer begeisterten Menge umgeben, die offensichtlich schon von Jorak gehört hatte und die sie gespannt nach seinen Plänen ausfragte. „Er will es wagen, mit den weißen Adlern zu fliegen?“, fragte eine zerlumpte Frau ungläubig, und als Alena nickte, brach die Menge in Jubel aus.

Mein Gefährte ist auf dem besten Weg zum Volkshelden, ging es Alena durch den Kopf. Es würde diesen Leuten eine Menge bedeuten, wenn er es schafft, aufgenommen zu werden!

Kurz darauf hatte sich auch eine hochgewachsene, sehnige Frau namens Itai eingefunden, die sich als ehemalige Erzsucherin zu erkennen gab. Sie war sehr begabt und konnte Joraks

Calonium-Armreif selbst auf der anderen Seite von Eolus spüren. Außerdem hatte sie den Körperbau einer Gazelle und würden einen langen Lauf durchhalten können.

„Wunderbar", sagte Alena erleichtert. „Kannst du gleich mitkommen?"

Itai nickte nur, sie schien nicht gerne zu reden. Alena wagte nicht zu fragen, warum sie aus der Gilde ausgeschlossen worden war. Hoffentlich hatte sie nicht die Angewohnheit, Leute zu ermorden!

Als sie und die Erzsucherin, Finley und Jorak sich am Nachmittag wiedertrafen, warf Jorak ein Amulett der Luft-Gilde auf den Boden der Hütte. „Es ist echt, aber nur geliehen, in ein paar Tagen muss ich es zurückgeben", sagte er. „Außerdem habe ich einen Priester gefunden, der mehr Angst vor dem Rat hat als vor der Rache der Adler – morgen könnte er die Zeremonie für mich durchführen, mit ein paar bezahlten Helfern."

Morgen schon!, dachte Alena erschrocken und ihr wurde bewusst, wie sehr sie sich um ihn sorgte. „Ich hatte auch Glück", meinte sie und stellte Itai vor. „Sie wird helfen, dir durch deinen Armreif auf der Spur zu bleiben."

Finley hatte ein kleines Fläschchen mit bräunlichem Saft mitgebracht. „Der Heiler hat gesagt, das versetzt dich in eine so tiefe Bewusstlosigkeit, dass jeder dich für tot halten wird. Mit etwas Glück auch die Adler."

Cchraskar schnupperte an dem Fläschchen. „Mmh, das riecht gut. Wie ein Tass, das seit drei Tagen tot ist."

Nervös drehte Jorak das Fläschchen in der Hand. „Das ist mir egal. Ich hoffe nur, dass man kein Gegenmittel braucht, um wieder aufzuwachen ..."

„Nein, du wirst nach etwa einem halben Sonnenumlauf von selbst wieder munter."

Hoffentlich reicht ein halber Sonnenumlauf, dachte Alena besorgt. Was, wenn die Adler erst spät in der Nacht kommen und Jorak aufwacht, wenn er noch in der Luft ist? Oder wenn sie vorher schon merken, dass er lebt, und ihn zerreißen? Sie musste an die scharfen Krallen und Schnäbel der Raubvögel denken, und auf ihren Armen bildete sich eine Gänsehaut. „Ist dir klar, dass du auf jeden Fall verletzt werden wirst?“, fragte sie Jorak. „Sie werden dich mit den Krallen packen, die graben sich ins Fleisch.“

„Ja“, sagte Jorak grimmig. „Deshalb brauche ich auch den Trank. Sich einfach totzustellen nützt nichts, ich würde zusammenzucken.“

„Du willst es also wirklich wagen.“ Finley war so ernst, wie Alena ihn noch nie gesehen hatte. „Ich glaube, ich gebe dir besser etwas mit. Du könntest es brauchen.“

Jorak blickte ihn verdutzt an. Ungeduldig winkte Finley ihn zu sich und flüsterte ihm etwas ins Ohr. Danach blickte Jorak noch verblüffter drein. „Aber das ist eure geheime Bündnisformel! Die Formel, die euch die Hilfe der Storchenmenschen sichert! Ich ... weiß gar nicht, was ich sagen soll ... warum tust du das?“

Finley grinste. „Das fragst du noch? Wenn du lebend zurückkommst, wird´s eine tolle Geschichte.“ Er sah, dass Jorak das Gesicht verzog, und fügte schnell hinzu: „Außerdem tue ich es gerne. Ich finde, du hast es dir irgendwie verdient. Egal, ob diese Bastarde dich in die Gilde aufnehmen oder nicht.“

In dieser Nacht schlief Finley im Gildenhaus und Cchraskar hatte es sich draußen bequem gemacht, sodass Alena und Jorak die Hütte für sich hatten. Es war eine warme Nacht und sie warfen die Decken beiseite. Es fühlte sich an wie das erste Mal, als Jorak mit der Zungenspitze die Kontur ihrer Halsbeuge und Schulter nachfuhr und ihre Brüste liebkoste. Die Wildheit, mit der er sie nahm, hatte etwas Verzweifeltes. Danach hielten sie sich lange in den Armen.

Komisch, mir macht es viel mehr aus, dass er sich in große Gefahr bringt, als wenn es um mich selbst ginge, dachte Alena. „Willst du es dir nicht doch nochmal überlegen, ob du die Aufgaben ablehnst?“

Jorak schüttelte den Kopf. „Das geht nicht. Es ist meine einzige Hoffnung. Außerdem sähe es ziemlich feige aus, wenn ich jetzt noch einen Rückzieher machen würde ... und über Ehre brauche ich dir nichts zu erzählen, oder?“

Nein, das brauchte er nicht. Mit Ehre kannte sich jeder Mensch der Feuer-Gilde aus. „Früher hätte ich gedacht, dass ein

Gildenloser sich nicht ehrenhaft verhalten kann“, gestand sie ihm. „Finley denkt es vermutlich immer noch ...“

Es war ein Fehler gewesen, Finley zu erwähnen. Sie konnte förmlich spüren, wie Jorak sich zurückzog, wie er vorsichtig wurde. „Was findest du eigentlich an Finley?“, fragte er knapp. „Du magst ihn, stimmt´s?“

„Geht so“, sagte Alena und Joraks misstrauischer Blick tat ihr weh. „Ich habe nichts mit ihm, wenn du das meinst.“ Sie hörte selbst, dass es trotzig klang und nicht sehr glaubwürdig. Es wunderte sie nicht, dass Jorak nickte, aber nichts dazu sagte. Ich tu´s, ich sage ihm die ganze Wahrheit, dachte sie schuldbewusst. Das mit dem Elixir. Dann weiß er wenigstens, dass es nichts mit Finley selbst zu tun hat.

Jorak zog eine Decke über sie beide, gähnte und schloss die Augen. „Es gibt noch einen Grund, warum ich die Aufgabe nicht abgelehnt habe“, meinte er und grinste schläfrig. „Ich bin inzwischen ganz schön neugierig, wo diese Adler tatsächlich hinfliegen und was es mit diesem jenseitigen Reich auf sich hat.“

„Du Wahnsinniger.“ Alena seufzte und ließ die Fingerspitzen über seine Brust gleiten. „Du wunderbarer Wahnsinniger. Wie, du willst schon schlafen? Vergiss es. Dafür hast du morgen noch genug Zeit, während dich die Adler durch die Luft tragen.“

„Wie recht du hast“, sagte Jorak und legte die Hand an eine Stelle, die Alena zum Aufstöhnen brachte und sie das Elixir vergessen ließ.

Am nächsten Morgen wurde Rena von lautstarkem Schelten und Jammern geweckt. Aber sie hatte nicht vor, jetzt nach Ellba zu sehen, ihre erste Sorge galt den Kindern. Doch ihre Schlafmatten waren leer. Was war passiert?! Alarmiert stürmte Rena nach draußen.

Sehr erleichtert sah sie, dass die Drillinge draußen im Gras hockten. Verständlich, dass sie es eilig gehabt hatten, aus dem dunklen und stickigen Inneren des Tempels herauszukommen.

Sie wirkten noch etwas benommen, aber wenn sie aufstehen konnten, dann brauchte Rena sich keine Sorgen um die drei mehr zu machen.

Das schwere Außentor öffnete sich und Offizier Lanjo spähte durch den Spalt. „Alles in Ordnung mit dem Orakel?"

„Es geht den dreien schon besser, vielleicht können sie heute sogar wieder Vorhersagen machen", berichtete Rena. Damit gaben sich die Wachen zufrieden. Diesmal wurde ihr kein Aufpasser zugeteilt.

„Essen! Bringt mir endlich jemand etwas zu Essen?", quengelte es von drinnen. Bin gespannt, wie lange ich für sie noch „Jemand" heiße, dachte Rena amüsiert und machte sich eilig daran, ein schmackhaftes Pilzomelette zum Frühstück zu bereiten. Auch Ellba schien es besser zu gehen, aber sie dachte gar nicht daran aufzustehen. Wie eine Königin thronte sie zwischen ihren Kissen. Wahrscheinlich genoss sie es, auch mal auszuteilen, nachdem sie die ganze Zeit von den Kindern tyrannisiert worden war. „Hier, Meisterin, ich hoffe, das schmeckt euch", sagte Rena mit einer leichten Verbeugung und reichte ihr das Essen. Sie wusste, dass es Ellba gefallen würde, *Meisterin* genannt zu werden, obwohl sie ihrem Amulett nach nie eine Prüfung abgelegt hatte.

Ellba bedankte sich nicht. Misstrauisch pickte sie in ihr Omelett. „Ich mag es würziger, das kannst du dir gleich merken!"

Rena hatte eine kurze Vision davon, wie sie eine ganze Handvoll Rosella-Pfeffer über das Omelette verteilte und dem alten Weib danach Flammen aus dem Rachen schlugen. „Natürlich, Meisterin, ich würze es sofort nach."

Nach kurzem Überlegen garnierte sie das Omelett nicht nur mit einer Prise Rosella-Pfeffer, sondern auch mit einer Winzigkeit Dämonenkralle aus ihrer Kräutertasche. So leid es ihr tat, aber Ellba durfte noch nicht ganz gesund werden. Sonst war Rena ihre neue Stellung als Dienerin vielleicht schon morgen wieder los, und sie brauchte mehr Zeit, um etwas über die Kinder herauszufinden.

Für die Kinder kochte Rena einen Getreidebrei. „Na, wie geht´s euch heute?", fragte sie, als sie ihnen die Schüsseln nach draußen brachte.

Die Kinder blickten sie nur an und erwiderten nichts. Rena zuckte die Schultern. Dann ging sie nach drinnen und ließ sich von Ellba erzählen, wie es ablief, wenn das Orakel Vorhersagen gab. „Die Kerle versammeln sich vor dem Tor ... ich wähle fünf aus, die an diesem Tag eine Antwort bekommen, und lasse die Kinder zuhören, wenn sie ihre Frage stellen", berichtete Ellba und tupfte sich geziert das Kinn mit einem weichen Blatt ab. „Wenn sie dann bei Mondaufgang ihre Visionen haben, ha, und keinen Atemzug früher – wer weiß warum! –, schreibe ich alles auf, was sie singen oder reden."

Das wusste Rena schon, aber sie nickte aufmerksam, als sei ihr alles neu. „Das kann ich ja heute mal machen."

„So, du kannst schreiben?" Ellba zog die Augenbrauen hoch. „Gut. Es gibt ja so viel ungebildetes Volk heutzutage, dieses Pack kann Daresh nicht gebrauchen, das habe ich schon immer gesagt!"

Die Ratsuchenden kannten das Ritual offensichtlich, denn gegen Mittag schwoll der Lärm vor dem Tor an, Rena hörte eine Vielzahl von Stimmen. Als die Tore geöffnet wurden, drängte die Menge vorwärts. Erschrocken wich Rena zurück, und sie war froh, dass die Wachen sich den Menschen in den Weg stellten und verhinderten, dass sie den Tempel des Orakels stürmten. Beim Erdgeist, wie sollte sie aus diesen vielen Leuten diejenigen auswählen, die heute drankommen würden?

„Wie hat Ellba das immer gemacht?", flüsterte sie Curt zu.

Er zuckte die Schultern und grinste. „Einfach auf jemanden gedeutet. Junge gut aussehende Männer hatten die besten Chancen."

O je. Es war höchste Zeit, die Auswahlmethode zu ändern! Rena räusperte sich. Die Menschen schwiegen und sahen sie aus verzweifelten Augen an. „Bitte zieht euch jetzt wieder zurück und bildet eine große Versammlung. Dort erzählt ihr euch eure Anliegen und Fragen an das Orakel. Anschließend wählt ihr bitte gemeinsam fünf Ratsuchende aus, die eurer Meinung nach als Erstes drankommen sollten. Einer von euch überreicht mir die Liste. Diese fünf werden für heute ausgewählt." Sie konnte gerade noch verhindern, dass sie rot wurde, als sie hinzufügte: „Eure Geschichten absichtlich trauriger zu machen ist übrigens zwecklos, das Orakel weiß sofort, ob sie stimmen oder nicht."

„Und was ist mit morgen und den Tagen danach?", murrte ein großer, bärtiger Mann. „Soll es dann immer so umständlich ablaufen?"

„Nein, danach schreibt ihr bitte euer Anliegen und wie lange ihr schon wartet auf ein Blatt und gebt es uns. Wir wählen daraus jeden Tag aus."

Puh. Rena war erleichtert, als die Tore wieder geschlossen waren. Hoffentlich funktionierte das!

Die Kinder waren nirgends in Sicht. Rena beschloss, den Garten des Tempels zu erkunden. Sie schlenderte an der Innenseite der hohen weißen Mauern entlang, die den verwilderten Garten beschirmten. Kräuter und Wildblumen wucherten überall und an einigen Stellen hatten Klettergewächse begonnen an den Mauern emporzuranken. In einer sonnigen Ecke hatte ein Schneehörnchen seinen Bau angelegt und in einer kleinen Hecke nisteten Rubinvögel. Es hätte eine Idylle sein können – doch Rena sah, dass die Büsche und Obstbäume, die an einigen Stellen wuchsen, wüst aussahen und viele abgeknickte Äste hatten. An ihrer Aura merkte Rena, dass manche kaum überleben würden. Eines ist sicher, das Orakel mag Pflanzen nicht besonders, dachte sie traurig.

An einer Stelle stand eine einfache Holzleiter. Rena überwand ihre Höhenangst, kletterte hoch und blickte über die Tempelmauern hinweg. Ja, die Ratsuchenden hatten im Lager einen Kreis gebildet, anscheinend diskutierten sie schon heftig. Hoffentlich kam es nicht zu Mord und Totschlag!

Sie wandte den Blick zum Tempel zurück und bemerkte, dass die Kinder im hinteren Teil des Gartens spielten. Neugierig stieg Rena die Leiter wieder hinunter und ging in ihre Richtung. Dabei achtete sie darauf, dass Büsche zwischen ihnen waren. Was, beim Erdgeist, war es, was die Kinder spielten? Es sah sehr seltsam aus. Still blieb Rena hinter einem Busch stehen, beobachtete und hörte zu.

„Grischkus ... malmal!", sagte Xaia.

„Malmal ... bludit!", antwortete Daia.

„Bludit ... ximbum!“, fügte Taio hinzu. „Was ist, was ist was, was was was?“

Xaia schüttelte den Kopf. „Ganz ohne Zweifel.“

„Aber nein“, fügte Daia hinzu.

Wie auf Kommando brachen alle drei in lautes Lachen aus. Dann fassten sie sich an den Händen und tanzten im Kreis, bis sie auf einmal wieder in Lachen ausbrachen.

Das ist ja furchtbar lustig, dachte Rena und seufzte. Sie haben sich also eine Geheimsprache erfunden. Damit niemand versteht, was sie sich erzählen. Und das klappt prima, ich habe keine Ahnung, was das soll.

Sie war gespannt, ob es heute auch ohne Ellba mit den Vorhersagen klappte. Oder ob sie, Rena, alles verpfuschen würde.

Obwohl Alena versucht hatte, sich darauf vorzubereiten, war es ein schlimmer Moment, als Jorak sich am nächsten Nachmittag den Trank an die Lippen setzte. Dreißig Menschen hatten sich eingefunden, die von Joraks Vorhaben gehört hatten. In ehrfürchtigem Schweigen umringten sie ihn. Doch Jorak ließ keinen Moment die Augen von Alena, während er trank.

„Bis bald, Feuerblüte“, sagte er, lächelte sie an – dann spürte Alena seine Hand in ihrer schlaff werden, seine Augen wurden glasig. Jorak sackte zusammen. Sie schaffte es gerade noch, seinen Körper auf den Boden zu betten.

Es war furchtbar, ihn so zu sehen, obwohl er nur bewusstlos war. Alena blieb neben ihm sitzen, hielt seine Hand und fühlte, wie sie immer kühler wurde. Es war, als sei er wirklich tot, als habe er sich vergiftet!

Finley versuchte einen lockeren Ton anzuschlagen. „Der hat´s gut, jetzt haben wir die ganze Arbeit und müssen ihn ins Grasmeer hinausschleifen.“

Alena sandte ihm einen Raubtierblick aus halb zusammengekniffenen Augen. „Wehe, es war Gift, das du ihm besorgt hast.

Wenn er dadurch stirbt, wirst du ihn nicht lange überleben, das schwöre ich dir beim Feuergeist!"

Doch bei Finley wirkte der Blick nicht, er grinste nur breit und ließ seine blauen Augen aufblitzen. „Keine Sorge, Jo wird frischfröhlich wieder aufwachen. Alles Weitere liegt bei den Adlern und nicht bei mir!"

Bei Sonnenuntergang waren sie draußen im Grasmeer, an einem der Zeremonienplätze. Jorak hatte sich eine offizielle Tracht der Luft-Gilde geliehen – sandfarben mit einer Schärpe aus blauer Seide – und sich mit dem herb-aromatisch riechenden Öl eingerieben, das die Luft-Gilde für rituelle Zwecke verwendete. Jetzt lag er regungslos mit ausgebreiteten Armen auf dem Boden. Alles sah aus wie bei der echten Zeremonie neulich. Der junge Priester, der Jorak zunächst misstrauisch beäugt hatte, ging ganz in seiner Rolle auf, hob die Arme zum Himmel und intonierte die uralten Formeln und Gesänge inbrünstig und lautstark. Vielleicht hatte er schon halb vergessen, dass Jorak nicht wirklich tot war.

Alena hielt sich sicherheitshalber auch diesmal versteckt, sie wollte das Risiko nicht eingehen, dass sie als Mitglied der Feuer-Gilde die Adler abschreckte. Sie hatte für sich und Itai leichtes Reisegepäck vorbereitet, um sofort in die Richtung aufbrechen zu können, in der die Botentiere davonflogen.

Ein Dutzend neugierige Menschen der Luft-Gilde hatten sich eingefunden, um als Trauergäste aufzutreten und Jorak das Geleit zu geben. Auch Finley war darunter. Er übertrieb es mit der Schauspielerei, wischte sich immer wieder mit dem Ärmel über die Augen. Vielleicht ist er aber auch nur allergisch gegen dieses Balsamierungsöl, dachte Alena sarkastisch.

Nun begann das Warten. Als die Sonne unter den Horizont sank, überzog sich der Himmel mit dramatischen Rot- und Orangetönen. Zum Schluss hatte er ein intensives Violett, von dem sich der erste Mond wie eine kleine Silbermünze abhob. Die Trauergäste warteten geduldig und zündeten Laternen an, als es schließlich dunkel wurde.

Mit der Geduld des erfahrenen Jägers kauerte Cchraskar neben ihr in der Dunkelheit und beobachtete die kleine Lichtung. Alena dagegen wäre am liebsten rastlos herumgelaufen. Sie drehte und wendete sich und streckte die Ferse durch, um einen schmerzhaften Krampf loszuwerden. Itai, die eine Armlänge entfernt schräg vor ihnen lag, schien diese Probleme nicht zu haben. Sie lag ruhig da und atmete so tief und regelmäßig, dass Alena einen Moment lang dachte, sie sei eingeschlafen. Doch dann landete ein Käfer auf ihrem Haar und verhedderte sich darin. Itai griff nach oben, befreite ihn und setzte ihn vorsichtig auf einen Grashalm.

Eine kleine Ewigkeit verging. Auch der zweite Mond stieg auf und der dritte würde nicht mehr lange auf sich warten lassen.

„Meinst du, die Adler haben Verdacht geschöpft?“, flüsterte Alena ihrem pelzigen Freund zu. „Wieso kommen die verdammten Viecher nicht?“

„Wenn sie hören, wie du über ssie sprichst, kommen sssie erst reccht nicht“, fauchte Cchraskar zurück.

In diesem Moment sah Alena einen Schatten am Himmel und hielt Cchraskar erschrocken das Maul zu. „Ich glaube, da ist was!“

Sie duckten sich tief zwischen die Halme.

Ein einzelner weißer Adler rauschte aus dem Himmel herab, setzte neben Jorak auf und blieb mit ausgebreiteten Schwingen sitzen. Alena wagte kaum zu atmen, als das Wesen langsam den Kopf senkte und Joraks Körper mit dem Schnabel berührte. Der Adler zögerte, hob den Kopf wieder, schaute sich um. Er zog die Flügel an den Körper und machte ein paar unbeholfene Schritte, betrachtete Jorak aus einer anderen Richtung. Es klappt nicht, er ist misstrauisch geworden und nimmt ihn nicht mit, dachte Alena und war einen Moment lang fast froh darüber – bis ihr einfiel, was die Niederlage für Jorak bedeuten würde.

Priester und Gäste standen still am Rand der Lichtung; Alena sah, dass sich die Lippen des Priesters bewegen, sicher murmelte er eine Formel.

Der Adler hob den Kopf und stieß einen schrillen Ruf aus. Alena entspannte sich etwas. Sah fast so aus, als hätte er Jorak akzeptiert. Tatsächlich, kaum zwei Atemzüge später trafen drei weitere Vögel ein. Sie verloren keine Zeit und packten den Körper auf der Lichtung mit ihren starken Klauen. Gut, dass er das jetzt nicht spürt, dachte Alena und ihr Herz pochte heftig.

Dann war es so weit, die Adler hoben Joraks Körper dem Nachthimmel entgegen. Mit brennenden Augen blickte Alena dem Tross hinterher, bis er außer Sicht war. Die Vögel schlugen einen Kurs nach Westen ein, aber das hatte nichts zu sagen, sie konnten die Richtung jederzeit ändern. Alena konzentrierte sich auf die leicht bittere Aura des Calonium-Armreifs, bis sie sie nicht mehr spüren konnte.

„Nichts wie los", sagte sie zu Itai und Cchraskar. Es war Zeit, die Verfolgung aufzunehmen!

Tal der Blumen

Als Jorak erwachte, fühlte er sich steif und durchgefroren bis auf die Knochen. Es war eisig kalt um ihn herum, der Wind pfiff durch seine Tunika und um seine Ohren. Außerdem taten seine Arme und Beine entsetzlich weh, es fühlte sich an, als wären sie in Stahlklammern gefangen. Sofort war die Erinnerung da. Die Adler. Das Schattenreich. Es hat geklappt, dachte Jorak und sein Herz machte einen Sprung. Aber ich bin zu früh aufgewacht – wir sind noch in der Luft!

Er ließ die Augen geschlossen, versuchte ganz flach zu atmen und sich zu entspannen, damit sein Körper so schlaff blieb wie zuvor. Hoffentlich hatte er sich beim Aufwachen nicht versehentlich bewegt. Auch vor Kälte zittern durfte er um keinen Preis. Und was war mit den Klauenverletzungen? Tote bluten nicht!

Jeder Atemzug war eine Qual. Jorak fragte sich, wie lange die Reise noch dauern würde. Hoffentlich waren sie bald am Ziel. Als er schwaches Tageslicht hinter seinen Lidern wahrnahm, ging er das Risiko ein, die Augen ganz leicht zu öffnen. Weiß. Rauschendes, sich bewegendes Weiß war alles, was er sah. Das Gefieder direkt über ihm. Den Kopf zu wenden kam nicht in Frage, also schloss er die Augen wieder. Er würde einfach abwarten müssen, so schwer es ihm fiel.

Es wurde noch kälter, die Luft schmeckte nach Schnee. Wir sind sehr, sehr hoch, riet Jorak. Über einem Gebirge vielleicht.

Endlich spürte Jorak, wie es etwas wärmer wurde und die Adler langsam in den Sinkflug übergingen. Nach einer Weile prallte er mit einem Ruck auf dem Boden auf und die Klauen lösten sich von ihm. Er hörte, wie die Adler um ihn herumstolzierten, und fragte sich, was sie nun tun würden. Hoffentlich versuchten sie jetzt nicht, ein Stück aus ihm herauszuhacken.

Als Jorak vorsichtig Luft holte, merkte er, dass sie süßlich-frisch duftete. Der Duft überdeckte einen leichten Verwesungsgeruch, Jorak erkannte ihn sofort, der Tod war kein Fremder im Schwarzen Bezirk. Anscheinend lag in der Nähe eine Leiche, die die Adler hierher gebracht hatten.

Jorak hörte ein Singen, fast zu hoch, um wahrnehmbar zu sein. Was mochte das sein? Klang weder nach einer Flöte noch nach einer Zeruda oder einem anderen Saiteninstrument. Es war eine vielstimmige Symphonie, in der sich Melodien unterschiedlicher Tonhöhen verwoben. Nicht immer passten sie zusammen, und dann bohrten sich die hohen Töne schmerzhaft in Joraks Ohren.

Er hörte die Adler aufflattern, dann nur noch dieses Singen. Sie sind weg, dachte Jorak.

Um sich von seinen Schmerzen abzulenken, konzentrierte er sich auf den Sonnenschein, den er auf der Haut spürte, und auf den Boden unter ihm, der sich weich und schwammig anfühlte, mit harten Kieseln durchsetzt. Nach einer Weile wagte er die Augen einen Schlitz weit zu öffnen. Blauvioletter Himmel über ihm – und bunte Farbkleckse an den Rändern seines Blickfelds.

Mühsam drehte Jorak den Kopf, sein Nacken war steif und er fühlte sich noch immer durchgefroren. Eine Kette eindrucksvoller schneebedeckte Berge um ihn herum. Kein Wunder, dass ihm so kalt war! Die einzigen so hohen Berge in dieser Gegend waren das Gilgath-Massiv einige Tagesreisen südwestlich von Eolus, hier war er also gelandet. Er schien in einem verborgenen Tal hoch in den Bergen zu sein. Einem glücklicherweise warmen, geschützten Fleckchen.

Vorsichtig stützte sich Jorak auf einen Ellenbogen, um festzustellen, was es mit den bunten Dingern auf sich hatte. Verdutzt sah er, dass es Blumen waren, riesige Blumen mit fleischigen Stengeln und ausladenden, weit geöffneten Kelchen. Manche gingen ihm nur bis zum Knie, andere waren doppelt so hoch wie ein Mensch. Sie leuchteten in Rot-, Orange- und unterschiedlichen Blautönen. Wahrscheinlich waren sie auch die Quelle der Düfte.

Das ist kein Schattenreich, sondern ein Tal der Blumen, dachte Jorak fasziniert. Wahrscheinlich hat noch kein Mensch all das gesehen. Wenn ich das dem Rat berichte, den Priestern, werden sie schockiert sein! Oder begeistert. Weil die Wirklichkeit so viel schöner ist als dieses nebulöse Schattenreich, das sie sich vorgestellt haben. Vielleicht glauben sie mir aber auch einfach nicht.

Er begann darüber nachzudenken, wie er beweisen konnte, dass es dieses wunderbare Tal tatsächlich gab. Diese Blumen waren ganz schön groß, eine zu pflücken und mitzunehmen würde anstrengend werden ... wenn er es überhaupt schaffte, aus diesem Tal herauszuklettern und irgendwie wieder in bewohnte Regionen zu kommen.

Die Schmerzen in seinen Armen und Beinen hinderten ihn am Nachdenken. Die Krallen der Adler hatten seine Tunika zerrissen, die Stellen, an denen sie ihn gepackt hatten, sahen übel aus. Sie bluteten nicht mehr, aber es war besser, wenn er nach Wasser suchte, um sie auszuwaschen. Außerdem hatte er schrecklichen Durst, sein Mund fühlte sich pappig und trocken an. Bestimmt gab es hier irgendwo Wasser, sonst würde es nicht so feucht-modrig riechen.

Vorsichtig blickte Jorak sich nach den Adlern um und entdeckte zwei von ihnen hoch über ihm in einem Warmluftstrom schwebend. Ein anderer hockte auf einem Nest in einem Felsvorsprung in der Nähe; er beobachtete den Menschen, machte aber keine Anstalten, einzugreifen. Es schien ihn nicht weiter zu irritieren, dass Jorak lebte. Ich glaube nicht, dass ich vor ihnen Angst zu haben brauche, ging es Jorak durch den Kopf. Wahrscheinlich sind sie nur Boten ... aber warum bringen sie die Menschen hierher?

Jorak stand auf und bahnte sich vorsichtig einen Weg durch das Dickicht der Blumen. Er fühlte sich immer noch wackelig auf den Beinen, aber bewegen konnte er sich schon wieder ganz gut. Ob und wann Alena ihn wohl finden würde? Sie würde es schwer haben, in diese Bergwelt vorzudringen – vielleicht war dieses Tal von außen unzugänglich. Er würde selbst versuchen müssen, einen Weg in bewohnte Regionen zu finden. Denn es war unwahrscheinlich, dass er die Adler überreden konnte, ihn wieder ins Flachland zurückzubringen.

Jorak erreichte eine kleine felsige Anhöhe, von der aus er über das Tal hinwegblicken konnte, und erklomm sie, obwohl die

Steigung an seinen verbliebenen Kräften zehrte und er immer wieder auf losem Geröll ausglitt. Doch die Anstrengung lohnte sich, schließlich lag ein bunter Blumenteppich im Sonnenschein vor ihm. Es war ein so schöner Anblick, dass ihm davon fast schwindelig wurde. Neugierig beobachtete er, wie einer der weißen Adler im Tiefflug über die Blumen hinweg strich, dann anhielt und mit kraftvollen Flügelschlägen förmlich in der Luft stand. Er tauchte den langen, an der Spitze gebogenen Schnabel in den Kelch der Blume ein, blieb einige Momente in dieser Position und flog dann zur nächsten Blume, wo er das Manöver wiederholte.

Vor Staunen blieb Jorak der Mund offen stehen. Nein, sie sind keine Geister, dachte er. Sie scheinen sich vom Nektar der Blumen zu nähren! Was gibt es auch für eine bessere Speise für Boten des Windes ... vielleicht sollte ich das Zeug mal probieren, wer weiß, ob es hier noch etwas anderes zu Essen gibt!

Auch die Blumen überraschten ihn. Sie waren nicht fest im Boden verankert wie die Pflanzen, die er kannte, sondern bewegten sich mithilfe ihrer kräftigen Wurzeln langsam von Ort zu Ort. Sehr langsam, man bemerkte es kaum. Manche Plätze schienen sie nicht zu mögen, dort blieben kleine Lichtungen frei, während sie sich an anderen Stellen, dort, wo der Boden anscheinend besonders günstig war, sammelten und prächtige Buketts aus verschiedenen Farben bildeten. So was gibt es nicht mal im Lixantha-Dschungel, dachte Jorak, und dort gibt es eine Menge seltsamer Geschöpfe! Doch in Daresh mussten mehrere solcher Blumentäler existieren, denn die Adler bargen Menschen der Luft-Gilde ja nicht nur in dieser Ecke des Landes, und anscheinend flog keiner länger als eine Nacht mit seiner Last. Vielleicht gab es jenseits von Lixantha noch ein Blumental und in den unwirtlichen, kaum erforschten Grenzregionen im Norden von Alaak, dort wo die Eiswüste von Socorro begann ...

Als Jorak weiterging, zog eine hübsche orangefarbene Blume seinen Blick an. Sie war nur etwa hüfthoch und er konnte mühelos in den Kelch hineinblicken. Darin bewegte sich etwas. Bezaubert ging Jorak näher heran und sah, dass in der Mitte der Blume ein Blütenstengel sehr schnell rotierte. Das war es anscheinend, was den singenden Ton erzeugte; je kleiner die Blume, desto höher der Ton. Am liebsten hätte Jorak sich über die Blume gebeugt, um ihren Duft einzuatmen. Doch Kerrik hatte ihm bei ihren Expeditionen nach Lixantha oft genug eingehämmert, sich unbekannten Lebewesen vorsichtig zu nähern, egal wie anziehend sie wirkten. Jorak begnügte sich damit, die Blütenblätter aus sicherer Entfernung zu betrachten. Die Blume schien trotzdem zu spüren, dass er da war – sie wandte sich ihm zu und stieß eine Wolke schimmernden, silbernen Blütenstaubs aus. Ein großer Teil wehte davon, doch etwas blieb an seinen Händen haften.

Überrascht stolperte Jorak zurück, blickte auf seine Finger. Er hatte plötzlich das Gefühl zu fallen, endlos zu fallen und nie auf dem Boden anzukommen. Die Welt verzerrte sich, die Bilder vor seinen Augen begannen zu wabern wie Schlieren heißer Luft. Jorak begriff sofort, was geschah, und hielt die Luft an, versuchte nicht noch mehr von dem Staub einzuatmen, aber es war zu spät.

Diesmal hatte er nicht nur das Gefühl zu fallen, er fiel tatsächlich – plötzlich war sein Gesicht nur noch eine Handbreit vom Boden entfernt. Ganz nah an einem der Gegenstände, die er für Kiesel gehalten hatte. Es war ein kantiges, gelbliches Ding mit rötlich-schwarzen Verfärbungen, von kleinen Rissen durchzogen. Ein menschlicher Zahn! Daneben lag ein staubiges, dunkles Büschel, das kein Gras war, sondern ein Haarschopf.

Schaudernd wurde Jorak klar, worüber er die ganze Zeit gegangen war, abgelenkt von der Schönheit der Blumen – der feuchte, schwammige Boden bestand aus menschlichen Überresten, ledriger Haut und halb zersetzten Muskelsträngen. Die Knochen hatten sich aufgelöst, nur noch anderes Gewebe war übrig. Durchzogen vom Geflecht feiner Wurzeln, vorverdaut, schon fast zu Erde geworden. Vielleicht der einzigen Erde, die es in diesem Tal gab.

Blumen. Körper. Sie ernähren sich von Fleisch, dachte Jorak. Er war nicht mehr fähig, sich zu bewegen, und die Gedanken bahnten sich mühsam einen Weg durch sein vernebeltes Gehirn. Schattenreich, pochte es in seinem Kopf. Die Priester hatten recht, es ist tatsächlich ein Schattenreich, in das ich mich gewagt habe ...

ᘐᘓ

Rena war so vertieft darin, die Spiele der Zwillinge zu beobachten, dass sie einen Moment lang nicht auf ihre Umgebung achtete. Das war ein Fehler. Etwas knallte so heftig gegen ihren Hinterkopf, dass Rena Sterne sah und fast das Gleichgewicht verloren hätte. Sie spürte, wie sich etwas Scharfes, Spitzes in ihre Kopfhaut grub, und schrie auf.

Die Luft brauste, irgendein Tier kreischte, war das eine Art Raubvogel? Rena griff hinter sich, bekam nur Luft zu fassen. Instinktiv warf sie sich auf den Boden und schützte den Kopf mit den Armen. Sie hatte noch immer keine Ahnung, was sie da angegriffen hatte, und traute sich kaum aufzublicken und nachzusehen. Wenn es ein Skagarok war, dann würde er ihr das Gesicht zerfetzen, wenn sie ihm die Chance gab ... nein, die gab es ja nur im Seenland ... oder war es etwa die Flederkatze gewesen, die Tjeri ganz zu Anfang gesehen hatte?

Schließlich, als der Garten still blieb, wagte Rena aufzublicken. Um sie herum standen die Kinder, neugierig-kühl blickten sie auf Rena herab. Es schien sie nicht zu irritieren, dass Rena aus der Kopfwunde Blut über das Gesicht lief.

„Habt ihr gesehen, was das war?", fragte Rena und versuchte in ihrer Tunika ein sauberes Tuch zu finden, das sie auf die Wunde pressen konnte. Es brannte höllisch.

Die Kinder nickten. Sie taten es völlig gleichzeitig, und Rena fand den Effekt entnervend. Waren diese Drillinge eigenständige Persönlichkeiten oder waren sie nur ein einziger Geist in drei Körpern?

„Und, was war es?" Rena zwang sich ruhig zu bleiben. „Eine Flederkatze?"

„Ja, eine Flederkatze", sagte Taio.

Na also. Wenigstens redeten sie jetzt mal. Allerdings konnte sich Rena nicht vorstellen, warum eine Flederkatze sie angegriffen haben sollte – die Tiere waren friedliche Höhlenbewohner. Außerdem kamen sie nur nachts an die Oberfläche und schliefen tagsüber. Jetzt war ein heller, sonniger Nachmittag. Hoffentlich war das Vieh nicht tollwütig gewesen.

Rena gab auf. Für heute konnte sie ihre Beobachtungen sowieso vergessen. Besser, sie verarztete ihren Kopf. „Ich glaube, ich gehe besser wieder rein."

Als sie auf halbem Weg zum Tempel war, hörte sie die Drillinge wieder bei ihren seltsamen Spielen.

Als Rena ihre Kopfwunden behandelt und zwei Dutzend Anweisungen von Ellba ausgeführt hatte, hörte sie, dass jemand am Tor klopfte. Hoffentlich waren das die Abgesandten der Ratsuchenden. Es war schon später Nachmittag, bald würde der erste Mond aufgehen.

Vor der Tür standen drei Männer und zwei Frauen. Sie wirkten müde und unsicher. „Wir sind bereit, unsere Anliegen vorzutragen", sagte eine der Frauen.

Rena drehte sich um, wusste erst nicht, wie sie die Drillinge rufen sollte. „Orakel, du wirst gebraucht?" Oder sollte sie den Ratsuchenden die Namen der Kinder verraten?

Doch wie sich herausstellte, war das nicht nötig – die Kinder hatten das Tor gehört und kamen heran. Still, mit gleichgültiger Miene, hörten sie sich die Fragen an. Zwei davon blieben Rena im Gedächtnis. „Wie kann ich es schaffen, doch noch ein Kind zu bekommen?", fragte eine der Frauen und Tränen standen ihr in den Augen. Die Frage erinnerte Rena schmerzlich an ihr eigenes Schicksal und auch ihre Augen wurden feucht.

Dann trat einer der Männer vor. Rena sah, dass er kein Amulett trug, er war gildenlos. Die anderen Ratsuchenden hielten Abstand von ihm. „Ich will wissen, wer ich bin", sagte er. „Man hat mich als Kind ausgesetzt, ich habe nicht herausfinden können, woher ich stamme und welches Element das meine ist ..."

Rena musste an Jorak denken und insgeheim wünschte sie dem Fremden Glück.

Auch die anderen Menschen trugen ihr Anliegen vor, dann verließen sie den Tempel wieder. Keinen Atemzug zu früh, der Mondaufgang stand kurz bevor. Rena rannte los, um Pergament und Schreibkohle zu holen. Als sie zurückkam, sah sie in der violetten Dämmerung, dass etwas Schwarzes auf einem der verkrüppelten Obstbäume hockte. Rena stockte, wich zurück. Eine Flederkatze. Sicher *die* Flederkatze von vorhin. Ihr Maul mit den nadelfeinen Reißzähnen verzog sich zu einem hässlichen Grinsen, als sie Rena sah.

Ich wünschte, Tjeri wäre hier, dachte Rena. Er würde selbst an dieser Scheußlichkeit noch irgendetwas Liebenswertes finden, mit ihr einen kleinen Schwatz halten und herausfinden, wo das Problem liegt.

Gleich ging der Mond auf. Wenn sie nicht da war, um die Worte der Drillinge aufzuzeichnen, waren sie wahrscheinlich für immer verloren und die fünf Menschen vor dem Tor würden die Antwort auf ihre Fragen nie bekommen.

Rena versuchte ganz langsam an der Flederkatze vorbeizugehen. Doch sobald Rena einen Schritt machte, hob das Tier drohend die Flügel und fauchte. Nützte nichts, das Biest schien es auf sie abgesehen zu haben. Sie musste es irgendwie ablenken. Unauffällig, so als wolle sie etwas an ihrer Sandale richten, bückte sich Rena und hob eine überreife Frucht auf, die von einem der Bäume abgefallen war. Ganz, ganz langsam richtete sie sich wieder auf, die Hand hinter dem Rücken verborgen – und schleuderte die Frucht mit einer schnellen Bewegung in einen Busch auf der anderen Seite des Gartens.

Der Kopf der Flederkatze zuckte herum. Rena rannte los.

Keuchend erreichte Rena die Drillinge. Als sie den Kopf wandte, suchte sie mit den Augen die Äste der Bäume ab. Die Flederkatze war verschwunden. Aber irgendwie spürte Rena, dass sie noch in der Nähe war.

Die Drillinge standen im Kreis, der Stelle zugewandt, an der gleich der Mond über den Horizont steigen würde. Keiner von ihnen bewegte sich. Zwei Menschenlängen entfernt blieb Rena stehen und hielt ihr Schreibzeug bereit. Ein Schauer überlief sie, als die Gesichter der Kinder zu zucken begannen. Was hatten eigentlich die Monde mit der ganzen Sache zu tun, warum konnte das Orakel nur in die Zukunft schauen, wenn die Monde aufgingen? Die Erd-Gilde verehrte die Monde, so wie die Wasser-Leute Ebbe und Flut, und selbst jetzt wisperte Rena ganz leise für sich die rituellen Worte, die jeder Mensch ihrer Gilde zum Mondaufgang sprach. Aber hatten die Monde auch einen magischen Einfluss?

Langsam fassten die Drillinge sich an den Händen, begannen mit geschlossenen Augen zu tanzen. Begannen zu singen. Diesmal lachten sie nicht dabei, und was sie sagten, war meistens ganz gut zu verstehen.

„Ein Fluch ist es, ein Fluch, und dreimal drei Tage muss sie fasten und anderswo leben soll sie und einen Edelstein bei sich tragen aus tiefstem Rot“, sangen die Kinder im Chor und Rena schrieb mit, so schnell sie konnte. Die Antwort gehörte bestimmt zu der Frau, die kein Kind bekommen konnte. Eine ganze Weile summten die Kinder nur, machten ein ploppendes Geräusch, das wie Luftblasen in einem Schlammteich klang, stießen kleine Schreie aus, die so hoch waren, dass Rena sie kaum noch hören konnte, und spielten Echo, indem sie kurz nacheinander ein sinnlos klingendes Wort wiederholten. Zur Sicherheit schrieb Rena auch das mit. Dann wurden die Sätze wieder klarer. „La-la-la-di-da, fast noch ein Kind seine Erdmutter Jerilyn, die Schande, die Schande! Sie sagte keinem Menschen ein Wort, der reisende Händler war lange weg, sein Name verweht im Sand.“

Das gibt dem armen Mann zumindest einen Anhaltspunkt, wo er nach seinen Vorfahren suchen könnte, dachte Rena und beugte den Kopf über das Pergament.

Dann fiel ihr auf, dass es plötzlich fast still geworden war. Sie blickte auf. Die Drillinge summten nur noch leise vor sich hin, schienen auf etwas zu lauschen. Dann drehten sie sich mit einem Ruck zu Rena um und starrten sie feindselig an. Ihr Blick ging Rena durch und durch. Auf einmal musste sie wieder daran denken, was mit den Eltern der Kinder passiert war.

Ganz langsam, Schritt für Schritt, wich sie zurück.

Die erste Strecke rannten Itai, Alena und Finley, jagten über die Pfade des Grasmeers wie von Dämonen gehetzt. Alena hatte das leichte Reisegepäck fest auf ihren Rücken gebunden, damit es sie beim Laufen nicht behinderte, und ihr vom täglichen Schwerttraining abgehärteter Körper bewegte sich geschmeidig und mühelos. Itai hielt die Führung, nur kurz zögerte sie an Weggabelungen und horchte in sich hinein, bevor sie einen Weg wählte. An den Sternen sah Alena, dass sie nun nach Süden unterwegs waren, anscheinend waren die Adler abgeschwenkt.

Keiner von ihnen sprach. Alena wusste, dass Itai ihre ganze Konzentration brauchte, um der schwächer werdenden, sich entfernenden Aura des Caloniums auf der Spur zu bleiben, und störte sie nicht mit Fragen. Da die Adler längst außer Sicht waren, blieb Joraks Armreif der einzige Anhaltpunkt, den sie hatten.

Finley hatte unbedingt mitkommen wollen, aber er hielt das Tempo nicht lange durch. Er wurde immer langsamer, sein Atem ging schwer. Am liebsten hätte Alena ihn zurückgelassen, aber es konnte sein, dass sie seinen Pfadfinder noch brauchten. Auch Cchraskar hatte Schwierigkeiten. Iltismenschen waren auf kurzen Strecken sehr schnell, doch ihr kurzbeiniger Körper eignete sich nicht gut für lange Läufe.

Also wurden sie alle langsamer und legten eine Verschnaufpause ein. Schwitzend stützte Itai die Hände auf ihre Oberschenkel. „Die Aura ist schon sehr schwach“, keuchte sie. „Ich kann sie nicht mehr lange spüren.“

Alena fühlte Verzweiflung in sich aufsteigen. So schnell sie auch liefen, sie hatten keine Chance, auch nur halbwegs mit den Adlern mitzuhalten. Es war hoffnungslos. Wenn sie wenigstens ein Dhatla gehabt hätten – aber die waren zu groß und zu schwer, um sich auf den Pfaden des Grasmeers bewegen zu können.

„Fliegen sie immer noch nach Süden?“

„Nein ... inzwischen haben sie nach Südwesten abgedreht ...“

„Dann hoffen wir mal, dass sie weiter in die Richtung fliegen“, sagte Alena grimmig. „Welche Gegenden liegen dort?“ Ihre Kenntnisse von Daresh waren immer noch lückenhaft und sie schämte sich dafür. Vielleicht hatte sie wirklich zu lange in einem Dorf gelebt, weitab von allem, was geschah.

„Dort ist das Grasmeer zu Ende ...“, Itai versuchte zu Atem zu kommen, damit sie wieder sprechen konnte. „Dahinter sind links die Akermare-Sümpfe ... rechts liegt das Gilgath-Massiv ... und dazwischen ist einer der wenigen Wälder von Nerada. Sehr viel weiter können sie kaum fliegen ... die Grenze, weißt du."

Alena dachte nach. Ein Wald – vielleicht war der so ähnlich wie der Lixantha-Dschungel mit seinen vielen Geheimnissen? „In Wäldern können sich Vögel gut verstecken und die Körper hängen die Adler vielleicht in die Kronen der Bäume."

„In den Sümpfen hätten die Adler schon längst jemandem auffallen müssen", bestätigte Itai. „Ich glaube nicht, dass sie dorthin unterwegs waren."

„Anderrerseits kann man dort Körper blendend versenken", wandte Cchraskar ein.

„Moment." Alena wandte sich um. Wozu hatten sie eigentlich jemand aus der Luft-Gilde dabei? „Was meinst du, Finley? Wenn du ein Adler wärst, wohin würdest du fliegen?"

Einen Moment lang nahmen seine blauen Augen einen fernen Blick an, fast verträumt sah er aus. „Zu den Bergen", sagte er ohne Zögern.

„Nichts wie los", sagte Alena und sandte ein kurzes Gebet zum Feuergeist. Bitte, lass uns noch rechtzeitig kommen!

Jorak beobachtete, wie die Blumen sich auf ihn zubewegten. Zwei, drei Armlängen Vorsprung hatte er durch das Zurückstolpern gewonnen. Das war nicht gerade viel. Diese Gewächse waren unendlich langsam, aber sie hatten ja auch Zeit. Weglaufen konnte er nicht mehr. Er war noch immer fast völlig gelähmt, nur Augen und Mund konnte er bewegen. Aber das nützte ihm nicht viel, hier war ja niemand außer ihm und einer Menge Blühgemüse. Obwohl – war es nicht einen Versuch wert, um Hilfe zu rufen?

„Hilfe! Beim Nordwind, Hilfe!", brüllte er und hörte, wie sich das Echo seiner Stimme an den steilen Felswänden brach. „Ist hier jemand?"

Keine Antwort. Nur einer der weißen Adler segelte lautlos über ihn hinweg, getragen von einem Warmluftstrom. Jorak sah, wie sein Kopf sich ruckartig bewegte, wie er Ausschau hielt. Beobachtete er, was geschah?

Der Adler flog tiefer. Voller Hoffnung beobachtete ihn Jorak, wartete darauf, was das Wesen tun würde. Doch dann wurde ihm klar, dass es der große Vogel nur auf eine orangefarbene, besonders laut singende Blume abgesehen hatte, die vermutlich randvoll mit Nektar war. Mit mächtigen Schlägen seiner Flügel, die die Blumen im Umkreis zum Schwanken brachten, hielt der Adler sich in der Schwebe und tauchte den Schnabel in den Kelch, der mindestens so groß war wie Joraks ausgestreckte Arme. Die Blume stieß eine Wolke Blütenstaub aus. Jorak wandte schnell das Gesicht ab und hielt die Luft an. Als er wieder hinsah, war der Adler noch da, nur jetzt mit einer dünnen Schicht silbernen Staubs bepudert. Das schien ihm nichts auszumachen, wahrscheinlich waren die Botenvögel längst immun gegen die Wirkung.

Jorak stellte sich vor, wie er hochschnellte, den Adler packte und sich von dem mit aller Kraft flatternden Tier wegtragen ließ, außer Reichweite dieser tödlichen Blumen. Aber das ging nicht, er konnte sich ja nicht mal bewegen! Vielleicht reagierte der Vogel auf die alte Bündnisformel, die ihm Finley verraten hatte? „Windschwester, Wolkenbruder, Nestgefährte, im Namen des Nordwinds, hilf“, rief Jorak mit letzter Kraft.

Diesmal gab es keinen Zweifel, der Adler blickte ihn an. Er löste sich von der Blume, zog die Flügel an den Körper, setzte sich auf den Boden und betrachtete Jorak aus wilden gelben Augen. War das ein nachdenklicher Blick? Sah fast so aus.

„Du bist ein Bote“, flüsterte Jorak. „Du stehst im Dienst des Windes – und ich ... ich ... ich ... gehöre zur Luft-Gilde, ich bin einer von euch. Bitte, hilf mir!“

Der Vogel wandte sich ab und hüpfte davon. Vielleicht hatte er die Lüge gespürt. Vielleicht hatte er einfach kein Interesse an Menschen, die noch lebten.

Verzweifelt begann Jorak die Abschiedsformeln der Luft-Gilde zu murmeln, die ihm seine Mutter beigebracht hatte, vor so unendlich langer Zeit. Schließlich waren das die Formeln, die die Adler zu den Toten riefen, die sie geleiten sollten. Und tatsächlich, fast schon verdutzt wandte sich der Adler ihm zu. Er stieß einen heiseren Schrei aus und kam so nah, bis Jorak den staubigen, trockenen Geruch seines Gefieders riechen konnte.

„Wolkenbruder, Nestgefährte", sagte Jorak, so laut er konnte.

Mit einem kleinen Satz flatterte der Adler auf und setzte sich auf seinen Arm. Er war schwer und seine Krallen gruben sich in Joraks Fleisch. Jorak stöhnte unwillkürlich auf und der Adler lockerte seinen Griff sofort. Das beruhigte Jorak. Sah fast so aus, als wolle der große Vogel ihm nicht wehtun, sondern ihm vielleicht sogar helfen. Jetzt näherte sich der Schnabel seinem Gesicht – blickte das Tier ihn an? Oder inspizierte es das Gildenamulett? Würde es merken, dass das Ding gar nicht wirklich zu ihm gehörte, konnte es das irgendwie spüren?

Drei andere Adler hatten ihre Nester in den Felswänden verlassen und landeten neben ihm. Sie betrachteten Jorak neugierig, dann taten sie es ihrem Anführer gleich und ergriffen den Menschen, der so hilflos vor ihnen lag. Jorak fühlte sich in die Luft gehoben. Es tat weh, doch trotzdem war er erleichtert, ihm war nach Jubeln zumute. Wohin die Adler ihn diesmal auch brachten – es war besser, als in diesem Tal des Todes zu bleiben und von Blumen bei lebendigem Leibe verdaut zu werden!

Kalte Luft traf ihn ins Gesicht, als die Adler ihn in Richtung der Gipfel hoben. Über das Tal hinweg, das wie eine bunte Kuhle unter ihnen lag. Welchen Kurs würden die Adler einschlagen – trugen sie ihn vielleicht sogar zurück zu dem Ort, an dem sie ihn aufgelesen hatten?

Doch die Adler flogen nicht weit. Sie waren kaum ein paar Atemzüge unterwegs und flatterten mitten über der schneebeckten Landschaft des Massivs, als Jorak spürte, wie ihr Griff sich lockerte. Eisige Furcht durchzuckte Jorak. Er hatte kaum die Zeit, einen Gedanken zu fassen, dann kreischte einer der Adler, und wie auf Kommando ließen alle vier Vögel los.

Hilflos stürzte Jorak ins Leere.

Gefangen im Eis

Mit anklagendem Gesichtsausdruck gingen die Drillinge auf Rena zu. „Was ist los?“, fragte Rena nervös. „Alles in Ordnung?

„Du forschst nach über uns“, sagte Xaia anklagend.

„Du bist Ungewissheit, vielleicht gefährlich“, schob Daia nach.

Rena brach der Schweiß aus. Sollte sie versuchen, zu leugnen? Oder besser alles gestehen? Wussten die Kinder jetzt, dass sie in Karénovia gewesen war, dass sie das Schicksal ihrer Eltern kannte? Dass sie schon einmal hergekommen war und sich unbeliebt gemacht hatte? Mit welcher List sie in den Tempel gelangt war? Sie öffnete den Mund, um etwas zu sagen, aber der Junge kam ihr zuvor.

„Aber sie erzählt gute Geschichten“, sagte Taio plötzlich. „Und ihr Essen ist essbar.“

Daia nickte. „Das ist wahr. Ellba ist geschichtenlos.“

„Ellba ist Ellba“, fauchte Xaia.

Jetzt schauten alle drei Rena wieder an. Kein Zweifel, diesmal erwarteten sie eine Antwort.

„Es ist wahr, dass ich mich für euch interessiere und gerne mehr über euch wüsste“, sagte Rena vorsichtig. „Aber ich will euch nichts Böses. Ich habe immer nur versucht Böses zu verhindern.“

Wieder schienen die Kinder in sich hineinzulauschen, dann wandten sie sich dem Ersten Mond zu und betrachteten ihn mehrere Atemzüge lang schweigend. Ohne ein weiteres Wort rannten sie los, auf das kleine Tempelgebäude zu.

Rena blieb zurück. Sie wusste, dass sie sich sehr schnell entscheiden musste. Konnte sie es riskieren, hierzubleiben? Oder war jetzt die einzige Gelegenheit zur Flucht? Unter dem Vorwand, den Ratsuchenden die Antworten zu überbringen, konnte sie die Wachen dazu bewegen, das Tor zu öffnen. Dann ein schneller Lauf Richtung Wald ... und sie war frei. Aber die Antworten, die sie selbst brauchte, hatte sie noch nicht gefunden. Und nach dem Zwischenfall mit ihrer Viveca war ihr klar, dass der Arm dieser Anderskinder weit reichte und sie außerhalb des Tempels nicht sicher vor ihnen war.

Hastig riss Rena ein Stück von dem Pergament ab, wollte eine Nachricht an ihre Freunde, an den Rat, darauf kritzeln. Doch dann sah sie Ellba mit finsterem Gesichtsausdruck aus dem Tempel lugen. Rena zerknüllte den Zettel und ließ ihn verstohlen in ihre Tasche gleiten, dann stand sie auf und ging zum Tempel. Es hatte keinen Sinn. Sie musste sich den Dingen stellen.

Im Inneren erwartete sie Ellba schon; die Drillinge saßen auf dem Boden und taten so, als würde nichts sie interessieren.

„Die Kleinen sagen, dass du vielleicht gefährlich sein könntest!“, sagte Ellba anklagend. „Ich weiß nicht recht, wie sie darauf kommen, ich meine, manche Leute unserer Gilde sind wirklich nur eine halbe Portion, ha, und Waffen gibt´s bei uns auch nicht, außer bei Leuten ganz ohne Gewissen!“

Rena steckte die Bemerkung über ihre Größe ein, ohne eine Miene zu verziehen, und entschied sich, die Unschuldige zu spielen. Es sah aus, als ob die Drillinge nicht wirklich viel über sie wussten. „Ich weiß auch nicht, was ihnen an mir nicht gefällt.“

„Das ist auch gar nicht so wichtig“, sagte Ellba. „Ich habe mit ihnen vereinbart, dass es sicherer ist, wenn du erst mal hierbleibst, ja, Gefahren sollte man sowieso im Auge behalten statt ihnen den Rücken zuzukehren, das hat mein Vater immer gesagt, der Erdgeist sei ihm gnädig! Ja, das ist für alle die beste Lösung. Du wirst tun, wie dir befohlen, und niemand wird dir ein Haar krümmen.“

Überrascht blickte Rena sie an. Aber dann begriff sie. Soso, Ellba hatte bemerkt, wie bequem es war, sich die Hausarbeit abnehmen zu lassen!

„Aber wenn du versuchst, jemandem Botschaften zu übermitteln, dann wird es dir schlecht ergehen, ha, das kannst du mir glauben“, fuhr Ellba fort. Die Kälte in ihren Augen ließ Rena ahnen, dass diese Frau ziemlich genau wusste, was mit den Eltern der Drillinge geschehen war. „Du wirst nur das tun, was wir dir sagen, nur das, hörst du!"

Rena begriff schnell. Was auch immer sie vorher gewesen war – jetzt war sie als Sklavin hier. Eine Gefangene für so lange Zeit, wie es den Bewohnern des Tempels beliebte.

Schon wenige Atemzüge, nachdem die Adler ihn losgelassen hatten, prallte Jorak auf – weniger hart, als er befürchtet hatte. Ein kalter Wirbel von Weiß umgab ihn. Der tiefe Schnee bremste seinen Fall, aber die Bergflanke war so steil, dass Jorak zu Tal glitt. Immer schneller rutschte er ab und versank tiefer in der weichen, eisigen Masse. Er schnappte nach Luft und versuchte sich irgendwo festzukrallen. Doch da war nichts Festes, das Halt bot!

Zum Glück konnte er sich wenigstens wieder bewegen. Halb betäubt gelang es ihm, seinen Dolch zu ziehen, er stieß ihn dorthin, wo er den Boden vermutete. Doch die Klinge ging ins Nichts, traf nicht einmal auf Stein.

Erleichtert bemerkte er, dass der Hang flacher zu werden schien, er rollte nicht mehr ganz so schnell. Doch dann ging es ein kurzes Stück senkrecht abwärts, er war über irgendeine eine Kante ins Innere des Hangs geglitten! Instinktiv rollte er sich zusammen, um sich zu schützen.

Mit schmerzhafter Wucht prallte er auf eine unebene harte Oberfläche. Sein Körper fühlte sich so zerschlagen an, dass Jorak eine Weile nicht wagte, sich zu bewegen. Erleichtert stellte er schließlich fest, dass alles an ihm heil zu sein schien, wahrscheinlich würde er nur eine Menge blauer Flecken haben. Vorsichtig sah er sich um, streckte die Hand aus. Bläulich schimmernde Wände, glatt und eisig. Seine Hand wurde innerhalb von wenigen Atemzügen taub vor Kälte, die Haut prickelte.

Eine Gletscherspalte, dachte Jorak. Vielleicht war das Glück. Wenn ich nicht hier gelandet wäre, dann hätte es mich vielleicht hundert Baumlängen tiefer am Fuß des Berges zerschmettert. Andererseits – wie soll ich hier wieder hinauskommen?

Von seiner Position aus konnte er nur einen schmalen Streifen tiefblauen Himmels erkennen, wenn er den Kopf in den Nacken legte. Selbst wenn Alena und die anderen ihn suchten, selbst wenn sie es bis hoch ins Gebirge schafften, würde er von der Oberfläche aus kaum zu sehen sein. Es war nur ein kleiner Trost, dass auch die weißen Adler hier nicht an ihn herankommen würden. Sei vorsichtig, Grenzgänger, und stell dich ihnen nie in den Weg, schlichen sich die Worte der alten Storchenfrau in seinen Kopf. Es heißt, dass man dann selbst sterben muss, noch vor dem nächsten Neumond. Jorak holte tief Luft und entschied, die Prophezeihung ganz schnell wieder zu vergessen, bevor sie ihm den Mut nahm. Immerhin hatte er bereits den Flug mit den Adlern und das Tal der Blumen überlebt. In seiner Hand war noch ein Stück Blumenkelch. Er hatte beim Fallen versucht sich daran festzuhalten und dabei ein Stück herausgerissen. Sorgfältig steckte er es in eine Tasche seiner Tunika.

Im Tal der Blumen war es wenigstens warm gewesen. Hier stand sein Atem als helle Wolke vor ihm und der Frost biss ihn in Nase und Finger. Wie alle Menschen mit dem Erbe der Feuer-Gilde hasste er die Kälte und ertrug sie schlecht. Verhungern, verdursten, erfrieren, bin gespannt, was mich als Erstes erledigt, dachte Jorak grimmig. Auf geht´s, wäre doch gelacht, wenn ich nicht hier rauskommen würde!

Systematisch begann er sein eisiges Gefängnis zu erforschen. Es war nicht groß, drei Menschenlängen breit und fünf Menschenlängen tief. Die Wände waren nicht zackig und rau, sondern erstaunlich glatt. Vielleicht strömte bei Regen Wasser vom Hang hinunter und hier hinein, sodass immer neue Schichten Eis hinzukamen. Jedenfalls war die Wand zu glatt, um einfach so daran hochzuklettern. Aber er hatte immer noch seinen Dolch, das Geschenk seines alten Lehrmeisters Bentar, das ihm vielleicht jetzt das Leben retten konnte. Wenn er dieser Falle entkam, schaffte er es möglicherweise auch aus dem Gebirge heraus. Die Sonne stand hoch, es war etwa Mittag. Die Nacht würde er kaum überstehen hier drin, aber vielleicht war er dann schon frei. Er dachte an Alena, sehnte sich mit jeder Faser nach ihr. Sie wiedersehen. Sie noch einmal in den Armen halten. Ihr sagen, was sie ihm bedeutete.

Er begann mit der Spitze des Dolchs verbissen auf das Eis einzuhacken. Doch es war fast so hart wie Stein, bei jedem Hieb platzten nur winzige Splitter ab.

Hartnäckig und geduldig arbeitete er weiter, bis seine Finger gerötet waren und schmerzten von der Kälte. Er konnte seine Hände kaum noch fühlen. Immer wieder musste er innehalten und sie gegeneinander reiben, bis die Haut prickelte und das Blut wieder zu fließen begann. Ab und zu, wenn er es gar nicht mehr aushielt, sprach er eine Formel der Feuer-Gilde und wärmte sich die Hände, bis die Flamme mangels Nahrung wieder verlosch.

Die Schatten veränderten sich, es wurde Nachmittag. Tiefdunkle, regenschwere Wolken zogen auf, tauchten das Innere seiner Höhle ins Halbdunkel. Jorak hatte eine Reihe von Stufen ins Eis gehackt, hatte sich fast zwei Menschenlängen nach oben gehangelt. Aber das reichte noch längst nicht. Und er war fast am Ende seiner Kraft, sein ganzer Körper fühlte sich taub an.

Er spürte, wie die Verzweiflung in ihm hochkroch. Wenn er die Nacht im ewigen Eis verbringen musste, dann würden ihm Hände und Füße erfrieren. Selbst wenn sie ihn am nächsten Morgen hier im Gletscher fanden, wenn die Luft-Gilde seinen Fund anerkannte, ihn aufnahm ... was nützte ihm das dann noch, wenn er ein Krüppel war? Würde sein Alptraum, sich nicht mehr selbst helfen zu können, wahr werden? Wie lange würde Alenas Liebe zu ihm dann noch halten, wann würde sie zu Mitleid gerinnen? Alena war in den Traditionen der Feuer-Gilde aufgewachsen und die Feuerleute respektierten vor allem Stärke.

Ein schneller Schatten zog über den Himmel hinweg. Jorak blickte auf, erwartete wieder einen der weißen Adler zu sehen, die rastlos über den Gletscher hinwegstrichen, vielleicht auf eine Gelegenheit warteten, ihm den Rest zu geben. Doch diesmal erhaschte er einen Blick auf schwarzweißes Gefieder. Ein Storchenmensch! Die Halbmenschen hielten ihr Versprechen, ihm zu helfen!

Jorak begann aus vollem Hals um Hilfe zu schreien, seine Stimme echote an den Eiswänden. War der Storch einer derjenigen, die nach ihm Ausschau hielten? Doch Jorak ahnte, dass es nichts nützen würde, er war hier drin nicht sichtbar, und der Späher flog zu hoch, um seine Rufe zu hören.

Ich muss mich irgendwie sichtbar machen, dachte er verzweifelt. Ihm ein Signal geben. Was war mit seinen Tornados? Wenn er die in seinem Zustand hinbekam, würden sie den Storchenmenschen vielleicht aufmerksam machen!

Hastig kletterte Jorak wieder zum Grund der Gletscherspalte, riss sich mit vor Kälte steifen Fingern die blaue Seidenschärpe herunter, die Teil der geliehenen Tracht war. Er warf sie in die Luft und murmelte dazu die Formel, die die Tornados rief. Viel geschah nicht, wahrscheinlich war draußen nicht mehr zu sehen als ein lächerlicher Schneewirbel. Doch er hatte Glück – die dünne Seide wurde im Luftzug hochgesaugt, schwebte nach oben, wurde dann von einer jäen Böe hochgerissen und verschwand aus seinem Blickfeld.

Jorak schloss die Augen, blendete die Kälte aus, konzentrierte sich darauf, seinen geistigen Griff nicht zu lockern, die Luftmassen in Drehung zu halten. Trotzdem fielen die Tornados schon nach ein paar Atemzüge wieder in sich zusammen. Verzweifelt lauschte Jorak in die Stille seiner Eishöhle und schlang zitternd die Arme um seinen Körper, um sich warm zu halten. Hatte der Storchenmensch sein Signal gesehen? Hatte er verstanden, dass hier jemand Hilfe brauchte? Sah nicht so aus. Nichts rührte sich draußen.

Auf einmal – ein heftiger Aufruhr, Dutzende von Flügeln, die draußen durcheinanderflatterten, direkt vor der Öffnung der Eishöhle. Schrilles Kreischen, ein pfeifender Schmerzensschrei, dann wieder Stille. Jorak starrte mit vor Müdigkeit brennenden Augen nach oben, versuchte sich einen Reim darauf zu machen, was geschehen war.

Dann sah er die Federn, die in die Höhle hinunterschwebten. Schwarz-weiße Federn. Entsetzt beobachtete sie Jorak. O nein, dachte er. Die Adler. Sie haben ihn erledigt, den armen Kerl, damit er dem Frevler in seinem Kerker nicht helfen kann. Und dafür bin ich verantwortlich, ich habe seinen Tod verschuldet. Sicher hatte er Kinder, Angehörige, Freunde ... sie alle müssen jetzt um ihn trauern.

Der Gedanke brannte in seinem Herzen, und Jorak versuchte ihn nicht zu verdrängen.

Er zwang sich aufzustehen und noch einen Versuch mit der Eiswand zu wagen. Doch seine Finger waren zu steif und ungeschickt, um sich in seine Stufen zu krallen, er rutschte immer wieder ab. Verbissen murmelte Jorak die Formel, die eine Flamme aus der Luft rief, doch zum ersten Mal an diesem schrecklichen Tag versagten die alten Worte. Er hatte nicht mehr genügend Kraft, um die Flamme zu rufen, und damit keine Möglichkeit mehr, sich zu wärmen. Höchstens Wolken und Regen hätte er noch rufen können, doch nasse Kleidung würde seinen Körper nur noch schneller auskühlen lassen ...

Na, das war´s dann, Jo, dachte er. Hättest du Idiot dir doch nie in den Kopf gesetzt, in eine Gilde einzutreten! Alena hat dich auch so akzeptiert, ihr war es nicht wichtig, warum musstest du auf Biegen und Brechen versuchen zu sein wie alle anderen?

Er wusste, dass er jede Menge Gründe dafür gehabt hatte, doch mit dem sicheren Tod vor Augen fiel ihm keiner mehr ein. Immer wieder musste er an Alena denken, seine Feuerblüte. Beim Gedanken, dass er sie im Stich ließ, dass er hier in Selbstmitleid versunken erfrieren würde, quoll die Wut in ihm hoch. Überleben, dröhnte es durch seinen Kopf, ich muss überleben. Denk nach, verdammt, denk nach! Wozu hast du deinen Verstand geschliffen und geübt, wenn du ihn nicht benutzt? Es muss einen Weg hier heraus geben, und du wirst ihn gefälligst finden!

Die Wut wärmte ihn von innen, riss ihn noch einmal auf die Füße. Und sein Kopf ließ ihn nicht im Stich. Auf einmal wusste er, was er tun musste. Es war ein verrückter Plan, aber vielleicht gelang er!

Alena spürte, wie ihr Herz schneller schlug, als sie sich dem Gilgath-Massiv näherten. Doch als sie die Vielzahl der Gipfel sah und wie hoch sie waren, verließ sie der Mut beinahe wieder.

Selbst wenn Jorak hier irgendwo war – wie sollten sie ihn jemals finden? Der Storchenmensch-Späher, den sie ausgesandt hatten, war nicht zurückgekommen. Hatte der Mut ihn verlassen oder war ihm womöglich etwas passiert?

„Wir brauchen mindestens einen halben Tag, um da hochzukommen. Bis dahin ist es dunkel." Itai sah sie von der Seite an, fragte sich wohl, ob und wann sie aufgeben würde. Doch Alena war nicht bereit dazu. Wenn sie anhielt, dann war das Joraks Todesurteil. Dieser Gedanke war unerträglich, und so zwang sie sich weiter, obwohl ihre Lunge nach dem langen Lauf schmerzte und ihre Beine sich anfühlten wie zu hoch erhitztes Eisen.

„Na, dann los", sagte Alena verbissen und ging mit langen Schritten weiter.

„Da oben liegt noch Schnee, wir brauchen warme Sachen und festere Schuhe", wandte Finley keuchend ein. Er hatte es irgendwie geschafft bisher mitzuhalten.

„Besorgen wir im nächsten Dorf, am Fuß der Berge." Mit zusammengekniffenen Augen sondierte Alena das Terrain vor ihnen. „So kalt kann es nicht sein, dort oben regnet´s gerade."

„Was machst du eigentlich, wenn wir Jorak nur noch tot finden?"

„Dann werde ich ihn rächen", sagte Alena hart. „Was sonst?"

„O je. Heißt das, du erklärst der Luft-Gilde den Krieg?"

„Nicht nur Luft. Sondern allen Gilden. Ohne sie wäre es nicht so weit gekommen."

„Ich kapiere schon", stöhnte Finley. „Du willst Daresh umkrempeln. Das ist natürlich der pure Wahnsinn, aber euch Feuerleute interessiert so was nicht ..."

Alena fuhr herum, plötzlich wütend. „Rostfraß, Finley, halt die Klappe! Wir haben jetzt Wichtigeres zu tun, als zu diskutieren!"

Der Geschichtenerzähler zuckte erschrocken zurück. Alena wandte sich wieder den Bergen zu und ging noch schneller. Sie hoffte halb, sie würde Finley dabei abschütteln – erschöpft genug war er ja. Doch sie wurde enttäuscht. Anscheinend hatten seine langen Reisen durch die Provinzen ihn abgehärtet.

Sie schafften es tatsächlich, sich im letzten Dorf vor den Bergen warme Sachen und Ausrüstung zu besorgen. Zu ihrer Überraschung bekamen sie sofort alles Gewünschte und mussten kein einziges Ruma dafür bezahlen – die Luft-Gilden-Bewohner hatten schon von Jorak gehört. Im Nu liefen Frauen, Männer, Kinder zusammen und bestaunten Alena und ihre Gefährten. „Glaubt ihr wirklich, dass er hier in der Gegend ist? Wie wollt ihr ihn finden? Wie war es, als die weißen Adler ihn mitgenommen haben?"

Niemand beachtete Itai oder richtete das Wort an sie. Mit verschlossenem Gesicht drehte sich die gildenlose junge Erzsucherin um und ging davon, zum Ortsausgang zurück. Finley dagegen wurde dicht von Neugierigen umlagert. Er begann sofort zu erzählen, vor einem so dankbaren Publikum lief er zu großer Form auf.

Alena nahm sich nicht die Zeit, Fragen zu beantworten. Sie wandte sich an einen kräftigen jungen Mann, dessen gebräuntes Gesicht verriet, dass er viel Zeit draußen verbrachte. „Könnt Ihr uns helfen? Wir könnten einen ortskundigen Führer gebrauchen."

Doch zu ihrer Überraschung schüttelte der junge Mann zögernd den Kopf. „In diesen Bergen kann man nicht klettern, das Eis ist zu tückisch. Tut mir leid."

Auch die anderen Dorfbewohner drängten sich nicht gerade darum, ihnen zu helfen. Selbst Finleys wortreiche Versuche, seine Gildenbrüder zu überreden, fruchteten nichts. Vermutlich ließ nicht nur der Gedanke an das Eis, sondern auch der an das Schattenreich ihre Begeisterung schwinden.

Na gut, dachte Alena trotzig. Wir schaffen es auch alleine! „Kommt, wir gehen", sagte sie. „Wir haben keine Zeit zu verlieren."

In diesem Moment trat jemand aus dem Schatten eines Hauses hervor, eine gebeugte Frau in Lumpen. Ihre langen, strähnigen Haare hingen ihr ins Gesicht. „Ich werde mit Euch kommen, Alena ke Tassos, wenn Ihr wollt."

Die Menschen wichen vor ihr zurück, wanden sich voller Widerwillen ab. Doch Alena lächelte die Frau an. Wenigstens die

Gildenlosen hielten zu Jorak! Und überall gab es sie, selbst im abgelegensten Ort. Nur, würde das etwas nutzen? Diese Frau war auf den zweiten Blick längst nicht so alt, wie sie wirkte, aber sie sah nicht so aus, als würde sie einen harten Fußmarsch zu den Schneegipfeln überstehen. Alena zögerte. „Wie ist Euer Name?"

„Neike ke Nerada."

Moment mal, diesen Namen hatte sie schon einmal gehört! Aber wo? Nach ein paar Atemzügen Nachdenken kam Alena darauf. „Wart Ihr nicht im letzten Winter im Schwarzen Bezirk von Ekaterin?" Damals hatten sie Keldo gesucht, den sie als Verbündeten gegen den „Heiler vom Berge" gewinnen wollten, und waren schockiert gewesen vom Elend der Gildenlosen.

Mit einem scheuen Lächeln nickte die Frau. „Ich erinnere mich an Euch. Ihr wolltet keine Dankbarkeit, nicht wahr? Deswegen habt Ihr mir das Geld in den Wäschekorb getan. Zum Glück habe ich es gefunden, bevor ich die Sachen zurückgebracht habe."

Alena war verlegen. „Das Geld war nicht von mir, sondern von meinem Begleiter, Tjeri ke Vanamee."

Sie fragte sich, was Neike mit den zwanzig Tarba gemacht hatte und warum sie jetzt hier war und nicht in Ekaterin. Aber Neike sagte nichts mehr, nickte nur und ging los, auf die Berge zu. Schnell und sicher führte sie sie durch Geröllfelder und über Felsen. Zum ersten Mal schöpfte Alena wieder etwas Hoffnung. Diese Frau war ein unerwarteter Glücksfall!

Noch vor Einbruch der Dunkelheit waren sie jenseits der Schneegrenze. Hier gab es keine Pfade mehr und sie kletterten blindlings voran. Immer wieder suchte Alena Itais Blick, fragte wortlos, ob sie das Calonium spürte, Joraks Armreif. Doch immer wieder schüttelte die Erzsucherin leicht den Kopf.

„Wir werden ihn sowieso nicht finden", orakelte Finley düster und zog seinen bunten Mantel enger um sich. „Ich sage euch, die weißen Adler haben ihn ins Schattenreich gebracht. Einen Weg zurück gibt es nicht!"

„Dann betrachte das hier einfach als netten Ausflug", gab Alena scharf zurück.

Cchraskar kräuselte die Nase. „Oder kehr um, Buntfleck – das Dorrf sah ricchtig gemütlich aus!"

Finley schwieg beleidigt und unterhielt sich nur noch leise mit seinem Pfadfinder. Alena war das ganz recht. Sie konnte nur noch an Jorak denken, daran, wie er bewusstlos zusammengebrochen war, wie die Adler ihn ergriffen hatten. Würde sie ihn wiedersehen? Würde er derselbe Mensch sein? Und wenn er nicht mehr zurückkam aus dem Schattenreich der Luft-Gilde ... würde sie stark genug sein, seinen Kampf auch ohne ihn weiterzuführen?

Der kalte Höhenwind schien in ihre Haut zu schneiden, zitternd zog sie ihren Umhang enger um sich.

Dann geschah alles ganz schnell. Der Pfadfinder duckte sich erschrocken auf Finleys Schulter, Itai schrie und Neike brüllte eine Warnung. Gerade noch rechtzeitig konnten sich Alena und die anderen in Deckung werfen. Ein riesiger weißer Adler schwebte nur wenige Handbreit über sie hinweg, die gelben Augen auf sie gerichtet. Dann war er wieder in der Dunkelheit verschwunden.

„Einer der Boten!", flüsterte Finley und murmelte schnell eine Schutzformel. „Dann sind wir also doch richtig hier ..."

Itai hob die Fackel. Ihre Stimme war aufgeregt. „Hier ist irgendwo Calonium! Sieht so aus, als wäre er nah, dein Gefährte."

„Ja", presste Alena hervor. Fern war es, sehr fern, aber auch sie spürte die unverwechselbare, bitter-würzige Aura des Metalls. Jorak! Bald hatte sie Jorak zurück!

Sie kam wieder auf die Füße, stolperte weiter.

„Vorsichtig", mahnte Neike. „Hier sind einige Gletscherspalten!"

Alena hörte kaum zu. Sie lief voraus, ihr Herz pochte wild.

Es schien eine Ewigkeit zu dauern, bis sie ihn endlich sah. Eine dunkle Silhouette auf dem Schnee, der selbst in der Dunkelheit zu leuchten schien. Seine Bewegungen waren schwach und langsam, er wirkte verletzt. Alenas Herz krampfte sich zusammen. Sie begann zu rennen, auf Jorak zu. Doch dann rauschte aus dem Himmel ein weißer Schatten auf sie nieder und noch einer und noch einer. Federn streiften sie, Krallen rissen ihren

Arm auf, ein brennender Schmerz. Alena zog ihr Smaragdschwert, doch es wurde ihr aus der Hand gefegt. Im letzten Moment rollte sich Alena ab und ein scharfer Schnabel hackte ins Leere. Alena rollte sich hinter einen Felsen, drückte sich in den rauen, körnigen Schnee und schützte den Kopf mit den Armen.

Wir dürfen ihn nicht zurückhaben, wurde es ihr klar. *Sie töten ihn nicht, aber sie lassen ihn büßen ... und niemand darf ihn retten.*

Es gab keine Gelegenheit mehr, Ellba etwas ins Essen zu mischen – Rena war keinen Moment lang unbeobachtet.

Selbst wenn sie gewollt hätte, wäre es Rena in ihrer ersten Nacht als Gefangene nicht gelungen, einzuschlafen. Sie zwang sich, den Kindern wie schon am Abend zuvor eine Geschichte zu erzählen, diesmal eine der Wasser-Gilde, die sie von Tjeri kannte. Später lag Rena wach in ihrer kleinen Kammer, wo der Geruch von Winteräpfeln sie umgab, und lauschte auf die winzigen Geräusche aus dem Hauptraum.

Das Problem war, dass die Kinder praktisch nicht zu schlafen schienen. Rena konnte das leise Tappen ihrer Füße und ihr Summen die ganze Nacht lang hören. Es gab keine Chance, nach draußen zu schlüpfen und eine Nachricht über die Mauer zu werfen. Ruki würde vergeblich auf ein Lebenszeichen von ihr warten. *Irgendwann wird der Rat unruhig werden, wenn er nichts von mir hört*, versuchte sich Rena zu beruhigen. *Und auch Tjeri weiß, wo ich bin.*

Ich könnte versuchen mich so unbeliebt zu machen, dass sie mich von selbst wegschicken. Langweilige Geschichten erzählen, das Essen anbrennen lassen, so putzen, dass die Staubflocken noch größer werden. Einen Versuch ist es wert.

Doch sie hatte Angst vor dem nächsten Mondaufgang. Was würden die Kinder bei ihren Visionen diesmal über sie herausfinden? Es konnte sein, dass es mit jedem Tag hier gefährlicher für sie wurde.

Der nächste Tag begann damit, dass Rena Wasser schleppen, den Boden schrubben und die Vorratsräume aus- und wieder einräumen musste. Schon bald taten ihr Knie und Rücken weh. Am Nachmittag war sie völlig erschöpft und merkte, wie ihr schwarz vor Augen zu werden drohte. Sie hatte nicht damit gerechnet, dass sie so bald nach der Verbindungkrise solche Strapazen bewältigen musste.

„Na, schmeckt dir die Arbeit nicht? Bist wohl nicht gewohnt, Dienstmagd zu sein?“, höhnte Ellba und blickte auf sie herunter. Dann stieß sie absichtlich den Kübel mit Schmutzwasser um, sodass Renas Tunika durchtränkt wurde und der ganze Dreck sich wieder auf den Boden ergoss. „Der Boden ist ja immer noch nicht sauber, mach das gleich nochmal! Es gibt Leute, die sind so faul, dass sie beim Gehen fast Wurzeln schlagen!“

Ruhig bleiben, ruhig bleiben, dachte Rena. Sie erwiderte nichts und machte sich verbissen daran, den Dreck wieder wegzuputzen. Interessiert sahen die Drillinge ein paar Atemzüge lang zu und schlenderten dann nach draußen.

Da Rena sowieso eine Pause brauchte, entschied sie sich zuzusehen, wie heute die Ratsuchenden ausgewählt wurden. Natürlich hatte Ellba Renas System, dass die Ratsuchenden gemeinsam entschieden oder jeder eine schriftliche Anfrage stellte, sofort abgeschafft und alles war wieder beim alten.

Diesmal hatte Rena während der Auswahl Zeit, ein paar Worte mit Curt zu wechseln, der jungen Wache. „Braucht Ellba noch eine Heilerin? Oder wollen die Kinder, dass Ihr bleibt?“, fragte er neugierig.

„Ich glaube, irgendwie beides.“ Rena zuckte die Achseln.

„Beim Nordwind, bin ich froh, dass ich vor dem Tor bleiben darf. Man müsste mir schon eine Tasche voll Goldstücke geben, um mich dazu zu kriegen, hier drinnen zu arbeiten!“

Rena musste lächeln. „Habt Ihr etwa Angst vor den Kindern? Ihr, ein Farak-Alit?“

„Ja“, sagte er sofort. „Ihr etwa nicht?“

„Doch, ich auch. Es wundert mich nur, dass Ihr es eingesteht.“

Er zog eine Grimasse. „Gebt mir jederzeit einen Gegner, den ich mit dem Schwert besiegen kann."

Renas Blick schweifte an ihm vorbei. Am Waldrand sah sie einen Storchenmenschen stehen. Ruki! Verwirrt und unruhig starrte er zum Tempel hinüber. Rena verwünschte, dass sie vergessen hatten, eine Geste als Notsignal zu vereinbaren.

Aber vielleicht konnte Curt ihr helfen. „Könntet Ihr dem Storchenmenschen dort vorne etwas ausrichten?"

Fragend blickte er sie an – und gleich darauf rief sein Offizier nach ihm, er musste helfen das Tor wieder zu schließen. Sofort eilte er davon, war wieder jeder Zoll der pflichtbewusste Soldat. Verdammt!

Als diesmal der Mondaufgang bevorstand, bemerkte Rena, dass die Flederkatze wieder in der Nähe war. Rena beschloss sie zu beobachten und herauszufinden, ob sie mit den Kindern irgendwie vertraut war. Vielleicht war sie so etwas wie deren Haustier?

Das Tier verhielt sich seltsam. Es tauchte noch während des Tages auf, als würde ihm die Helligkeit nichts ausmachen. Kurz vor Mondaufgang begann es wild herumzuflattern und durch die Gegend zu jagen wie ein Dämon. Dann hockte es wieder auf einem der Bäume im Garten des Tempels und schien mit seinen kleinen roten Äuglein zu beobachten, was geschah.

Als die Drillinge die Vorhersagen für den Tag beendet hatten, schlenderte Rena in ihre Nähe. „Gehört die euch?", fragte sie und deutete auf die Flederkatze.

„Wer?", fragte Daia mit unschuldigem Blick. Und tatsächlich – als Rena den Kopf wandte, war die Flederkatze spurlos verschwunden, lautlos davongeflattert in die Dunkelheit.

Alena unternahm mit gezücktem Schwert und Itais Hilfe noch zwei Versuche, zu Jorak vorzudringen. Vergeblich, die weißen Adler schlugen sie jedes Mal zurück. Es machte Alena fast verrückt, dass sie Jorak schon so nah gekommen waren und doch nicht erreichen konnten! Sie hörten ihn sogar rufen. Aber er war zu schwach, um zu ihnen zu gelangen, immer wieder stürzte er. Das letzte Mal kam er nicht mehr hoch und der kalte Höhenwind fegte über ihn hinweg.

„Wir müssen irgendetwas tun!“, brüllte Alena und trat in hilfloser Wut auf einen Eisbrocken ein. „Er ist gerade dabei, vor unseren Augen zu erfrieren!“

Erstaunlich ruhig beobachtete Finley, was geschah. „Hat keinen Sinn, Alena. Dich und Itai lassen sie nicht durch. Aber vielleicht mich. Ihr seid Feuerleute, ich gehöre zur Luft-Gilde.“

Skeptisch blickte Alena ihn an. Bis auf ein Messer war Finley unbewaffnet, er trug nicht einmal die sonst bei Luft-Leuten übliche Armbrust. Sein altersschwacher Pfadfinder blinzelte kurzsichtig umher und versuchte sich auf die ungewohnte Landschaft einen Reim zu machen.

Alena spürte, dass sie zitterte. „Wenn du es schaffst, ihn zu holen ... dann kannst du von mir haben, was du willst. Ich gebe dir Gold, mein Schwert, alles was ich habe.“

Finley blickte sie an und in seinen Augen war ein seltsamer Ausdruck. „Das habe ich verdient, was? Dass du denkst, ich bin durch und durch käuflich.“ Er straffte die Schultern und ging los. Ganz vorsichtig, mit bedächtigen Schritten.

Verdutzt blickte Alena ihm hinterher.

Jetzt war Finley schon weiter, als sie es bisher geschafft hatten. Alena wagte kaum zu atmen. Drei Boten des Nordwinds saßen auf den Felsen des steilen Hangs und mindestens zehn weitere schwebten in der Ferne über ihnen. Die Adler ließen Finley nicht aus den Augen. Als er bis auf wenige Menschenlängen an Jorak herangekommen war, breiteten die großen Botenvögel ihr Gefieder aus und duckten sich, um abzuheben.

Alena verkrampfte sich, wartete auf das Unvermeidliche. Sie hörte, wie Neike neben ihr einen kleinen erschrockenen Laut ausstieß. Doch Finley hielt nicht inne. Er ging weiter – und stimmte mit klarer Stimme ein Lied an. Es musste eine Ballade der Luft-Gilde sein.

Oh lasst mich heimkehren mit den Adlern
So sang, so sang die schöne Jianat
Doch dann kam der Tag, der nie vergess'ne Tag,
An dem der tapfere Kiris ihr Dorf betrat
Und ihr seht, was der warme Südwind vermag.

Zwei der Adler hielten inne, blieben auf ihren Felsen. Der dritte hob zwar ab, aber er kreiste nur, beobachtete. Finleys Bewegungen waren steif, Alena sah, dass er Angst hatte. Aber er ging weiter und hörte keinen Moment lang auf, die alte Ballade von Jianat und Kiris zu singen.

Jetzt war er schon auf drei Menschenlängen an Jorak heran. Dann hatte er ihn erreicht, kniete neben ihm nieder und legte ihm seinen Umhang um die Schultern. Alena vergaß zu atmen, heiße Freude überschwemmte sie. Gestützt von Finley schaffte es Jorak wieder auf die Füße und langsam kamen die beiden auf Alena und Neike zu.

Wenige Atemzüge später lagen sich Alena und Jorak in den Armen. Erschrocken spürte Alena, dass ihr Freund völlig ausgekühlt war und kaum sprechen konnte. Seine Kleidung war ein einziger Panzer aus Eis. Finley und Alena nahmen ihn zwischen sich, um ihn zu stützen, und brachten ihn unter einen felsigen Überhang, wo es windgeschützt war und die Adler sie nicht erreichen konnten. Dort entfachte Alena ein großes Feuer und ließ es mit Itais Hilfe so hoch brennen, bis es warm war in der kleinen Höhle. Finley half Jorak in trockene Sachen, doch als er die nasse, zerrissene Tunika ins Feuer werfen wollte, stammelte Jorak: „Halt, nicht! Der Staub ... und in der Tasche ... die Blume ..."

„Du klingst, als wäre dir auch das Gehirn gefroren, Bruder", sagte Finley kopfschüttelnd, aber er legte die Tunika vorsichtig beiseite. Alena schien es, als hätte der Stoff an Kragen und Ärmel einen eigenartigen silbernen Schimmer.

Sie überließ Itai die Betreuung des Feuers und rieb Joraks Hände so lange, bis das Blut darin wieder zu kreisen begann. Unermüdlich bereitete Neike währenddessen immer wieder lauwarmes Wasser zu und badete Joraks Füße darin. „Ich glaube, du hast Glück gehabt“, sagte sie schließlich zu ihm. „Wahrscheinlich behältst du alle Finger und Zehen. Noch ein wenig länger in der Kälte und sie wären dir erfroren.“

Nach und nach ging es Jorak besser und er bedankte sich bei Finley und den anderen für die Rettung. „Ich bin in einer Gletscherspalte gelandet“, erzählte er. „Wäre beinahe nicht wieder rausgekommen. Habe Wolken gerufen und es richtig kräftig regnen lassen. Wie ich mir schon gedacht hatte, lief das Zeug den Hang hinunter und in die Gletscherspalte. Das hat mich hochgeschwemmt, bis ich raus konnte. Aber das kalte Wasser hätte mich um ein Haar umgebracht, es war grauenhaft.“

Finleys Augen leuchteten, er konnte kaum noch stillhalten vor Erwartung. „Aber wie bist du hierher gekommen? Haben dich die Adler einfach nur in die Berge gebracht? Los, erzähl!“

Doch Jorak schüttelte den Kopf. „Ich berichte das erst mal dem Rat. Gerade für dich, Finley – und die anderen Menschen der Luft-Gilde –, ist es besser, wenn du nie erfährst, was es mit eurem Schattenreich auf sich hat. Glaub mir.“

Einen kurzen Moment lang verzerrte sich Finleys Gesicht, sah es so aus, als wolle er etwas sagen, als wolle er protestieren. Aber dann begegnete er Alenas Blick und wieder nahm Finleys Gesicht diesen seltsamen Ausdruck an. Er nickte und fragte nicht weiter.

Sie wussten, dass sie es in dieser Nacht nicht ins Dorf zurück schaffen würden, und übernachteten unter dem kleinen Überhang. Itai übernahm die erste Wache und sorgte dafür, dass das Feuer munter weiterbrannte.

Alena und Jorak lagen Seite an Seite und hielten sich in den Armen – Alena wärmte ihn mit ihrem eigenen Körper, so gut es ging. Und in der Stille der Nacht, als Finley und Itai schliefen und Alena Wache hielt, flüsterte Jorak ihr zu, was er im Tal der Blumen erlebt hatte.

„Wetten, der Rat hat nie gedacht, dass ich diese Aufgabe lösen würde? Bin gespannt auf ihre Gesichter, wenn ich heil und gesund vor ihnen stehe und meine Geschichte erzähle. Hoffentlich glauben sie mir wenigstens.“

Zum ersten Mal hielt es Alena für möglich, dass Jorak seine Gildenmitgliedschaft bekommen würde. „Vielleicht geschieht ja ein Wunder und du schaffst es auch noch, diesen Vulkan wieder zum Speien zu bringen."

„Jedenfalls ist diese Aufgabe jetzt genau das Richtige für mich", flüsterte er zurück und sein leises Lachen klang Alena im Ohr. „Auf einem Feuerberg ist es wenigstens warm."

Relgan

Nach zwei Tagen im Dorf am Fuß der Berge fühlte sich Jorak wieder stark genug, um nach Eolus zurückzureisen und dem Rat Bericht zu erstatten. Die Verletzungen durch die Adlerkrallen verheilten gut, doch die Narben würden ihm bleiben – als Erinnerung daran, was er gewagt hatte.

Es hatte sich in Windeseile herumgesprochen, dass Jorak seine erste Aufgabe erfolgreich lösen konnte. In jedem Ort, durch den sie kamen, begrüßten sie jubelnde Menschen. Unter ihnen längst nicht nur Gildenlose. Statt ihm wie gewohnt mit verächtlichen Blicken aus dem Weg zu gehen, beäugten ihn die Leute jetzt neugierig und sogar bewundernd. Verlegen ließ es sich Jorak gefallen.

Finley blickte zufrieden drein. Je berühmter ich bin, desto besser für ihn, dachte Jorak und musste lächeln. Allerdings hatte sich der Geschichtenerzähler längst noch nicht damit abgefunden, dass Jorak seine Erlebnisse geheim hielt. Jeden Tag drängte er: „Los, erzähl jetzt endlich, was passiert ist!“, und jeden Tag erwiderte Jorak: „Erst vor dem Rat.“

„Du musst beim Rat aber auch ansprechen, dass sie eine Lösung für uns Gildenlose finden“, sagte Neike.

„Ja, natürlich, das mache ich“, versprach Jorak.

Neike hatte um Erlaubnis gebeten, mit ihnen zu kommen, und erwies sich durch ihre bescheidene, freundliche Art als angenehme Gesellschaft. Alena hatte ihr neue Sachen und ein paar Krüge Waschwasser organisiert, und jetzt sah man, dass ihr Haar honigfarben war und ihr bis zur Hüfte reichte. Als sie zum Grasmeer kamen, band Neike es zu einem Zopf, damit der Wind es ihr nicht ständig ins Gesicht wehte. Alena hatte nur Männerkleidung der Feuer-Gilde auftreiben können, aber das schien Neike nichts auszumachen, und das Schwarz stand ihr gut.

Am ersten Tag mit ihnen war Neike zurückhaltend gewesen, doch nun lächelte sie schon ab und zu, wenn Finley einen Witz machte, und Jorak fiel erst jetzt auf, dass sie größer war als er selbst. Ihm wurde klar, dass sie vorher gebückt gegangen war, mit nach vorne gezogenen Schultern, so wie viele Gildenlose. So wie er selbst manchmal ...

Als Jorak diesmal vor dem Hohen Rat der Luft-Gilde stand, merkte er, dass sich die Atmosphäre gewandelt hatte. Die Hälfte der Räte war beeindruckt von dem, was er erreicht hatte – und die andere Hälfte war nervös. Denn jetzt sah es so aus, als müssten sie ihn irgendwann tatsächlich in die Gilde aufnehmen.

In den Gesichtern der Zuhörer mischten sich Staunen und Entsetzen, als Jorak von dem Tal der Blumen berichtete, das im Gilgath-Massiv verborgen war. Nur der Hohe Rat Avius schaffte es, sich nichts anmerken zu lassen. „Ja, wir haben schon vermutet, dass das Ziel der Adler im Gebirge liegt", sagte er leichthin. „Trotzdem werdet Ihr das auf Wunsch des Rates geheimhalten. Sonst droht Euch Kerker."

Jorak sagte nichts, versprach nichts. Er ließ sich von Avius´ zur Schau gestellter Unbesorgtheit nicht täuschen. Wenn das Geheimnis der weißen Adler jemals allgemein bekannt wurde, würde es die Luft-Gilde heftig erschüttern, und den Rat gleich mit, weil er es verschwiegen hatte. Jorak fragte sich, ob Avius ihn tatsächlich einkerkern würde, wenn er sein Wissen als Trumpf gegen den Rat einsetzte oder aus anderen Gründen verbreitete. Vermutlich schon. Er würde vorsichtig sein müssen, sehr vorsichtig.

Na ja, vielleicht löst sich dieses Problem für die Luft-Gilde von alleine, dachte Jorak sarkastisch. Noch muss ich mich mit diesem Feuerberg herumschlagen, und wer weiß, ob ich das überhaupt überlebe.

Rena hatte Angst davor, die Kinder auszufragen – und trotzdem musste sie es tun. Sonst war sie nur noch eine Gefangene hier und nichts sonst.

Nach der abendlichen Geschichte, als Ellba schon in ihrem Bett schnarchte, blieb sie einfach bei den Kindern sitzen. Zu Anfang hatten die Drillinge stumm und schweigend dagehockt, bis Rena gegangen war. Doch inzwischen hatten sie sich etwas an die Neue im Tempel gewöhnt. Diesmal plapperten sie noch leise untereinander, spielten wieder ihre seltsamen Wortspiele und duldeten Rena. Geduldig wartete sie, bis die Kinder Pause machten, und hakte dann ein: „Könnt ihr euch eigentlich noch daran erinnern, wie es war, bevor ihr hier in den Tempel gekommen seid?"

Daia sah sie ernst an. „Ein bisschen. Es war nicht schön."

„Wieso?"

„Niemand war nett zu uns", sagte Daia.

Rena lag die Frage *Nicht mal eure Eltern?* auf der Zunge, aber sie konnte sie rechtzeitig hinunterschlucken. Nein, nach ihren Eltern würde sie bestimmt nicht noch einmal fragen nach dem, was das letzte Mal passiert war! Außerdem erinnerte sich Rena daran, was der alte Heiler erzählt hatte. Dass die Eltern wahrscheinlich versuchen wollten, die Kinder mit einem Trank ruhigzustellen. Das zählte für die Drillinge bestimmt nicht zum Nettsein, auch wenn sich Rena mühelos vorstellen konnte, wie verzweifelt die Eltern gewesen sein mussten.

„Wieso war niemand nett zu euch?", hakte Rena nach.

Die Drillinge tauschten einen schnellen Blick. Erst dachte Rena, dass sie keine Antwort bekommen würde. Doch dann sagte Xaia: „Er war ihnen unheimlich, glaube ich."

Er? Rena blickte zu Taio hinüber. War er gemeint? War er anders als die beiden Mädchen? Oder gab es noch jemanden, der wichtig war, einen Mann im Hintergrund? Rena spürte ihr Herz klopfen. Wieso hatte sie in Karénovia nicht daran gedacht, zu fragen, ob die Familie Verwandte hatte? Sie war einfach davon ausgegangen, dass es nicht so war!

Doch als sie versuchte, nachzuhaken, bekam sie keine Antwort mehr. Es sah eher so aus, als täte es den Kindern leid, so viel verraten zu haben. Also wechselte Rena das Thema.

„Mögt ihr den Tempel eigentlich? Oder würdet ihr lieber woanders hingehen?"

„Geht nicht“, sagte Xaia.

„Ihr könnt nicht woanders hingehen?“ Rena war fasziniert. „Weil es euch nicht erlaubt ist?“

„Nein“, versuchte Taio zu erklären. „Es geht nicht.“

„Ihr müsst hier bleiben, in dieser Gegend?“

Alle drei nickten gleichzeitig, schienen zufrieden, dass sie verstanden wurden. Doch Rena verstand gar nichts. Was war an dieser Gegend so besonders? Waren sie auf irgendeine magische Art daran gebunden? Vielleicht war der Grund, dass in dieser Gegend die drei Provinzen einander trafen. Dass hier der Geist dreier Elemente sich vermischte. Womöglich konnten sie ohne das nicht leben. Oder waren es die Berge, die sie brauchten?

Noch ein Rätsel mehr, dachte Rena und zog sich erschöpft in ihre Kammer zurück. Vielleicht habe ich es die ganze Zeit über falsch gemacht – vielleicht sollte ich sie mal bitten, *mir* eine Geschichte zu erzählen ...

Der Rat hatte Jorak, Alena und Neike eine Unterkunft nicht weit vom Palast verschafft. Bevor Finley sich verabschiedete und zum Gildenhaus ging, steckte er kurz den Kopf durch die Tür der Hütte und stieß einen anerkennenden Pfiff aus. „He, sie haben euch eines der Quartiere gegeben, die sonst für durchreisende Gäste mit hohem Rang gedacht sind! Du machst Fortschritte, Jorak!“

Jorak nickte und sah sich interessiert um. Alena ließ die Hand über die Wände aus trockenem Gras gleiten. Die Innenschicht zeigte kunstvolle, abstrakte Muster, für die der Flechtmeister geschickt Gräser aus verschiedenen Farben verwendet hatte.

Ein leises Quieken und Schaben in einer der Ecke der Hütte lenkte sie ab.

„Eine Cccratte!“, rief Cchraskar begeistert und warf sich darauf.

„Halt!“, schrie Alena. „Ich glaube, das ist ein Wühler!“

Das kleine Tier hatte sich durch den sandigen Boden der Hütte gearbeitet und streckte den Kopf suchend umher. Jorak bückte sich und nahm ihm vorsichtig die Nachricht ab, die in einer silbernen Hülse an seinen Hals steckte. „Sieh an – eine Einladung zum Abendessen! Von jemandem namens Zorp, einem Meister zweiten Grades der Luft-Gilde."

Alena zog die Augenbrauen hoch. „Nie gehört. Wahrscheinlich ist er einfach neugierig auf dich."

„Im Prinzip könnte ich annehmen", überlegte Jorak. „Während ich mit den Aufgaben des Rates beschäftigt bin, darf ich laut Sondergenehmigung mit Gildenangehörigen Kontakt haben."

„Zum Glück", schnaubte Alena.

„Schade, dass die Genehmigung nicht auch für deine Begleiter gilt", sagte Neike und löste das Band, das ihren Zopf zusammenhielt, um sich die langen Haare zu kämmen. „Besser, ich suche mir erst mal eine Unterkunft bei den anderen Gildenlosen. Hier gibt es einige, habe ich gesehen, und die Stadt ist wirklich hübsch. Vielleicht bleibe ich." Sie klang nicht niedergeschlagen, sondern eher unternehmungslustig. Alena freute sich für sie.

Als sie sich umwandte, sah sie, dass Jorak Neike nicht aus den Augen ließ. „Du hast wirklich wunderschönes Haar."

Neike lächelte schüchtern. „War nicht ganz leicht, sie zu retten. Man hat mir schon oft Geld dafür geboten, dass ich sie abschneide und verkaufe. Aber ich habe lieber gehungert. Ganz schön dumm, was?"

„Gar nicht dumm", sagte Jorak leise. „Manche Dinge darf man nicht verlieren."

Schweigend lauschte Alena. Wer wusste, was Neike sonst noch hatte tun müssen, um nicht zu verhungern. In solchen Momenten wurde Alena bewusst wie selten zuvor, dass Jorak und Neike aus einer ganz anderen, grausameren Welt kamen als sie. Es war ein Band zwischen den beiden, aber eines, das sie ihnen nicht neidete.

Cchraskar riss sie aus ihrer nachdenklichen Stimmung. Er hob die Nase und witterte interessiert. „Da kommen nocch mehrrr Wühler." Und tatsächlich – nach und nach trafen vier andere Botentiere ein. Sie trugen weitere Einladungen zum Essen. Etwas ratlos überflog Jorak sie, drehte und wendete die Zettel zwischen den Händen. Dann sah er sich eine der Nachrichten genauer an und erstarrte.

„Was ist?“, fragte Alena unruhig und schweigend reichte ihr Jorak das teure Pergament. Der Inhalt war nichts Besonderes, eine weitere Einladung für ihn und Alena als seine Gefährtin. Doch als Alena den Namen des Absenders las, wusste sie, warum Jorak so seltsam reagiert hatte. Relgan ke Nerada hatte die Nachricht geschickt.

Relgan der Stoffhändler. Der Mann, der in Torreventus mit Joraks Mutter zusammenlebte.

Joraks Gesicht war verkniffen. „Ich glaube, diese Einladung nehme ich an. Trotz allem interessiert´s mich, was für ein Kerl das ist.“

Sie schickten die anderen Botentiere mit höflichen Absagen wieder auf den Weg. Und bei Aufgang des ersten Mondes gingen Jorak und Alena los. Cchraskar war nicht eingeladen und ging stattdessen in den Gassen von Eolus Nachtwissler jagen, die bei Dämmerung die Nasen aus ihren Höhlen steckten. Finley war noch nicht aus dem Gildenhaus zurück und Neike blieb in der Hütte.

Relgan schien sich oft in Eolus aufzuhalten, er hatte hier ein geräumiges Haus in der Nähe des Hauptmarktes. Wahrscheinlich kann er sich mit einem Blick aus dem Fenster vergewissern, wie die Geschäfte laufen, dachte Alena und drängte sich mit Jorak durch die bunte Menge, die auf dem Markt um Frühlingsmehl, Rosella-Pfeffer, Leder von Oriaks und Torquil, Hemden aus Leinen, Wolle und Baumbast, Umhänge in allen Farben und Dolche aus Blaustahl feilschte.

Es roch nach Gewürzen, Schweiß und trockenem Gras. Vor allem Menschen in Sandalen und der typischen sandfarbenen Kleidung der Luft-Gilde waren in der Stadt unterwegs. Die wenigen Mitglieder anderer Gilden stachen durch ihre schwarze, dunkelgrüne oder weiße Kleidung sofort heraus. Alena grüßte die Feuerleute im Vorbeigehen mit einem Kopfnicken und einem schnellen Lächeln. Zurück kamen meist neugierige Blicke, die zwischen ihr und Jorak hin- und herwanderten. Dann schlenderten ihre Gildenbrüder untereinander tuschelnd weiter.

Sollen sie doch laut sagen, was sie stört, dachte Alena wütend und ging mit langen Schritten neben Jorak her.

In Relgans Haus öffnete ihnen eine ungewöhnlich hübsche Frau, die an ihren breiten, mit Metallnieten verzierten Lederarmbändern als Sklavin zu erkennen war. Alena stutzte und tauschte einen kurzen Blick mit Jorak. Sie hatte vergessen, dass die Luft-Gilde gelegentlich auch mit Menschen handelte – es war nicht allgemein bekannt, aber Rena hatte ihr davon erzählt.

Schweigend führte die Sklavin sie an zwei Leibwächtern vorbei durch einen langen Flur. Schließlich kamen sie zu einem großen runden Zimmer, das mit einigen Grasglocken und einem großen S-förmigen Tisch aus edlem hellbeigem Holz möbliert war. Jede Handbreit der Wände war mit edlen Stoffen behangen, die mit blauen und goldenen Fäden bestickt waren.

Ihr Gastgeber saß bequem da, die langen Finger an den Spitzen aneinandergelegt, und sandte ihnen einen prüfenden Blick aus blauen Augen entgegen. Er stand nicht auf, als sie hereinkamen, deutete nur mit einer lässigen Geste auf die anderen Glocken. Alena fand die schwankenden Sitzglocken gewöhnungsbedürftig, es war dunkel darin, man fühlte sich ein wenig wie im Nest eines Webervogels. Sie schaffte es nicht, die Beine so elegant in der Glocke zu kreuzen wie die Menschen der Luft-Gilde.

„Seid gegrüßt“, sagte Relgan förmlich zu ihnen. „Freut mich, dass du meine Einladung angenommen hast, Jorak ke Tassos.“

Alena zog die Augenbrauen hoch. Sehr geschickt, wie Relgan die traditionelle Begrüßung umgangen hatte, und eigentlich war es eine Beleidigung, dass er nicht das förmliche, respektvolle „Ihr“ verwendete. Ob er wusste, wer Jorak war, dass Relgans Partnerin Nola seine Mutter war? Hatte er womöglich herausgefunden, das Jorak in seinem Haus in Torreventus gewesen war?

Jorak zögerte kurz, als die Sklavin ihm einen Becher Cayoral reichte, aber dann nahm er einen Schluck. Damit hatte er das Gastrecht unter Relgans Dach angenommen. „Deine Einladung hat mich, ehrlich gesagt, etwas überrascht“, sagte er. „Du hast nicht den Ruf, Gildenlose zu bewirten.“

Alena bemühte sich, ihr Grinsen zu unterdrücken. Wie Relgan wohl darauf reagieren würde, dass Jorak ihn einfach zurückduzte?

„Ach, wie man sich seinen Ruf erwirbt, ist immer eine lange Geschichte", sagte Relgan und verzog die Mundwinkel zu einem mühsamen Lächeln.

Alena bewunderte seine Selbstbeherrschung. Unauffällig blickte sie sich um und musterte den Händler genauer. Wenn sie seine Insignien richtig entzifferte, war er einer der wenigen Meister vierten Grades in der Luft-Gilde. Das hieß, er hatte Einfluss, vielleicht Kontakte zum Hohen Rat. Interessant fand Alena auch die Art, wie sein Blick immer wieder zu der hübschen Sklavin wanderte. Jedes Mal wenn sie ihm einschenkte, berührte er wie zufällig ihre Schenkel oder Hüfte. Der ist Joraks Mutter garantiert nicht treu, dachte Alena.

„Ich mag sie bisher nicht bewirtet haben, doch die Gildenlosen interessieren mich", fuhr Relgan fort. Auf ein Zeichen von ihm begannen zwei Diener, das Essen zu servieren. Es gab mit Honig glasierte gegrillte Nerada-Vögel mit Sprossensalat und Winteräpfeln, dazu geräucherten Braten auf frischem Fladenbrot. „Wie schaffen sie es überhaupt, zu überleben? Sie dürfen doch ihre Berufung nicht ausüben, nicht wahr?"

„Genau." Jorak hatte sich jetzt völlig unter Kontrolle, sein Gesicht verriet nicht, was er dachte. „Manche überleben durch puren Instinkt, mit Zähnen und Klauen. Andere werden heimlich durch ihre Familien versorgt. Wieder andere geben sich auf und sterben einfach, verhungern und erfrieren während eines harten Winters."

Relgan fragte nicht, in welche Kategorie sich Jorak selbst einordnete. Es war klar, dass er nicht der Typ war, der sich einfach so hinlegte und starb. „Sie werden heimlich versorgt? Sieh an. Das wusste ich nicht."

„Dieses Risiko gehen auch längst nicht alle ein", sagte Jorak höflich. „Wenn es auffliegt, stürzt es ganze Familien ins Unglück. Hast du eine Familie?"

Die Gegenfrage ließ Relgan einen Moment stutzen, aber er antwortete bereitwillig. „Gefährtin und Tochter, Nola und

Cheris", sagte er und in seiner Stimme schwang eine solche Wärme mit, dass Alena aufhorchte. Relgan mochte nicht besonders treu sein, aber anscheinend war er mit dem Herzen bei Joraks Mutter! „Sie leben in Torreventus. Leider kann ich nicht so oft dort sein, wie ich will."

Jorak schien die Antwort nicht zu hören. Er ließ die Augen über die Köstlichkeiten gleiten, die auf dem Tisch aufgebaut waren. Kein Wunder, dass er Hunger hat – nach der anstrengenden Reise durch die Berge, dachte Alena und hoffte, dass der Gastgeber die Tafel bald eröffnen würde. Ihr Magen knurrte schon.

Einen Moment lang konnte Jorak nicht sprechen, so weh tat es. Dieser Mann hatte Familie – die Familie, die eigentlich ihm, Jorak, gehört hätte! Seine Schwester hatte einen Vater, der sie liebte, der gerne bei ihr sein wollte. Du bist neidisch, ganz furchtbar neidisch, sagte sich Jorak. Dabei hast du Alena, was willst du mehr? Also hör auf mit dem Unsinn!

Doch er konnte es nicht lassen, in der offenen Wunde herumzustochern. „Cheris. Ein schöner Name. Wie alt ist sie? Wofür interessiert sie sich?"

Er wollte so viel wie möglich erfahren, es war wie ein Hunger tief in seinem Inneren. Hoffentlich ließ sich Relgan noch eine Weile ohne Widerstand aushorchen.

Jorak hatte Glück – anscheinend redete Relgan mit großem Vergnügen über seine Tochter. „Sie ist jetzt fünf Winter alt. Ein Kind, gescheiter als zehn Pfadfinder zusammengenommen! Ich habe ihr beigebracht, wie man webt und näht, aber sie interessiert sich viel mehr dafür, wie man Singvögel züchtet. Sie hat selbst eine Stimme wie ein Rubinvogel und sie braucht ein Lied nur einmal zu hören, um es singen zu können."

Seine Schwester mochte Musik, so wie er. Das berührte Jorak ganz eigentümlich. Vielleicht kann ich ihr mal eine Flöte schnitzen, überlegte er. Aber wie soll ich sie ihr geben, wenn ich sie nicht kennenlernen darf?

Während der zweite Gang serviert wurde, übernahm Relgan wieder die Kontrolle über das Gespräch. „Du kennst viele Gildenlose, nicht wahr?“, fragte er.

Jorak zuckte die Schultern. „Geht so.“

„Wie stehen sie zu dir, würden sie tun, was du ihnen sagst?“

„Das bezweifle ich stark.“ Da war sich Jorak zwar nicht mehr ganz sicher, aber er hatte nicht vor, sich der Überheblichkeit schelten zu lassen. Außerdem log er jetzt aus purem Trotz. Ihm wurde unwohl zumute. Noch immer war ihm nicht klar, worauf Relgan hinauswollte. Neugier war es nicht, die ihm die Einladung eingebracht hatte – die weißen Adler schienen den Händler nicht zu interessieren. Und dass er sein Herz für die Entrechteten entdeckt hatte, nahm Jorak ihm nach der unhöflichen Begrüßung nicht ab. Außerdem war es Jorak nicht entgangen, dass sein Essen auf anderem, sehr viel billigerem Geschirr serviert wurde als das von Alena und Relgan. Vielleicht wirft er die Teller nachher weg, weil sie von meiner Berührung verseucht sind, dachte er mit Galgenhumor.

Dennoch fand er es immer schwerer, Relgan zu hassen, so wie er ihn beim Abschied aus Torreventus gehasst hatte. Der Mann hatte, wie es schien, auch nicht mehr Vorurteile als andere Leute seiner Generation, die in einem konservativen Haus aufgewachsen waren. Und immerhin schien er sich für die Gildenlosen zu interessieren – damit hob er sich wohltuend von der Mehrheit der Bevölkerung Dareshs ab. Denen war das Schicksal der Ausgestoßenen so egal wie die Farbe ihres Frühstücksbreis.

„Weiß eigentlich irgendjemand, wie viele Leute der Luft-Gilde unter den Gildenlosen sind?“, fragte Relgan nun. „Wie viele Weber?“

„Das müsste die Luft-Gilde doch am besten wissen“, mischte sich Alena ein. „Führt niemand Buch darüber, wer ausgestoßen wird?“

Inzwischen ahnte Jorak, worauf das Gespräch hinauslaufen würde. Er widmete sich einen Moment lang den Köstlichkeiten auf seinem Teller, um nachzudenken, dann entschied er sich für einen Vorstoß. „Denkst du daran, gildenlosen Webern eine Art ...

Beschäftigung zu verschaffen? Ohne, dass die Gilde etwas davon erfährt?“

Relgan schwieg. Aber an seinem Gesicht sah Jorak, dass er ins Schwarze getroffen hatte. Gar nicht so dumm, der Plan, überlegte Jorak angewidert. Er lässt Ausgestoßene für einen Hungerlohn Stoffe weben und kann dadurch billiger verkaufen als andere Händler. Letztlich geht es doch nur darum, möglichst viele Tarba anzuhäufen!

„Wäre so etwas machbar?“, fragte Relgan, das Gesicht nun kühl und nüchtern. „Natürlich wäre demjenigen, der dabei helfen würde, eine ansehnliche Prämie sicher.“

„Davon gehe ich aus“, sagte Jorak. Sorgfältig wischte er sein Besteck am Tellerrand ab und legte es beiseite. Dann stand er auf. „Viele Gildenlose sind verzweifelt genug, um bei so etwas mitzumachen. Aber ich fürchte, arrangieren müsstet Ihr das selbst. Eure Prämie interessiert mich nicht. Meine Leute haben es schwer genug, ohne dass sie auch noch im Namen des Geschäfts ausgebeutet werden. Einen guten Abend noch, Meister Relgan.“

Relgan sagte nichts, als Jorak und Alena gingen. Mit verdutzten Blicken traten die hübsche Sklavin, Diener und Leibwächter beiseite und ließen sie passieren. Erst als sie wieder auf dem Markt standen, auf dem die Händler gerade ihre Stände für die Nacht schlossen, entspannte sich Jorak wieder.

Alena stieß einen tiefen Seufzer aus. „Ein Feind mehr. Und schade um die leckeren Vögel. Aber ich glaube, du hast das Richtige getan.“

„Kann sein.“ Jorak legte Alena den Arm um die Schulter und fühlte, wie der Tumult in seinem Inneren sich langsam legte. „Vielleicht habe ich den Gildenlosen aber auch die Chance geraubt, ein paar Ruma zu verdienen.“ Er dachte einen Moment nach. „Ich frage mich, ob Relgan klar ist, was er mit solchen Machenschaften riskiert. Er würde von der Gilde verwarnt werden, und nach drei Verwarnungen ist es aus.“

„Weißt du, was ich besonders interessant fand?“, fragte Alena.

„Nein, was?“

„Du hast zum ersten Mal meine Leute gesagt, als du von den Gildenlosen gesprochen hast. Dabei bist du näher dran, von einer Gilde aufgenommen zu werden, als jemals zuvor."

Das gab Jorak eine ganze Weile zu denken.

Die Hüterin der Vulkane

Kurz darauf machten sie sich auf den Weg zu den Racisco-Vulkanen, zu dem erloschenen Feuerberg, den Jorak wieder zum Leben erwecken sollte. Die Feuer-Gilde hatte ihnen ein Dhatla zur Verfügung gestellt, ein starkes, ausgewachsenes Männchen, auf dessen Rücken auch Finley und Cchraskar Platz hatten. Alena genoss den schnellen Ritt, doch Cchraskar liebte es nicht gerade, auf Dhatlas unterwegs zu sein. Er balancierte abwechselnd hinter Finley, alle vier Pfoten unter den Körper gezogen, oder ließ die Beine an beiden Seiten herunterhängen. „Wann ssind wir endlich daarr?“, fauchte er mindestens dreimal an jedem Sonnenumlauf.

„Weiß ich auch nicht“, informierte ihn Alena. „Aber wenn du noch weiter nervst, dann dauert es für dich ein paar Tage länger, weil du zu Fuß gehen musst!“

Jorak war geschickt im Umgang mit Dhatlas. Deshalb saß er meist direkt hinter dem hornigen Nackenschild und lenkte das Tier, das sie mit Riesenschritten ihrem Ziel näherbrachte. Als die Racisco-Kette hoch vor ihnen aufragte, zügelte Jorak ihr Reittier. Genüsslich sog Alena den Rauchgeruch ein, den sie für immer mit ihrer Heimat Tassos verbinden würde. Beeindruckt betrachteten sie und die anderen den Anblick, der sich ihnen bot. Die aktiven Berge ragten aus der Wüste von Ost-Tassos empor wie riesige dunkle Kegel, in ihrer Nähe färbte Asche den Himmel gelblich-grau. Andere Gipfel der Racisco-Gruppe hätte man glatt für normale Berge halten können, an den Hängen grün und auf der Kuppe von Schnee bedeckt. Doch auch sie waren Vulkane und schlummerten nur, um irgendwann wieder auszubrechen und ihre Gipfel mit titanischer Wucht wegzusprengen – in einigen tausend Wintern oder schon im nächsten Monat. Und dann würde die Gegend in weitem Umkreis völlig verwüstet werden von der Explosion und den Strömen glühender Lava.

Eine kleine Karte wies ihnen den Weg zu dem Feuerberg, der Joraks nächste Aufgabe sein sollte. Es war ein sehr junger Vulkan, klein im Vergleich zu seinen majestätischen Brüdern. Er war, wie der Abgesandte der Feuer-Gilde ihnen berichtet hatte, erst vor etwa hundertfünfzig Wintern entstanden und in den letzten Wintern durch immer neue Ausbrüche weiter gewachsen. Sie ließen das Dhatla am Fuße des Berges zurück und stapften durch schwarze Lavafelder und scharfkantiges Geröll hoch zum Krater. Hier und da hatte es ein zäher Terpetta-Strauch oder ein Büschel Wüstengras geschafft, seine Wurzeln zwischen die Steine zu senken, doch sonst wuchs nichts. Immerhin gab es ein paar wenige Tiere – Alena sah ein junges Tass, kaum so lang wie ihr Unterarm, geschmeidig in Deckung verschwinden. Diese Reptilien konnten Feuer speien, taten es aber nur, wenn man sie am Schwanz zog oder sie sonstwie neckte.

Nach einem Viertel Sonnenumlauf hatten sie den Anstieg geschafft und blickten in den Krater hinab, der gerade mal fünf Baumlängen breit war. Alena fand ihn enttäuschend. Es sah einfach aus wie eine Grube oder ein Tal aus grauschwarzem Gestein. Hier fauchte und brodelte nichts, der Vulkan war ruhig.

„Fühlt sich irgendwie tot an", sagte Alena.

„Finde ich auch." Jorak bückte sich nach einem Stein, schleuderte ihn in den Krater. „Verdammt, ich habe keine Ahnung, wo ich anfangen soll!"

„Das Ding hat sich aus der Erde gewölbt wie ein Pickel", lästerte Finley. „Warum kann man ihn nicht einfach erloschen lassen?"

„Keine Ahnung", sagte Jorak. „Der Vulkan ist mir ziemlich egal, Hauptsache ich kann meine Aufgabe lösen."

„Immerhin kann der Kleine richtig Feuer spucken, wenn er sich anstrengt – das hat er bewiesen", meinte Alena und betrachtete das geschwärzte Gebiet, wo Lava und heiße Schlacke über die bisherige Landschaft geflossen waren und sie völlig bedeckt hatten. Hart und spröde wie pechschwarzes Glas war das flüssige Gestein, es sah aus wie ein erstarrter Fluss. „Und ich glaube nicht, dass ich dabei sein möchte, wenn er es mal wieder tut."

„Wie – du sagst das, ein Mitglied der Feuer-Gilde?“ Finley sah sie amüsiert von der Seite an.

„Ich mag Vulkane“, verteidigte sich Alena. „Aber deswegen muss ich mich ja nicht von ihnen umbringen lassen, oder? Am miesesten sind die Ausbrüche, bei denen Glutwolken zu Tal rasen wie Lawinen. Die töten dich sofort, du atmest das Zeug ein und deine Lunge zerfällt zu Asche.“

Finley verzog das Gesicht. „Hm, vielleicht ist es sogar besser, wenn dieser Vulkan weiterhin schlummert.“

Ratlos schlugen sie auf dem Gipfel ihr Lager auf, doch keiner von ihnen schlief gut. Am nächsten Morgen kehrten sie wieder ins Tal zurück, wo es ein paar kleine Dörfer gab. Dort war es Tagesgespräch, welcher Vulkan wahrscheinlich wann ausbrechen würde. Niemand schien besonders besorgt deswegen. Im Gegenteil, das Schauspiel lockte immer gut zahlende Gäste aus anderen Teilen der Provinz an.

„Irgendwelche Glutwolken zu erwarten?“, erkundigte sich Finley misstrauisch bei dem Händler, der ihnen Brot, getrocknetes Torquil-Fleisch und Trinkwasser verkaufte.

„Nicht in nächster Zeit, schätze ich“, sagte der alte Händler gelassen. „Bloß ´n paar Erdbeben.“ Er lachte. „Also immer gut festhalten.“

„Machen wir“, sagte Jorak. „Habt Ihr zufällig auch einen Hinweis, was ich mit diesem kleinen Feuerberg machen könnte, den ich aufwecken soll?“

„Fürchte nein. Aber habt ihr schon die Hüterin der Vulkane gefragt, was sie zu dem Problem meint?“

Jorak horchte sofort auf. „Nein, wer ist das und wo finde ich sie?“

„Sie lebt schon sehr lange hier, die Gipfel sind ihr ein und alles. Wo Ihr sie findet?“ Der Mann zeigte auf einen der Berge. „Na dort oben, genau dort, wo es am heißesten ist und am meisten nach Schwefel stinkt. Genauer kann ich’s Euch nicht sagen – sie hat zwar eine Behausung da oben, aber die ist immer woanders.“

Also noch ein anstrengender Marsch. Alenas Beine ließen sie spüren, dass sie es nicht gewohnt waren, Berge hochzuklettern.

Aber das hätte sie nie zugegeben, und ihr Stolz verbot ihr, um eine Pause zu bitten.

Gegen Mittag rasteten sie in einer Schlucht, die aus riesigen schwarzen Felsbrocken bestand. Vielleicht beim Ausbruch hochgeschleudert worden, überlegte Alena und trank einen Schluck aus ihrem Wasserbeutel. Sie war froh, dass die Spannungen zwischen ihr und Jorak verschwunden waren – seit die weißen Adler ihn davongetragen hatten, seit es um Leben und Tod ging, waren alltägliche Dinge klein und unwichtig geworden. Eifersucht und Eitelkeiten haben jetzt keinen Platz mehr in unserem Leben, dachte Alena und hoffte, dass es so bleiben würde.

Sie tastete nach dem winzigen Fläschchen Elixir in der Tasche ihrer Tunika. Auch dafür war es noch nicht die rechte Zeit. Doch sie würde kommen, irgendwann.

Jorak blickte über die schwarzen Felsen hinweg und fühlte sich auf einmal sehr müde. Die letzte Aufgabe hatte ihn stärker mitgenommen, als er selbst Alena gegenüber eingestanden hatte. Er fühlte sich nicht bereit, schon wieder Todesangst auszustehen, seinem Körper das letzte Quäntchen Kraft auszupressen. Aber das ist genau, was du tun musst, dachte er. Und Alena wird nicht mal was dabei finden. Sie ist Feuer-Gilde durch und durch.

Verdutzt sah er in einer Baumlänge Entfernung jemanden vorbeieilen – eine kleine, aber breitschultrige Gestalt mit roten Haaren, weiten schwarzen Sachen und klobigen Schuhen. Sie murmelte beim Laufen vor sich hin, doch Jorak verstand kein Wort. Er, Alena und Finley sahen sich an und hoben fragend die Augenbrauen.

„Also, wenn ich raten dürfte, würde ich sagen – entweder ist das die Frau, die wir suchen, oder ein Vulkangnom“, sagte Finley. „Falls es so was gibt.“

„Iccch glaube, nur in Legenden“, meinte Cchraskar. „Vielleicht ein Bergdämon?“

„Gibt es auch nicht“, meinte Jorak, stand auf und blickte in die Richtung, in der die Gestalt verschwunden war. Ein paar Atemzüge später hastete sie in der anderen Richtung vorbei. Diesmal beeilten sich Jorak und Alena, sie abzufangen.

„Entschuldigung“, sagte Jorak und verbeugte sich leicht. „Seid Ihr die Hüterin der Vulkane?“

„Ja, genau“, sagte die Frau und strahlte ihn an. Sie hatte ein kantiges Gesicht, eine breite Nase und vor Energie funkelnde dunkle Augen. Aschespuren zierten ihre Wangen, darunter vermutete Jorak Sommersprossen. Es war schwer zu sagen, wie alt sie war, sie hätte zwanzig Winter zählen können, aber auch vierzig.

„Mein Name ist ...“, begann Jorak, aber die Frau hörte schon nicht mehr zu. „Tut mir leid, ich muss weiter. Eines meiner Schätzchen hat Verdauungsprobleme ...“

Schätzchen? Verdauungsprobleme? Jorak war so verblüfft, dass die Hüterin bereits zwei Menschenlängen weitergeeilt war, bevor er begriff und ihr hinterherrief. „Moment, bitte, bleibt doch stehen, es ist wichtig ... bitte!“

Abwesend winkte die Frau noch einmal, hielt aber nicht an.

„Er will doch nur dem kleinen Vulkan helfen, der so überraschend erloschen ist!“, brüllte Alena hinter ihr her.

Das wirkte. Mit einem Ruck drehte die Frau sich um. „Dem kleinen Vulkan?“, sagte sie, plötzlich aufmerksam. „Ich fürchte, dem kann niemand helfen, ich weiß selbst nicht, was mit dem armen Ding los ist. Für ein Aschewölkchen hat´s neulich noch gereicht, dann war er aus.“

„Ich muss es trotzdem versuchen“, sagte Jorak und erklärte der Hüterin schnell warum. Dabei bekam er einen Hauch ihres Atems ab und wäre um ein Haar erschrocken zurückgewichen. Puh! Finley neben ihm murmelte eine Formel und auf einmal wehte der Wind von ihnen weg. Sofort wurde die Luft besser.

„Na gut“, sagte die Frau schließlich mit einem skeptischen Blick. „Kommt heute Abend zu meinem Haus auf der Südflanke des Indan, dann besprechen wir alles Weitere!“ Ihr Zeigefinger stach vor. „Aber der da nicht! Der ist Luft-Gilde, so was will ich nicht im Haus haben!“

„Äh“, sagte Finley. Doch die Hüterin der Vulkane hastete bereits davon, und diesmal versuchte keiner von ihnen, sie noch einmal aufzuhalten.

„Danke für die Brise“, sagte Jorak zu Finley und versuchte die Schadenfreude aus seiner Stimme herauszuhalten. „Tja, überleg dir schon mal, wo du heute Nacht schläfst.“

„Wieso? Ich komme einfach mit euch“, meinte Finley unbekümmert. „Sie wird sich´s schon noch anders überlegen.“

Sie fanden das Haus erst in der Dämmerung. Die Hüterin der Vulkane lebte in einer Metallpyramide wie die meisten Menschen der Feuer-Gilde, doch ein solches Gebäude wie ihr Haus hatte Jorak noch nicht gesehen. Das Metall – leichtes Sinthaloy, schätzte Jorak – war grau und so zerschrammt und eingedellt, dass man es kaum vom Boden unterscheiden konnte. Es war so geschickt auf den Hang gesetzt worden, dass der Innenboden waagrecht blieb. Dicke Metallstränge, die an Felsenbrocken befestigt waren, verankerten es auf der Bergflanke.

Kaum hatten sie den Begrüßungsruf ausgestoßen, flog auch schon die Tür der Pyramide auf. „Da seid ihr ja!“, rief die Hüterin der Vulkane erfreut. Doch als sie Finley sah, verfinsterte sich ihr Gesicht wieder.

„Ich habe ganz vergessen Euch zu sagen, dass ich hier bin, um eine Ballade über Euch zu dichten, Hüterin“, behauptete Finley munter.

„Eine Ballade? Über mich?“ Die Hüterin errötete. „Aber meine Vulkane kommen doch auch darin vor, oder?“

„Natürlich“, versicherte Finley. „Die dürfen auf keinen Fall fehlen.“

„Er ist Ssspezialist für Glutwolken“, lispelte Cchraskar mit treuherzigem Blick.

Die Hüterin zögerte noch einen Moment, musterte Finley von oben bis unten. Dann sagte sie: „Na gut. Kommt rein, alle vier.“

Es war dämmerig in der Pyramide, nur eine rote Flammkugel erhellte den Raum. Doch das schien die Hüterin nicht zu stören, offenbar konnte sie gut im Dunkeln sehen. Nach ein paar Minuten hatten sich Joraks Augen an das Licht gewöhnt und erkannten mehr vom Inneren der Hütte. Im Wohnraum gab es ein paar Sitzkissen aus zerschlissenem, feuerfestem Stoff, einen wackeligen metallenen Klapptisch, einen Stuhl aus dem gleichen Material, eine Kochnische und eine Schlafmatte mit einer Decke darüber. In einem kleinen Regal lagen ein paar dicke, sehr alt aussehende Schriftrollen. Jorak wettete, dass es Standardwerke über Vulkanologie waren.

An der Art, wie aufgeregt die Hüterin hin- und her eilte, um Cayoral zu bereiten und ihnen die Sitzkissen zurechtzurücken, wurde Jorak klar, dass sie hier oben auf ihrem Feuerberg nicht oft Besuch bekam. Misstrauisch schnupperte er an dem Cayoral, den sie in ramponierten Bechern serviert hatte. Er roch leicht nach Schwefel und Ascheflöckchen schwammen darauf. Jorak tauschte einen schnellen Blick mit Alena und nahm einen Schluck. Das Zeug schmeckte genauso schlimm, wie es aussah. Aber dann blickte er in das erwartungsvoll strahlende Gesicht der Hüterin, stürzte das Gebräu hinunter und zwang sich zu einem Lächeln. „Schmeckt wunderbar!"

„Ihr könnt mich übrigens Zilly nennen", sagte die Hüterin großmütig. „Zilly ke Tassos heiße ich. Meine Eltern waren Gigi und Zeldac, meine Großeltern Xina und Walthir." Stirnrunzelnd blickte sie zu Finley hinüber. „Warum schreibst du das nicht auf? Brauchst du das nicht für deine Ballade?"

„Doch", versicherte Finley. „Aber wir Geschichtenerzähler haben ein hervorragendes Gedächtnis."

„Anscheinend sind sie auch mutig, die meisten Leute trauen sich nicht mehr hier hoch", meinte Zilly unbekümmert. „Im Induran steigt gerade eine Ladung Magma hoch, glühend flüssiges Gestein aus der Tiefe. Ist das nicht toll? Bald werde ich meine Hütte wieder verlegen müssen."

Alena verschluckte sich an ihrem Cayoral.

„Keine Sorge, erst nächste Woche! Eigentlich könnte ich dann auf den kleinen Vulkan ziehen, da ist es erst mal sicher. Kann gut tausend Winter dauern, bis er wieder ausbricht."

Joraks Laune war auf einem Tiefpunkt angelangt. Tausend Winter? Na toll! Er lenkte sich ab, indem er Zillys schwere, an mehreren Stellen angesengte Schuhe betrachtete, die sie am Eingang ausgezogen hatte. Wahrscheinlich waren die Sohlen besonders dick, damit die Hüterin sich nicht verletzte, wenn sie über glühend heißen Boden stapfte. „Wie lange lebt Ihr eigentlich schon hier oben, Zilly?“

„Mein halbes Leben“, sagte sie stolz. „Ich habe schon als Kind Spielzeugvulkane gebastelt. Nachdem ich damit beinahe das Haus in Brand gesteckt hätte, hat mich mein Vater in die Lehre bei einem Feuermeister gegeben. Er lebte hier ganz in der Nähe.“

„Lebte?“ Alena zog die Augenbrauen hoch.

„Der Arme hat beim letzten Ausbruch des Jixalha einen schweren Brocken Schlacke auf den Kopf bekommen. Ich habe tagelang um ihn geweint. Und das alles kurz vor meiner Meisterprüfung! Na ja, ich hab trotzdem bestanden.“

„Was machen wir jetzt mit diesem kleinen Vulkan?“, bohrte Jorak nach.

„Ich würde vorschlagen, wir gehen morgen nochmal hin und nehmen ihn uns ganz genau vor. Tja, vielleicht finden wir doch noch irgendeinen Anhaltspunkt. Ich würd´s dir gönnen, dass du in die Gilde aufgenommen wirst.“ Mitleidig sah Zilly ihn an. Dann zielte sie wieder mit dem Zeigefinger auf Finley. „Du da – wie heißt meine Großmutter?“

„Xina“, sagte Finley sofort und Jorak musste sich ein Lächeln verbeißen. Er hatte schon festgestellt, dass Finley Hunderte von Geschichten, Zitaten und Liedern im Kopf hatte und sich ganze Gespräche Wort für Wort merken konnte. Den führte niemand so leicht aufs Glatteis, wenn es darum ging, sich etwas zu merken!

Sie plauderten noch lange an diesem Abend – obwohl Jorak und die anderen immer lauter gähnten, zeigte Zilly keine Zeichen von Müdigkeit oder Erbarmen. Begeistert fachsimpelte sie mit Alena über Feuerarten, von Finley ließ sie sich ganz genau erklären, wie eine Ballade geschrieben und wo sie erzählt wurde, dann musste Jorak noch einmal die ganze Geschichte seiner Gildenlosigkeit erzählen. Er hätte gerne darauf verzichtet und hatte den Verdacht, dass er es bald schrecklich satt haben würde, überhaupt darüber zu reden.

Schließlich gab Finley auf und fragte, wo sie schlafen könnten. „Ich fürchte, es ist nur noch im Nachbarraum Platz“, sagte Zilly und stemmte die Zwischentür auf. Jorak sah, dass dort alle möglichen Steine lagerten und kein Fußbreit Platz dazwischen war. Zilly packte die Sitzkissen aus dem Wohnraum auf die kantigen Brocken, breitete eine Decke darüber und strahlte ihre Gäste an. „So, macht es euch gemütlich! Aber bringt meine Gesteinsproben nicht durcheinander!“

Als sie allein waren, versuchte Alena sich auf dem seltsamen Lager niederzulassen. „Au, verdammt! Vielleicht sollten wir probieren, im Stehen zu schlafen.“

Finley seufzte. „Schade, dass der Hang draußen so steil ist. Sonst könnten wir da auf dem Boden nächtigen.“

„Ich habe eine bessere Idee“, sagte Jorak, nahm ein Stück Schreibkreide aus seiner Tasche und brach es in drei Stücke. „Hier, Leute. Wir markieren die Steine, damit wir sie morgen früh genau an die richtigen Stellen zurücklegen können, und dann stapeln wir sie in einer Ecke.“

Ohne darauf zu warten, was die anderen tun würden, nahm er sich einen Brocken vor und zeichnete seine Umrisse mit der Kreide auf den Boden. Dann gab er dem Stein die Nummer „1“ und schrieb die Nummer auf Stein und Umriss. „Wenn wir uns jetzt alle drei an die Arbeit machen, sind wir mit den Dingern bald durch. Wir müssen nur dran denken, die Markierungen wieder wegzuwischen, bevor wir abreisen.“

„Jetzt mal ehrlich“, sagte Finley und zog eine Augenbraue hoch. „Hat dir schon mal jemand gesagt, dass du geradezu gefährlich schlau bist?“

Jorak musste lächeln. Nein, das hatte ihm bisher niemand gesagt, aber er hatte manchmal gesehen, wie Leute es gedacht hatten. „Wenn ich nicht schlau wäre, wäre ich schon tot. So einfach ist das.“

Später, als sie sich halbwegs gemütlich auf dem Boden der Kammer eingerichtet hatten, redeten sie noch eine Weile leise, tauschten ihre Eindrücke aus.

„Hast du ihre Augen gesehen?“, flüsterte Alena. „So ähnliche hat Rena auch, nur noch etwas größer. Ich wette, Zilly hat einen Vorfahren aus der Erd-Gilde!“

„Sprich sie bloß nicht darauf an, sonst fliegen wir raus“, sagte Jorak. Erd-Gilde – ja, das passt, dachte sie. Vielleicht konnte sie nur deswegen Hüterin der Vulkane werden. Hier finden Erde und Feuer zusammen.

Seiner Meinung nach wusste Zilly ganz genau, dass sie nur mit viel Glück überhaupt in die Gilde aufgenommen worden war. So nett wie sie war lange niemand mehr zu ihm gewesen, ohne etwas von ihm zu wollen.

Nicht stark genug

Mit einem Ruck wachte Alena auf. Schnell merkte sie, was sie geweckt hatte – die Hütte vibrierte, begann dann leicht zu schwanken. Die Steine, die sie in der Ecke des Raumes zusammengeschichtet hatten, polterten umher und trafen die Wände der Pyramide mit einem hohlen Kleng. Cchraskar fiepte alarmiert. Auch Finley war hochgeschreckt, sah sich mit wilden Augen und ebenso wild durcheinander stehenden Haaren um. Joraks Schlafplatz war leer.

„Rostfraß“, murmelte Alena, rollte sich aus ihrer Decke und setzte sich auf. Das war ein Erdbeben! Nichts wie raus hier, bevor diese wackelige Hütte über ihnen zusammenklappte oder den Hang hinunterrutschte! Und wo war eigentlich Jorak?

Sie stürzten zum Ausgang. Dabei stolperten sie fast über Jorak, der sich im anderen Zimmer in eine Vulkanologie-Schriftrolle vertieft hatte. Zilly saß neben ihm, fuchelte mit einer weiteren Schriftrolle herum und erklärte irgendwas. Beide waren nicht im Geringsten aufgeregt.

„Keine Panik“, sagte Zilly fröhlich in Alenas Richtung. „Die Hütte wird´s aushalten, so wie die ungefähr zehntausend Erdbeben vorher. Was wollt ihr zum Frühstück?“

Nach einem fast genießbaren Frühstück aus geräuchertem Dhatla-Speck und gewürztem Brot, einem Kurzvortrag über die Eigenheiten des Racisco-Gebirges und einem weiteren Beben stapfte Zilly voran in Richtung des kleinen Vulkans. Sie hatte wieder ihre schweren Schuhe an, außerdem trug sie einen langen Holzstock und eine Tasche voller Ausrüstung. Auf losem Geröllsand und glatter schwarzer Lava rutschend folgten Alena und die anderen ihr. Stellenweise war der Boden sehr heiß und Alenas Lederstiefel sahen schnell genauso angesengt aus wie Zillys.

Auf dem Weg kamen sie an Stellen vorbei, an denen die Erde aufgerissen war und rote und gelbe Krusten sich gebildet hatten. Dampf und Gase waberten aus der Erde.

„Puh, das stinkt!“, stöhnte Finley.

Zilly schloss die Augen und schnüffelte genießerisch. „Hm, ein kräftiges Schwefelaroma mit leichten Obertönen von freien Hydrogenen und einer pikanten Salzsäurenote. Der Indan rüstet sich brav für den nächsten Ausbruch!“

In der Nähe des kleinen Vulkans traten keine Gase aus. „Schlechtes Zeichen“, sagte Zilly. Dann gingen sie in den Krater des kleinen Vulkans hinunter. Zilly stocherte mit ihrem Holzstock zwischen Sand, Geröll und Steinen herum und machte hin und wieder missbilligende Geräusche. Sie murmelte eine Formel, die Alena nicht kannte, und dann noch die, die Feuer anfachte. Dann packte sie eine Glaskugel aus, die mit einer rötlichen Flüssigkeit und Metallspänen gefüllt war, legte sie auf den Boden und beobachtete, wie es darin schwappte und floss. Als Nächstes klopfte sie ein feines Metallrohr in den Boden, legte eine goldglänzende Feder auf die Spitze und beobachtete ihre Bewegungen.

„Hm“, sagte sie, als sie mit ihren Untersuchungen fertig war. „Eigentlich ist genug Magma in der unterirdischen Kammer. Der Druck müsste für einen Ausbruch reichen. Aber es rührt sich nichts. Vielleicht ist das Zeug zu zähflüssig. Sehr eigenartig.“

„Wie wärr´s mit Umrrühren?“, knurrte Cchraskar.

„Vielleicht haben irgendwelche Steine den Schlot verstopft?“, spekulierte Alena.

Zilly schüttelte den Kopf. „Nein, glaube ich nicht, die würde der Kleine beim Ausbruch einfach wegsprengen.“ Bekümmert blickte sie Jorak an. „Wenn er einfach nur Zeit bräuchte, hätte ich damit kein Problem, aber irgendetwas ist unnatürlich daran, wie er sich verhält.“

„Wie ist es mit den Formeln, die Feuer rufen oder anfachen?“, fragte Jorak. „Wenn man tausend Leute zusammenbekommt und alle sprechen gleichzeitig die Formel ...“

„Tausend Leute!?“ Zilly machte große Augen. „Könnte sogar funktionieren. Vielleicht sind tausend aber auch zu viel und wir sprengen den armen Kleinen in die Luft. Und uns mit.“

Jorak dachte nach. „Dann fangen wir mit einigen hundert Menschen an und arbeiten uns langsam hoch. Klingt das besser?“

„Geht so“, sagte Alena. Sie hatte wenig Hoffnung, dass das Experiment glücken würde. Selbst wenn es Joraks Gruppe gelang, den Vulkan anzufachen, würde er wahrscheinlich gleich wieder ausgehen. Erst einmal mussten sie herausfinden, warum das Ding überhaupt erloschen war!

Grimmig verbrachte Jorak den Rest des Tages damit, den Vulkan zu erkunden und kennenzulernen. Alena heftete sich gemeinsam mit Cchraskar an seine Fersen, um da zu sein, wenn Jorak sie irgendwie brauchte. Es machte sie ganz kribbelig, ihm kaum helfen zu können.

Nachdem sie erschöpft zur Hütte zurückgekehrt waren, diskutierten sie noch über Joraks Idee. „Ich schreibe jetzt gleich an die Gildenlosen, die ich kenne – sie sollen die Nachricht verbreiten“, sagte Jorak. „Einen Brief an Eryn den Schwarzen, diesen Kerl, der uns mit seinen Leuten im Gasthaus überfallen hat. Einen an Itai, die Erzsucherin aus Nerada. Drei an ein paar alte Bekannte in Ekaterin, und einen an deinen Vater, Alena, vielleicht kann er in Tassos noch ein paar Freiwillige auftreiben. Wenn außerdem die Halbmenschen helfen, dann haben wir vielleicht in ein ein, zwei Wochen genug Leute zusammen.“

Es tat Alena leid, ihm die Hoffnung kaputt zu machen, aber sie musste es einfach ansprechen. „Ich finde die Idee nicht besonders gut. Selbst wenn es klappt ... du verstößt damit gegen die Regeln. Du kannst dir zwar helfen lassen, musst die Aufgabe selbst aber allein bewältigen. Wenn ihr die Formeln gleichzeitig sprecht – und das müsst ihr tun, wenn es funktionieren soll –, gilt das nicht.“

„Vielleicht fällt mir noch etwas ein, wie wir das Ritual verändern können“, sagte Jorak und rieb sich die Augen. Er sah sehr müde aus. Trotzdem schüttelte er den Kopf, als Alena vorschlug ins Bett zu gehen. „Muss mir die hier noch vornehmen“, sagte er und deutete auf ein halbes Dutzend Schriftrollen. „Es ist wichtig, dass ich mehr über Vulkane erfahre, sonst erkenne ich die Lösung nicht mal, wenn sie mich anspringt.“

„Tut es weh, wenn eine Lösung dicch anspringt?“, rätselte Cchraskar und bleckte die Zähne.

Finley musste grinsen. „Nur, wenn dabei eine Lawine von Schriftrollen auf dich fällt."

Alena und Finley lasen ebenfalls, bis ihnen die Augen brannten. Schließlich – ihre Gastgeberin schlief längst – zogen auch sie sich in ihr Zimmer zurück.

„Diese Aufgabe ist noch schwieriger als die mit den Adlern", sagte Jorak entmutigt und streckte sich auf seiner Decke aus. „Wenn Zilly und ich das mit dem Anfachen probiert haben, weiß ich nicht mehr weiter ..."

Finley dachte lange nach. Dann sagte er: „Vielleicht sollten wir das Mond-Orakel um Rat fragen."

Alena nickte. Sie hatte schon von diesen drei Kindern mit besonderen Fähigkeiten gehört. „Das ist keine schlechte Idee. Wir brauchen dringend einen Hinweis. Und dass andere dir bei der Vorbereitung helfen, hat der Rat ja erlaubt."

„Das Problem ist, dass das Orakel ganz schön weit weg lebt", wandte Jorak ein. „Soweit ich weiß, ist es in der Nähe der Felsenburg in Alaak. Ich würde mit einem Dhatla mindestens zehn Tage brauchen, um quer durch Tassos hin und zurück zu reisen."

Finley seufzte. „Wenn du hier alle Möglichkeiten erschöpft hast, wird dir nichts anderes übrigbleiben. Du brauchst nichts weniger als ein Wunder."

In dieser Nacht lag Alena wach, starrte in die Dunkelheit und versuchte die rastlosen Gedanken in ihrem Kopf zum Schweigen zu bringen. Schließlich merkte sie, dass Jorak aufgewacht war, und schmiegte sich an ihn. „Du kannst auch nicht schlafen, was?"

„Mir geht dauernd dieser Satz von Finley im Kopf herum: Du brauchst nicht weniger als ein Wunder", sagte er und Alena hörte die Verzweiflung in seiner Stimme. „Ich bin nicht dumm, ich habe die Fähigkeiten zweier Gilden, ich kann wenn nötig schuften wie ein Dhatla und riskiere mein verdammtes Leben. Wieso reicht das nicht? Was denn noch? Für Wunder bin ich nicht zuständig!"

Alena wusste keine Antwort. Schließlich war ihnen von Anfang an klar gewesen, dass die Aufgaben eigentlich unmöglich zu erfüllen waren. Sie fühlte sich sehr hilflos. „Selbst wenn du es nicht schaffst ... ich liebe dich. Das weißt du."

„Bist du dir da so sicher?" Plötzlich war Joraks Stimme bitter. „Wie lange würde es halten zwischen uns, wenn ich mich als Versager erweise?"

„Was genau meinst du damit?", fragte Alena verdutzt und ein wenig gekränkt. „Glaubst du, ich bin eines dieser Feuer-Gilden-Mädchen, die mit Vorliebe unbesiegbare Helden anhimmeln? Hältst du mich für so oberflächlich?"

Jorak richtete sich auf einen Ellenbogen auf, sah sie in der Dunkelheit an. „Nein, natürlich nicht, beim Nordwind – ich bin derjenige, der das Problem hätte." Er schluckte. „Manchmal glaube ich, du bist viel stärker als ich. Vielleicht wäre es ein ständiger Kampf für mich, mit dir zusammen zu sein. Weil ich mich immer wieder beweisen müsste."

„Moment mal." Alena spürte, wie Wut in ihr hochbrodelte – eine Wut, die unter der Oberfläche schwelte, seit sie in Ekaterin aufgebrochen waren. Sie mischte sich mit der Enttäuschung, dass er so wenig liebevoll gewesen war in den letzten Tagen. „Wäre es dir vielleicht lieber, ich wäre ein nettes Weibchen, das zu dir aufschaut, als Balsam für dein angeschlagenes Ego? Habe ich das gerade richtig verstanden?"

„Nein, hast du nicht, verdammt! Ich glaube, du kapierst gar nicht, was ich meine!"

„O doch", gab Alena gereizt zurück. „Ich müsste mich verstellen, damit du dich wohl fühlst mit mir. Aber ich habe überhaupt keine Lust, mich zu verbiegen!"

Jetzt blitzten seine Augen. „Wieso verbiegen? Du bist einfach du selbst, was wird denn verlangt von dir? Korrigier mich, wenn ich falsch liege, aber ich glaube eher, ich bin derjenige, der sich verbiegen muss, der gerade sein Leben umkrempelt wie einen alten Handschuh!"

Inzwischen war Finley wach geworden, sein leises Schnarchen war verstummt. Jetzt tat er diplomatisch so, als würde er nichts hören, und achtete vermutlich darauf, kein Wort zu verpassen. Doch das war Alena egal. Sie sprang auf und stemmte die Hände gegen die Hüften. „Wie meinst du das, von mir wird nichts verlangt? Mein Leben liegt auf Eis, während ich dir helfe! Und glaubst du wirklich, es ist leicht, mit einem Gildenlosen zusammen zu sein?"

„Du hast gewusst, worauf du dich einlässt, du wusstest, dass es schwierig wird!"

„Ich fasse es nicht, dass du jetzt so was bringst!", schrie sie ihn an. „Gleich wirst du behaupten, dass du diese beiden unmöglichen Aufgaben nur wegen mir angenommen hast und dass es meine Schuld ist, dass wir jetzt ganz schön im Dreck sitzen!"

„Natürlich habe ich diese verdammten Aufgaben wegen dir angenommen", brüllte Jorak zurück.

„Ach, so selbstlos auf einmal. Aber ich erinnere mich noch genau daran, was du in Ekaterin gesagt hast. Du tust es für dich, weil du endlich leben willst wie ein normaler Bürger."

Es war einen Moment still.

„Vielleicht sind wir beide nicht stark genug für diese Liebe", sagte Jorak leise.

Alena fühlte, wie ihr die Tränen in die Augen schossen, sie konnte es nicht verhindern. Sie tastete nach ihrer Tunika, zog sie über. Dann raffte sie blindlings ihre Sachen zusammen, stopfte sie in ihre Reisetasche. Hastig, mit zitternden Fingern, legte sie sich das Schwert um, fühlte das vertraute Gewicht des Iridiumstahls an ihrer Hüfte.

„Wohin gehst du?", fragte Jorak mit steifer, kühler Stimme.

„Ich glaube, wir brauchen beide ein bisschen Zeit zum Nachdenken", sagte Alena und warf sich den Umhang über die Schulter. „Ich mache mich auf den Weg zum Orakel. Vielleicht kann es uns einen Hinweis geben."

Dann floh sie in die Dunkelheit hinein, stolperte den Weg aus Lavabrocken entlang, tastete sich über die scharfen Kanten und hangelte sich die Seile hinab, die Zilly über die schwierigen Stellen gespannt hatte. Nur weg hier, weg, ganz weit weg, und allein sein.

Wir haben uns nicht mal mehr geküsst, wieso nur habe ich ihn nicht geküsst, hämmerte es in ihr, und wieder rannen ihr Tränen über die Wangen. Was ist, wenn ich ihn nie wiedersehe? Wenn er durch diesen blöden Vulkan umkommt? Oder wenn ich ihn verloren habe, weil er beim Nachdenken erkennt, dass das mit uns beiden ein Fehler war?

Am liebsten wäre sie umgekehrt, hätte ihn um Verzeihung gebeten und ihm gesagt, dass sie ihn liebte. Aber das schaffte sie nicht, es war zu spät. Sie würde diesen Blick nie vergessen, als er gesagt hatte, dass sie vielleicht beide nicht stark genug seien.

Hatte sie jetzt wieder alles kaputt gemacht, wie schon so oft? In ihr brannte das Gefühl, den besten, den wichtigsten Teil ihres Lebens dort oben in der Hütte zurückgelassen zu haben. Und doch trugen ihre Füße sie weiter, immer weiter, bis zum Fuß des Vulkans, wo ihr Dhatla auf der Suche nach Futter herumstreifte und auf sie wartete. Dort erst holte Cchraskar sie ein.

„Wasss ist los, Feuerblüte?", fauchte er. „Warum hast du mir nicht Bescheid gesagt, dass du gehst?"

„Du musst hierbleiben", sagte sie ihm und ihre Stimme schwankte. „Jemand muss ihn beschützen, ich schaffe es nicht, er will mich nicht mehr."

Cchraskar blickte sie mit zusammengekniffenen Augen an und zuckte mit den Ohren. „Du klingst, als hättest du Lonnokraut gegessen. Ist das wieder diese Geistesstörung, ist sie es?"

„Ja – fürchte schon", sagte Alena halb lachend, halb weinend. Mehr bekam sie nicht raus. Sie umarmte Cchraskar schnell, dann ging sie mit langen Schritten den Weg hinab.

Als die Sonne aufging, war Alena mit dem Dhatla auf dem Weg nach Alaak.

Alena fühlte sich leer, wie ausgebrannt. Sie hielt nur an, um ihr Reittier zu füttern oder zu tränken. Wie ein Traum zog die Landschaft von Tassos an ihr vorbei, während ihr Dhatla durch den heißen Wüstensand stapfte. Die Gedanken an Jorak füllten ihren Kopf aus, quälten sie Tag und Nacht. Außerdem vermisste sie Cchraskar – sie waren seit ihrer Kindheit noch nie so lange getrennt gewesen.

Erst als sie einen Blick auf die Karte warf, erwachte sie aus ihrer Starre. Ihre nächste Station war Zahar. Der einzige andere Ort in der Gegend war eine halbe Tagesreise weit entfernt und hieß Belén. Er lag auf einer der kleineren Handelsrouten der Luft-Gilde.

Belén. Woran erinnerte sie dieser Name? Hatte sie ihn schon einmal gehört?

Natürlich. Diese Geschichte, die Finley über Alix erzählt hatte. Eo, ihr Geliebter, der sie verraten hatte. Die Fehde von Belén. Vielleicht hat mich das Schicksal hierher geführt, dachte Alena. Endlich mache ich mich auf die Spurensuche nach meiner Mutter. Sie berührte das winzige Fläschchen in ihrer Tasche, aber sie wusste, dass es dafür noch nicht die rechte Zeit war. Erst musste sie abwarten, ob das Orakel helfen konnte. Noch brauchte Jorak sie, noch durfte sie sich nicht dem Elixir ausliefern.

Sie war neugierig auf diesen Eo. Es fiel ihr schwer, sich vorzustellen, dass er noch vor ihrem Vater Alix´ Gefährte gewesen war. Was für ein Mensch er wohl sein mochte?

Belén war ein Ort der Feuer-Gilde und doch ganz anders als alle Orte, die Alena kannte. Es war eine Bergwerksstadt, errichtet auf riesigen Adern von Eisen-, Gold- und Telvariumerz. Ein halbes Dutzend Metalle gab es hier im Überfluss. Obwohl Alena keine Erzsucherin war, fühlte es sich ganz eigenartig an, über diesen Boden zu reiten. Es war, als würde sie ihre Zunge mit ständig neuen Geschmackseindrücken kitzeln, alle paar Baumlängen umhüllte sie die Aura eines anderen Metalls.

Die Straßen der Stadt schlängelten sich durch die Hügel – sie waren geschickt so angelegt worden, dass sie nicht über Erzadern lagen und den Abbau behinderten. Überall sah Alena die Eingänge von Bergwerksgruben, abgestützt mit großen Felsen oder Holzbalken. Halden von Erz und Gestein türmten sich daneben. Kräftige Männer trugen Körbe voller Erz nach draußen und luden es ab, verschwanden wieder in der Mine. In der Luft lag ein kühler Geruch nach Steinstaub.

Alena musste nicht lange herumfragen, bis jemand ihr den Weg zu Eo weisen konnte. Er hatte einen eigenen Handelsposten, kaufte und verkaufte Metalle. Der Weg zu Eos Haus führte über einen breiten, mit dunklen Steinen aufgeschütteten Schotterweg, auf dem sich die Spuren von Dhatla-Krallen abzeichneten. Schon bald stieß Alena auf ein in den Boden gestecktes Holzschild. Handelsposten heute geschlossen. Fein, dann sind wir ganz unter uns, dachte Alena und marschierte weiter. Der Schotter knirschte unter den Sohlen ihrer Lederstiefel.

Nach drei Baumlängen kam sie zu einem ringförmigen Gebäude, das aus dunklem Stein gemauert war. An der Außenseite hatte es mehrere große Tore. Sicher ein Lagerhaus. Alena spürte die Metalle, die es enthielt, aber die interessierten sie nicht. Sie umrundete die Gebäude, suchte nach dem richtigen Eingang. Schnell fand sie ihn – er zeigte Richtung Osten, wie bei der Luft-Gilde üblich. Die mit schmiedeeisernen Ornamenten verzierte Metalltür war fest verriegelt. Na, er scheint es wirklich ernst zu meinen mit dem „Geschlossen“, dachte Alena.

Doch in der Stimmung, in der sie war, interessierte sie das nicht besonders. Sie wollte gerade kräftig gegen die Tür hämmern, da hörte sie Stimmen, die sich näherten. Alena zögerte, die Faust noch in der Luft.

„... hat sie sich geweigert, Kontakt mit ihm aufzunehmen. Wir mussten sie wegbringen.“

„Verdammt.“ Eine zweite Stimme, die eines älteren Mannes. „Nächstes Mal sagst du mir in so einem Fall Bescheid. Vielleicht hätte jemand sie überreden können. Das kommt vor und auch dann sind sie ihrem Partner lebenslang treu."

Alena zog die Augenbrauen hoch. Diese Kerle sprachen ja seltsam über Frauen! Klang, als habe Eo noch ein anderes florierendes Geschäft. Aber das ging sie nichts an, Kuppelei war nicht verboten.

Die Tür öffnete sich vor ihr und Alena sah sich zwei Männern gegenüber, die verblüfft verstummten. Beide gehörten zur Luft-Gilde, das erkannte Alena sofort an ihrer sandfarbenen, weit geschnittenen Kleidung. Es war leicht zu erraten, wer von beiden Eo sein musste. Der blonde, sehnige Mann mittleren Alters, der eine schmale braune Feder in der rechten Hand hielt. Der andere Mann war zu jung, um ihre Mutter gekannt zu haben.

Finster sah Eo Alena an – und etwas veränderte sich in seinem Gesicht, Erkennen blitzte darin auf. Die Feder entglitt seinen Händen, trudelte zu Boden. Der junge Mann blickte seinen älteren Begleiter irritiert an, zuckte die Achseln und drängte sich grob an ihm und Alena vorbei. Mit einem gemurmelten Gruß verschwand er um die Ecke des Gebäudes, sie hörte nur noch seine Schuhe auf dem Schotter knirschen.

„Alix?", flüsterte Eo. Sein Gesicht hatte die Farbe schmutziger Milch angenommen.

„Nein. Alena. Ihre Tochter." Alena war sehr zufrieden mit der Reaktion, die sie ausgelöst hatte. Allein Eos Gesichtsausdruck war den Umweg wert gewesen!

Der Händler fing sich erstaunlich schnell. „Tut mir leid", sagte er. „Dumme Verwechslung. Aber Ihr seht Eurer Mutter wirklich erstaunlich ähnlich. Kommt rein."

Im Innenhof des Handelspostens stand ein Haus, wie Alena es aus Nerada kannte, aus Gras geflochten und teilweise zum Himmel hin offen – auch Eo schien nicht zu mögen, wenn sich etwas Festes über seinem Kopf befand. Typisch Luft-Gilde war auch, dass Eo eine Armbrust trug. Es war eine teure Waffe, aus weißem Holz geschnitzt und mit wertvollen Einlegearbeiten verziert. Doch sie sah nicht protzig aus, sondern etwas abgegriffen, so, als würde sie oft benutzt werden.

Durch Finley hatte Alena ein wenig über die Insignien der Luft-Gilde erfahren und sie erkannte an Eos Amulett, dass er nur ein Meister ersten Grades war. Erstaunlich, in seinem Alter.

Alena und Eo setzten sich auf zwei kunstvoll geschnitzte Stühle im Innenhof und musterten sich eine Weile schweigend. Eo war ein schlanker, aber kräftiger Mann mit nachdenklichen blaugrauen Augen. Seine silberblonden Haare, die sich an der Stirn schon etwas lichteten, waren sehr kurz geschnitten. Auf seiner Schulter saß zu Alenas Überraschung kein Pfadfindervogel.

„Wieso bist du hier?", fragte Eo schroff. „Bist du gekommen, um deine Mutter zu rächen?"

So, wie er es sagte, klang es ausgesprochen albern. „Natürlich nicht", sagte Alena verlegen. Doch dann brodelte Wut in ihr hoch. Wieso ließ sie sich von diesem Kerl einschüchtern, der mit ihrer Mutter so mies umgesprungen war? In schärferem Ton fuhr sie fort: „Ich würde nur gerne wissen, was geschehen ist ... wie viel Gold Ihr dafür bekommen habt, sie zu verraten."

Mit einer einzigen, fließenden Bewegung griff sich Eo seine Waffe und legte an. Alena zuckte zusammen, versuchte aufzuspringen, blieb mit der Tunika an einem Ornament des Stuhls hängen. Ein Bolzen knallte los – und etwas zuckte auf dem Boden. Alenas Herzschlag beruhigte sich langsam wieder. Sie löste ihre verhakte Tunika, stand auf und ging zu dem Wesen hinüber, das Eo erschossen hatte. Eine Felsviper, hochgiftig und angriffslustig. Jetzt zum Glück schlaff und tot.

„Es gibt hier unzählige von den Biestern", sagte Eo und legte die Waffe wieder weg. „Sie leben von den Erzmaden."

„Interessant", sagte Alena – aber ihr Interesse galt nicht den Schlangen, sondern dem Mann ihr gegenüber. Die Art, wie Eo seine Waffe hielt, seine breiten, ruhigen Hände und seine Geschwindigkeit verrieten den erfahrenen Scharfschützen. Irgendwie erinnerte dieser Mann, seine ganze Art, sie an ihren Vater. Vielleicht kam es vor, dass man sich immer wieder in dieselbe Art Mensch verliebte ...

Eo ließ sie keinen Moment lang aus den Augen. „Zurück zu Alix. Ich weiß, über mich ist eine üble Geschichte im Umlauf. Das ist nicht sehr angenehm. Vor allem, weil sie nicht stimmt."

Auf diese Idee war Alena gar nicht gekommen. Hätte ich mir ja denken können, dass Finley nur Mist erzählt!, schalt sie sich. Oder hat jemand damals Alix angelogen? Oder lügt Eo? „Was ist denn dann passiert?", fragte sie vorsichtig.

„Moment. Erst mal – wie viel weißt du über die Luft-Gilde?"

„Nicht viel", gab Alena zu. „Aber ich reise schon seit einer Weile mit einem Mann der Luft-Gilde, einem Geschichtenerzähler."

Einen Moment lang schwieg Eo. Aus zusammengekniffenen Augen blickte er Alena an. „Nun gut. Vielleicht verstehst du mich trotzdem", meinte er schließlich. „Alix und ich haben uns hier in Tassos kennengelernt, sie brauchte Nachschub an Metallen und kam zu mir, weil ich mit seltenen Legierungen handelte. Wir haben uns verliebt. Aber wir mussten es geheim halten. Damals war die Stimmung in Belén zwischen den Gilden nur knapp unter dem Siedepunkt – und daran war Alix nicht ganz unschuldig."

„Wieso?" Alena war fasziniert. Sie kannte die Zeit der Gildenfehden nur aus Erzählungen.

„Alix hat sich mit einem jungen Mann aus dem Ort angelegt, dem Spross einer einflussreichen Luft-Familie. Er hatte ein Mädchen der Feuer-Gilde geschwängert, sie dann im Stich gelassen und schließlich versucht sie zu vergiften. Als er nicht verurteilt wurde, hat Alix ihn sich selbst vorgeknöpft und ihm die Abreibung seines Lebens verpasst. Danach war die Familie des Jungen auf Rache aus und hat ein Kopfgeld auf sie ausgesetzt."

„Rostfraß!"

„Keine zwei Wochen später haben Luft-Leute – angeblich betrunkene Randalierer – das Feuergilden-Mädchen überfallen. Sie und ihr ungeborenes Kind sind an ihren Verletzungen gestorben. Die Täter konnten mithilfe ihrer Gildenbrüder untertauchen und wurden nie bestraft. Tja, das war der Beginn der Fehde von Belén."

Alena konnte sich gut vorstellen, wie viel Wut und Hass sich bei den Menschen nach solchen Vorfällen aufgestaut hatten. „Aha. Gut, dann zurück zum Thema Verrat."

Eo lächelte grimmig. „Der Rest ist schnell erzählt. Der mächtige Familienclan des Jungen hat das mit Alix und mir irgendwie rausbekommen. Er hat gedroht mich zu töten, wenn ich nicht verrate, wo ich mich das nächste Mal mit Alix treffe. Ich war nicht stark oder nicht mutig oder nicht dumm genug, für sie zu sterben."

Danach gab es nicht mehr viel zu sagen. Alena verabschiedete sich und ging nachdenklich über den Schotterpfad zurück. Sie konnte verstehen, wie Eo gehandelt hatte – aber sympathisch war er ihr trotzdem nicht gewesen. Gut, dass nicht er ihr Vater geworden war. Außerdem nagte in ihr das Gefühl, dass an dem Gespräch eben etwas seltsam gewesen war, aber sie kam nicht darauf, was. Sie wünschte, sie könnte ihre Mutter fragen, was sie von all dem hielt. Aber dazu musste sie das Elixir nehmen.

Alena schob den Gedanken beiseite. Jorak und das Orakel waren es, die jetzt zählten!

Auf eigene Gefahr

Ellba merkte schnell, dass die Kinder immer mehr Zeit mit Rena verbrachten, sich sogar auf die abendliche Geschichte zu freuen schienen. Sie war weit davon entfernt, es gutzuheißen. Stattdessen wurde sie immer schroffer und fand immer weitere unangenehme Aufgaben für die neue Tempelsklavin. Eifersucht, dachte Rena. Sie denkt, dass ich sie verdrängen will ... und kann. Wenn sie wüsste, dass ich kaum etwas lieber täte, als diesen Ort wieder zu verlassen!

Erschöpft lehnte Rena im Eingang des Gebäudes und blickte in den sonnenüberfluteten Garten hinaus. Die Kinder vertrieben sich mal wieder die Zeit mit ihren seltsamen Spielen. Diesmal schienen sie irgendetwas gefunden zu haben, eine Art Ball, und warfen es zwischen sich hin und her.

Es war Zeit für die Auswahl, die Tore des Tempels schwangen auf. Draußen wartete die übliche Menschenmenge. Doch diesmal erstarrte Rena bei diesem Anblick. Jenseits des Tors erspähte sie eine bekannte Gestalt. Schulterlange rotbraune Haare, schlanke, geschmeidige Gestalt – konnte das Alena sein?! Oder war es nur eine junge Frau, die ihr sehr ähnlich sah?

Beim Erdgeist, betete Rena, lass es jemand anders sein! Sie wollte ihre junge Freundin nicht hier haben, in der Nähe dieses unheimlichen Orakels. Kam sie etwa, um ihr zu helfen? Nein, sie konnte nicht wissen, dass Rena in Schwierigkeiten war. Wahrscheinlich war sie gekommen, um selbst das Orakel zu befragen – anscheinend wusste sie nicht, wie gefährlich es sein konnte. Woher auch, schalt sich Rena. Nach der Verbindungskrise war ich zu schwach, um Nachrichten zu schreiben, und danach habe ich nicht daran gedacht ...

Die junge Frau arbeitete sich durch die Menge näher zum Tor vor und Rena sah, dass es tatsächlich Alena war. Noch ist nicht alles verloren, versuchte sich Rena zu beruhigen. Jeden Tag wurden nur fünf Menschen ausgewählt, und die Wahrscheinlichkeit, dass Ellba ausgerechnet Alena ihre Frage stellen lassen würde, war gering.

„Du da, und du da, und du da ...“, hörte sie Ellba sagen. Unruhig musterte Rena die Gestalten, die durch das Tor ins Innere des Tempels traten. Drei ansehnliche junge Männer – Curt hatte wohl recht gehabt mit seinen Lästereien –, eine ältere Frau ... und Alena!

Wurzelfäule und Blattfraß, dachte Rena schwach.

Neugierig blickte sich Alena um, ihren grünen Augen entging nichts. Auch nicht die dunkelhaarige Haussklavin, die erschöpft im Eingang des Tempels stand. Einen Moment lang trafen sich ihre Augen und Rena sah, dass Alena stutzte, sie noch einmal musterte – sie erkannte! Zum Glück versuchte sie nicht Rena anzusprechen. Nur als sich ihre Blicke noch einmal kurz streiften, las Rena die vielen Fragen darin.

Ich muss sie warnen, dachte Rena voller Angst. Sie darf jetzt keinen Fehler machen. Wenn sie das Orakel gegen sich aufbringt, dann könnte es ihr übel ergehen.

Die ersten Ratsuchenden durften ihre Frage stellen. Aber Alena schien nicht zuzuhören. Sie beobachtete die Drillinge, die ein paar Menschenlängen entfernt im Garten spielten, und runzelte plötzlich die Stirn. Rena folgte ihrem Blick, und diesmal sah sie erschrocken und angewidert, was ihr vorhin entgangen war. Es war kein Ball, den sich die Kinder zuwarfen, sondern ein junges Schneehörnchen. Vielleicht hatten sie es erwischt, als es sich zum ersten Mal aus seinem Bau getraut hatte. Hilflos flog es durch die Luft, wurde herumgewirbelt, versuchte sich verzweifelt mit den winzigen Pfoten an den Händen der Kinder festzuklammern. Es würde diese Tortur nicht mehr lange überleben.

„He!“, rief Alena ärgerlich in die Richtung der Drillinge und ging ihnen mit langen Schritten entgegen. Verdutzt sahen die anderen Ratsuchenden ihr nach.

Alena hat sich nicht verändert, dachte Rena stolz und verzweifelt zugleich. Gleich greift sie ein und dann ist alles aus! Renas einzige Chance war dazwischenzugehen. Koste es, was es wolle. Doch in ihrer Eile, zu den Kindern zu kommen, stolperte sie und fiel über einen Stein. Als sie sich aufraffen konnte, hatte Alena die Drillinge schon erreicht.

„Was ihr da macht, ist grausam“, hörte Rena sie sagen. „Das ist kein Spielzeug, sondern ein lebendiges Wesen. Warum lasst ihr das arme Vieh nicht einfach frei?“

Erst waren die Drillinge verdutzt. Dann wurde ihr Blick kalt und feindselig. Taio steckte das Schneehörnchen in eine Tasche seiner Tunika, aus der es schwach und erfolglos herauszukrabbeln versuchte.

Dann schlossen die drei Kinder den Kreis um Alena.

Jorak fühlte sich wie nach einer schweren Krankheit. Schwach, ohne Energie. Alena war weg. Würde sie überhaupt wiederkommen? Und es war alles seine Schuld. Wie hatte er dermaßen ausrasten, dermaßen dumme Sachen sagen können? Federkrätze!

Er vermisste sie schon jetzt so sehr, dass es wehtat.

Da er es nicht mehr schaffte einzuschlafen, lenkte er sich mit Schriftrollen über Vulkanologie ab. Immerhin, darin gab es interessante Dinge zu entdecken. Er las über verschiedene Typen von Magma, alte Vulkankulte der Feuergilde, über Fabeltiere, die angeblich früher die Berge hier bevölkert hatten: Vulkanmaden, Feuerlinge, Schwarzbeißer. Doch ob irgendetwas davon in seinem Kopf hängen blieb, war sehr zweifelhaft. Immer wieder musste er an Alena denken und eine neue Welle der Trauer überspülte ihn.

Als Zilly herzhaft gähnend aus ihrem Bett kroch, schaute sie ihn erstaunt an. „Wie, schon auf? Wo ist Alena – schläft sie noch?“

„Sie ist zum Orakel gereist, um dort Rat zu suchen“, sagte Jorak kurz. Aber seine Miene verriet wohl, dass das nicht die ganze Geschichte war. Zilly platzte offensichtlich vor Neugier, aber sie war taktvoll genug, nicht weiter zu fragen. Und auch Finley vermied beim Frühstück, das Thema Alena anzusprechen. Es war Jorak lieber so. Manchmal, wenn er den Calonium-Armreif berührte und an Alena dachte, war er den Tränen nahe – und er wollte nicht, dass die anderen das sahen.

Die nächsten Tage über beschäftigte sich Jorak damit, am Fuß des kleinen Vulkans ein Lager für die Helfer einzurichten, die hoffentlich bald eintrafen. Er hatte ein paar Zelte organisiert, hoffte aber, dass die Leute auch eigene Ausrüstung und Proviant mitbrachten. Und vor allem hoffte er, dass überhaupt jemand kam. Hatten seine wenigen Botschaften ausgereicht? Wollte ihm überhaupt jemand helfen? Bisher war noch kein einziger Unterstützer eingetroffen. Liegt bestimmt daran, dass sie von weither kommen, versuchte Jorak sich zu beruhigen.

„Wird schon jemand vorbeischauen", versicherte ihm Zilly unbekümmert. Sie hatte ihr Haus mit Joraks und Finleys Hilfe inzwischen auf die Hänge des kleinen Vulkans verlegt.

Dann, am vierten Tag, kam ein sehniger junger Mann mit dunkelbraunen Haaren und einer großen Brandnarbe auf der Hand zum Fuß des Berges. Seine Kleidung war zerlumpt und sandig. Er wirkte wie jemand aus der Feuer-Gilde, aber Jorak sah sofort, dass ihm das Gildenamulett fehlte. „Bin ich hier richtig beim Anfachen?", sagte er. „Bist du der Kerl, der für uns kämpft?"

„Bin ich. Mein Name ist Jorak. Willkommen!"

Danach ging es Schlag auf Schlag. Zum Teil einzeln, meist aber in kleinen Gruppen trafen die Helfer ein. Zu Joraks Verblüffung waren nicht nur gildenlose Feuer-Leute dabei – alle Elemente waren vertreten. „Wir können zwar nicht anfachen, aber dafür können wir euch anfeuern", sagte eine Frau der Luft-Gilde und musste über ihren eigenen Witz lachen. „Es ist einfach spannend, dabei zu sein, und ich würde es dir gönnen, wenn es klappt. Sag uns, wie wir helfen können." Viele schienen so zu denken, und die Stimmung im Lager war entschlossen und ausgelassen zugleich.

Auch Eryn der Schwarze und einige der anderen Gildenlosen, die sie damals im Gasthof überfallen hatten, waren gekommen. Leicht verlegen begrüßten sie Jorak.

„Ich hoffe, du trägst uns nicht nach, was passiert ist ...", meinte Eryn und stieß ein heiseres Lachen aus. Er trug zwar kein

Schwert, aber dafür eine Axt und sah so aus, als sollte man sich besser nicht mit ihm anlegen. „Wir jedenfalls haben euch noch in guter Erinnerung!"

Jorak grinste. „Keine Sorge – wir euch auch."

Neben Eryn waren zwei weitere Mitglieder seiner Bande mit von der Partie: zum einen Kiion, der wegen seiner Storchenmensch-Vorfahren gildenlos geblieben war. Er beobachtete Jorak mit bewunderndem Blick, war aber zu schüchtern, um etwas zu sagen. Der Zweite war ein blonder junger Mann, der sich als Haruco Almadora ke Vanamee vorstellte, ehemals Wasser-Gilde. Er trug immer noch seine Lederhandschuhe.

„Sag mal, wieso hat er eigentlich immer diese Dinger an?", fragte Jorak den bärtigen Anführer, als Haruco gerade außer Hörweite war.

„Er glaubt, dass man sich damit nicht ansteckt." Eryn grinste nachsichtig. „Du weißt schon, mit Krankheiten. Deshalb wäscht er sich auch viermal am Tag. Aber sonst ist er in Ordnung. Bin froh, dass er nicht bei der Bande geblieben ist. Er eignet sich überhaupt nicht zum Räuber."

Haruco war zurückgekommen und hatte den letzten Satz gehört. „Das stimmt wohl", sagte er und lächelte verlegen. „Aber ich könnte hier im Lager Wasser für uns alle rufen. Feuchtigkeit aus der Luft trinkbar machen, damit wir nicht verdursten. Wäre das gut?"

„Das wäre wunderbar", sagte Jorak.

Er war überwältigt von der Hilfsbereitschaft der Menschen. Es tat gut, zu erfahren, dass so viele Leute zu ihm und den anderen Gildenlosen hielten. Dass es nicht nur Hass, Feindschaft und Verachtung für diejenigen gab, die mit ihrem Amulett auch den größten Teil ihres Lebens verloren hatten.

Es tat ihm auch gut, dass er nicht mehr viel Zeit zum Nachdenken hatte. So konnten seine Schuldgefühle und seine Trauer ihn nicht mehr lähmen. Trotzdem dachte er ständig an Alena, fragte sich, wo sie jetzt war, was sie machte. Sollte er ihr einen Wühler schicken, ihr berichten, wie die Arbeiten hier vorangingen?

Kaum hatte er den Entschluss gefasst, konnte er es kaum mehr abwarten. Doch erst in der Stille der Nacht, als er nach einem turbulenten Tag im Lager endlich allein war, konnte er sich daran machen. Endlos grübelte er, wie er seine Nachricht formulieren sollte. Schließlich schrieb er ein paar Sätze darüber, wie viele Leute schon im Lager eingetroffen waren, dann fügte er mit klopfendem Herzen hinzu: Es tut mir leid. Ich liebe Dich. Jorak. Wie sie darauf wohl antworten würde? War sie ihm noch böse? Hoffentlich kam sie beim Nachdenken nicht zu dem Schluss, dass es nicht klappen konnte mit ihnen beiden!

Schließlich waren dreihundert Feuerleute – mit Amulett und ohne – eingetroffen. „Wollen wir es mit ihnen versuchen?“, sagte Jorak zu Zilly. „Von mir aus können wir anfangen.“

„Du willst es wirklich tun, was?“, fragte sie und zog eine Grimasse. „Na gut. Morgen, wenn die Sonne am höchsten steht.“

Alena wich nicht zurück, als die Kinder sie einkreisten.

„Das geht dich nichts an“, sagte Xaia zu Alena.

„Du kannst uns nichts verbieten“, schob Daia nach.

Taio sagte nichts. Aber seine Augen waren kalt und ausdruckslos wie die einer Eidechse.

Alena blickte ihn an. „Habt ihr noch nicht gemerkt, dass es viel mehr Spaß macht, Gutes zu tun? Probiert es doch mal.“

Darauf reagierten die Kinder nicht, sie starrten Alena weiterhin an. Rena nahm sich nicht die Zeit, sich den Dreck abzuklopfen, und ging mit schnellen Schritten auf die vier Menschen zu. „He, Taio!“, rief sie, um die Drillinge von Alena abzulenken. Aber sie beachteten Rena gar nicht.

„Wer bist du?“, frage Xaia kalt. „Und was ist deine Frage?“

„Sag es ihnen nicht!“, rief Rena verzweifelt. Jetzt, wo Alena sich das Orakel zum Feind gemacht hatte, war es viel zu gefährlich, etwas zu offenbaren – es würde fast unter Garantie gegen sie verwendet werden! Doch auch Alena schien ihr nicht zuzuhören.

„Mein Name ist Alena ke Tassos. Ich möchte wissen, wie mein Gefährte Jorak es schaffen kann, seine zweite Aufgabe zu lösen."

Die Drillinge wandten sich ab und liefen davon, ließen Alena einfach stehen.

Ellba beobachtete das Geschehen misstrauisch. Rena wusste, dass es ein Risiko war, nun unter diesen Blicken mit Alena zu reden. Aber es musste sein! „Beim Erdgeist, hast du nicht gehört, was ich gesagt habe? Es kann gefährlich werden, wenn sie zu viel über dich wissen!"

„Ich hatte keine Wahl", sagte Alena ruhig. „Ich muss Jorak helfen und ohne das Orakel kommt er nicht weiter bei diesem Vulkanberg." Ihr Blick wurde warm und ein Lächeln schlich sich in ihre Mundwinkel. „Schön, dich zu sehen, Rena – aber was genau machst du eigentlich hier?"

„Dinge herausfinden", sagte Rena. Sie sah, dass Ellba sie noch immer beobachtete, und fügte hastig hinzu: „Inzwischen bin ich nicht mehr ganz freiwillig hier. Bitte sag Dorota vom Hohen Rat und den Storchenmenschen Bescheid, dass ich enttarnt worden bin."

„Sie haben dich enttarnt ... und du bist immer noch hier?" Alena legte die Hand an den Griff ihres Smaragdschwerts. „Wieso kommst du nicht einfach mit mir? Bevor die Soldaten am Tor kapiert haben, was los ist, sind wir schon weg. Notfalls kämpfe ich uns den Weg frei."

Inzwischen hatten die anderen Ratsuchenden den Tempel verlassen. Mit finsterem Blick und zwei Soldaten im Schlepptau steuerte Ellba auf Alena zu, um auch sie wieder nach draußen zu befördern. Widerstrebend entschied sich Rena. „Ich fürchte, ich kann nicht fort. Noch habe ich nicht genug herausgefunden."

„Dann bleibe ich weitere zwei Tage in der Gegend – Jorak kann ich seine Antwort auch per Wühler schicken", entschied Alena und legte Rena kurz die Hand auf den Arm. „Ich habe kein gutes Gefühl dabei, dich hierzulassen!"

„Und du, sei vorsichtig", warnte Rena. „Es kann gut sein, dass das Orakel versuchen wird, dir zu schaden ..."

Die Soldaten näherten sich drohend, und mit einem letzten, aufmunternden Blick zu Rena drehte ihre Feuergilden-Freundin sich um und ging zum Ausgang des Tempels zurück.

„Wer war das? Was fällt dir ein, dich mit ihr zu unterhalten, hä? Sprich!“, keifte Ellba. Doch diesmal hatte Rena keine Lust zu kuschen – und sie hatte bei ihren Friedensverhandlungen schon anderen Gestalten getrotzt als einer schlecht gelaunten Haushälterin. „Das geht Euch nichts an, Ellba“, sagte sie ruhig, drehte sich um und ging in den Tempel.

Ellba folgte ihr nicht.

Während Rena mit einem feuchten Bündel Schilfblätter den Fußboden des Tempels sauberwischte, dachte sie intensiv nach. Wahrscheinlich war es besser, Alenas Angebot zu nutzen und den Tempel hinter sich zu lassen ... aber sie hatte bisher so wenig herausfinden können! Vielleicht schaffte sie es noch, etwas Wichtiges über das Orakel zu erfahren. Außerdem widerstrebte es ihr, einfach so zu gehen und die Kinder unter Ellbas Fuchtel zurückzulassen. Wer würde ihnen dann Geschichten erzählen? Vielleicht konnte sie sogar ganz behutsam versuchen ihnen beizubringen, wie man mit anderen Menschen und Wesen umging ...

Mach dir nichts vor, dachte Rena. Lass dich nicht einlullen von den kleinen Erfolgen. Sie sind grausam und kennen ihre Macht. Du wirst kaum schaffen, sie zu erziehen. Sehr viel wahrscheinlicher lassen sie dich einfach töten, wenn ihnen danach ist.

Sie war sehr gespannt, ob und wie das Orakel Alenas Frage beantworten würde.

Am nächsten Morgen stiegen Jorak und die Helfer hoch zum Krater des kleinen Vulkans. Jorak hetzte herum, gab Anweisungen, zeigte Teilnehmern ihre Position. Er postierte die Männer und Frauen rings um den Krater, die Gesichter einander zugewandt. Ihre Zahl reichte nicht dafür, sich an den Händen zu fassen. Aber das machte nichts. Es kam nur darauf an, gleichzeitig die Formel zu sprechen.

Zilly hielt sich im Hintergrund, untersuchte den Vulkan mit ihren seltsamen Geräten und murmelte vor sich hin. Finley unterhielt sich lebhaft mit den Leuten, sammelte wohl fleißig Material für seine neuste Geschichte. Jorak war erstaunt, wie wenig Berührungsängste er inzwischen mit den Gildenlosen hatte.

Eigentlich war es Gildenlosen nicht erlaubt, Formeln zu verwenden – und es waren viele Gildenlose in der Menge. Jorak fragte sich, ob sie Ärger bekommen würden, wenn sie ihm beim Anfachen halfen, oder ob der Rat ein Auge zudrückte. Erfahren würde es der Rat auf jeden Fall, in der Menge waren sicherlich Spione. Darüber hinaus war auch der Abgesandte des Feuer-Gilden-Rates gekommen, der ihm die Aufgabe mit dem Vulkan mitgeteilt hatte. Wohl neugierig, dachte Jorak. Oder er will überprüfen, dass ich die Regeln einhalte. Zum Glück hatte er genehmigt, dass die Freiwilligen ihm beim Anfachen halfen.

Knapp nickte der Abgesandte Jorak zu und hielt sich ansonsten im Hintergrund. Jorak wusste nicht viel über ihn, nur dass er Kedeon hieß und ein Meister dritten Grades war. Dem Akzent nach vermutete Jorak, dass er aus Carradan stammte. Er war noch erstaunlich jung, höchstens Mitte zwanzig. Auf Jorak machte er den Eindruck eines Mannes, der mit Freuden jedes Duell annehmen und mit lässiger Eleganz bewältigen würde. Obwohl er mit den Helfern im Lager lebte, schaffte er es, immer makellos gepflegt zu wirken. Eryn der Schwarze hatte beobachtet, dass er seinen Schnurrbart jeden Tag ausgiebig kämmte.

Es war noch eine Weile hin, bis die Sonnne am höchsten stand. Jorak wünschte sich, Alena wäre hier. Um sich vom Nachdenken abzuhalten, wandte er sich Kedeon zu. „Wessen Idee war diese Aufgabe eigentlich?“, fragte er ihn. „Habt Ihr die Euch selbst ausgedacht?“

Ein eigentümliches Lächeln erhellte Kedeons Züge. „Ganz recht“, sagte er. „Ob Ihr es mir glaubt oder nicht, Jorak – ich wünsche Euch, dass Ihr damit Erfolg habt.“

Jorak war verblüfft. Ein Dutzend Fragen rasten durch seinen Geist, das Warum?, lag ihm schon auf den Lippen. Doch dann sah er, wie Zilly ihm Zeichen machte. Er stapfte zu ihr hinüber, so schnell es über die kantige Lava ging.

„Mach´s besser jetzt, das mit dem Anfachen“, sagte die Hüterin der Vulkane. „Da unten tut sich irgendwas. Ich habe keine Ahnung wieso. Vielleicht, weil so viele Feuerleute hier versammelt sind und der Berg es spürt.“

Das ließ sich Jorak nicht zweimal sagen. Er nahm seine Position ein – er stand auf einer kleinen Anhöhe am Kraterrand und hatte Eryn und Itai neben sich postiert. Etwas Neues für den Tag, dachte er. Zum ersten Mal in meinem Leben einen Vulkan anfachen!

Er riss den Arm hoch zu dem Signal, das sie vereinbart hatten. Einen Atemzug später begann er die Formel zu murmeln, die uralte Formel, die Feuer rief. Er schloss die Augen und schickte seinen Geist tief ins Innere des Vulkans, konzentrierte sich auf den Funken dort, darauf, ihn wachsen zu lassen. Mit halbem Ohr hörte er, wie auch die Helfer in seiner Nähe die Formel murmelten, aber er achtete nicht darauf. In seinem Universum gab es nur noch ihn und diesen Funken, der nun zuckte und langsam heller wurde.

Es funktioniert!, dachte Jorak aufgeregt. Die Hoffnung gab ihm neue Kraft und er wiederholte die Formel noch einmal. Er war so eingestimmt auf das Gestein, auf die Glut im Inneren des Vulkans, dass er meinte, die anderen Menschen zu berühren, die mit ihm auf dem Krater standen, ihre Kraft verschmolz und loderte hoch wie eine Flamme. Noch nie hatte er so etwas gespürt und es nahm ihm den Atem.

Er fühlte den Berg unter sich beben, zum Leben erwachen. Wenn Zilly recht hatte, wurde es jetzt bald gefährlich hier oben am Krater. Doch in Jorak hatten Gedanken an Flucht keinen Platz. Fasziniert spürte er, wie im Inneren des Berges glühend flüssiges Gestein hochstieg, höher und höher, der Funken war zur lodernden Flamme geworden. Jorak hörte Jubel, aber er ließ die Augen geschlossen, noch hatten sie nicht gewonnen, er hielt seine Konzentration und bewegte die Lippen ein drittes Mal in den alten Worten. Die Flamme zuckte noch einmal hoch ...

... und brach in sich zusammen, verlosch abrupt. Nur der winzige Funke war da, den er gleich zu Anfang gespürt hatte.

„Verdammt!“, brüllte Zilly. „Er ist wieder ausgegangen!“

Als die Helfer enttäuscht wieder ins Lager abgezogen waren, als die Nacht sich über die Feuerberge senkte und Jorak entmutigt auf dem Fußboden von Zillys Behausung hockte, sagte Finley: „Aber es hätte doch beinahe hingehauen, oder? Mit tausend Leuten klappt es bestimmt."

„Nein", sagte Zilly. „Es hätte eigentlich heute klappen müssen, wir waren stark genug. Aber irgendetwas hindert diesen armen kleinen Vulkan daran, auszubrechen, schnürt ihm buchstäblich die Luft ab. Tut mir leid, Jorak."

Jorak nickte nur und dachte wie so oft an Alena. Vielleicht war es eine gute Entscheidung von ihr gewesen, zum Orakel zu reisen. Vielleicht war das die einzige Hoffnung, die ihm noch blieb.

In dieser Nacht, als Finley und Zilly längst schliefen, schlich sich Jorak nach draußen. Im schwachen Licht der Monde kletterte er hoch zum Kraterrand, bis er außer Hörweite war und die weite, dunkle Ebene mit den Bergen vor ihm lag. Er holte seine Flöte hervor, setzte sie an die Lippen und spielte ein Lied, das er sich einmal ausgedacht hatte. Er spielte nur für Alena. Wo sie jetzt wohl war? Ging es ihr gut? Wann würde er sie endlich wiedersehen?

Er bekam nicht viel Schlaf in dieser Nacht.

Diesmal war es Rena nicht erlaubt, beim Mondritual der Drillinge zuzuschauen. Ellba verdonnerte sie zum Essenkochen und Rena hielt es für besser, sich zu fügen. Dafür lauschte und beobachtete sie heimlich, als Ellba den Ratsuchenden ihre Antworten gab.

Alena teilte sie schroff mit: „Zu deiner Frage hat das Orakel gesagt, dass es unmöglich ist." Es schmerzte Rena, wie die Hoffnung auf Alenas Gesicht langsam zerrann. Auf einmal sah ihre Feuergilden-Freundin sehr erschöpft aus. Sie schafften es nur, einen kurzen Blick zu tauschen, während Ellba einem Kurier des Rates eine Nachricht übergab. Dann schlug die alte Frau das Tor des Tempels zu und verbarrikadierte es für die Nacht.

Wurzelfäule und Blattfraß, dachte Rena niedergeschlagen und wendete lustlos ihre Gemüsepfannkuchen. Das war Joraks letzte Chance! Wenn das Orakel keine Lösung weiß, dann ist alle Hoffnung dahin. Was wird er jetzt tun? Was wird *Alena* jetzt tun?

Doch in ihr nagte ein kleiner Zweifel. Ellbas Worte klangen so gar nicht nach den Drillingen und ihren gesungenen, gedichteten Worten. Was, wenn die Frau dreist gelogen hatte? Sie hatte gesehen, dass Rena und Alena sich kannten – vielleicht hatte sie aus Rache die wahre Botschaft verheimlicht?

Aber die echte Antwort war von Ellba mit Sicherheit mitgeschrieben worden, das entsprach einfach ihrer Gewohnheit. Rena beschloss die Schriftrolle ausfindig zu machen und nachzusehen. Doch es war gar nicht so einfach, an sie heranzukommen. Ellba verschloss sie jede Nacht in einem hölzernen Wandschrank im Eingangsbereich des Tempels und hängte sich den Schlüssel um den Hals.

An diesem Abend erzählte sie den Drillingen nicht, sondern las ihnen etwas vor – aus einer Ausgabe der Sagen Dareshs, die Rena verstaubt in einer Ecke gefunden hatte. Die Kinder waren verdutzt, dass die Geschichte auf einem Pergament zu stehen schien, betasteten es interessiert und betrachteten die schwarzen Zeichen darauf. Ellba hat ihnen nicht mal Lesen und Schreiben beigebracht, dachte Rena wütend. Sie hatte einen Einfall. „Wenn ihr möchtet, zeige ich euch was. Bittet Ellba, euch den Schlüssel zu dem Schrank mit den Schreibsachen zu geben, ja?“

Und tatsächlich, alle drei nickten – natürlich gleichzeitig – , gingen zu Ellba und bekamen den Schlüssel ausgehändigt. Die Frau hat Angst, ihnen irgendetwas zu verweigern, dachte Rena zufrieden und holte die Schreibsachen. Sie sah die Rolle, auf der die Vorhersagen aufgezeichnet wurden, sofort, sie lag im obersten Fach des Schranks. Rena stellte sich auf die Zehenspitzen, tastete danach, bekam die Rolle in die Finger, begann sie zu öffnen ...

... und hörte schlurfende Schritte, die sich näherten. „Was wird das?“, murrte Ellba und schwenkte einen hölzernen Stock, den sie in letzter Zeit benutzte, um sich das Gehen zu erleichtern. Doch Rena übte nicht umsonst seit vielen Wintern mit dem

Schwert. Mühelos fing sie den Stock ab, bevor er auf ihre Hand niedersausen konnte. Ein kurzer Ruck und Ellba war entwaffnet.

„Ich bringe den Kindern bei, ihren Namen zu schreiben“, sagte Rena sanft.

Ellba brummelte böse vor sich hin, forderte den Stock aber nicht zurück und zog mit leicht beschädigter Würde in Richtung ihrer Räume ab.

Kurz darauf übten Taio, Xaia und Daia eifrig mit dem Kohlestift und krakelten wilde Zeichen auf das Papier. Geduldig zeigte ihnen Rena ein ums andere Mal, wie es ging. Schließlich schafften alle drei es nachzumachen. Stolz zeigte Daia ihr das halbwegs lesbare Ergebnis.

„Gut gemacht“, sagte Rena und war fasziniert, als sie Daia zum ersten Mal lächeln sah.

Und doch war Rena nicht ganz bei der Sache. Denn kurz bevor Ellba sie unterbrochen hatte, war es ihr gelungen, einen Blick auf die Schriftrolle mit den Prophezeiungen zu werfen. Und darauf stand unter dem heutigen Tag keineswegs „unmöglich.“ Zu Alenas Frage hatten die Drillinge etwas ganz anderes gesungen. *Tief ins Innere muss er sehen, eine Auferstehung gibt es dort! Doch habt Acht, sonst schnappt die Falle zu und es triumphiert des Schicksals Kralle!*

Ein echtes Rätsel, dachte Rena. Was für eine Auferstehung war gemeint? Und wessen Falle würde zuschnappen? Doch dieser seltsame Spruch war ihr tausendmal lieber als das knappe „unmöglich“, das dieses miese Weib Alena hingeworfen hatte.

Sie musste so schnell wie möglich dafür sorgen, dass Alena und Jorak die Wahrheit erfuhren.

Anderskind

Es gab keine Chance, mit Alena in Kontakt zu treten, einen Wühler hatte sie nicht. Flucht war ebenfalls unmöglich. Ich muss riskieren, aus meinem Inkognito auszusteigen, dachte Rena. Wenn ich Pech habe, werden die Kinder wütend ... es wäre leicht, meinen Tod als Unfall hinzustellen ... oder sie versuchen später auf einem Umweg, Rache zu nehmen ... ich muss einfach hoffen, dass ich noch etwas Glück übrig habe!

Noch in der gleichen Nacht wusch sie sich den Extrakt von Tannenfrüchten aus den Haaren, schrubbte sich den Wurzelsud ab und riss die dicken Sohlen von ihren Schuhen. Im Morgengrauen bereitete sie den Drillingen und Ellba das Frühstück. Sie genoss es, endlich den leicht gebückten Gang abzulegen und gerade zu gehen. Sie war wieder Rena ke Alaak, die Vermittlerin, und alle durften es sehen!

Die Zwillinge schienen ihre Veränderung nicht mal zu bemerken. Sehr, sehr langsam entspannte sich Rena – und war fast ein wenig enttäuscht. Doch dann sagte sie sich: Wieso wunderst du dich? Sie wissen schon, dass du dich verstellt hast. Sie haben gesagt, dass du eine Gefahr sein könntest, aber inzwischen haben sie gemerkt, dass du keine bist. Sonst hätten sie dich vernichtet, wenn ihnen danach zumute gewesen wäre.

Ellba dagegen starrte Rena verblüfft an. „Ihr seid eine Betrügerin!" Ihre Stimme war schrill, kippte über vor Aufregung. „Ha, Ihr werdet bereuen, dass Ihr Euch hier eingeschlichen habt! Mal sehen, wie es Euch im Kerker gefällt!" Im Eiltempo watschelte sie nach draußen und Rena hörte sie nach den Wachen rufen. Rena schob ihren Teller von sich, sie brachte jetzt nichts mehr runter.

Drei Soldaten stürzten herein, darunter Offizier Lanjo. Ellba war ihnen dicht auf den Fersen. „Verhaftet sie! Da ist sie, die Verräterin! Die Kinder haben mich gewarnt, oh, hätte ich doch auf die Kinder gehört ... aber sie hat sich eingeschmeichelt, und ich war zu gutmütig, um sie fortzuschicken ..."

Die Männer stutzten, als sie Rena am Tisch sitzen sahen.

„Guten Morgen", sagte Rena und lächelte verkrampft.

„Rena ke Alaak?" Offizier Lanjo ließ sein Schwert sinken. „Was macht Ihr denn hier?"

Ellbas Redeschwall versiegte. Mit offenem Mund blickte sie von den Soldaten zu Rena. „Wer ist sie? Woher kennt Ihr sie?"

Der Offizier warf Ellba einen ungläubigen Blick zu, beachtete sie dann nicht weiter und verbeugte sich leicht vor Rena. „Kann ich etwas für Euch tun, Meisterin?"

„Nein, danke. Ich wollte gerade gehen", sagte Rena, stand auf und holte ihre Sachen.

Lautlos standen die Drillinge ebenfalls auf – und bauten sich zwischen ihr und der Tür auf. Würden sie irgendwie versuchen, sie am Gehen zu hindern? Weil sie zu viel erfahren hatte über das Orakel? Ellba grinste hämisch und lehnte sich mit verschränkten Armen zurück, um zuzusehen.

Langsam ging Rena auf die Kinder des Orakels zu. Keiner der drei rührte sich, um sie durchzulassen. Ihre Gesichter waren ausdruckslos wie so oft, ihre Augen tief und dunkel. Doch diesmal spürte Rena keine Bedrohung von ihnen ausgehen, keine unterdrückte Wut. Konnte es sein, dass sie ... traurig waren?

Es war einen Versuch wert. Eine Armlänge von den Drillingen entfernt blieb Rena stehen. „Wenn ihr wollt, komme ich wieder", sagte sie – und die Kinder nickten. Dann gaben sie den Weg frei. Rena ging, die Soldaten hinter sich. Wütend blieb Ellba im muffigen Inneren des Tempels zurück.

Die Drillinge begleiteten Rena nach draußen zum Tor.

„Wann?", fragte Taio.

Rena musste lächeln. „Wann was? Wann ich wiederkomme? Ich weiß noch nicht. Wenn ihr mich braucht. Oder ich euch."

Keine Reaktion. Rena seufzte. Einfach würde es nie sein, mit den Drillingen zurechtzukommen! Und es gab noch etwas, was ihr auf der Seele brannte. „Versprecht ihr mir, meiner Freundin mit den roten Haaren nicht zu schaden?", fragte sie die Kinder.

„Das geht nicht", sagte Daia.

„Ihr könnt es nicht versprechen?“

„Nein.“

„Warum nicht?“

„*Er* will es nicht.“

Ein Schauder überlief Rena. Wieder dieser geheimnisvolle Hintermann. Sie musste unbedingt herausfinden, wer es war. Und was genau kam auf Alena zu?

Offizier Lanjo begleitete Rena nach draußen. Doch bevor sie das Tempelgelände verlassen konnte, zupfte Taio sie schüchtern am Ärmel. Er griff in seine Tasche, holte das junge Schneehörnchen heraus und hielt es ihr hin. Es lebte noch.

„Darf ich das mitnehmen?“, fragte Rena, und als Taio nickte, nahm sie das kleine Wesen in beide Hände. Sie hatte Tjeri oft genug dabei geholfen, kranke Tiere zu verarzten, und sie hoffte, dass sie das Kleine durchbekam.

Vielleicht würde dann alles gut werden, irgendwie.

Alena zu finden war nicht schwer, sie hatte sich zu den anderen Feuer-Leuten gesellt, die vor dem Tempel kampierten. Als sie Rena kommen sah, sprang sie auf. Und mit einem schrillen Schrei der Freude flatterte Ruki von einem Baum und landete beinahe auf Rena. Es tat gut, beide zu umarmen, wieder bei Menschen zu sein, die ihr wohlgesinnt waren. Endlich die ständige Wachsamkeit ablegen und entspannen zu können.

Alena strahlte über das ganze Gesicht, als sie von der korrekten Prophezeiung erfuhr. „Gut, dass ich es bisher nicht über mich gebracht habe, Jorak das mit dem *Unmöglich* zu berichten. Jetzt können wir ihm gleich die richtige Nachricht schicken. Auch wenn ich überhaupt nicht schlau werde daraus.“

„Ich auch nicht“, sagte Rena. „Aber ich habe schon eine Idee, wie wir herausfinden können, was gemeint ist.“

„Bin schon gespannt.“ Alena pfiff schrill auf zwei Fingern, um ihr im Wald herumschnoberndes Dhatla herbeizurufen.

Mit dem Dhatla waren sie am frühen Nachmittag in Karénovia, der alten Heimat der Drillinge. Rena führte Alena und Ruki bis vor die Tür von Ariannas Felsenhaus, dann meinte sie: „Besser, ihr wartet hier. Es wird nicht leicht, sie zu überzeugen.“

„Wen genau willst du wovon überzeugen?“, rätselte Alena und versuchte, dem Schneehörnchen Milch einzuflößen, so wie Rena es ihr gezeigt hatte.

„Das sage ich dir, wenn ich es geschafft habe – sonst ist es besser, du erfährst es gar nicht erst.“

Rena erinnerte sich noch gut daran, was Arianna über ihren Anderskind-Sohn Mikas gesagt hatte: *Er hat zwar keine Augen, aber er kann in Dinge hineinsehen. Er braucht sie nur zu berühren, um ihr innerstes Wesen zu erkennen.* Sie hatte leider den Verdacht, dass Arianna gar nicht gut finden würde, dass ihr Kleiner quer durch Tassos reisen und dort einen Vulkan anfassen sollte.

Immerhin knallte Arianna ihr diesmal nicht die Tür vor dem Gesicht zu. „Friede den Gilden, *tani*“, sagte sie. Ihr Ton war freundlich, doch Rena hörte noch immer Misstrauen darin. „Was bringt dich hierher und warum hast du eine bewaffnete Frau der Feuer-Gilde bei dir?“

„Wir brauchen deine Hilfe und die deines Sohnes“, sagte Rena leise. Die Tür öffnete sich vor ihr und sie trat über die Schwelle. Wieder kroch Mikas auf sie zu und machte es sich leise summend auf ihrem Schoß bequem.

„Vielleicht hast du schon von dem jungen Gildenlosen gehört, der gerade versucht in Luft oder Feuer aufgenommen zu werden ... Jorak ist sein Name“, berichtete Rena. Arianna schüttelte den Kopf und Rena erzählte ihr, was sie von Alena über Joraks Bewährungproben gehört hatte. „Doch leider sieht es so aus, als würde er an der zweiten Aufgabe scheitern ... dieser Vulkan gibt allen Rätsel auf, niemand weiß, was mit ihm los ist.“

Arianna begriff sofort, was Rena von ihr und Mikas wollte. „O nein, das kommt überhaupt nicht in Frage! Das ist viel zu gefährlich. Es hieße, Mikas´ Leben zu riskieren!“

„Ich glaube nicht“, versuchte Rena sie zu beruhigen. „Alena ke Tassos begleitet mich, eine junge Schwertkämpferin. Niemand wird wagen, Mikas auch nur schief anzuschauen, solange sie bei uns ist, und danach werde ich selbst für seinen Schutz sorgen. Und der Vulkan ... im Moment ist er harmlos. Wenn Jorak es schafft, ihn wieder zu entzünden, wird er uns rechtzeitig vor dem Ausbruch warnen.“

„Hm“, sagte Arianna. Mikas summte und hörte, wie es schien, interessiert zu.

„Wenn du meine Meinung wissen willst – Mikas sollte etwas von der Welt sehen“, sagte Rena. „Wie soll er sich jemals weiterentwickeln, wenn du ihn hier hinter Schloss und Riegel hältst? Deine Angst ist sein Käfig geworden!“

„Meine Angst bewahrt sein Leben!“

„Bist du sicher, dass du dir nicht etwas vormachst? Vielleicht würde Mikas von den Menschen wegen seiner besonderen Fähigkeiten sogar geschätzt werden. Sieh dir doch an, was für eine Macht die Kinder des Orakels erreicht haben. Daresh wandelt sich und damit auch die Rolle der Anderskinder.“

„Bis sie akzeptiert werden, wird es noch viele, viele Winter dauern.“

„Ja. Und genauso geht es den Gildenlosen. Jorak kämpft für sich und für alle, die von anderen Menschen verachtet werden.“ Als sie sah, dass Arianna noch immer skeptisch war, sagte Rena: „Vielleicht solltest du Mikas selbst die Entscheidung überlassen.“

Es war auch ein Test. Wenn der Junge nicht den Großteil von dem verstanden hatte, was gesagt worden war, wenn er nicht fähig war, sich mitzuteilen, dann hatte es keinen Sinn, ihn mitzunehmen zu den Vulkanen von Racisco.

Mikas wandte ihr leise summend das Gesicht zu. Es war schwer, auf seinen eigenartig geformten Zügen einen Ausdruck zu erkennen, aber Rena meinte Neugier zu sehen. Ganz langsam kroch der Junge von ihrem Schoß – und begann sich auf die Tür zuzubewegen.

„Er sagt, er will den Vulkan gerne kennenlernen“, sagte Arianna und seufzte tief. „Lass uns losreiten.“

Jorak hasste es, zu warten. Und ganz besonders hasste er es, auf eine Nachricht von Alena warten zu müssen. Er zählte jeden Atemzug, der verging, und je länger es dauerte, desto unerträglicher schien es ihm. Sein einziger Trost war Cchraskar, der ihm nicht von der Seite wich. „Du beschützt mich, nicht wahr?“, fragte Jorak ihn. „Wovor eigentlich?“

„Vor versccchiedenen Dingen“, knurrte Cchraskar. „Vor dir selbst. Vor den Menschen dort im Lager.“

„Vor den Gildenlosen?“ Jorak war verblüfft. „Aber ich bin doch selbst einer.“

„Nicht alle ssind gildenlos. Und woher weißt du, dass sie dir alle wohl wollen, Grenzgänger? Wenn nur einer versuccht, dich zu töten, damit du deine Aufgaben nicht erfüllen kannst, dann reiccht das. Dann bist du tot.“

Jorak fragte nicht, was er mit „vor dir selbst“ meinte. Hatte Cchraskar seine Worte in Ekaterin gehört, Ich kann so nicht weiterleben? Nein, so verhasst ihm sein Leben manchmal auch war, diese Antwort war nicht die seine.

Obwohl der Versuch des Anfachens gescheitert war, blieben die Menschen im Lager. Wahrscheinlich warteten sie ab, wollten den Fortgang des Dramas nicht verpassen, selbst wenn es noch ein paar Tage dauerte.

Zilly war oft im Lager, sogar öfter als auf den Hängen ihrer Vulkane. „Sie ist ganz schön seltsam in letzter Zeit“, meinte Finley. „Natürlich, sie ist immer ziemlich seltsam, aber jetzt ist sie anders seltsam. Ist dir aufgefallen, dass sie gestern Duftwasser getragen hat? Sie muss es einer der Frauen aus dem Lager abgeschwatzt haben.“

Tatsächlich. Als Jorak mal wieder mit Zilly zum Gipfel stapfte, um nach Veränderungen im Krater zu schauen, fiel es ihm auf. Sie hatte sogar ihre buschigen roten Haare gekämmt! Ihm kam ein Verdacht. „Sag mal, Zilly, hast du dich verliebt?“

Zilly lief tiefrot an und beschäftigte sich konzentriert damit, ihr Prüfinstrument im Boden anzubringen. „Wie kommst du darauf? Aber nicht doch ... als ob ich so was ... da würde ich doch lieber einen glühenden Schlackebrocken in die Hand nehmen ... “

Jorak lächelte. „Das mit der Schlacke traue ich dir zu.“

„Na gut, ja, ich gestehe alles“, sagte Zilly und seufzte tief. „Ich mag Haruco. Er ist ein wunderbarer Mensch und sieht so gut aus wie ein Strom frischer Lava bei Nacht. Das Beste ist, ich glaube, er hat auch etwas für mich übrig.“

Soso, dachte Jorak. Haruco also! Ja, er sah nicht schlecht aus und war trotzdem nicht eingebildet. Ob er auch ein wunderbarer Mensch war, konnte Jorak noch nicht recht beurteilen. „Äh, macht es dir nichts aus, dass er gildenlos ist? Hat er dir erzählt, warum er ausgestoßen wurde?"

„Er meint, er hat früher, als er jünger war, ziemlich viel kaputt gemacht. Weil die Wut irgendwie raus musste. Sein Bruder war in allem besser als er, und ihm haben alle immer nur gesagt, er muss sich mehr anstrengen."

„Ich wünsche euch beiden alles Glück der Welt", sagte Jorak. „Er mag doch Vulkane?"

„Ja! Das habe ich ihn natürlich als Erstes gefragt." Zillys Gesicht verzog sich in tiefem Kummer. „Aber ich fürchte, das mit ihm und mir wird nichts. Die Männer laufen schreiend vor mir davon. Manchmal gefällt mir einer und alles ist wunderbar, und dann, wenn wir uns küssen wollen ... Peng! Dann ist alles aus."

Jorak überlegte, wie er ihr diplomatisch sagen sollte, was das Problem war. Jetzt musste es einfach sein! „Äh, Zilly ... willst du wissen, woran das liegt?"

„Ich weiß nicht", sagte sie und ging noch schneller. „Ja, natürlich. Oder vielleicht doch lieber nicht."

Jorak sprang ins kalte Wasser. „Probier doch einfach mal, vor dem Küssen den Stengel der Minzpflanze zu kauen. Oder dir die Zähne noch einmal zu bürsten."

„Die Zähne bürsten?" Zilly klang entsetzt. „Ich dachte, das ist eine Tradition der Wasser-Leute!"

Jorak versicherte ihr, dass das nicht so war und selbst hartgesottene Kämpfer wie Alenas Vater Tavian diese Tradition pflegten. Er hoffte, dass der beginnenden Romanze jetzt nichts mehr im Weg stand. Dann entsteht wenigstens etwas Gutes aus diesen schrecklichen Aufgaben, dachte er grimmig und war mit den Gedanken wieder einmal bei Alena. Ob sie schon genug Zeit zum Nachdenken gehabt hatte? Hatte sie sich schon entschieden – für oder gegen ihn? Der Gedanke daran zerriss ihn fast.

In Karénovia war kein Wühler aufzutreiben, mit dem sie Jorak Nachricht geben konnten. „Ich laufe schnell in eines der Nachbardörfer und kaufe ein paar", sagte Alena. Sie ärgerte sich über die Verzögerung, wäre am liebsten sofort zurückgeritten zu Jorak. Beim Gedanken daran, ihn wiederzusehen, sang es in ihrem Herzen, der Streit schien auf einmal fern und unwichtig.

„In Ordnung – ich versuche inzwischen Futter für das Dhatla aufzutreiben und es ihm aufzuladen", meinte Rena.

Schüchtern mischte Arianna sich ein. „Es ist schon später Nachmittag. Wollt ihr hier bei mir übernachten oder gleich losreiten?"

„Gleich losreiten", sagte Alena sofort. „In Tassos wartet jemand auf mich ..."

Sie machte sich auf den Weg zum Nachbardorf. Alena ging mit langen Schritten, genoss die Bewegung und die geschmeidige Kraft ihres Körpers. Der Waldboden federte unter ihren Stiefeln und Lichtflecken tanzten über den Weg. Wieder eilten ihre Gedanken zu Jorak. Am liebsten hätte sie ihm die guten Nachrichten selbst gesagt, jetzt sofort. Mit der Vorhersage und diesem seltsamen Kind gab es wieder Hoffnung für ihn!

Alena beschloss ein Stück zu rennen. Ihr Körper straffte sich, sie machte ein, zwei schnelle Schritte ... und dann spürte sie auf einmal einen entsetzlichen Schmerz am Hals und am rechten Arm. Alena schrie auf, stolperte. Ihre Hand fuhr zum Hals, griff in warmes Blut.

Ein Hinterhalt! Jemand hatte Corzeesas – Wurfscheiben – auf sie geschleudert! Alena ließ sich zwischen die großblättrigen Büsche am Rand des Pfades fallen, in Deckung. Zwei weitere Corzeesas sirrten heran, die eine sauste vorbei und blieb in einem Baum stecken, die andere traf sie knapp über dem Fußknöchel. Es tat unglaublich weh. Und eines war klar – wer auch immer sie angriff, er wollte sie daran hindern zu fliehen!

Alena tastete zu ihrem Arm, fühlte, dass darin ein scharfkantiges Stück Metall steckte. Am Hals hatte sie die zweite Corzeesa zum Glück nur gestreift. Sie presste die Hand auf die Wunde am

Hals, robbte sich im verfilzten Unterholz so gut es ging vorwärts. Wenn ich nicht losgerannt wäre, hätten mir die Corzeesas die Kehle durchgeschnitten, jagte es ihr durch den Kopf. Er hat bestimmt gesehen, dass das nicht geklappt hat. Gleich kommt er mir nach. Um mir den Rest zu geben!

Sie hörte leise Schritte, das Rascheln der Büsche, als der Fremde nach ihr suchte. Alles in Alena drängte sie, aufzuspringen und das Smaragdschwert zu ziehen. Aber ihre Waffe war ein Zweihänder und Alenas rechter Arm schmerzte unerträglich. Jedes Mal, wenn sie sich bewegte, tanzten schwarze Punkte vor ihren Augen.

Verzweifelt versuchte Alena sich daran zu erinnern, was sie vom Pfad aus gesehen und was Rena ihr über die Gegend erzählt hatte. Hier ganz in der Nähe war eine kleine Anhöhe, dort fiel der Boden steil ab in eine Schlucht. Vorsichtig, um sich nicht zu verraten, kroch sie in diese Richtung. Den Fremden dort hinzulocken, war ihre einzige Chance, jetzt noch davonzukommen.

Rostfraß, warum nur hatte sie Cchraskar nicht mitgenommen! Dieses eine Mal hatten sie sich getrennt, und das würde sie vielleicht das Leben kosten. Nie zuvor hatte sie ihren Iltismensch-Freund mit den scharfen Zähnen so vermisst. Kurzen Prozess hätte er mit diesem feigen Attentäter gemacht. Wer war der Kerl, oder war es eine Frau, die sie verfolgte? Warum wollte jemand sie töten? Warum, warum?

Sie erreichte die Anhöhe eher als gedacht, der Pfad verlief ganz in der Nähe der Schlucht. Als Erstes dachte Alena daran, sich herunterzurollen, als Zweites, ihn genau das denken zu lassen. Sie fand einen kopfgroßen Stein und versuchte ihn mit dem gesunden Arm über die Kante zu stemmen. Doch er war so tief in den Boden eingesunken, dass sie ihn kaum bewegen konnte. Alena half mit dem Fuß nach, stemmte sich mit aller Kraft dagegen. Diesmal funktionierte es. Der Stein löste sich, kollerte mit Knacken und Rascheln durch den dichten Wald zu Tal.

Alena hörte einen leisen Fluch. Es war eine Männerstimme und sie war erschreckend nah. Ihr Angreifer ging kaum fünf Menschenlängen entfernt vorbei! Alena lag ganz still unter den großblättrigen Büschen, hielt den Atem an. Wenn ich den Kopf hebe, sehe ich, wer er ist, schoss es ihr durch den Kopf. Aber dann kann auch er mich sehen!

Kurz darauf hörte sie den Mann hastig den Hang herunterklettern. Dem Feuergeist sei Dank, er hatte den Köder geschluckt und dachte, sie läge irgendwo da unten. Hoffentlich verriet die Blutspur sie nicht ... wann würde er merken, dass sie ihn genarrt hatte? Schon sehr bald wahrscheinlich.

Verbissen robbte Alena weiter, eine Armlänge und noch eine. In Richtung des nächsten Dorfes, das sie vorher mit Leichtigkeit vor Einbruch der Nacht erreicht hätte und das jetzt auf einmal unendlich weit entfernt war. Sie hielt eine Hand auf die Halswunde gepresst. Diese Wunde war es, die ihr Angst machte. Hatte die Wurfscheibe eine Ader getroffen? Wenn ja, dann hatte sie nicht mehr viel Zeit. Dann würde sie hier in diesem verdammten Wald verbluten, und weder Rena noch Jorak noch ihr Vater würden je erfahren, was aus ihr geworden war ...

Inzwischen war dem Fremden anscheinend klar geworden, dass sie nicht dort unten lag. Er arbeitete sich den Hang wieder hoch. Aber sie hatte jetzt einen kleinen Vorsprung.

Das Licht wurde schwächer, die Dämmerung begann. Alena sehnte sie mit aller Kraft herbei. Die Dunkelheit konnte sie retten. Selbst mit einer Fackel würde er nicht viel sehen können, dafür war das Unterholz hier zu dicht. Außer er gehörte der Erd-Gilde an. Aber das konnte sie nicht recht glauben, die Erd-Leute waren so friedlich!

Der Attentäter zündete keine Fackel an, warum auch immer. Stattdessen hörte sie, wie sich seine Schritte entfernten. Dann waren sie nicht mehr zu hören. Doch Alena lag still und rührte sich nicht, ihr Instinkt warnte sie. Und tatsächlich, nach einer langen Zeit in der Dunkelheit hörte sie ihn wieder, ganz in der Nähe diesmal. Knackend brach ein Zweig unter seinem Fuß, als er sich davonmachte, diesmal wirklich. Wie sie es sich schon gedacht hatte, war er lautlos zurückgekehrt, hatte in der Dunkelheit gestanden und gelauscht!

Alena dachte an das Dorf, das sie vielleicht erreichen konnte oder auch nicht. Ihr war schwindelig und sie fühlte sich sehr schwach. Zwischen ihren Fingern sickerte das Blut aus der Wunde an ihrem Hals. Vielleicht sollte sie versuchen, ob ihr Schwert ihr Kraft geben konnte ... aber dazu musste sie die Hand wegnehmen ...

Wieder musste sie an Jorak denken und Tränen traten ihr in die Augen. Sie hatten sich nicht mal richtig verabschiedet. Streit, nur Streit würde er von ihr in Erinnerung behalten, wenn sie es nicht bis zu diesem Dorf schaffte.

Mit zusammengebissenen Zähnen begann sie voranzukriechen.

Rena wunderte sich ein wenig, als ein grau gekleideter, schlanker Mann in mittlerem Alter auf sie zukam. Er hatte eine blasse Haut und Augen von verwaschenem Blau. Sein Gesicht war so nichtssagend, dass Rena nicht einmal versuchte, es sich einzuprägen. „Alena lässt Euch grüßen", meinte er zu ihr. „Sie sagt, sie muss noch etwas Wichtiges erledigen und kommt so schnell wie möglich mit einem zweiten Dhatla nach!"

Bevor Rena Fragen stellen konnte, hatte sich der Unbekannte schon umgedreht und war wieder verschwunden. Wurzelfäule und Blattfraß, dachte Rena ärgerlich, was soll das? Was genau muss Alena erledigen? Hätte sie mir das nicht selbst sagen können? Wann wird sie nachkommen, was wird aus unseren Planungen? Und wer war dieser Kerl? Sie hatte sein Gildenamulett nicht erkennen können. Aber etwas an ihm kam ihr vertraut vor. Hatte sie ihn vielleicht schon einmal gesehen, vor ein paar Wintern?

Sie sah, dass Arianna den Wortwechsel mitgehört hatte und Mikas nun enger in die Arme schloss. Es war Rena peinlich, dass die versprochene Begleitung durch eine Schwertkämpferin jetzt ausfiel. Hoffentlich sprang Arianna nicht doch noch ab!

Doch Arianna sagte nichts und Rena dachte: So wie ich Alena kenne, wird sie einen guten Grund haben für all das. Wenn sie sagt, dass sie bald nachkommt, wird sie das auch tun. Immerhin – das Experiment mit dem Feuerberg können wir auch ohne sie beginnen.

Rena wandte sich halb um, zögerte wieder. Konnte es sein, dass Alena in Schwierigkeiten war? Schließlich hatte sie sich das Orakel zum Feind gemacht. Vielleicht versuchte es gerade, Rache zu nehmen. Aber dazu passte Alenas Nachricht nicht. Außerdem konnte Alena gut auf sich selbst aufpassen, sie war schließlich eine hervorragende Kämpferin.

Rena gab sich einen Ruck. „Kommt ihr?“, rief sie Arianna und Mikas zu. „Wir reiten los.“

Wie Rena schon erwartet hatte, starrten die Menschen, die sie trafen, auf Mikas und flüsterten – doch manche waren auch freundlich, boten sogar ihre Hilfe an. Mikas selbst fügte sich erstaunlich gut in die neue Situation. Rena hatte befürchtet, dass er vor den vielen neuen Dingen Angst haben würde, aber er wirkte nur am ersten Tag etwas überfordert. Danach kroch er neugierig umher und fasste alles an, was in Reichweite war – das beruhigte ihn anscheinend und überzeugte ihn davon, dass die Dinge in Ordnung waren. Sogar ein zahmes Tass durfte er bei ihrer Rast in einem Gasthaus berühren. „Er fühlt Feuer in seinem Inneren“, übersetzte Arianna.

„Ja, genau“, sagte Rena. „Bloß nicht zwicken, das Tier!“

Oft blickte Mikas fasziniert nach oben, ins weißgefleckte Violett des Himmels. Rena fragte sich, wie er ohne Augen dort überhaupt etwas erkennen konnte. Arianna übersetzte für ihren Sohn: „Er würde gerne die Wolken berühren.“

„Das würde ich auch“, sagte Rena. „Wenn er herausfindet, wie es geht, soll er mir bitte Bescheid sagen.“

Arianna bestand darauf, während der Reise sechsmal am Tag Pause zu machen, damit Mikas sich ausruhen konnte. Obwohl Rena Jorak und seinen Vulkan möglichst bald erreichen wollte, zwang sie sich zur Geduld. Außerdem machte die häufige Rast es leichter, das Schneehörnchen zu versorgen, das schon merklich munterer war und sich einmal sogar an Renas Ärmel hochhangelte.

Schließlich tauchten die Gipfel des Racisco-Gebirges am Horizont auf. Die Landschaft veränderte sich, das Dhatla stampfte über Aschefelder und erstarrte schwarze Lavaströme.

Rena war erstaunt, wieviele Menschen sich am Fuß des Vulkans versammelt hatten und dort lagerten. Manche von ihnen erkannten sie, verbeugten sich oder riefen Grüße. Arianna und Mikas trafen neugierige Blicke, aber niemand machte eine böse Bemerkung, niemand warf mit Steinen nach dem seltsamen Anderskind. Erleichtert gestand sich Rena ein, dass sie mit mehr Ärger gerechnet hatte. Doch vielleicht kam der noch, wenn Mikas doch nicht wie erwartet helfen konnte.

Jorak ging ihnen mit einem Lächeln entgegen. Rena freute sich sehr ihn wiederzusehen, doch sie erschrak darüber, wie blass und erschöpft er wirkte. Er hatte einiges durchgemacht in den letzten Wochen! Sie begrüßten sich herzlich. Doch Rena bemerkte, dass Joraks Blick suchend an ihr vorbeiglitt. „Wo ist Alena?“, fragte er und Rena hörte die Anspannung in seiner Stimme.

„Sie hat mir ausrichten lassen, dass sie nachkommt ... ich weiß auch nicht genau, was sie dort in Karénovia aufgehalten hat ...“

Jorak nickte und die Freude verschwand aus seinem Blick. „Hm, vielleicht warten wir einfach noch bis morgen mit dem Experiment. Bis dahin ist Alena sicher eingetroffen. Und der Kleine kann sich ein bisschen ausruhen und einleben.“ Er wandte sich Mikas und seiner Mutter zu, und wenn er erschrocken über ihren Anblick war, dann verriet sein Gesicht nichts davon. „Hallo, ihr beiden. Danke, dass ihr hier seid. Ich weiß, das war nicht leicht für euch.“

Das augenlose Gesicht wandte sich ihm zu und Mikas streckte die Hand aus. Diesmal machte sich Rena keine Sorgen über das Ergebnis seiner Prüfung. Tatsächlich – scheu lächelte Mikas Jorak an. Jorak stellte ihnen Zilly vor und erzählte, was sie bisher versucht hatten, um den Vulkan in Gang zu bringen. Während er sprach, setzte Arianna ihren Sohn vorsichtig auf den Boden, damit er im Lager herumkriechen und es erkunden konnte. Doch Mikas blieb einfach sitzen, wo er war, und stützte sich mit beiden Handflächen auf dem Boden ab. Rena bildete sich ein, dass er überrascht wirkte. Leise summend saß er da, schien zu überlegen. Dann drehte er den Kopf seiner Mutter zu. Jetzt wirkte auch

Arianna erstaunt. Sie kniete sich neben ihren Sohn. „Bist du sicher?“

Der Kleine nickte.

Arianna richtete sich auf, wandte sich an Rena und Jorak. „Er sagt, im Berg ist ein Lebewesen.“

Die Falle

Rostfraß, tat das weh! Aber sie lebte und langsam ließ der Schock etwas nach. Die Halswunde blutete nicht mehr so stark. Keine Ader getroffen, dachte Alena und riskierte es, ihre Hand wegzunehmen. Mit ihrem Messer schnitt sie ein Stück von ihrer Tunika ab und bastelte daraus einen Verband. Dann entfernte sie – mit einem Ruck, damit es schneller vorbei war – die Corzeesas aus ihrem Arm und ihrem Knöchel und verband auch diese Wunden, so gut es in der Dunkelheit ging.

Mühsam zog sie ihr Schwert, legte die Hand um den Griff. Warm und willkommen floss die Kraft des Smaragds in sie. Danach schaffte sie es, aufzustehen und sich langsam, hinkend, voranzuschleppen. Zurück nach Karénovia war es deutlich weiter als in das andere Dorf. Also zum Dorf.

Es war riskant, den Weg zu benutzen, vielleicht kehrte der Angreifer zurück. Aber das Unterholz war zu dicht, dort kam sie nicht voran. Und vielleicht kam ja auch jemand, der ihr helfen konnte. Wenn sie nicht wie vereinbart zurückkehrte, würde Rena nach ihr suchen! Ihre Erd-Gilden-Freundin wusste zwar nicht genau, in welches Dorf der Umgebung Alena hatte gehen wollen, aber das machte nichts, dann dauerte es nur etwas länger.

Es war inzwischen völlig dunkel. Doch eine Fackel anzuzünden wagte Alena nicht. Sie wusste inzwischen, dass ihr Angreifer kein Licht benutzte. Wenn sie selbst es tat, machte sie sich zur leichten Zielscheibe.

Wer konnte es sein? Wer wünschte ihr den Tod? War es ein Fremder, dem das Töten Spaß machte? Jemand, der nicht wollte, dass sie Jorak weiterhin half? Oder jemand, der sie kannte und hasste, der einen Groll auf sie hatte? Corzeesas, die aus einer handtellergroßen Iridiumstahlscheibe mit scharfen, gezackten Rändern bestanden, waren ungewöhnliche Waffen. Alena kannte niemanden, der sie benutzte. Aber man konnte sie ganz einfach auf dem Markt kaufen, so wie Schwerter und Dolche.

Vor Schmerzen und Erschöpfung liefen Alena Tränen über das Gesicht. Ich schaffe es nicht, dachte sie zehnmal, zwanzigmal und dann hinkte und kroch sie doch irgendwie weiter, scheuerte sich die Handflächen und Knie dabei blutig, Zweige und Blätter verfilzten ihr Haar und Erde klebte an ihrer Tunika.

Als sie das Dorf endlich erreicht hatte, ging schon der dritte Mond auf. Alena sah am Dorfrand ein einzelnes Erdhaus vor sich, von außen konnte man nicht erkennen, ob darin noch jemand wach war. Viel weiter hätte es nicht sein dürfen: Ich kann nicht mehr, schoss es Alena durch den Kopf, schwer atmend lehnte sie sich gegen die Seite der Eingangstür. Mit letzter Kraft hob sie den gesunden Arm, klopfte an. Jetzt nicht umkippen, dachte sie verbissen.

Doch die Tür blieb geschlossen, nichts rührte sich im Inneren des Hauses. Niemand daheim. Sie musste weiter.

Nur noch ein paar Schritte, sagte sich Alena. Doch ihr Körper verweigerte den Dienst, ihre Füße wollten sie nicht mehr tragen. Ganz langsam sackte sie zusammen, lag zusammengekrümmt auf der Schwelle des Hauses. Versuchte tief und langsam zu atmen, um die Schmerzen zu beherrschen. Sie tastete zu ihrem Arm, fühlte, dass der Stoff schon durchgeblutet war. Du musst weiter, dachte sie, hier findest du keine Hilfe und leichte Beute bist du noch dazu.

Es dauerte eine kleine Ewigkeit, bis sie es geschafft hatte, sich zum nächsten Erdhaus zu schleppen. Inzwischen war es so spät, dass dort garantiert niemand mehr auf war. Doch eine Weile, nachdem sie geklopft hatte, öffnete jemand – ein junger Mann in Hemd und einer langen Nachthose. Er blickte Alena mit gerunzelter Stirn an. Im ersten Moment sah er wohl nur, dass sie zu den Feuer-Leuten gehörte, eine Streunerin vielleicht, dreckig und womöglich von zu viel Beljas berauscht. „Verschwindet – wir wollen hier keinen Ärger!“, sagte er und machte sich daran, die Tür wieder zu schließen.

„Ich bin angegriffen worden“, presste Alena hervor.

Jetzt erst hob der Mann die Laterne, um Alena genauer anzusehen. Erschrocken holte er Luft. Dann ließ er sie endlich ein, versuchte sogar sie zu stützen.

Das Erdhaus war klein und nicht sehr ordentlich, überall lag aus Holz geschnitztes Spielzeug herum. Durch die offene Tür einer Seitenkammer sah Alena zwei schlafende Kinder.

Inzwischen war auch die Gefährtin des Mannes erwacht, und obwohl sie verwirrt mit großen Augen ins Licht blinzelte, war sie es schließlich, die Alena eine Schlafmatte auf dem Boden ausbreitete, ihr eine schmerzstillende Ranke gab, ihre Wunden richtig verband.

Erleichtert streckte sich Alena auf der Matte aus, schloss die Augen, überließ sich dem Gefühl, in Sicherheit zu sein. Aber sie wusste, dass dieses Gefühl trog. Sie glaubte nicht daran, dass es ein einfacher Überfall gewesen war, mit dem Ziel, sie auszurauben. Es hatte sich eher angefühlt wie ein Attentat. Sie war sicher, dass sie allein das Ziel gewesen war. Aber warum? Im Namen des Feuergeists – wer war es, der wünschte, sie sei tot?

Joraks Puls beschleunigte sich. Ein Lebewesen? Im Feuerberg? Was, beim Nordwind, konnte das sein? Er ging in die Hocke, auf gleiche Höhe mit Mikas, und schaute ihm ins Gesicht. Dieses Gesicht, das ihn so sehr an Yidra erinnerte, seinen Lehrmeister im Reich der Wolkentrinker. „Mikas – ist es sehr groß, dieses Lebewesen? Was macht es da drin?"

„Es ist sehr groß", übersetzte Arianna für ihren Sohn. „Es schläft und frisst und findet es schön, dass es im Berg so warm ist."

Verdutzt blickten sich Jorak und Finley an. „Zilly, hast du eine Ahnung, was das sein könnte?", fragte Rena.

Auf Zillys Gesicht mischten sich Staunen und Begeisterung. „Eine Frage noch", sagte sie und wandte sich an Mikas. „Was frisst es?

„Glühend flüssige Steine, glaubt er", sagte Arianna.

Cchraskar machte große Augen. „Und das schmeckt? Muss ich auch mal probieren."

Zilly warf die Arme hoch und führte einen kleinen Tanz auf. „Es muss eine Lava-Made sein!“, jubelte sie. „Ausgerechnet hier, in meinen Vulkanen! Das ist ein historisches Ereignis!“ Als sie sich etwas beruhigt hatte, erklärte sie, dass Lava-Maden eigentlich schon seit Tausenden von Wintern ausgestorben waren. Der kleine Vulkan hatte sich anscheinend genau an der Stelle hochgewölbt, an der noch ein lebensfähiges Ei im Boden schlummerte. Nun wuchs die Made im Schlot des Berges heran und verstopfte ihn dadurch. Irgendwann würde sie ausschlüpfen und zu einem Feuerling werden, einem geflügelten Wesen mit orangegefleckten Schwingen, das nur einen Monat lebte und in dieser Zeit seine Eier in einem Vulkan ablegen würde.

Finley blickte hingerissen drein. Das war eine Geschichte nach seinem Geschmack!

„Einen großen Vulkan können solche Tiere natürlich nicht blockieren“, erklärte Zilly. „Sie versuchen auch gar nicht erst, sich im Schlot aufzuhalten. Stattdessen bauen sie sich im Fels nahe den Lava-Kammern kleine Höhlen.“

Fasziniert hörte Jorak zu. Er hatte zwar in den Werken zu Vulkanologie über solche Wesen gelesen, diese aber für Legenden gehalten. Zilly war es vermutlich ähnlich gegangen. Jorak brannte darauf, Alena von all dem zu erzählen, ihr zu berichten, dass das Rätsel gelöst war. Doch Alena war nicht zurückgekommen. Die Botschaft war klar: Sie wollte ihn nicht sehen. Noch nicht oder vielleicht nie mehr. Es war schwer gewesen, sich eben vor Rena nicht anmerken zu lassen, wie tief ihn das getroffen hatte.

Jorak zwang seine Gedanken zu seiner Aufgabe zurück. Dankbar nahm er Mikas´ Hand und drückte sie kurz. „Das klingt alles halb so schlimm. Ich muss einfach nur warten, bis die Made ausgebrütet ist. Wann ist es denn so weit?“

„In etwa hundert Wintern“, sagte Zilly, und Finley stöhnte auf.

Joraks versuchte nicht seine Enttäuschung zu verbergen. „Verdammt. Gibt es irgendeine Möglichkeit, das Vieh vorher aus dem Berg rauszubekommen, und sei es auch nur vorübergehend?“

„Tu mir einen Gefallen, nenn es nicht Vieh!“, ächzte Zilly. „Es rausholen? Hm. Das müsste ich mal in ein paar Schriftrollen nachschlagen. Ich kann nicht behaupten, etwas von den Tierchen zu verstehen, es ist einfach schon zu lange her, dass sie auf Daresh gelebt haben.“

Rena hatte ruhig zugehört. Jetzt mischte sie sich zum ersten Mal ein. „Das alles passt sehr gut zu dem, was das Orakel gesagt hat – dass es tief im Inneren eine Auferstehung gibt. Aber was ist mit dem Rest der Vorhersage, was ist mit der Falle?“

Zilly zuckte die Schultern. Sie strahlte noch immer; die Aussicht, die einzige Lava-Made Dareshs in ihrer Obhut zu haben, versetzte sie offensichtlich in Euphorie. Ihr Blick war nach innen gewandt, wahrscheinlich plante sie schon, wie sie das Tierchen am besten hätscheln konnte.

Doch Jorak nahm die Worte des Orakels nicht auf die leichte Schulter. Wer konnte es sein, der ihm eine Falle stellen wollte? Kandidaten dafür gab es viele. Der Großteil aller Gildenmitglieder wünschte sich vermutlich nichts sehnlicher, als ihn scheitern zu sehen. Jorak tippte auf denjenigen, der sich die Aufgabe ausgedacht hatte – auf Kedeon, den jungen Meister dritten Grades. Aber er kam nicht darauf, wo die Falle lag. Er musste es einfach darauf ankommen lassen und die Augen offen halten.

„Wir sollten möglichst bald dem Rat der Feuer-Gilde Bescheid geben, was wir hier gefunden haben“, sagte er. „Eine Lava-Made ist wichtiger als ein mickriger kleiner Vulkan.“ Vielleicht würde der Rat so begeistert sein, dass er die zweite Aufgabe als erfüllt ansah?

In dieser Nacht schliefen sie kaum, diskutierten noch lange und suchten nach Hinweisen, wie sie mit der Lava-Made umgehen sollten. Jorak und Zilly wälzten brüchige alte Schriftrollen, die Nase tief über dem Papier, um die verblasste Schrift zu entziffern. Selbst Arianna, die Mutter des Anderskinds, beteiligte sich lebhaft an dem Gespräch und genoss es sichtlich, unter Menschen zu sein.

Schließlich entdeckte Zilly in einer der Schriftrollen einen Hinweis darauf, wie man die Lava-Made aus ihrem Versteck locken konnte – anscheinend fanden sie die Essenz aus Sternbeerenstrauch unwiderstehlich, weil sie wie ein Lockstoff der Feuerlinge roch. Helfer in Alaak versprachen, die Essenz zu beschaffen und zwei Storchenmenschen wollten sie zum Vulkan bringen. Jorak schöpfte wieder etwas Hoffnung.

Kurz bevor die Storchen mit der Essenz eintrafen, erreichte Jorak auch eine Nachricht von Alena. Nachdem er sie gelesen hatte, war er verwirrt und ärgerlich. Rena stutzte, als sie ihn sah. „Was ist los?"

„Kannst du dir selbst durchlesen", sagte er und hielt ihr den kleinen Zettel hin. Rena las schnell:

Liebster Jorak, ich bin in Schwierigkeiten. Du wirst eine Weile wenig von mir hören, fürchte ich. Gib nicht auf! Alena.

„Kapiere ich nicht." Verwirrt und besorgt las sich Jorak den Zettel noch einmal durch. „Schwierigkeiten? Was für Schwierigkeiten? Vielleicht denkt sie, dass sie mir nicht mehr vertrauen kann. Sonst hätte sie ja einfach schreiben können, was los ist!"

„Sag mal, habt ihr euch gestritten?", fragte Rena vorsichtig.

„Ja. Leider." Jorak blickte in die Wüste jenseits der Vulkane hinaus. „Verdammt, ich liebe sie, aber ich fürchte, es wird nie einfach sein mit uns. Wenn ich gildenlos bleibe, haben wir kaum eine Chance."

„Ich glaube nicht, dass euer Streit etwas mit der seltsamen Nachricht zu tun hat. Du hast es gelesen – sie hat Probleme. Gib ihr einfach noch ein bisschen Zeit." Rena sah beunruhigt aus, schien an etwas Bestimmtes zu denken. Ich wette, sie weiß etwas darüber, dachte Jorak und sah Rena direkt in die Augen. „Was für Schwierigkeiten könnte sie haben?"

Rena verzog das Gesicht. „Sie hat sich mit dem Mond-Orakel angelegt. Ich mache mir gerade ziemliche Vorwürfe, dass ich in Karénovia nicht genauer nachgeforscht habe, was mit ihr los war."

In dieser Nacht schaffte Jorak es nicht, einzuschlafen. Er dachte nur noch an Alena, bis er meinte, ihre hellen grünen Augen vor sich zu sehen, über ihr glattes rostrotes Haare streichen zu können. Wo war sie gerade? In welchen Schwierigkeiten steckte sie? Dachte sie ab und zu an ihn? Oder versuchte sie gerade, ihn zu vergessen? Ihre Nachricht klang nicht so, als wolle sie seine Hilfe. Sollte er sie trotzdem suchen? Hoffentlich war ihr nichts passiert! Immerhin, Liebster Jorak hatte sie geschrieben, das machte ihm Hoffnung.

Es war eine Erleichterung, als die Nacht sich ihrem Ende zuneigte. Kurz vor Sonnenaufgang machte sich Jorak bereit und hängte sich einen ledernen Trinkschlauch mit der Essenz und einen mit Wasser über die Schulter. „Nicht verwechseln", grinste Zilly. „Das andere Zeug schmeckt eklig, habe ich mir sagen lassen."

„Es riecht auch eklig", sagte Jorak und versuchte zurückzugrinsen. Diesmal würde er den Anstieg allein machen, sämtliche Unterstützer würden am Fuß des Berges warten, in sicherer Entfernung. Denn wenn der Vulkan tatsächlich ausbrach, dann würde es ungemütlich werden in der Nähe des Kraters. Zilly rechnete damit, dass glühende Lava den Berg hinunterfloss, auch eine riesige Aschewolke hielt sie für wahrscheinlich. Jorak hatte sich von Zilly feuerfeste Kleidung geliehen – sie war ihm zwar zu weit und zu kurz, aber es war besser als nichts.

„Denk dran, lock die Made weit genug vom Krater weg, damit das Magma Zeit hat, hochzusteigen", schärfte ihm Zilly ein. „Ach, ich beneide dich! Ich suche mir einen guten Aussichtsplatz und nehme ein Fernrohr mit, damit ich die Made sehe, wenn sie rauskommt!"

Im letzten Moment stellte sich heraus, dass Jorak doch nicht alleine gehen würde. Cchraskar begab sich ganz selbstverständlich an seine Seite. Er hatte sich feuerfeste Socken über die Pfotenhände gezogen.

„Ich hätte dich furchtbar gerne dabei", sagte Jorak zu ihm. „Aber du weißt doch, kein Mensch darf mir dabei helfen."

„Bin kein Mensch", sagte Cchraskar und grinste breit.

Diesmal musste Jorak wirklich lächeln. Weniger lustig fand er, dass auch Kedeon mitkommen wollte, der Abgesandte der Feuer-Gilde. Er hatte sich schon ein langes schwarzes Gewand aus feuerfestem Stoff übergestreift. „Ich muss natürlich kontrollieren, dass alles korrekt abläuft", sagte er.

„Ja, natürlich", erwiderte Jorak freundlich und beschloss diesen Burschen ganz genau im Auge zu behalten.

Schlacke und Steine knirschten unter seinen Schuhen, als er sich auf den Weg machte. Der Hang war steil, und Jorak ging schräg dazu, rutschte immer wieder auf dem dunkelbraunen Vulkansand weg und arbeitete sich weiter nach oben. Der Sand gelangte in seine Schuhe, rieb ihm die Füße auf, doch Jorak ignorierte es.

Es war steil hier, aber Jorak hatte keine Angst abzustürzen – die Menschen der Luft-Gilde waren schwindelfrei, das hatte ihm seine Mutter vererbt. Außerdem war er diesen Weg schon oft gegangen in den letzten Tagen.

Doch diesmal war seine Stimmung ganz anders. Weder er noch Cchraskar sprachen. In Gedanken war Jorak nicht bei der Aufgabe, die ihn erwartete, sondern bei Alena. Er musste sich zwingen, nicht ständig darüber nachzugrübeln, was mit ihr los war.

Als er zwei Drittel des Weges geschafft hatte, blieb Jorak kurz stehen und blickte sich um. Noch lag Dunst über der kargen Landschaft von Tassos, leicht vergoldet von der aufgehenden Sonne. Die Nächte waren kühl in der Wüste und Joraks und Cchraskars Atem stand in hellen Wolken vor ihren Gesichtern. Es war sehr still, das Kollern der Steine war das einzige Geräusch. Von hier aus konnte Jorak auf das Lager seiner Helfer herabblicken, eine Ansammlung fleckiger bräunlicher Zelte, die sich kaum vom Boden abhob. Der Vulkan war nicht hoch, Jorak konnte auch die Menschen erkennen, die zu ihm hochstarrten, ihre Gesichter helle Ovale. Er hoffte, dass ihnen nichts passieren würde, dass sie genug Sicherheitsabstand hielten.

Dann standen sie am Kraterrand. Jorak nahm den Lederschlauch mit dem Sternbeerenextrakt von der Schulter und begann ihn wie mit Zilly besprochen auf einer Seite des Kraters zu verteilen. Die Flüssigkeit war bläulich-weiß und dünn wie Wasser, ihr fauliger Geruch stieg Jorak in die Nase. „Pfuh!", sagte Cchraskar und achtete angewidert darauf, nicht in die Pfützen zu treten. Kedeon hielt sich im Hintergrund und beobachtete, was geschah.

Jetzt bin ich aber gespannt, dachte Jorak und entfernte sich mit schnellen Schritten von der Stelle, an der er den Lockstoff ausgegossen hatte. Ab jetzt gab es kein Zurück mehr. Er suchte sich einen Aussichtspunkt, beobachtete konzentriert den Krater, jeden Muskel seines Körpers gespannt. Eigentlich wäre es besser gewesen, jetzt zu fliehen, doch es ging ihm wie Zilly – die Lava-Made war ein Anblick, den er um keinen Preis verpassen wollte. Zilly hatte ihm ausgerechnet, dass er ein paar Dutzend Atemzüge Zeit hatte, bis der Ausbruch in Gang kam, das war theoretisch Zeit genug.

Es begann mit dem Kollern von Steinen, der Boden wölbte sich auf einer Fläche auf, die etwa so groß war wie zwei von Zillys Behausungen. Dann kam ein schwarzes Etwas mit dicker, faltiger Haut zum Vorschein. Suchend wand und drehte es sich und streifte dabei Reste von orange glühendem Gestein ab, die es aus der Tiefe mitgebracht hatte. Das Wesen erinnerte Jorak an einen Wurm. Doch im Gegensatz zu einem Wurm hatte die Made Dutzende von Krallenärmchen, mit denen sie in der Gegend herumfuchtelte und Halt im Gestein suchte. Aus der Entfernung wirkten die Krallen klein, aber sie mussten fast handlang sein.

An der Vorderseite hatte die Made regelmäßig angeordnete hellere Flecken. Wahrscheinlich so eine Art Augen, dachte Jorak. Mit denen kann es vermutlich Hell-Dunkel-Kontraste und so etwas erkennen. Er versuchte sich vorzustellen, wie aus diesem Wesen einmal ein graziöser Feuerling werden würde. Es war nicht ganz einfach.

Jetzt war die Made fast ganz aus dem Schlot des Vulkans herausgekrochen. Ihre Länge schätzte Jorak auf drei Dhatlas hintereinander, etwa eine Baumlänge. Zielstrebig robbte sie auf die Stelle zu, auf die er den Köder geschüttet hatte.

Jorak war so fasziniert vom Anblick der Made, dass er Kedeon, die Flucht und alles andere um sich für einen Moment vergessen hatte. Jetzt wurde er brutal wieder daran erinnert. Jemand stürmte rechts von ihm vorbei auf das Tier zu. Kedeon! Und er hatte ein riesiges Schwert mit schwarzer Klinge in der Hand. Das musste er unter dem Umhang verborgen hergebracht haben! Jorak verfluchte, dass er keine Metalle spüren konnte.

„Verdammt, was soll das?", brüllte Jorak.

Entsetzt sah er, dass Kedeon die Made jeden Moment erreichen würde. Er hatte doch nicht etwa vor, sie zu töten? Die letzte Lava-Made Dareshs? Jorak rannte los. Doch er wusste, dass er es nicht mehr rechtzeitig schaffen würde, Kedeon hatte einfach zu viel Vorsprung.

Doch noch jemand hatte die Gefahr erkannt. Cchraskar jagte an ihm vorbei, wie ein brauner Blitz schoss er auf Kedeon zu. Er warf sich auf den Abgesandten und riss ihn zu Boden. Mit einem überraschten Schrei stürzte Kedeon und landete mit dem Gesicht auf Vulkansand und Gestein. Cchraskar hielt an und pustete auf seine Pfoten. „Heißgelaufen!", sagte er stolz. „So schnell war icch!"

Die Lava-Made hatte inne gehalten, ihr vorderes Ende wandte sich ihnen zu. Dann machte sich das Wesen eilig daran, zum sicheren Schlot zurückzukriechen. Jorak stöhnte, als er zusah. Wenn die Made jetzt zurückschlüpfte, reichte die Zeit nicht. Das Magma konnte nicht hochsteigen, der Vulkan würde nicht ausbrechen!

Ohne nachzudenken wechselte er die Richtung, um der Made den Weg abzuschneiden. Sie schien jetzt in Panik zu sein, robbte so schnell sie konnte. Jorak sah eine gewaltige schwarze Masse mit fuchtelnden Krallen auf sich zuwalzen und begriff, dass das Tier nicht anhalten würde. Er warf sich aus dem Weg, rollte sich, so gut es ging, über den steinigen Boden ab.

Cchraskar half ihm auf und Jorak sah gerade noch, wie das hintere Ende der Made im Vulkanschlot verschwand. „Federkrätze!", brüllte Jorak und starrte dem Tier hinterher. Er hatte den Verdacht, dass die Made sich kein zweites Mal rauslocken lassen würde. Sie hatte sich zu sehr erschrocken.

Mit langen Schritten ging Jorak zu Kedeon, der sich gerade langsam aufrappelte. „Was sollte der Mist? Ihr Idiot habt alles verdorben!", brüllte er ihn an. In diesem Moment gab es keinen Menschen, den er mehr hasste als diesen Mann.

Kedeon zuckte die Schultern und wischte mit einem Zipfel seines Gewands Sand und Steinstaub von seinem Schwert. „Ich habe mal in einer alten Schriftrolle gelesen, dass es unsterblich macht, das Blut einer Lava-Made zu trinken. War einen Versuch wert."

„Aber ... wieso ... die Aufgabe ..."

„Von Anfang an dachte ich mir, dass in diesem jämmerlichen kleinen Vulkan eine steckt. Ich wusste nur nicht, wie ich das Vieh rauskriegen sollte."

Die Wut in Jorak kochte über. Er holte aus, legte all seine Kraft in diesen Schlag. Bevor Kedeon auch nur das Schwert heben konnte, erwischte Jorak ihn mit einem rechten Haken am Kinn. Der Abgesandte kippte rücklings um wie ein gefällter Baum und blieb liegen.

Sie ließen ihn, wo er war, und begannen mit dem Abstieg. Jorak blickte nicht nach links und rechts, starrte nur geradeaus, ohne etwas zu sehen. Er fühlte den Boden unter seinen Füßen nicht mehr. Sein ganzer Körper war wie betäubt. Versagt, pochte es in ihm. Ich habe versagt. Es interessiert niemanden, dass es nicht meine Schuld war. Die zweite Aufgabe habe ich nicht geschafft. Damit ist meine Chance dahin, jemals einer Gilde anzugehören. Jemals wirklich mit Alena zusammen zu sein. Meine Schwester kennenzulernen. Ohne Heimlichkeiten mit meiner Mutter reden zu können.

Jorak ging nicht ins Lager zurück. Er wollte jetzt niemanden sehen, nicht einmal Cchraskar. In Zillys Hütte packte er seine Sachen. Dann machte er sich zu Fuß auf den Weg, ohne einen Atemzug lang darüber nachzudenken, wohin.

Hinein ins Nirgendwo der hitzeflirrenden Wüste.

Alenas Weg

Rena machte sich große Sorgen. Jorak war ohne Abschied verschwunden, niemand wusste wohin. Das ganze Lager am Fuß des Vulkans war in Aufruhr. Cchraskar war alleine zurückgekommen und hatte ihnen erzählt, was sich am Krater ereignet hatte. Wutentbrannt begaben sich einige Dutzend Helfer auf die Suche nach dem Abgesandten der Feuer-Leute. Aber auch er hatte sich aus dem Staub gemacht. Jetzt war die Stimmung im Lager gedrückt, einige der Menschen packten schon ihre Sachen, um in ihre Heimatorte zurückzukehren.

Doch noch mehr Gedanken machte Rena sich wegen Alena. Ihre Nachricht war so eigenartig gewesen. Ich hätte nicht gleich losreiten dürfen, sondern dableiben und sie suchen müssen, dachte Rena wieder einmal beunruhigt. Hoffentlich ist ihr nichts passiert.

Immer wieder versuchte Rena sich den Mann, der ihr die angebliche Nachricht von Alena gebracht hatte, vor ihr inneres Auge zu rufen. Inzwischen ahnte sie, warum er ihr so bekannt vorgekommen war. Obwohl er sein Amulett verborgen hatte, war sie sicher, dass er zur Wasser-Gilde gehörte. Die helle Haut, die Frisur, seine Art zu gehen – wahrscheinlich waren ihr diese Kleinigkeiten unbewusst aufgefallen, sie lebte ja lange genug in Vanamee. Was hatte dieser Kerl mit Alena zu tun?

Rena fühlte sich hin- und hergerissen – beide brauchten Hilfe, Jorak und Alena. Schließlich entschied sie sich, nach Alaak zu Alena, zu reiten und auf dem Weg dahin nach Jorak Ausschau zu halten. Cchraskar konnte ihr dabei nicht helfen. Er hatte das Lager ebenfalls verlassen und war nicht mehr aufzufinden.

Nachdenklich machte sich Rena daran, ihre Sachen zu packen. Sie würde allein reisen. Arianna wollte nicht zurück nach Karénovia, sie hatte unter Joraks Helfern Freunde gefunden und Mikas war eine Art Maskottchen des Lagers geworden. Mikas hatte das junge Schneehörnchen adoptiert und Arianna half ihm, es zu pflegen.

Rena entschied, möglichst rasch einige Nachforschungen über Alena anzustellen. Sie kannte genug Leute, die ihr diskret Auskunft geben würden, auch in der Felsenburg. Einer davon war seit Neuestem Riian, ein Junge, der mit Alena und Jorak zusammen aus Rhiannon geflohen war. Nach einem kurzen Anfall von Heimweh hatte er sich in Rekordzeit in Daresh eingelebt. Inzwischen hatte er trotz seiner respektlosen Art eine Vielzahl von Freunden und Unterstützern in der Felsenburg gewonnen, sich eine Lehrlingsstelle als Baumeister verschafft und – schließlich hatte er im Wetterzentrum von Rhiannon gearbeitet – ein Bewässerungsprojekt in Tassos gegründet.

Als Rena aufblickte, bemerkte sie, dass Finley, der Geschichtenerzähler mit dem buntgefleckten Umhang, sie beobachtete. „Wohin gehst du?“, fragte er.

„Wieder nach Alaak“, sagte Rena. „Bis ich sicher weiß, was dort eigentlich vorgeht.“

Mit zusammengekniffenen Augen sah er sie an. „Hm. Hat das, was dort vorgeht, etwas mit Jorak und Alena zu tun?“

„Ich fürchte schon“, sagte Rena. Sie stellte fest, dass auch Finley reisefertig war. „Und was ist mir dir, was wirst du tun? Es ist keine sehr schöne Geschichte geworden, kaum jemand möchte es hören, wenn der Held scheitert.“

Finley hörte kaum zu, er schien anderes im Kopf zu haben. „Ich muss los“, sagte er unruhig. Er winkte kurz und glitt aus dem Zelt. Dann hörte sie nur noch seine Schritte, die sich eilig entfernten.

Obwohl Rena bei ihrem Ritt über die Ebene so lange Ausschau hielt, bis ihre Augen von der flirrenden Helligkeit schmerzten, konnte sie keine Spur von Jorak entdecken. Niedergeschlagen richtete sie an diesem Abend ein Nachtlager ein, während das Dhatla unzufrieden an paar dornigen Büschen kaute. Am nächsten Morgen wurde Rena davon geweckt, dass mehrere Wühler auf ihre Decke krochen und sie ungeduldig mit der Schnauze anstießen. Aufgeregt nahm Rena ihnen die Nachrichten ab, die sie trugen. Es waren Antworten von Dorota und einigen anderen

Ratsmitgliedern. Sie waren nichtssagend, aber das hatte Rena fast erwartet. Gerade weil sie so nichtssagend waren, ahnte sie, dass die Mächtigen in der Burg etwas zu verbergen hatten.

Die Botschaften, die am Tag darauf eintrafen, bestätigte ihre schlimmsten Befürchtungen. Eine davon war von Couder, dem Bibliothekar der Burg – er pflegte eine gute Verbindung zu den Halbmenschen. Auf ihre Bitte hin hatte er die Iltismenschen gefragt, ob sie etwas über den grau gekleideten Mann und über Alenas Schwierigkeiten wussten. Nun schrieb er:

Tani, Gildenschwester,
die Halbmenschen vermuten, dass der Mann derjenige sein könnte, den sie Schlangenzahn nennen. Sie halten sich von ihm fern, da er vermutlich als Auftragsmörder arbeitet. Er ist ein ehemaliger Sucher, der Geschmack am Töten gefunden hat – seine Berufung hilft ihm seine Opfer aufzuspüren.
Deine Feuergilden-Freundin wurde in den letzten Tagen öfter in der Burg erwähnt, aber ich weiß nicht genau in welchem Zusammenhang.
Möge Deine Seele nie verdorren!
Couder

Es überlief Rena kalt, als sie daran dachte, dass sie einem Mörder gegenübergestanden hatte und einfach so weggeritten war. Dass sie Alena zurückgelassen hatte. Schlangenzahn hatte Alenas und Renas Namen gekannt. Das hieß, jemand hatte ihn auf Renas Feuergilden-Freundin angesetzt. Aber wer?

Es gefiel Rena ganz und gar nicht, dass dieser Mörder ein Mann der Wasser-Gilde war, und dazu noch ein Sucher. Aber warum sollten Tjeris Gildenbrüder bessere Menschen sein?

Noch schlimmer war das, was Riian schrieb:

Liebe Rena,
es hat mich einige Mühe gekostet, etwas rauszufinden, ist alles arg geheim! Das habe ich erfahren: Vor Kurzem kam ein Kurier hier an und überbrachte eine Botschaft des Mond-Orakels. Es sagt vorher, dass Alena ganz Daresh in Aufruhr stürzen wird und danach nichts mehr sein wird wie zuvor. Es empfiehlt, sie vorher töten zu lassen, um das zu verhindern. Ich dachte erst, ich höre nicht richtig. Das sind ja Methoden wie in Rhiannon!

Bitte richte Alena von mir aus, sie soll vorsichtig sein! Sag auch Jorak schöne Grüße, es tut mir leid, dass das mit der zweiten Aufgabe schiefgegangen ist. Riian

Ganz langsam steckte Rena die Nachricht ein. Also hatten die Kinder Rache genommen. Oder hatten sie nur etwas übereifrig ihre Pflicht getan? Stimmte die Vorhersage über Alena? Sie musste Alena möglichst schnell Bescheid geben! Immerhin hatte sie vor wenigen Tagen noch gelebt, sonst hätte sie die Nachricht an Jorak nicht schreiben können.

Rena war tief enttäuscht von den Mitgliedern des Rates. Sie kannte sie alle persönlich, mochte und schätzte die meisten von ihnen. Aber so etwas hätte sie ihnen nicht zugetraut. War es mit diesen einstigen Hütern der Gerechtigkeit schon so weit gekommen, dass sie Menschen töten ließen, die ihnen im Weg standen? Es sah fast danach aus!

Jetzt hatte Rena keine Wahl mehr. Es gab nur einen Weg, dieses Todesurteil aufzuheben. Sie musste dem Mond-Orakel das Handwerk legen. Dem Rat beweisen, dass den Drillingen nicht zu trauen war. Nur dann hatte Alena noch eine Chance. Rena wusste, dass es nicht leicht werden würde. Sie musste ihren Instinkten folgen – und ihr Instinkt sagte ihr nach den Stunden und Tagen mit Xaia, Daia und Taio, dass sie noch längst nicht alles über die Kinder wusste. Dass das Orakel ein Geheimnis hatte, das sie noch nicht kannte. Sie musste schaffen, es aufzudecken!

Alena war klar, dass sie die Gegend von Karénovia möglichst schnell verlassen musste – unerkannt und allein. Sobald sie sich etwas erholt hatte, sagte sie ihren Rettern Lebewohl und machte sich, gekleidet in einen schweren Kapuzenumhang der Erd-Gilden-Familie, auf den Weg nach Ekaterin. Die Reise war kurz und widerlich. Alena vergaß keinen Moment lang, dass ihr Arm verletzt war, dass sie sich kaum verteidigen konnte, wenn sie angegriffen würde. Es fühlte sich an, wie nackt durch die Straßen laufen zu müssen. Nur schlimmer.

Erst als sie zurückgekehrt war in Keldos Versteck, Joraks und ihren geheimen Treffpunkt, wagte sie sich zu entspannen und sich einzugestehen, wie schlecht sie sich noch immer fühlte. Erschöpft lag sie auf dem Bett, das sie vor so kurzer Zeit mit Jorak geteilt hatte, und versuchte die Schmerzen aus ihren Gedanken zu verdrängen. Besonders gut klappte es nicht. Wieso wunderst du dich eigentlich?, dachte Alena wütend. Diese Corzeesas haben dich fast in Scheiben geschnitten – dachtest du, du kannst morgen wieder mit dem Schwerttraining anfangen?

Schlimm war aber auch, allein hier zu sein, ohne Jorak. Zum ersten Mal seit Monaten fühlte Alena sich wirklich einsam. Zu allem Überfluss musste sie den Armreif aus Calonium ablegen, der das Symbol ihrer Liebe war. Seine Aura war einzigartig und unverwechselbar – solange sie ihn trug, konnte man sie leicht aufspüren. Sie verwahrte ihn in einem Kästchen aus Nachtholz, das schirmte seine Aura ab.

Kurz darauf traf der Wühler ein. Alena war entsetzt, als sie Renas Botschaft las. Sie mochte sich gar nicht vorstellen, wie Jorak sich jetzt fühlte – auf eine solche Art zu scheitern war übel! Diese verdammten unmöglichen Aufgaben! Alles in ihr drängte sie, Jorak suchen zu gehen. Doch das war unmöglich. Nicht, wenn Rena recht hatte und das Mond-Orakel und der Rat der vier Gilden es wirklich auf sie abgesehen hatten. Das hieß, ab jetzt war sie auf der Flucht. Sie musste untertauchen, ein paar Wochen von der Bildfläche verschwinden, bis sie es geschafft hatte, das Problem irgendwie zu lösen. Immerhin, jetzt war sie gewarnt. Das nächste Mal würde sie dieser Kerl nicht so leicht erwischen.

Sie war froh, dass sie Jorak nur eine ganz vorsichtige Nachricht geschickt hatte. So ungefähr das Letzte, was sie jetzt wollte, war, ihn in Gefahr zu bringen. Es ging ihm schon schlecht genug.

Mit hinter dem Kopf verschränkten Armen lag Alena auf dem Bett und starrte zur Decke. Immer wieder kehrten ihre Gedanken zu der Vorhersage der Kinder zurück. Alena wird ganz Daresh in Aufruhr stürzen und danach wird nichts mehr sein wie zuvor. Das ist eigentlich eine ganz hervorragende Idee, dachte Alena wütend. Nach dem, was Jorak erlebt hatte, war ihr danach zumute, sich mit allen anzulegen, die die Unterdrückung in Daresh unterstützten. Diese beiden Bewährungsproben waren von Anfang an kompletter Wahnsinn gewesen. Erstaunlich, dass Jorak überhaupt eine von ihnen bewältigt hatte!

Und jetzt ... hatten Jorak und sie überhaupt noch eine Chance? Die Schonfrist war vorbei, wenn sie nun mit ihm sprechen, mit ihm zusammen sein wollte, musste sie das Gesetz der Gilden brechen. Es geheim zu halten, dass sie ein Paar waren, machte keinen Sinn mehr, inzwischen wusste es jeder.

Wenn wir überhaupt noch ein Paar sind, dachte Alena niedergedrückt und musste wieder an den hässlichen Streit denken. Jorak, ach verdammt! Sie wünschte mit aller Kraft, er wäre hier, sie vermisste ihn so schrecklich. Warum schrieb er nicht? Schon lange hatte sie keine Nachricht mehr von ihm bekommen. Konnte es sein, dass der Attentäter einen Wühler abgefangen hatte, der zu ihr unterwegs gewesen war?

Mach dir nichts vor, Feuerblüte, dachte Alena. Es kann genauso gut sein, dass er dich nicht mehr liebt.

Mühevoll zwang sie ihre Gedanken wieder in andere Bahnen. Zwei oder drei Tage lang konnte sie noch hierbleiben in Keldos Versteck, dann war es sicherer, sie wechselte den Standort. Das hieß, sie hatte noch etwas Zeit, ihre Wunden heilen zu lassen – und einen Plan zu entwickeln. Genau zu überlegen, wie sie jetzt vorgehen wollte. Sie hatte schon eine Idee. Alena spürte, wie kühle Entschlossenheit sie durchströmte. Natürlich, es war riskant, aber was hatte sie jetzt noch zu verlieren? Der Rat versuchte sowieso schon sie umzubringen.

Plötzlich erinnerte sie sich an die Worte, die ihre tote Mutter Alix zu ihr gesagt hatte, damals im Zwischenreich. Es gibt Menschen, die dich brauchen, viel mehr Menschen, als du weißt. Und du bist wichtig für Daresh. War das etwa doch kein alberner Traum gewesen? Sondern eine Prophezeiung ganz eigener Art? Vielleicht war das ihr Weg, ihre Aufgabe. Dafür zu sorgen, dass in Daresh weniger Menschen leiden mussten. Vielleicht war ihr

Versprechen Jorak gegenüber nur der Anfang gewesen. Die drei Gesetze, die sie sich selbst gegeben hatte, kamen ihr in den Sinn.

Ich werde nie jemandem schaden – außer es ist notwendig, um noch größeren Schaden abzuwenden oder mein Leben zu retten.
Ich werde denen helfen, die Hilfe brauchen.
Ich werde für das einstehen, was ich glaube und für richtig halte.

Es ist wieder Zeit, danach zu handeln, dachte Alena grimmig. Sie überlegte, ob sie nun das Elixir nehmen sollte, das Finley ihr gegeben hatte. Vielleicht war jetzt die rechte Zeit dafür. Dann konnte sie mit Alix über all das sprechen, was geschehen war ... andererseits barg das Elixir auch große Gefahr in sich. Durfte sie das jetzt riskieren? Wahrscheinlich war es besser, erst den Plan zu verwirklichen, der ihr im Kopf herumspukte.

Ein Geräusch riss sie aus ihrer düsteren Stimmung. Sie fuhr auf. Was war das gewesen? Hatte geklungen wie eine Art Kratzen an der Vordertür! Hatte der Mörder sie entdeckt, so bald schon? Sie ließ sich vom Bett gleiten, so schnell ihre steifen Muskeln es erlaubten, und hinkte zum Tunnel, dem zweiten Fluchtweg nach draußen.

Wieder dieses Kratzen. Eigentlich klang es nicht gefährlich. Alena drehte um, schlich sich zum Eingang des Verstecks, öffnete vorsichtig die verborgene Tür. Vor ihr stand Cchraskar. Aber wie er aussah! Sein braun- und cremefarbener Pelz war mit Sand, Matsch und Kletten verdreckt von den Ohrenspitzen bis zu den Hinterpfoten. Er roch nach Raubtier, als hätte er zwei Wochen lang nicht gebadet, was wahrscheinlich der Fall war.

Aber das kümmerte Alena nicht. Sie warf sich ihm entgegen, drückte ihn an sich, grub die Hände in sein Fell und schüttelte ihn. „Cchraskar! Sag bloß, du bist zu Fuß durch Tassos gelaufen, um herzukommen? Und wolltest du nicht eigentlich Jorak beschützen?"

„Feuerblüte brrrraucht mich gerade mehrrr", knurrte ihr Freund und schnappte spielerisch mit den spitzen Reißzähnen nach ihr.

Alena seufzte und dachte an das, was sie vorhatte. „Da könntest du recht haben, alter Freund“, sagte sie und öffnete die Zwischentür weit, um ihn einzulassen.

Freund oder Feind

Alena hatte sich die Audienz unter dem Namen Allie ke Tassos verschafft – so nannte sie ihr Vater, aber das wusste hoffentlich niemand. Es hatte schneller geklappt, als sie zu hoffen wagte, und jetzt war es so weit: Sie war einer der Bürger, die an diesem Nachmittag vor dem Rat der vier Gilden ihr Anliegen vortragen durften.

Zwei Diener führten sie durch die mit steinernen Bildern verzierten Gänge. Alena atmete tief, versuchte ganz ruhig zu bleiben. Sie kannte diese Gänge, kannte die Burg, schließlich war es noch nicht lange her, dass sie der Regentin hier im Großen Thronsaal von ihrer Reise über die Grenzen Dareshs berichtet hatte. Doch diesmal war alles anders. Diesmal war sie kein Ehrengast, sondern ein Eindringling, auch wenn es noch niemand wusste.

Auf Prunk und Glanz legte der Rat der vier Gilden im Gegensatz zur Regentin keinen Wert. Diesmal bekam sie keine neue Kleidung und niemand verlangte von ihr, sich vor der Audienz feinzumachen. Im Raum, in dem sie warten sollten, saßen neben ihr ein Züchter, der durchdringend nach Dhatla roch, ein Steinmetz in seinen besten und trotzdem staubigen Sachen und ein Erzsucher mit wild wucherndem Bart. Er musterte Alena missbilligend, wohl weil sie nicht das traditionelle Schwarz ihrer Gilde trug, und beachtete sie dann nicht mehr weiter. Gut, dass ich den Armreif daheim gelassen habe, dachte Alena. Sonst hätte er ihn sofort gespürt und mich angestarrt wie ein grünes Dhatla!

Sie trug einen von Keldos teuren dunkelblauen Umhängen und dazu eine bunt bestickte Mütze, die ihr Haar verbarg und es schwer machte, sie zu erkennen. Ihr Schwert, das sie unter dem Umhang trug, hatte sie nicht abgeben müssen. Der Rat wusste, dass sich ein Mensch der Feuer-Gilde eher den rechten Arm abhacken ließ, als sein Schwert irgendwo zurückzulassen. Stattdessen hatte sie schwören müssen, dem Rat nicht zu schaden, außerdem standen überall Farak-Alit Wache und ließen die Anwesenden keinen Moment aus den Augen.

Nach einer Wartezeit, die Alena endlos vorkam, waren sie, der Erzsucher und der Dhatla-Züchter dran und durften in den Audienzsaal. Alena blieb am Rand des Saales stehen, wo sie unauffällig beobachten konnte. Über ihr wölbte sich eine kuppelförmige Decke, auf der eine lebensechte Darstellung ganz Dareshs prangte. Alena legte den Kopf in den Nacken und musterte die vertrauten Landschaften. Da, ganz winzig, war Ekaterin mit dem Herztor! Natürlich fehlten auch die Vulkane von Racisco nicht auf dem Gemälde. Sie waren feuerspuckend verewigt worden, während sie in Wirklichkeit nicht mal rauchten, die verdammten Dinger.

Auf den Wänden des Saals, die ganz aus poliertem weißen Stein mit hellgrauer und bläulicher Maserung bestanden, waren groß die vier Gildensymbole eingemeißelt. Eines in jeder Himmelsrichtung. Auf dem Mosaik des Steinfußbodens fanden sich die Zeichen wieder, hier wechselten sie sich in einem regelmäßigen Muster ab. Ich kann´s nicht mehr sehen, dachte Alena mit plötzlicher Feindseligkeit. Ist das alles, was wir kennen, diese vier Elemente? Vielleicht sollte man den Mächtigen von Daresh mal eine Zwangsreise über die Grenze nach Rhiannon verordnen, in eine Welt, in der es keine Gilden gibt!

Doch Alena konzentrierte sich nicht lange auf die Dekoration. Neugierig richtete sie den Blick auf die Menschen, die an einem wuchtigen, halbmondförmigen Holztisch vor ihr und den anderen Antragstellern saßen, alle zwölf Delegierten nebeneinander. Manche kannte sie vom Sehen, andere nur vom Namen her. Es waren Männer und Frauen unterschiedlichen Alters und aus allen Berufen. Gemeinsam hatten sie nur eins – ihre Gildenschwestern und -brüder hatten sie für eine Amtszeit von sechs Wintern in diesen Rat gewählt. In der hohen Lehne ihrer Stühle war das Symbol der jeweiligen Gilde, für die sie hier waren, eingeschnitzt. Doch ihre Roben waren alle gleich, ein schlichtes dunkles Violett mit schmaler goldener Borte an Hals und Ärmeln. Den Vorsitzenden des Rates, Bilgan, erkannte Alena an der goldenen Schärpe, die er von Amts wegen trug.

Das also sind die Menschen, die meinen Tod wollen, dachte Alena. Oder ist es nur einer von ihnen?

Inzwischen hatte der vierschrötige Dhatla-Züchter auf dem Stuhl in der Mitte des Saales Platz genommen, Delegierte und Zuhörer konzentrierten sich auf ihn. Der Züchter begann mit einer langatmigen, empörten Schilderung, wie Menschen der Wasser-Gilde die Bewohner seines Dorfes belästigt hatten.

Bei den öffentlichen Audienzen war Publikum erlaubt und die Menschen im hinteren Teil des Saales – etwa vierzig Männer und Frauen – hörten teils abwesend, teils interessiert zu. Manche von ihnen waren Freunde und Unterstützer derjenigen, die mit einem Anliegen hier waren, andere einfach nur neugierig. Aber im hinteren Teil des Saales saßen auch Protokollanten, die pflichtbewusst jedes Wort für die Archive der Burg aufzeichneten, und ein halbes Dutzend Geschichtenerzähler. Gerade gähnte einer von ihnen und ein anderer war damit beschäftigt, sich die Fingernägel zu reinigen.

Alena wusste, dass sie als Nächste dran war, und ihr Puls schlug schneller. Sie beobachtete noch einmal die Delegierten der Feuer-Gilde – würden sie sich auf ihre Seite stellen? Da war einmal Mika Indro, ein breitschultriger ehemaliger Erzschmelzer mit kahlem Kopf und großen Pranken. Er gehörte sowohl der Führung der Feuer-Leute als auch dem Rat der vier Gilden an. Ihr Vater kannte ihn und hatte sich sogar mit ihm angefreundet. Navarro, den zweiten im Bunde, kannte Alena selbst, sie hatte ihn in Ekaterin getroffen, als sie dort gegen den Heiler vom Berge kämpfte. Mit seinen langen schwarzen Haaren und seinem Bart sah er verwegen aus; in der Burg durfte er offenbar seinen geliebten, furchtbar hässlichen Umhang aus Dhatla-Leder nicht tragen. Wenigstens Navarro kann ich vertrauen, dachte Alena. Bei der dritten Feuer-Delegierten, Zilka, war sie sich nicht so sicher. Sie war um die fünfzig. Ihr flaches Gesicht mit der breiten Nase verriet keine Gefühlsregung, und Alena ahnte, dass sie bei Verhandlungen eine genauso harte Gegnerin war wie im Kampf.

Endlich war der Dhatla-Züchter fertig, der Rat besprach sich kurz und verkündete dann wie erwartet, dass er die Verantwortlichen zur Rechenschaft ziehen würde.

Jetzt bin ich dran, dachte Alena, und ihr Körper straffte sich.

„Allie ke Tassos", rief der Vermittler des Rates. „Ihr möget Euer Anliegen vortragen."

Die Wunde an ihrem Fuß war noch nicht verheilt und Alena hinkte, als sie zum Stuhl in der Mitte des Saales ging. Dort nahm sie ihre Mütze ab, sodass ihr die rostroten Haare auf die Schultern fielen. Sie sah in Navarros Augen – und in denen einiger anderer Delegierter – das Erkennen. Jetzt wussten sie, wer sie war!

„Allie ist nur mein Spitzname", sagte sie. „Meistens nennt man mich Alena ke Tassos."

Ein Murmeln ging durch den Saal. Die Geschichtenerzähler spitzten die Ohren und setzten sich auf. Sie kannten Alenas Namen, der Kampf gegen den Heiler vom Berge und die Reise nach Rhiannon hatten sie bekannt gemacht in Daresh.

„Was ist dein Anliegen?", fragte Bilgan, der Vorsitzende, steif.

Beim Blick in sein schmales, verkniffenes Gesicht hatte Alena plötzlich Lust, aufs Ganze zu gehen. „Ich beantrage, die Gilden aufzulösen", sagte sie laut und klar.

Schockiertes Schweigen quittierte ihre Worte. Dann brach schallendes Lachen los. Doch es kam aus der Zuschauerriege, nicht von den Delegierten. Dort gab es ein paar blasse, erschrockene Gesichter, aufgeregt flüsterten einige Mitglieder des Rats miteinander. Sieh an, sie haben Angst vor mir, dachte Alena. Sie alle kennen die Worte des Orakels!

„Es muss etwas geschehen, sonst gibt es früher oder später einen großen Aufstand", fuhr Alena ruhig fort. „Die Gilden schließen immer mehr Menschen aus. Und diejenigen, die zwischen den Gilden geboren worden sind und die Fähigkeiten mehrerer Elemente haben, finden keinen Platz mehr in Daresh." Kurz erzählte sie, was Jorak erlebt hatte und wie er gescheitert war.

„Nur ein Einzelfall!", rief ein Ratsmitglied aus Erde – ein junger Mann mit hellbraunen, zurückgekämmten Haaren – aufgeregt dazwischen. Strafende Blicke der anderen Mitglieder brachten ihn zum Schweigen und Alena konnte weitersprechen.

Als sie geendet hatte, ergriff ein einbeiniger Mann mit dichtem silbergrauen Haar und ruhigen dunklen Augen das Wort. Mikhael war sein Name, Alena hatte von ihm gehört. Er war in der Luft-Gilde sehr angesehen und schon dreimal hintereinander in den Rat gewählt worden. „Das Problem ist uns bekannt", sagte er. „Habt Ihr noch andere, vielleicht weniger drastische Vorschläge, wie es zu lösen wäre?"

Alena fasste Mut. Dieser Mann wirkte nicht so, als würde er ihre Vorschläge einfach mit einem Schulterzucken abtun. „Könnte man den Ausgestoßenen nicht erlauben, nach einigen Wintern in die Gilde zurückzukehren – unter bestimmten Bedingungen natürlich?" Alena zögerte, sprach dann weiter. „Es gibt aber auch noch eine zweite Möglichkeit: eine fünfte Gilde zu gründen."

Wieder ging ein Murmeln durch den Saal. Immerhin hatte diesmal niemand gelacht.

Alena fühlte sich wie von einer großen Last befreit. Jetzt war es ausgesprochen, die Idee war in der Welt. Jetzt können sie mich sogar umbringen, dachte Alena. Aber es wird ihnen nichts mehr nützen. Außer, sie bringen auch sämtliche Geschichtenerzähler, Protokollanten und Besucher um, die heute hier dabei waren.

„Eine Gilde der Verbrecher sozusagen?" Das kam in spitzem Ton von einer hochgewachsenen Frau der Wasser-Gilde. Sie musste einmal sehr schön gewesen sein, doch die Zeit war nicht gut zu ihr gewesen.

„Längst nicht alle Gildenlosen sind Verbrecher", widersprach Alena ärgerlich.

Bilgan, der Ratsvorsitzende, runzelte die Stirn. „Es hat gute Gründe, warum sie ausgestoßen wurden. Aber hier ist nicht der Ort, das zu diskutieren. Gut. Wir werden uns über Euren Vorschlag beraten, Alena ke Tassos."

Die zwölf Delegierten erhoben sich und schritten davon, in den angrenzenden Sitzungssaal. Alena erhaschte einen Blick auf einen ringförmigen Tisch, auf Säulen aus hellem Stein. Dann gingen die Zwischentüren zu, nahmen ihr die Sicht.

Nach Bilgans Bemerkung war Alena klar, dass es schwer werden würde, ihre Idee durchzubringen. Und sie hatte nicht vergessen, dass sie noch immer in Lebensgefahr schwebte. Vielleicht hatte der Mörder namens Schlangenzahn schon gehört, dass sie hier war. Sollte sie den Rat einfach fragen, ob er die Attentate in Auftrag gegeben hatte? Viel bringen würde das nicht, keiner dieser Menschen würde zugeben, etwas darüber zu wissen.

Alena konnte nicht abwarten, was der Rat entschied – wahrscheinlich würde es ohnehin noch Monate und viele weitere Sitzungen dauern, bis er sich auf etwas einigte.

Ohne sich um die erstaunten Blick der Besucher und Ratsuchenden zu kümmern, drehte sie sich um und ging aus dem Saal. Auch die Wachen waren verdutzt. Keine von ihnen versuchte sie aufzuhalten.

Sobald sie die Burg verlassen hatte, schwenkte Alena vom breiten Hauptweg ab auf einen schmalen Pfad. Cchraskar hatte draußen im Gebüsch auf sie gewartet. Jetzt lief er voraus durch den Wald, hielt immer wieder inne und witterte aufmerksam. „Hier in der Nähe beginnt eines unserer Tunnelsysteme“, knurrte er. „Da müssen wir rein. Niemand schafft es, uns darin zu verfolgen, niemand. Wohin genau willst du jetzt, Feuerblüte?“

„Zu Rena“, sagte Alena instinktiv. Ihre Erd-Gilden-Freundin war früher eine der zwölf Delegierten gewesen, sie hatte die violette Robe getragen und mitdiskutiert. Sie kannte die Wege der Macht in der Felsenburg – sie wusste bestimmt, was jetzt zu tun war und wie Alena es schaffen konnte, dass der Mörder auf ihrer Fährte zurückgerufen wurde!

Alena hasste es, durch die engen Tunnel zu robben, in denen es nach Erde und Feuchtigkeit roch und dünne Wurzelfäden aus der Decke baumelten. Ihr verletzter Arm schmerzte. Als sie eine höhlenartige unterirdische Kammer erreicht hatten, holte Alena einen Wühler aus ihrem Gepäck, um Rena eine Nachricht zu schreiben. Eifrig machte sich das Tier auf den Weg. Zu Alenas Überraschung kam schon kurz darauf eine Antwort – Rena musste ganz in der Nähe sein. Sie schrieb:

Du findest mich im Dorf Ridav, östlich der Felsenburg im Weißen Wald. Dort im Haus von Kieran. Wenn man von der Burg kommt, ist es das fünfte Gebäude auf der linken Seite.

„Wir gehen getrennt und treffen uns dort“, sagte Alena zu Cchraskar. Sie durften nicht zusammen gesehen werden, das war zu auffällig.

Durch einen anderen Tunnel kroch sie ans Tageslicht zurück, dann machte sie sich über einen Seitenpfad auf den Weg nach Ridav.

Rena war nervös und versuchte nicht es zu verbergen. Langsam faltete sie die Botschaft von Dorota, in der es um Alenas Auftritt vor dem Rat ging, zusammen und steckte sie ein. Schweigend saß sie am großen Holztisch im Wohnraum von Kierans Erdhaus und trank Cayoral. Ihr Cousin war gerade unterwegs auf Holzsuche, sie würden hier ungestört sein.

Als Erster traf Cchraskar ein, noch mit Erdkrümeln im Fell. Rena begrüßte ihn erfreut. Gut, dass Alena wieder ihren besten Freund bei sich hatte! Zu zweit würden sie es diesem Attentäter schwer machen.

Dann stand Alena vor der Tür, in einem fremden dunkelblauen Umhang. Sie bewegte sich seltsam steif und hinkte. Als sie die Kapuze zurückwarf und den Umhang ablegte, erschrak Rena. „Frische Verbände? Was ist passiert?“

Alena sah ihren Blick. „Es war ein Mordanschlag. Als ich in Karénovia diesen Wühler besorgen wollte. Zum Glück habe ich es geschafft, das nächste Dorf zu erreichen.“

„O nein – wäre ich doch bloß nicht losgeritten ...“

„Es war nicht deine Schuld“, sagte Alena ruhig. „Und es ist gut, dass du rausbekommen hast, wer dahintersteckt. So habe ich es leichter, mich zu wehren. Aber jetzt erzähl – wie ist es mit dem Vulkan genau gewesen, und wie geht es Jorak? Cchraskar hat mir zwar schon einiges berichtet, aber ich würde auch gerne deine Version hören.“

Sie wirkt verändert, dachte Rena. Älter. Erfahrener. Sie weiß genau, was sie will. Und auch wenn Jorak es nicht mehr recht glauben mag, sie liebt ihn immer noch!

„Es geht ihm schlecht“, berichtete Rena. „Nach der Sache mit dem Vulkan ist er verschwunden.“ Sie schilderte Alena ihre Sicht der Ereignisse auf dem kleinen Vulkan. Alenas Ausdruck wurde immer finsterer. Wenn der Abgesandte hier gewesen wäre, hätte sie ihn ohne Zweifel zum Duell gefordert – und Rena hätte nicht darauf gewettet, dass Kedeon gewann.

Schließlich hatte Rena alles erzählt, was sie wusste. Sie lenkte das Gespräch zurück zu den neuen Ideen ihrer jungen Freundin. „Was sollte eigentlich dein Auftritt vor dem Rat bedeuten?“

Alena lächelte grimmig. „Erst mal wollte ich dem Rat einen gehörigen Schreck einjagen. Er hat die Probleme der Gildenlosen viel zu lange ignoriert.“

„Das mit dem Erschrecken ist dir gelungen, glaube ich. Aber was ist mit deiner Idee, eine neue Gilde zu gründen?“

„Völlig ernst gemeint. Irgendetwas muss passieren, und warum keine fünfte Gilde?“

Rena fiel es schwer, ruhig zu bleiben. „Ist dir klar, was das bedeuten würde? Es könnte Verletzte und Tote geben. Vielleicht ist das, was du vorschlägst, der Zündfunke für einen Bürgerkrieg.“

„Das glaube ich nicht. Sobald die Gildenlosen ihre Rechte bekommen, sind sie zufrieden – niemand wird sterben.“

„Meinst du wirklich, dass der Rat ihnen diese Rechte geben wird?“

„Natürlich nicht, ich habe ja gesehen, wie die Gilden mit Jorak umgesprungen sind“, sagte Alena, ihre grünen Augen waren hart. „Es wird anders laufen. Die Menschen werden sich diese Rechte nehmen. Sie sind Bürger Dareshs und als solche wollen sie in Zukunft behandelt werden. Wenn nicht ... wir werden sehen.“

Rena spürte, wie sie Angst bekam. Angst vor dieser neuen Alena, die ganz ruhig und kühl über ungeheuerliche Dinge redete. Und die inzwischen stark genug war, um sie wahr werden zu lassen. So, wie das Orakel es vorhergesehen hatte. „Das bedeutet Krieg, ob du es wahrhaben willst oder nicht. Willst du wirklich diejenige sein, die ihn auslöst?“

„Langsam glaube ich, du gehörst zu denen, die keinen Wandel wollen“, schoss Alena ärgerlich zurück. „Siehst du nicht, dass sich etwas verändern muss, und zwar bald? Wann warst du zuletzt in den Elendsvierteln? Jeder Ort hat inzwischen welche!“

„Du hast recht, es muss sich etwas ändern. Aber besser in vielen kleinen Schritten, auf friedliche Weise und unter Anleitung von Vermittlern!“

„Ach. Unter der Leitung eines Rates, der unbequeme Leute einfach beiseiteschaffen will, meinst du das? So schlimm war früher höchstens die Regentin, habe ich gehört!“

Das traf einen wunden Punkt. Auch Rena ließ dieser Gedanke keine Ruhe. „Ich kann mir bei den meisten Mitgliedern nicht vorstellen, dass sie ihre Zustimmung zu einem Mord gegeben haben sollen. Vielleicht ist es ein Alleingang. Zum Beispiel von Ujuna oder Eoran, denen traue ich es noch am ehesten zu.“

Alenas Augen blitzten. „Was heißt das alles? Wirst du uns helfen oder nicht? Das ist es, was mich jetzt interessiert. Du hast Einfluss in Daresh, du könntest einiges für uns tun, wenn du wolltest.“

Rena fühlte sich hilflos, sie wusste nicht genau, was sie antworten sollte. Jorak war ihr sympathisch. Sie hatte ihm von ganzem Herzen Glück gewünscht, denn sie fand, dass das Schicksal der Gildenlosen eine Schande für Daresh war. Und Alena war bei ihrem gemeinsamen Abenteuer in Ekaterin eine gute Freundin geworden – eine so gute Freundin, wie ihre Mutter es einst gewesen war. Rena hatte sich einmal geschworen, Alix´ Tochter nie im Stich zu lassen.

Doch Alena war manchmal ein Hitzkopf. Einen Krieg hatte es während ihres jungen Lebens nicht gegeben, doch Rena erinnerte sich nur zu gut an die schlimme Zeit der Gildenfehden. „Ich werde sehen, was ich tun kann, um diesen Konflikt mir dir und Jorak gemeinsam zu lösen“, sagte Rena vorsichtig. „Aber wenn ich merke, dass es auf einen Bürgerkrieg hinausläuft, dann werde ich alles tun, um ihn zu verhindern. Auch wenn es heißt, dass wir dann auf verschiedenen Seiten stehen.“

Sie sahen sich geradewegs in die Augen und keine von ihnen wich dem Blick der anderen aus.

„Dann weiß ich, woran ich bin“, sagte Alena kühl und stand auf. Sie hatte den zweiten Becher Cayoral, den Rena ihr gegeben hatte, nicht angerührt. „Ich mache mich jetzt wieder auf den Weg. Cchraskar, kommst du?“

Doch Rena konnte sie nicht gehen lassen, noch nicht. „Es gibt aber etwas, wobei ich dir helfen kann und muss. Du kannst nicht dein restliches Leben lang fliehen. Wir müssen erreichen, dass dieser Mörder zurückgepfiffen wird – und das bedeutet, dass wir die ganze Wahrheit über das Orakel herausfinden müssen.“

Alena wandte sich um. „Glaubst du denn, es hat ein Geheimnis, das du noch nicht kennst?“

„Ja“, sagte Rena. Sie wusste selbst nichts Genaues, hatte Alena nur Vermutungen zu bieten. „Ich glaube, dass es etwas mit dieser Flederkatze zu tun hat, die immer wieder bei den Drillingen auftaucht. Wenn ich ihr folge, finde ich vielleicht eine wichtige Spur.“

Alena nickte. Sie wirkte noch immer sehr fern. Wenn sie sich jetzt umdreht und geht, sehe ich sie vielleicht nicht wieder, dachte Rena, und es war ein Gedanke, den sie kaum ertrug. Zum Glück hatte sie einen Einfall. „Aber dieses Geheimnis zu lüften könnte gefährlich werden“, sagte sie. „Ich hätte dich gerne an meiner Seite dabei.“

Angespannt beobachtete Rena, wie Alena nachdachte, zögerte. Doch dann nickte ihre junge Freundin. „Wir treffen uns in zwei Tagen bei Sonnenaufgang an der Ostmauer des Tempels.“

Cchraskar warf Rena einen traurigen Blick zu, als er Alena nach draußen begleitete. Nachdenklich und aufgewühlt blickte Rena den beiden nach. Ungebeten drängte sich ihr der Gedanke in ihren Kopf, wie ähnlich Alena nicht nur Alix war, sondern auch Cano, dem einstigen Propheten des Phönix. Der gleiche Gang, die gleiche Haarfarbe, die gleichen hellgrünen Augen. Auch seine Ausstrahlung, diese starke Wirkung auf Menschen, hatte Alena inzwischen, das war Rena schon bei ihrer Rückkehr aus Rhiannon aufgefallen.

Wenn sie und Jorak Daresh in Brand stecken wollen, können sie es schaffen, dachte Rena und hoffte aus ganzem Herzen, dass es nicht dazu kommen würde.

Plötzlich hatte sie das Bedürfnis nach frischer Luft. Sie ließ die dunkle Wärme des Erdhauses hinter sich, steuerte instinktiv den Fluss an, der sich in der Nähe durch den Wald schlängelte. Das klare Wasser, das in der Sonne glitzerte, erinnerte sie an ihr Zuhause in Vanamee. Wie gern sie jetzt dort gewesen wäre!

Am Ufer des Flusses saß jemand. Rena bemerkte es erst nur aus den Augenwinkeln – und dann sah sie genauer hin. Es war ein schlanker, dunkelhaariger Mann mit lachenden Augen. Tjeri! Oder war das nur ihre Wunschvorstellung? Nein, dann wären nicht so viele Tiere da gewesen. Zwei Rubinvögel hockten auf Zweigen in seiner Nähe, versuchten seine Aufmerksamkeit zu erregen. Ein junger Otter steckte neugierig die Schnauze aus dem Wasser und natürlich waren ein paar Libellen da. Tjeri hatte überall Freunde.

Rena überwand ihren Schreck schnell, winkte ihrem Gefährten aufgeregt und glücklich zu. Unnötig, zu fragen, wie er sie hier gefunden hatte – er war gut in seiner Berufung als Sucher. Wahrscheinlich war es von Anfang an eine blöde Idee gewesen, ihn von jeder Gefahr fernhalten zu wollen.

Tjeri ließ sich ins Wasser gleiten, schwamm über den Fluss und umarmte sie tropfnass, wie er war. „Na so was, wenn das nicht die Frau der tausend Zungen ist ... so eine Überraschung!“

Renas Tunika war jetzt ziemlich feucht, aber das machte ihr nichts aus. Sie musste lachen. „Hui, so scheinheilig hast du schon lange nicht mehr geklungen, Jederfreund.“

Er antwortete mit einem breiten Grinsen. „Na gut, ich gestehe alles. Du hast zwar gesagt, du willst mich aus dieser ganzen Sache raushalten. Aber von den Halbmenschen habe ich seltsame Dinge gehört – über Vulkane, neue Gilden und einen Auftragsmörder aus der Wasser-Gilde. Da musste ich einfach schauen, was an den Gerüchten dran ist. Was ist, verzeihst du mir?“

„Das überlege ich mir noch“, sagte Rena und küsste Tjeri lange.

Alena war wütend und enttäuscht. Gerade von Rena hätte sie sich eine andere Reaktion erhofft. Eher ein „Ich bin dabei! Verlasst euch auf mich!“ als diese lauwarmen Worte, aus denen Altersweisheit troff. Und das von der Frau, die den Halbmenschen die Bürgerrechte verschafft hatte. Waren Gildenlose etwa weniger wert? Hatte Rena mehr Vorurteile gegenüber Ausgestoßenen, als sie zugab?

„Wir kommen auch ohne sie klar“, sagte sie zu Cchraskar.

Ihr Freund knurrte nur etwas Unverständliches. Alena stutzte. „Meinst du etwa, sie hat recht?“

„Die Frau der tausend Zungen ist klug“, meinte Cchraskar vorsichtig.

„Du wirst sehen, es wird kein Blutvergießen geben.“ Alena ging mit langen Schritten. „Und jetzt erklär mir bitte endlich mal, warum du Jorak im Stich gelassen hast. Ich habe dich doch gebeten auf ihn aufzupassen. Jetzt ist er allein und womöglich in Schwierigkeiten!“ Sie musste ständig an ihn denken. Wohin war er verschwunden? Wie ging es ihm jetzt? Was hatte er vor?

„Erstens brauchte Feuerblüte mich dringender“, knurrte Cchraskar übellaunig. „Und zweitens ist er nicht allein, das ist er nicht.“

Alena blieb stehen, blickte ihren Freund verwundert an.

In Cchraskars Augen blitzte es amüsiert auf. „Es gibt da jemanden, den du unterschätzt hast, glaube ich. Wenn mich nicht alles täuscht, alles.“

Jorak war schwindelig. Es war heiß, er hatte fürchterlichen Durst, weil sein Wasservorrat zur Neige ging, und an manchen Stellen war seine Haut rot verbrannt von der gnadenlosen Sonne. Manchmal fragte er sich, warum er eigentlich weiterging. Aber dann setzte er doch einen Fuß vor den anderen und er drehte sich nicht um. Er wollte diesen Vulkan nicht mehr sehen, kein einziges Mal. Den Calonium-Armreif hatte er wieder in das Nachtholz-Kästchen gelegt – niemand sollte ihn aufspüren.

Es dauerte lange, bis Jorak merkte, dass ihm jemand folgte. In großem Abstand zwar, aber er versuchte nicht, sich zu verbergen. Es war Jorak egal, wer es war. Alles war ihm egal. Er fühlte sich unendlich erschöpft.

In den Nächten wurde es kalt. Jorak grub sich zwischen ein paar Felsen eine Kuhle im schwarzbraunen Sand, der noch warm von der Sonne war. Dann rollte er sich auf dem Boden zusammen, deckte sich mit seinem Umhang zu und schloss die Augen. Einem Teil von ihm war selbst die Kälte willkommen, sie lenkte ihn von seinen unerträglichen Gedanken ab.

Bis er jemanden hörte. Jemanden, der pfeifend Holz aufeinanderschichtete, Jorak lauschte auf das Knacken der Äste. Der Fremde musste den Geräuschen nach ganz in der Nähe sein, wahrscheinlich hinter diesen Felsen.

„He, Jorak!“, sagte der Fremde. „Ich brauch Feuer. Könntest du mal aushelfen?“

Finleys Stimme. Jorak war sich nicht sicher, ob er den Geschichtenerzähler jetzt sehen wollte, aber es machte keinen Sinn, schweigend liegen zu bleiben. Langsam richtete er sich auf und ging zur anderen Seite des Felsens. Jorak richtete den Blick auf den kleinen Holzstoß, den Finley errichtet hatte, und sprach die Formel, die Feuer rief.

Es tat gut, die Kraft durch sich hindurchströmen zu fühlen, zu merken, dass er wenigstens diese Dinge noch beherrschte. Zwei Atemzüge später loderten die Flammen munter vor sich hin. Jorak konnte nicht widerstehen, er stellte sich näher heran, streckte die Hände vor, um seine kalten Finger aufzutauen. „Folgst du mir schon die ganze Zeit?“, fragte er Finley. Der Geschichtenerzähler sah im flackernden Licht des Feuers genauso sonnenverbrannt und verschwitzt aus wie er selbst. Sein bunter Umhang hatte etwas gelitten und wurde von einem neuen Brandfleck geziert – anscheinend war Finley einem schlecht gelaunten Tass begegnet.

„Ja. Aber ich dachte mir, du wolltest vielleicht erst mal eine Weile allein sein.“

Jorak hob die Augenbrauen. So viel Einfühlungsvermögen hätte er Finley gar nicht zugetraut. Schweigend wärmte sich Jorak am Feuer und merkte, wie seine Erstarrung sich langsam löste. Plötzlich hatte er sogar fast Lust zu reden. „Du hast bestimmt gehört, was da oben passiert ist?“

„Cchraskar hat uns davon erzählt. Ganz schöner Storchendreck.“ Finley zögerte. „Wie geht´s dir jetzt?“

Jorak hatte keine Lust, sich zu verstellen, so zu tun, als sei alles in Ordnung. Also sagte er ihm die Wahrheit. „Ich habe keine Kraft mehr. Es war ein harter Kampf und ich habe verloren. Was soll ich hier noch?“

Finley hatte geduldig zugehört. „Darauf gibt es eine Antwort, glaube ich“, sagte er jetzt und hielt ihm einen kleinen Zettel hin. „Das hier kam heute früh mit einem Wühler. Von einem Geschichtenerzähler, der in der Felsenburg arbeitet, einem Freund von mir.“

Schnell las Jorak sich die Nachricht durch. Ihm stockte der Atem, als er las, was Alena vor dem Rat gesagt hatte. Er konnte sich genau vorstellen, wie sie da gestanden haben musste. Was für ein Feuerkopf, dachte er zärtlich. Dass sie mutig ist, weiß ich schon seit Rhiannon ... aber es gehört noch etwas mehr Mut dazu, das in Frage zu stellen, was man schon sein ganzes Leben lang kennt ...

Als er an die fünfte Gilde dachte, spürte er, wie etwas in ihm zündete, wie sein Interesse an der Welt zurückkehrte. „Wieso bin ich eigentlich nie auf die Idee mit der neuen Gilde gekommen?“

„Keine Ahnung“, sagte Finley. „Hab mich schon gewundert. Dabei gibt es doch nur einen Menschen auf Daresh, der wirklich der Richtige wäre, um so eine Gilde zu gründen.“

Jorak schaffte ein halbes Lächeln. „Falls du mich meinst – ich habe eigentlich andere Pläne.“

„Ja, ich weiß, du willst unbedingt als Zwischenmahlzeit eines Rudels Skorpionkatzen enden. Aber wenn das nicht klappt, dann weißt du, was noch so auf dem Programm stünde.“

„Glaubst du wirklich? Ich habe sie alle enttäuscht, alle, die an mich geglaubt und die mir Glück gewünscht haben. Wahrscheinlich hassen sie mich jetzt. Oder ich sehe nur noch Mitleid in ihren Gesichtern, wenn sie mich anschauen.“

„Blödsinn! Ich kenne bloß einen Menschen, der dich wirklich hasst", sagte Finley und grinste. „Kedeon. Die Feuer-Leute haben ihn gar nicht erst verwarnt, sondern wegen dieser Sache mit der Lava-Made gleich aus der Gilde ausgestoßen. Habe ich aus wohlinformierten Quellen gehört."

Jorak musste fürchterlich lachen.

„Ich glaube, ich erzähle dir jetzt mal was Lustiges, damit du noch ein bisschen weiterlachst", meinte Finley und sein breiter Mund schien von einem Ohr zum anderen zu reichen. „Ich mache mit! Bei der fünften Gilde."

Jorak hörte auf zu lachen. „Meinst du das ernst? Aber ... warum? Du gehörst zu den Luft-Leuten. Du hast es nicht nötig."

„Irgendwie schon. Ich habe lange an nichts mehr geglaubt. Es ist mal wieder Zeit, scheint mir." Finley sah ihn nicht an, als er es sagte. Er wirkte verlegen.

„Das freut mich", sagte Jorak schlicht.

Wie alles begann

Es war ein seltsames Gefühl, wieder beim Tempel des Orakels zu sein. Je näher Alena ihm kam, desto stärker wurde ihr Gefühl, dass Gefahr drohte. Rena hat recht, hier ist der Schnittpunkt, dachte sie, die Quelle des Übels. Wenn wir mit dem Orakel nicht fertigwerden, dann hat auch die neue Gilde keine Chance. Diese drei boshaften Kinder brauchen nur zu sagen, dass sie vernichtet werden muss. Schon ist ihr Schicksal besiegelt, der Rat wird nicht wagen, eine solche Warnung zu ignorieren.

Cchraskar blieb dicht neben ihr, er war sehr still. Vielleicht spürte auch er, dass dies ein unheimlicher Ort war.

Der Tempel war nicht weit vom Alestair-Gebirge entfernt gebaut worden. Für jemanden, der sich verstecken wollte, war das praktisch. Alena machte einen Bogen um das Lager, in dem die Bittsteller lebten, und zog sich in eine Felsnische zurück, von der aus sie die Ostmauer des Tempels gut beobachten konnte. Dort wartete sie auf den Sonnenaufgang. Es machte ihr Sorgen, dass ihr Arm noch nicht verheilt war. Sie versuchte ihr Schwert zu ziehen, ließ es aber gleich wieder bleiben. Wenn Rena sich von mir Schutz verspricht, könnte sie eine unangenehme Überraschung erleben, dachte Alena grimmig.

Rena kam pünktlich an und sah sich suchend um. Sie war nicht wie vereinbart allein, doch als Cchraskar ihren Begleiter erkannte, fiepte er freudig auf. „Es ist Jederfreund!"

Alena blickte Tjeri mit gemischten Gefühlen entgegen. Sie mochte ihn, sehr sogar, aber es war ein unheimlicher Gedanke, dass dieser Attentäter ein Mensch wie er war. Dass Schlangenzahn wahrscheinlich ähnlich aufgewachsen war, ähnliche Fähigkeiten und eine ähnliche Ausbildung hatte, ähnlich lebte und dachte. Doch dann rief sich Alena zur Ordnung. Blödsinn, dachte sie. Tjeri ist nicht mein Feind, wird es niemals sein. Ich kann ihm nicht vorwerfen, dass einer seiner Gildenbrüder kein so gutes Herz hat wie er.

Als Alena sich vergewissert hatte, dass niemand den beiden gefolgt war, glitt sie aus ihrer Nische und ging schnell auf Rena und Tjeri zu.

Ihre Begrüßung fiel zurückhaltend aus, sie umarmten sich nicht. Trotz allem tat Alena das leid. Ich habe wirklich ein einzigartiges Talent dafür, meine Freunde zurückzustoßen, sagte sie zu sich und musste wieder an Jorak denken. Sie hatte gerade – endlich, endlich! – eine Nachricht von ihm bekommen. Eine Nachricht, von deren Inhalt Rena nichts erfahren durfte. Und niemand anders, der einer Gilde angehörte.

Aber erst mussten sie mit dem Orakel fertig werden. „Was passiert jetzt? Hast du einen Plan, Rena?", fragte Alena.

„Keinen besonders guten." Rena verzog das Gesicht. „Wir warten und halten die Augen offen, damit wir die Flederkatze sehen."

Sie zogen sich in die Felsnische von vorhin zurück. Um das Schweigen zu brechen – und weil sie es wissen musste –, fragte Alena nach den beiden Ratsmitgliedern, denen Rena den Mordauftrag zutraute. „Einmal Ujuna aus der Wasser-Gilde", meinte Rena, ohne den Blick vom Tempel und dem Himmel darüber zu lösen. „Ihre Ansichten über Gilden und Halbmenschen sind nicht gerade sehr fortschrittlich. Und sie ist der Meinung, dass der Zweck die Mittel heiligt."

„Ich tippe auch auf Ujuna", sagte Tjeri und auf einmal klang seine Stimme hart. „Als ich noch Agent für meine Gilde war, habe ich etwas über sie herausgefunden ... ich darf euch nicht sagen, was, aber sie ist eine Frau, von der man sich besser fernhält."

Alena wettete, dass Ujuna die schöne Frau war, die das mit der „Gilde der Verbrecher" gesagt hatte. „Hm. Klingt interessant."

„Aber es reicht vielleicht auch zu wissen, dass sie dich nicht gerade mag", fügte Rena hinzu. „Sie musste nach deinem Kampf gegen Cano als Ratsvorsitzende zurücktreten, weil sie es war, die Cano aus der Verbannung hatte zurückkehren lassen. In Zukunft wird sie streng gegen alle Ausgestoßenen vorgehen, darauf kannst du wetten!"

Schweigend hörte Cchraskar zu, seine Miene war skeptisch. Alena konnte sich vorstellen, was er dachte. Unter Halbmenschen gab es praktisch keinen Mord. Wahrscheinlich wunderte er sich gerade sehr über die Menschen im Allgemeinen und im Besonderen.

„Und Eoran, der zweite Kandidat?", fragte Alena.

„Er kann blendend organisieren und ist sehr nützlich für den Rat. Aber er ist feige, und ich weiß, dass er sich schon einmal hat erpressen lassen. Außerdem will er nicht, dass sich in Daresh etwas ändert."

Alena wandte sich Tjeri zu. „Was meinst du, würde diese Ujuna für den Auftrag einen Gildenbruder anheuern? Klingt irgendwie logisch, finde ich."

„Kann sein. Brackwasser, ich bin immer noch nicht darüber hinweg, dass dieser Attentäter einer von meinen Leuten ist, und noch dazu ein Sucher." Diesmal klang kalte Wut in Tjeris Stimme mit. „Unsere Aufgabe ist, zu helfen. Er hat alles verraten, wofür wir stehen. Ich glaube, ich weiß sogar, wer er ist. Es gab jemanden im Norden, wir sind uns ab und zu begegnet ... er war ziemlich gut, aber seltsam, zu höflich irgendwie, ein Einzelgänger ... die letzten Winter habe ich nichts mehr von ihm gehört, möglich, dass er in dieser Zeit angefangen hat zu töten."

„Gibt es einen Weg, ihn zu besiegen?", drängte Alena. „Hat er eine Schwäche, die ich nutzen könnte?"

Tjeri dachte lange nach. Dann sagte er: „Er wird versuchen, den offenen Kampf zu meiden. In Vanamee hat kaum einer ein Schwert. Wenn du irgendwie schaffst, die Rollen zu vertauschen und ihn zu stellen, hast du eine Chance. Aber nur, wenn kein Wasser in der Nähe ist."

„Wieso, was dann?"

„Dann wird das Wasser zu seinem Verbündeten. Erinnerst du dich daran, was ich dir in Vanamee gezeigt habe? Was unsere Formeln bewirken und wie lange wir ohne Luft auskommen können? Vergiss das nie!"

Alena nickte und wollte gerade eine Bemerkung darüber machen, als Rena leise aufschrie. „Da! Da ist sie!"

Schnell wandte Alena den Kopf. Wie ein Schatten huschte eine dunkelbraune Flederkatze über den Himmel. Sie kreiste ein-, zweimal über dem Tempel, ließ sich dann auf einem Baum im Innenhof nieder. Wirklich seltsam, dachte Alena. Das war die einzige Flederkatze, die sie kannte, die tagsüber herumflatterte!

Fasziniert beobachtete Tjeri sie, schloss dann kurz die Augen und schien in sich hineinzulauschen. „Schade. Sie blockt sich ab, ich komme nicht an sie heran. Hat wohl etwas zu verbergen."

„Darauf kannst du wetten", sagte Rena. „Hat einer von euch gesehen, woher sie gekommen ist?"

Cchraskar nickte. „Auss den Bergen."

„Am besten, wir gehen schon mal in die Richtung los, dann bekommen wir einen Vorsprung!", schlug Rena vor.

Von Bergen hatte Alena eigentlich erst mal genug. Aber sie folgte Rena und Tjeri wortlos.

Tatsächlich, wenig später flog die Flederkatze zurück zum Alestair-Gebirge. Sie kreiste über ihnen, beobachtete sie, und instinktiv taten Alena und die anderen so, als seien sie normale Wanderer, schauten dem Tier nur noch aus dem Augenwinkel nach. Scheinbar beruhigt flappte es davon. Diesmal sah Alena genauer, wohin es flog: zur Bergflanke etwa zwanzig Baumlängen jenseits des Tempels. Dort verschwand es ganz plötzlich.

„Es ist weg", sagte Rena verblüfft.

„Vielleicht kann es sich unsichtbar machen, unsichtbar", sagte Cchraskar und zuckte mit den Ohren.

Alena hoffte nicht. Sie näherten sich der Stelle, an der sie die Flederkatze zuletzt gesehen hatten. Obwohl sie gründlich suchten, dauerte es fast einen Viertel Sonnenumlauf, bis Tjeri schließlich entdeckte, wonach sie Ausschau gehalten hatten. Auf den ersten Blick war es nur ein schmaler Riss im Fels, aber als sie mühsam ein paar Felsbrocken aus dem Weg wuchteten, wurde ihnen klar, dass das nicht alles war. Alenas Arm tat höllisch weh, doch die Aufregung war stärker als der Schmerz. „Ich glaube, das ist der Eingang zu einer Höhle", keuchte sie. „Halb verschüttet. Muss ganz schön alt sein."

Cchraskar schaffte es als Erster, sich durch den Spalt zu zwängen. „Hier ist es vielgroß dunkel, wie im Bauch eines Dhatlas!“, meldete er.

„Ich hoffe, es ist nicht das Gleiche drin, sonst wird´s ungemütlich“, brummte Tjeri.

„Wartet, ich hole Fackeln.“ Alena eilte zurück zur Ebene, um sich ein paar trockene Äste zu besorgen. Inzwischen wuchteten Rena und Tjeri weiter Steine beiseite, der Schweiß lief ihnen über die Stirn. Dann war es so weit. Nacheinander krochen sie in die Höhle. Alena sog die Luft ein. Sie roch kühl und flach, nach feuchtem Stein und Nachtwissler-Kot.

„Na, dann los“, sagte Rena.

Längst nicht alle von Joraks Helfern waren abgereist, nachdem das Experiment mit dem Vulkan schiefgegangen war. Ein paar hatten hartnäckig darauf gewartet, dass er zurückkam. Dankbar blickte Jorak in die Runde. Da waren Eryn, Haruco und Kiion aus der Bande im Wirtshaus, Itai, die stille Erzsucherin, und Neike, die Alena furchtlos ins Gebirge geführt hatte, um Jorak zu retten. Noch etwa zwanzig andere waren da, fast alles Gildenlose. Auch Zilly hatte sich neugierig dazugesellt.

„Was haltet ihr von Alenas Idee, eine fünfte Gilde zu gründen?“, fragte Jorak in die Runde.

„Ich finde sie gut“, ergriff Eryn das Wort. „Es wäre eine neue Hoffnung für uns.“

Ein anderer Mann zuckte die Schultern. „Aber würde die Gilde offiziell anerkannt werden? Sonst macht es keinen Sinn.“

Neike verzog das Gesicht. „Für mich kommt es sehr darauf an, wer Mitglied werden kann. Es gibt auch viele üble Kerle unter den Gildenlosen. Als mir Alenas Freunde in Ekaterin zwanzig Tarba geschenkt haben, hat es keinen Tag gedauert, bis eine Bande von ehemaligen Feuer-Leuten mir das Geld wieder abgenommen hat. Dabei haben sie mich so verprügelt, dass ich aus Ekaterin geflohen bin, um ihnen nicht nochmal zu begegnen.“

Das erinnerte Jorak an Fenk, den Schläger, dem er bei seiner Rückkehr nach Ekaterin über den Weg gelaufen war. „Absolut. Wer eintreten will, muss sich von uns genau unter die Lupe nehmen lassen. Und er sollte bereuen, was er getan hat."

„Danach sollte er eine Bewährungszeit bestehen müssen", schlug Haruco vor. Seine Augen strahlten und er hatte rote Ohren vor Aufregung. „In dieser Zeit sollte er viel Gutes tun und anderen Gildenlosen helfen, sich ein neues Leben aufzubauen."

„Klingt gut." Jorak dachte nach. „Aber Menschen, die zwischen den Elemente gezeugt worden sind, brauchen die Probezeit nicht, oder?"

„Du willst nur nicht, dass sie für dich selbst gilt", neckte ihn Eryn und brach in sein heiseres, dröhnendes Lachen aus. Die anderen stimmten mit ein.

Erstaunlich, wie gut die Stimmung wieder ist, dachte Jorak. Aufbruch liegt in der Luft! „In anderen Dingen sollten wir die Organisation der Gilden soweit wie möglich übernehmen", meinte er. „Zum Beispiel finde ich es gut, dass die Gilden von drei gewählten Mitgliedern geführt werden."

Eryn nickte. „Zwei davon sind natürlich du und Alena."

Das machte Joraks gute Stimmung auf einen Schlag zunichte. „Alena gehört zur Feuer-Gilde", sagte er hart. „Wie soll sie da bei uns mitmachen?"

Verlegenes Schweigen. Ein paar der Gildenlosen tauschten einen schnellen Blick. Nein, ihnen war nicht entgangen, dass Alena nicht mehr hier bei ihm war. Vielleicht hatten sie sogar von dem Streit gehört. Auch Finley sagte nichts. Vielleicht hatte er sich noch nicht überlegt, wie er selbst mit seiner Luft-Mitgliedschaft umgehen wollte.

„Wie wäre es, wenn wir die eine Gruppe der Mitglieder ‚Rückkehrer' nennen und die andere ‚Grenzgänger'?", fragte Neike in die Stille hinein und erleichtert begannen die anderen wieder zu diskutieren.

Sie redeten noch die halbe Nacht darüber, wie sie die Sache aufziehen wollten. Jorak beteiligte sich an der Diskussion, aber er beobachtete auch. Welche dieser Leute würde ich in meiner Führungsriege haben wollen?, überlegte er. Wer von ihnen hat das innere Feuer der Begeisterung, das Talent, andere zu führen, wem traue ich die Organisation zu und wem die Verhandlungen mit den anderen Gilden und der Regentin?

Eryn wollte er auf jeden Fall haben, er hatte eine starke Persönlichkeit, war ein natürlicher Anführer und hatte ihn damals im Gasthaus fair behandelt. Neike mochte er, weil sie nicht aufgab und im Gebirge großen Mut gezeigt hatte, außerdem hielt sie treu zu ihm und Alena. Haruco gefiel ihm ebenfalls. Die anderen – mal schauen, er kannte sie noch nicht genug. Und eigentlich kannte er auch seine wichtigsten Helfer nicht gut genug. Es interessierte ihn sehr, weswegen Eryn und Neike ausgestoßen worden waren.

„Eines ist sicher", beendete Jorak schließlich die Diskussion. „Wir brauchen eine ordentliche Gründungsversammlung. Aber nicht in Nerada. Es ist zu schwer, dort zu reisen. Ich möchte nicht, dass die Hälfte der Leute, die zur Versammlung kommen wollen, im Grasmeer versinkt oder verdurstet. Vanamee kommt aus dem gleichen Grund nicht in Frage. Obwohl dort nicht die Gefahr besteht, dass jemand Durst bekommt."

Wieder Gelächter.

„Wie wär´s mit Alaak?", fragte jemand. „Es ist freundlich und grün und hat gute Wege, auf denen es sich leicht reist."

Doch irgendetwas in Jorak sträubte sich gegen Alaak. „Besser nicht. Ich fände ein wenig Abstand zur Felsenburg gar nicht schlecht."

„Tja, dann bleibt nur noch Tassos", sagte Eryn. „Wie wäre es mit Carradan? Meine Heimatstadt übrigens. Sie liegt in der Nähe von Alaak und Vanamee. Und die Windhunde sind alle gut zu Fuß, die können irgendwie von Nerada herkommen."

Die Idee gefiel Jorak. Carradan war eine große Handelsstadt der Feuer-Gilde, fast ebenso weltoffen wie Ekaterin und nicht wie andere Orte von einem Gürtel tödlicher Phönixbäume abgeschirmt. Er erinnerte sich daran, dass seine ehemaligen Reisegefährten Kilian und Jelica von dort kamen, sie hatten schon oft von der Stadt geschwärmt. Und wollte Alenas Vater nicht auch dorthin ziehen, mit Sukie? Ja, alle Zeichen wiesen nach Carradan.

„Dort findet doch auch die Gipfelnacht statt, oder?“, fragte Jorak. Es war das größte Fest der Feuer-Gilde und wurde einmal jeden Sommer abgehalten. „Wann eigentlich?“

Eine Frau aus der Gruppe antwortete. „In sechzehn Tagen. Wieso machen wir die Versammlung nicht einfach gleichzeitig? Dann wird es nicht auffallen, dass so viele Fremde in der Stadt sind.“

Das war eine hervorragende Idee. Jorak nickte. „Also in Carradan zur Gipfelnacht. Ich reise sofort hin und organisiere alles. Und ihr habt die schwierige Aufgabe, den Treffpunkt möglichst vielen Gildenlosen mitzuteilen, ohne dass andere Leute Wind von der Sache bekommen. Es hätte uns gerade noch gefehlt, dass die Regentin all ihre Truppen dorthin schickt.“

Als er in die Runde blickte, auf die andächtigen Gesichter, die ihn im Schein der Fackeln anblickten, wusste er, dass er diesen Abend nie vergessen würde. Es berührte ihn, wie diese Menschen ihm vertrauten, bereit waren, ihm zu folgen. Auch wenn ihnen klar war, dass es sehr gefährlich werden konnte, was sie vorhatten. Aber was hatten sie schon zu verlieren?

Später in dieser Nacht sprachen sie dann auch darüber, was ihnen geschehen war im Leben. Was sie die Mitgliedschaft in ihren Gilden gekostet hatte. „Ich habe jemanden auf dem Gewissen“, gestand Eryn der Schwarze. „Totgeschlagen im Streit um eine Frau. Sie konnte sich nicht entscheiden, hat uns beide bis aufs Blut gereizt. Tja, dann hat sie keinen von uns bekommen.“

Jorak versuchte sich nicht anmerken zu lassen, wie schockiert er war.

Nicht sehr erfolgreich anscheinend, denn Eryn sagte: „Keine Sorge, Junge. Habe zwar die ersten paar Winter ihr und dem anderen Kerl die Schuld gegeben. Aber irgendwann habe ich begriffen, dass ich´s war, der damals alles verpfuscht hat. Hab bezahlt dafür. Meine Frau ist weg, meine Tochter will nichts mehr von mir wissen und ich lebe seither von Asche und Sand statt von Glut und Fleisch. Hätte aber alles noch schlimmer kommen können, andere werden für Mord in die Eiswüste von Socorro verbannt, und von dort kommt kaum einer lebend zurück.“

Neike hatte gestohlen, um besser leben zu können. Geld, manchmal auch Waren, und einmal eine Kette aus Silber und Kupfer, die sie unbedingt haben wollte. „Mein Lohn als Pflückerin und Baumpflegerin war mir nie genug“, erzählte sie und strich sich verlegen das lange honigfarbene Haar zurück. „Mir war damals nicht klar, wie hoch der Preis sein würde für das Leben, das ich mir zusammengestohlen habe. Ich vermisse ihn so furchtbar, den Geruch der reifen Früchte in dem Obstgarten, den wir früher hatten.“

Auch Kiion erzählte scheu und stockend seine Geschichte. Er war nie in einer Gilde gewesen. Mischlinge wie er wurden oft kurz nach der Geburt getötet, doch seine Mutter war mit ihm geflohen. „Vielleicht wäre es besser gewesen, sie hätte es nicht getan“, sagte Kiion und hielt den Blick auf den Boden geheftet, während er weitersprach. Die Storchenmenschen hatten nichts von ihm wissen wollen und die Vollmenschen erst recht nicht. Er hatte die meiste Zeit von dem gelebt, was seine langen, geschickten Finger aus fremden Taschen zogen. Bis Eryn der Große ihn unter seine Fittiche genommen, ihn beschützt und versorgt hatte.

„Eryn der Große!“ Eryn grinste breit. „Kiion, du bist wirklich ein Schelm.“

Itai hatte sich von ihrem damaligen Freund überreden lassen, zwei Reisende zu entführen und anschließend Lösegeld zu erpressen. Mit dem Geld hätten sie endlich eine eigene Pyramide bauen können. Aber die Sache war schief gegangen.

Eine Geschichte nach der anderen hörte Jorak an diesem Abend, und danach war er so erschüttert, dass er seinen eigenen Kummer für eine Weile vergaß. Doch er hatte auch über vieles nachzudenken. Will ich wirklich Mörder, Diebe und Entführer in meiner neuen Führungsriege haben?, ging es ihm durch den Kopf, als die anderen Menschen im Lager längst schliefen. Genau für diese Leute muss die fünfte Gilde da sein. Nun ja, gestohlen habe ich selbst schon, oft sogar, und Blut vergossen habe ich ebenfalls. Wenn auch nur, um mich zu schützen. Ich denke, die Frage ist, ob ich diesen Leuten, meinen neuen Verbündeten, vertraue, so wie sie mir vertrauen.

Und die Antwort ist: Ja.

Selbst Rena, die sich sonst unterirdisch sehr wohl fühlte, fand es unheimlich in diesem Berg. Er hatte etwas Unnatürliches. Nachdem sie den oberen Teil, der von Geröll fast verstopft war, hinter sich gebracht hatten, waren die Tunnel breit wie eine kleine Handelsstraße. Rena strich mit der Hand an der erstaunlich glatten Wand entlang und ihr Herz schlug schneller. „Weißt du, woran mich das hier erinnert? An die Türme jenseits der Grenze. Diese Wände ... sie sind genau wie die, die in den Türmen von selbst geleuchtet und die Räume erhellt haben."

„Vielleicht ist der Berg eine Ruine des Alten Volks", sagte Alena aufgeregt und drehte sich mit der Fackel in der Hand um sich selbst, um alles sehen zu können. „Und noch besser, ich glaube nicht, dass schon mal jemand hier war ... sonst hättest du bestimmt davon gehört, oder? Es ist eine bisher unerforschte Ruine!"

„Sieht fast so aus", sagte Tjeri gut gelaunt. „Der Eingang war blendend versteckt."

Renas Plan ging auf. Plötzlich fiel es Alena und ihr wieder leicht, miteinander zu reden. Nur freuen konnte sie sich nicht recht darüber. Sie hatte Kopfschmerzen bekommen, fast von einem Moment auf den anderen. Beim Gehen massierte sie sich die Schläfen mit den Fingern und wünschte sich ein mit kaltem Wasser getränktes Tuch herbei, das sie sich auf die Stirn legen konnte. Vielleicht war sie zu lange in der Sonne gewesen.

Doch dann sah sie, dass auch Tjeri sich die Stirn rieb. Das gab ihr zu denken.

„Was ist, Frau der tausend Zungen? Geht es dir gut?", flüsterte Cchraskar neben ihr.

Rena lächelte ihn an. Halbmenschen waren einfach wunderbare Geschöpfe. „Ja, ich glaube schon."

Der Gang mündete in einen dunklen Raum. Vorsichtig, mit gezogenem Schwert, schlich Alena voran. Tjeri und Rena folgten ihr und Cchraskar passte auf, dass sich niemand von hinten an sie heranschleichen konnte. Sie hoben die Fackeln ... und hielten den Atem an. An den Steinwänden hatte jemand ungeschickt die Symbole der vier Gilden eingemeißelt – die drei Wellen im Westen, die Pflanze im Norden, Wolke-und-Vogel im Osten, die Flamme im Süden.

„Die sehen aber komisch aus", sagte Alena erstaunt. Tatsächlich, die Symbole sahen nicht ganz aus wie die Gildenzeichen, die Rena kannte, die Flamme war breiter und die Pflanze der Erd-Gilde hatte mehr Zweige.

An anderen Stellen hingen riesige Bilder. Fremdartig-glatte Bilder, lebensecht bis ins letzte Detail. Wenn man genau vor ihnen stand, dann bekamen sie auf einmal Tiefe, sodass man glaubte, die Wand sei verschwunden und das gezeigte Objekt stände leibhaftig vor einem.

Staunend wischte Rena den Staub von einigen der Bilder. Was sie zeigten, war vertraut. Ein Dhatla beim Verzehren eines großblättrigen Busches. Ein Rubinvogel im Flug, man konnte seine Flügel langsam schlagen sehen. Ein Oriak, das an einem Waldrand stand, ihnen scheu entgegenblickte und mit den Segelohren zuckte. Je ein Bild des Weißen und des Roten Waldes, die Blätter tanzten im Wind.

„Hübsch – aber was soll das?", meinte Tjeri.

Unter den Bildern stand etwas. Rena erkannte Sätze in mehreren unterschiedlichen Schriftzeichen. Einer der Sätze war in einer etwas seltsamen Form von Daresi geschrieben worden. „Der Weiße Wald gehört zu den schönsten Gegenden des Schutzgebiets", entzifferte Rena. „Viele Tier- und Pflanzenarten haben hier ihre Heimat."

Verblüfft blickten Rena, Tjeri und Alena sich an.

„Schutzgebiet?", echote Alena.

Im nächsten Raum fanden sie etwas, das ihnen den Atem stocken ließ. Das Modell einer Landschaft, das auf einem großen fünfeckigen Tisch stand. Rena ließ ihre Augen darüber schweifen, versuchte sich zu orientieren. Sie erkannte das Seenland, das Alestair-Gebirge, in dem sie sich befanden, die Wüsten und Vulkane von Tassos. „Das ist Daresh", flüsterte sie. „Es fehlen nur ziemlich viele Städte."

Doch das eigentlich Wichtige war, was das Modell sonst noch zeigte. „Rostfraß, sieh dir das an!“, stieß Alena hervor und Rena vergaß ihre Kopfschmerzen.

Jenseits der Grenze war keine Wüste eingezeichnet, sondern eine dicht besiedelte, lebendige Landschaft mit Wäldern, Flüssen, einer Vielzahl von Orten und Städten. Rena entzifferte einige Namen: *Res Irtu´dal, Tabran, Upularia, Etíanne, Wykan, Qerenos.* Eine rot eingezeichnete Grenze verlief quer durch das Gebiet, anscheinend begann dort ein anderer Herrschaftsbereich. Er war mit *Thyme* beschriftet, während auf der anderen Seite in Großbuchstaben *Jirawar* stand.

Rena war sofort klar, dass sie etwas Einzigartiges entdeckt hatten. Das, was hier vor ihnen lag, war das erste und einzige bekannte Dokument darüber, wie die Gegend jenseits der Grenze früher ausgesehen hatte!

„Auch Atakán und Rhiannon sind eingezeichnet“, ächzte Alena. „Wenn wir das vorher gewusst hätten!“

„Und schau mal, die Türme“, flüsterte Rena. Rund um Daresh waren die sieben Türme angebracht, neu und unbeschädigt und im Modell gerade einmal fingerhoch. Zwischen ihnen war eine dünne blaue Linie eingezeichnet. Das sollte wohl die magische Grenze sein. Bei jedem Turm stand eine Bezeichnung, *Tor Süd* und *Tor West* las Rena auf zweien von ihnen.

Tjeri entzifferte einen der Sätze, die am Rand des Modells eingeprägt waren. „*Das Alestair-Schutzgebiet im Westen Jirawars ist einzigartig auf Rika´nanja. Dieses Modell zeigt den Stand des Schutzgebiets zur Zeit der 3. Generationen der 347. Epoche* ... hm, keine Ahnung, wann das war, aber es muss einige tausend Winter her sein.“

„Rika´nanja ... könnte es sein, dass die ganze Welt so hieß? Die Welt, von der Daresh ein kleiner Teil war?“ Alena war fasziniert. „Und Daresh hieß anscheinend früher Alestair.“

Viele Einrichtungen des Raumes erschienen Rena rätselhaft, wahrscheinlich funktionierten sie nicht mehr. Zum Glück hingen an den Wänden hier und da auch ganz normale Tafeln mit Bildern und Texten. Nach und nach reimte Rena sich zusammen, dass Daresh ursprünglich ein Gebiet gewesen war, das wegen seiner einzigartigen Landschaften unter Schutz gestellt wurde.

Niemand durfte sich dort ansiedeln, und nur wenige Orte – zum Beispiel Carradan, Ekaterin und Eolus – durften existieren, um Reisende aus den anderen Ländern zu versorgen und ihnen Unterkunft zu bieten.

Rena wurde einiges klar. „Deshalb gibt es auf unserer Seite der Grenze nur so wenige Ruinen des Alten Volks! Und dieser Berg hier ... das hier ist anscheinend eine Art Zentrum, in dem Reisende etwas über das Gebiet erfahren konnten. Auf den Bildern geht es vor allem um Alaak ... wahrscheinlich gibt es in den anderen Provinzen versteckt ähnliche Räume ..."

Sie sah, dass Tjeris Augen zu glänzen begannen. Eines war klar – er brannte schon darauf, sich auf die Suche nach diesen verborgenen Räumen zu machen!

Abwesend nickte Alena. Sie fuhr mit dem Finger die blaue Linie der Grenze nach. „Die Türme haben wohl als eine Art Absperrungen gedient. Als Grenze des Schutzgebiets."

„Hm", sagte Rena. Sie war noch nicht überzeugt. Wozu brauchte ein Schutzgebiet eine dermaßen mächtige Grenze, die kein lebendes Wesen überwinden konnte und die das Gebiet dahinter komplett abschirmte?

Wie in Trance gingen sie weiter in die nächsten Räume. Rena schrie auf, als sie in der Dunkelheit eine grässlich verzerrte Silhouette erkannte. Tjeri ging näher heran – und lachte leise. „Ausgestopfte Tiere. Das hier vorne ist ein Tass. Ist wohl im Laufe der Zeit von Nachtwisslern angenagt worden, es sieht übel aus." Als Cchraskar das Tass vorsichtig mit der Nase berührte, zerfiel es in ein halbes Dutzend Stücke und eine Menge Staub, der langsam zu Boden schwebte. Erschrocken fuhr Cchraskar zurück. „Das ist ja toter alss tot!"

Doch als interessantester Fund erwies sich einer der auf den ersten Blick unscheinbaren Räume. Dort standen ein Tisch mit Stuhl, einige Regale und ein Schlafplatz.

Neugierig zog Rena einige der Gegenstände heraus, die sich im Regal befanden. Darin waren dünne Seiten aus Pergament befestigt, dicht mit sehr präzisen Schriftzeichen besetzt. „Beschäftigt sich vermutlich mit der Verwaltung des Schutzgebiets", meinte Rena, und tatsächlich waren viele der brüchigen, bleichen

Seiten Rechnungen und Berichte. Rena prüfte die Aufschriften auf den anderen Büchern im Regal. Etwas versteckt weit hinten im Regal fand sie ein Buch, auf dem schief das Symbol der Erd-Gilde aufgemalt war. Das sah interessant aus! Rena schlug das Buch auf und vertiefte sich in den Inhalt. Währenddessen durchsuchten Alena und Tjeri – vorsichtig, um nicht noch mehr kaputt zu machen –, den Raum.

Es waren handschriftliche private Briefe von verschiedenen Menschen, und alle waren sie gerichtet an den „lieben Gildenbruder Miroo“. Rena vergaß die Welt um sich herum, als sie las, weiterblätterte, wieder eine Stelle las ...

... bei zehn Bewerbungen haben sie mich abgelehnt, weil sie Verdacht geschöpft haben, ich könnte einer von „denen“ sein. Und neulich hat eine Frau es gemerkt und mich als Missgeburt beschimpft. Die Arbeit im Schutzgebiet habe ich dann durch die Gilde bekommen. Ich bin froh, dass wir uns so stark gegenseitig unterstützen, sonst wäre es schwer!

Gerade gestern hat mich ein Gildenbruder gebeten, seiner Tochter Miu ebenfalls eine Anstellung hier zu verschaffen, und natürlich habe ich gerne zugesagt. Vielleicht wäre sie sogar eine Partnerin für mich. Ich weiß, dich ärgert das Gebot, nur innerhalb der Gilde zu heiraten, aber ich finde es sinnvoll und soweit ich gehört habe, halten sich fast alle daran ...

... die Chancen stehen gut, dass unsere Kinder talentiert sein werden. Miu ist schon getestet worden und hat die Fähigkeiten, also wird sie wohl demnächst auch in die Gilde aufgenommen. Allerdings ist Ritiu sehr unglücklich darüber, dass seine beiden anderen Kinder die Talente nicht haben und deshalb keine Mitglieder werden können ....

... hat Miu neulich eine neue Formel erfunden, die ihre Fähigkeiten noch besser bündelt und wirken lässt. Damit kann man kranke Pflanzen gezielt stärken. Sie musste allerdings ein neues Wort dafür erfinden, um zu bezeichnen, wie man die Kraft moduliert. Wir werden die Erfindung beim Rat der Gilde einreichen, wäre doch schön, wenn sie offiziell bestätigt würde, sodass in Zukunft alle sie lernen ...

Rena ließ die Briefe sinken. Sie hatte einen Verdacht, der sie tief aufwühlte. Beim Erdgeist, waren Menschen mit der Fähigkeit, die Elemente zu beherrschen, ursprünglich Anderskinder gewesen? Geschmäht und ausgegrenzt von den normalen Bürgern Rika´nanjas?

Tief unten im Berg

Rena versank in Gedanken. Vielleicht waren einige der Anderskinder hier im Schutzgebiet geboren worden oder hatten sich hier Anstellungen gesucht, um weniger Probleme zu haben. Anscheinend hatten sie sich in den Gilden organisiert, um sich besser gegenseitig helfen zu können, und hatten ihre besonderen Fähigkeiten gefördert, indem sie nur untereinander Kinder gezeugt hatten. Wahrscheinlich waren die Gilden zu Anfang so etwas wie Geheimgesellschaften gewesen.

Faszinierend war auch das mit den Formeln. Anscheinend waren sie Rezepte, die erklärten, wie die Fähigkeiten zu bestimmten Zwecken angewandt wurden. Jeder konnte neue Rezepte erfinden und weitergeben. Rena hatte nicht gewusst, dass so etwas möglich war.

„Lest das mal“, sagte Rena zu Tjeri und Alena, reichte ihnen die interessantesten Briefe. Dann blätterte sie weiter, überflog manches, las sich an einer anderen Stelle fest.

... macht mir große Sorgen, für mich läuft alles auf einen Krieg hinaus. Irgendwann wird es krachen zwischen Rinx und Alphatar. Ich bin froh, dass Silja Hermindos in der Regierung geschafft hat, die Türme genehmigt zu bekommen. Unsere großen Spenden haben natürlich sehr geholfen. Bisher scheint es gelungen, die wahre Bestimmung der Türme geheimzuhalten. Neulich habe ich ein Gerücht gehört, sie seien mehr als Parkabsperrungen gegen Wilderer, aber keiner hat es geglaubt. In den Gilden weiß inzwischen jeder, wozu sie da sind. Wenn es zum Ernstfall kommt, können wir ins Schutzgebiet fliehen und sind hier sicher und in Zukunft ganz unter uns. Hoffen wir mal, dass es nie soweit kommt ...

Aber es ist soweit gekommen, dachte Rena traurig. Es muss einen schrecklichen Krieg gegeben haben, der den Großteil von Rika´nanja zerstört hat. Nur die zähesten, schrecklichsten Wesen konnten sich in der lebensfeindlichen Wüste behaupten. Menschen überlebten nur im Schutzgebiet und in einzelnen Oasen wie Atakán und Rhiannon. Doch die Oasen wurden von den „Dienern“ befallen und dadurch geschwächt oder zerstört ...

Ungeduldig hatte sich Alena einige der Briefe genommen und las sie im flackernden Licht des Feuers. „Hier diskutieren sie gerade, welchen geheimen Namen sie dem Schutzgebiet geben sollen“, berichtete sie. „Rat mal, was *Daresh* ursprünglich hieß? Zuflucht! In einer der Sprachen, die in Rika´nanja gesprochen wurden.“

Einige wenige Briefe stammten aus der Zeit nach dem Krieg. Aus ihnen reimte sich Rena zusammen, dass Silja Hermindos, die auch den Bau der Türme durchgesetzt hatte, als neues Regierungszentrum die Felsenburg hatte bauen lassen. Sie, ein Mitglied der Erd-Gilde, schwor ihrer Gilde ab und machte sich zur ersten Regentin des neuen Gebiets, das nun kein Park mehr war, sondern ein Land. Ihr erster Staatsakt war, die vier Provinzen für die vier Gilden zu schaffen. Als Verwalter der einzelnen Provinzen wählten die Gilden unter sich eigene Statthalter.

Die Fackel war fast heruntergebrannt. Es war Zeit, weiterzugehen. Rena nahm das eigentümliche Buch mit den Briefen, schlug es sorgfältig in ihren Umhang ein und klemmte es sich unter den Arm. „Wir müssen sofort zur Felsenburg und dem Rat berichten, was wir gefunden haben!“

Alena verzog das Gesicht. „Mach du das, Rena. Ich lasse mich dort besser nicht mehr sehen in nächster Zeit.“ Sie schwieg eine Weile, während sie sich vorsichtig einen Weg durch den Tunnel bahnten, der hier halb eingestürzt war. Dann sagte sie: „Weißt du, was mir die ganze Zeit durch den Kopf geht? Früher wurden die Gildenmitglieder verachtet und ausgegrenzt. Und jetzt machen sie es selbst mit anderen – mit den Gildenlosen! Haben die Menschen denn gar nichts gelernt in all diesen Wintern?“

„Fürchte nicht“, sagte Tjeri und seufzte. „Außerdem ist es ja schon so lange her, dass es in Vergessenheit geraten ist.“

„Ein Grund mehr, etwas dagegen zu tun, wie Gildenlose behandelt werden“, sagte Alena hitzig. „Auch wenn Rena nicht wahrhaben will, dass es nötig ist.“

Rena schwieg. Als sie die vielen neuen Dinge entdeckt hatten, war der Streit zwischen ihnen vergessen gewesen – doch jetzt sickerte er wieder hoch wie das giftige Wasser des Schwarzen Flusses.

Jenseits der Räume, die für die Öffentlichkeit bestimmt waren, stießen sie auf eine schwere metallene Tür, die von einem Felsbrocken halb offen gehalten wurde. Auf der anderen Seite führte ein Gang weiter in die Tiefe. Jetzt erst fiel Rena die Flederkatze wieder ein, der sie gefolgt waren. Über ihre aufregenden Funde hatte sie sie fast vergessen. War das Tier hier heruntergeflogen? Vermutlich. Am liebsten wäre Rena wieder zur Oberfläche zurückgekehrt und sofort zur Felsenburg gereist, aber sie hatten hier noch eine Aufgabe zu erfüllen.

Je tiefer sie kamen, desto schlimmer wurden Renas Kopfschmerzen. An irgendetwas erinnerte sie dieses Gefühl. Doch erst, als Tjeri es aussprach, wurde ihr klar, was es war. „Merkst du das auch, Rena?“, flüsterte er. „Brackwasser, so ähnlich hat sich damals die *Quelle* angefühlt ...“

Rena nickte besorgt. Die *Quelle* war ein Stein mit besonderen Eigenschaften und großer Macht. Einst hatte die Regentin ihn für sich beansprucht. In dieser Zeit, vor fast zwanzig Wintern, waren erst Tjeri und später Rena in der Felsenburg dem Ruf des Steins gefolgt und hatten einen hohen Preis dafür bezahlen müssen.

Aber das hier war keine *Quelle*. Es rief sie nicht. Im Gegenteil. Als Rena sich für das Gefühl öffnete, hallte ein lautes *Geh geh geh weg* durch ihren Kopf.

„Es will uns nicht.“ Gequält presste Tjeri die Fingerspitzen an die Schläfen. „Ich weiß nicht, ob es eine gute Idee ist, weiterzugehen.“

Doch in den Wintern, die seit ihrem Erlebnis mit der *Quelle* vergangen waren, war Rena stärker geworden. Sie dachte gar nicht daran, sich verscheuchen zu lassen. Statt wie damals dem Befehl sofort nachzugeben, wehrte sie sich gegen ihn, errichtete geistige Barrieren. Mühsam schüttelte sie den Kopf, ging weiter, setzte einen Fuß vor den anderen. Jeder Schritt war ein Kampf. Was konnte das sein? Was wartete in den Tiefen auf sie und versuchte sie loszuwerden?

Es überraschte sie nicht, dass Alena ganz normal wirkte. Nur sehr wenige Menschen konnten die *Quelle* spüren und Alena war nicht darunter. Verdutzt blickte sie Rena und ihren Gefährten an. „Hier ist ... irgendetwas“, versuchte Rena ihrer Freundin zu erklären. „Etwas, das uns nicht mag.“

„Was meinst du damit?“ Alena war verdutzt.

„Wir spüren es im Kopf. Wie die *Quelle*.“

Diesmal nickte Alena – sie wusste, was Rena mit dem eigenartigen Stein der Regentin erlebt hatte.

Vorsichtig, den ganzen Körper angespannt, arbeiteten sie sich weiter vor in die Tiefe. Hin und wieder hob Alena lauschend den Kopf, und ein paar Atemzüge später machte sie Rena Zeichen. „Hier ist jemand!“ Sie bewegte die Lippen, um die Fackel noch einmal anzufachen.

Jetzt hörte Rena es auch. Das leise Geräusch von nackten Füßen auf Stein. Im Ausgang, durch den sie gekommen waren, tauchte ein kleiner Junge auf. Ernst stand er da und sah sie aus großen, dunklen Augen an. Er trug eine staubige, völlig verdreckte Tunika.

„Taio?“, fragte Rena verdutzt, doch dann bemerkte sie auch schon, dass sie sich gerirrt hatte. Das war nicht Taio, obwohl er ihm erstaunlich ähnlich sah. Was hatte das zu bedeuten?

„Was machst du hier?“, fragte Alena.

Was macht ihr *hier?* fragte das Kind böse zurück. *Ich habe euch nicht eingeladen!*

Kein Ton durchbrach die Stille, und doch hatte Rena die Worte ganz deutlich gehört. Beim Erdgeist, er kann in meinen Geist reden, staunte Rena. Das beruhigte sie ganz und gar nicht. Der finstere Ausdruck des Jungen und der Hass, der ihr aus seinen Gedanken entgegenbrandete, ließen sie schaudern.

Konnte es sein, dass dieser Junge der Bruder der Drillinge war? Auf einen Schlag wurde Rena klar, wer dieser geheimnisvolle „Er“ war, von dem die Kinder manchmal geredet hatten. Kein Hintermann in der Felsenburg, sondern ein weiteres Kind. Vier Anderskind-Geschwister waren es, nicht drei!

Es gab nur noch ein Dhatla im Lager am Fuß des Vulkans und die Gildenlosen entschieden, dass Jorak und Finley es bekommen sollten. Zwei weitere Menschen hatten auf seinem Rücken Platz und Jorak wählte Eryn und Neike als Begleiter aus. Seine anderen Helfer würden zu Fuß folgen, in sechzehn Tagen war der Weg zu schaffen.

Zilly war tieftraurig über ihren Abschied. „Ich würde zu gern dabei sein", sagte sie und tauschte einen schüchternen Kuss mit Haruco. „Aber der Indan wird bald spucken und das kann ich nicht verpassen! Es wird ordentlich krachen, schätze ich. Ist es in Ordnung, wenn ich nachkomme?"

Jorak versicherte ihr, dass das natürlich in Ordnung war. Er war froh, nicht mehr miterleben zu müssen, wie der Indan es krachen ließ.

„Weißt du, mir ist ein Weg eingefallen, wir ich es anstellen könnte, bei euch mitzumachen", sagte Finley plötzlich. „Es ist einfach. Ich werde ganz offen mit euch Gildenlosen reisen. Das gibt eine Verwarnung, wahrscheinlich – zack, zack! – gleich drei Verwarnungen, und dann ist es aus, dann geben sie mir einen Tritt in den Hintern." Er lächelte verkrampft.

Jorak blickte ihn ungläubig an. O je, dachte er. Gildenlos zu werden, und das auch noch absichtlich ... er konnte sich denken, wie viel Angst Finley davor hatte. Und ganz zu Recht.

Die Reise nach Carradan war beschwerlich, wie alle Ritte durch die trockenen, felsigen Ebenen von Tassos. Jorak mochte den freien Blick zum Horizont, den weiten Himmel über der Wüste. Aber jetzt, im Sommer, war es grausam heiß in der ganzen Provinz. Finley versuchte seinen bunten Mantel so über sich aufzuspannen, dass er die Sonne abhielt, aber der schwere Stoff sackte ihm immer wieder auf den Kopf. „Beim Nordwind, Leute, lasst uns doch einfach nachts reisen", stöhnte er und wischte sich den Schweiß ab.

„Nachts? Wieso?", wunderte sich Eryn, der aus der Feuer-Gilde stammte und dem die Hitze natürlich nichts ausmachte.

„Weil es da kühl ist", ächzte Jorak.

„Dafür übernehme ich auch gerne, das Dhatla zu lenken – ich sehe gut im Dunkeln", schob Neike nach, die aus der Erd-Gilde kam.

„Na, das ist doch ein Angebot", sagte Eryn.

Das einzige Problem war, dass sie auf dem Weg zweimal in einer Siedlung Vorräte und Trinkwasser beschaffen mussten. Als Jorak die alte Frau sah, die wahrscheinlich den ganzen Tag vor ihrer Pyramide saß und Leute beobachtete, war ihm klar, dass das Ärger geben würde. Und tatsächlich – zwei Tage später, als der Abend dämmerte und sie sich bereitmachten zum Weiterreiten, erreichte Finley ein Wühler mit einer Botschaft.

Eryn bemerkte es nicht, er war damit beschäftigt, die Zeltstangen zu bündeln und die staubige Leinwand zusammenzurollen. Doch Jorak beobachtete Finley aus den Augenwinkeln und sah, wie er den Zettel las, ihn dann zusammenknüllte und wegwarf. Während Neike auf dem Rücken des Dhatlas die Zügel überprüfte, lehnte Finley sich an die staubige Flanke ihres Reittiers und kramte in seinem Gepäck.

Ich wette, die Botschaft war die erste Verwarnung, dachte Jorak. Er stapfte durch den heißen schwarzen Sand auf das Dhatla zu, tätschelte ihm kurz die Schnauze und lehnte sich dann neben Finley. „Hier, nimm", sagte er und reichte Finley eine Coruba-Frucht, die er sich für besondere Gelegenheiten aufgespart hatte. „Wenn du schon dabei erwischt wirst, wie du mit uns das Essen teilst, soll es sich wenigstens lohnen."

„Danke", sagte Finley, polierte die rotbraune Frucht mit dem Ärmel und biss hinein. Sie lächelten sich kurz an, dann sagte Jorak: „Ich glaube, wir sollten los" und verschränkte die Hände, damit Finley leichter aufsteigen konnte. Finley setzte den Fuß in seine Hände, federte kurz in den Knien und zog sich auf den Rücken des Dhatlas. Nachdem er es sich hinter dem hornigen Nackenschild bequem gemacht hatte, beugte er sich nach unten und reichte Jorak eine Hand, um ihn hochzuziehen.

Noch bis vor Kurzem war es Jorak gleichgültig gewesen, ob Finley weiterhin bei ihnen blieb. Nach wie vor nagte es in ihm, dass er nicht wusste, was für ein Geheimnis der Geschichtenerzähler und Alena teilten. Selbst dass Finley ihn vor den weißen Adlern gerettet hatte, änderte für ihn nicht viel. Jeder anständige Mensch half, wenn ein anderer in Not war. Doch dass Finley nun tatsächlich seine Gilde aufgab ... das berührte etwas tief in Jorak.

Ich würde ihn vermissen, dachte er plötzlich. Inzwischen würde ich Finley vermissen, wenn er ginge.

Rena war so fasziniert, dass sie einen Moment lang sogar ihre Kopfschmerzen vergaß. Was machte der Junge hier unten, warum lebte er nicht bei den anderen Kindern im Tempel? Warum wusste niemand, dass es ihn gab?

„Wir verschwinden gleich wieder“, sagte Rena in beruhigendem Ton. „Wieso besuchst du deine Geschwister nicht mal?“

Das geht nicht, dachte der Junge feindselig. *Aber das macht nichts. Sie sind bei mir. Jeden Tag!*

Rena wusste, dass die Drillinge den Tempel nie verließen. Doch die Art, wie der Junge in ihre Köpfe sprach, war Anhaltspunkt genug. „Ihr seid verbunden, nicht wahr? Durch Gedanken?“, fragte sie, doch der Junge starrte sie nur an, sein Blick noch immer voller Hass. Sein *Geh, geh, geh* hallte wieder schmerzhaft durch ihren Kopf, sodass sich ihre Füße beinahe von selbst Richtung Ausgang bewegt hätten. Sie musste sich zwingen, ihnen Einhalt zu gebieten.

Alena hatte ihr Smaragdschwert gezogen, als sie vorhin Schritte gehört hatte. Nun wunderte sich Rena, warum sie es immer noch vor sich hielt. „Tu das Schwert weg!“, flüsterte sie, doch Alena schüttelte den Kopf. „Besser nicht. Es lässt sich gerade sehr leicht führen.“

Rena wusste, was das bedeutete. Durch den magischen Edelstein im Griff war das Smaragdschwert keine gewöhnliche Waffe – es urteilte selbst, ob ein Kampf gerechtfertigt war oder nicht, und lag seiner Besitzerin bleischwer in den Händen, wenn es sich falsch verwendet fühlte. Dass es sich jetzt leicht führen ließ, bedeutete, dass dieser Junge gefährlich werden konnte. *Aber er ist nur ein Kind*, wollte Rena sagen, doch der Gedanke an die Bosheit der Drillinge ließ sie schweigen.

Stattdessen mischte sich Tjeri beiläufig und freundlich in das seltsame Gespräch ein. „Sag mal, gehört die Flederkatze dir?"

Rena glaubte nicht, dass er eine Antwort bekommen würde. Doch der Junge nickte fast unmerklich.

„Sie ist ein Botentier, nicht wahr?", fuhr Tjeri fort. „Ganz schön fleißig ist sie, deine Flederkatze. Sie trägt Essen und andere Dinge hierher, oder? Hast du ihr das selbst beigebracht?"

Ja, hab ich ... sie ist mir aus Tassos zugeflogen ... woher weißt du das alles? Das Kind blickte Tjeri an, und einen Moment lang verebbte seine Feindseligkeit, wurden Renas Kopfschmerzen schwächer. *Kannst du auch denken hören? Oder sehen, was war und was einmal passieren wird?*

„In die Zukunft sehen kann ich nicht – aber manchmal kann ich denken hören." Offen erwiderte Tjeri den Blick des Jungen. Rena vergaß beinahe zu atmen. Ob ihr Gefährte es schaffen konnte, zu diesem eigenartigen Kind durchzudringen, sein Vertrauen zu gewinnen?

Konntest du es auch schon immer? Der Junge erinnerte Rena an eine Schnecke, die neugierig die Fühler ausstreckt. *Wieso kannst du dann draußen leben, wo so viele Menschen sind, die ständig denken denken denken, alles kaputt denken?*

„Ich kann meist nur Tiere hören", gab Tjeri zu. „Das ist nicht schlimm, sondern schön."

Rena spürte, wie die Stimmung des Jungen umschlug und seine Wut zurückkehrte, stärker als zuvor. *Du kannst draußen leben, alle können draußen leben, nur ich nicht! Für mich ist alles immer gleich langweilig schlimm, scheußlich finsterfinster und es wird nie anders werden, das weiß ich ganz genau!*

Die Wut des Jungen schmerzte wie ein Schlag ins Gesicht. Rena wich ein paar Schritte zurück und sah sich besorgt nach ihrem Gefährten um. Tjeri ließ sich wenig anmerken, aber er atmete tief, um die Schmerzen zu bewältigen.

Die Augen des Jungen glitzerten triumphierend. Es gefällt ihm, dachte Rena entmutigt, es gefällt ihm, dass er uns bestrafen kann.

Ausgerechnet jetzt ließ Alena doch noch das Schwert sinken. „Habt ihr ihn euch mal genau angeschaut?“, flüsterte sie. „Ich glaube, er ist krank!“

Ja, es war Rena auch schon aufgefallen, dass dieser Junge seltsam aussah. Er war genauso groß wie die Drillinge, aber sein Gesicht war eingefallen und hager, es wirkte zerfurcht. Seine Haare waren weiß, als wäre ihre Farbe in der Dunkelheit unter der Erde nach und nach verblasst. Außerdem war der Junge unsicher auf den Beinen, er schwankte und musste sich am Türrahmen abstützen. Lag das alles daran, dass er schon so lange unterirdisch lebte?

Sie haben es viel besser als ich, dachte der Junge, und wieder fühlte Rena die Wellen von Hass, die er ausstrahlte. *Alle haben es besser als ich!*

„Na ja.. im Moment geht es uns auch nicht so ... besonders gut“, sagte Tjeri mühsam. „Würdest du ... bitte ... damit aufhören?“

Warum sollte ich? Die Lippen des Jungen verzerrten sich zu einem Lächeln.

Vergeblich versuchte Rena seine Gedanken abzublocken. Die Schmerzen hinter ihrer Stirn wurden so stark, dass sie stöhnend in die Knie ging. Erschrocken stürzte Alena auf sie zu, half ihr sich wieder aufzurichten. „Macht *er* das?“, flüsterte sie.

„Ja“, wisperte Rena zurück. „Er ist sehr stark ... ich kann mich kaum dagegen wehren ...“

Sie war froh, als jetzt Alena das Reden übernahm und den Jungen fragte: „Vielleicht können wir dir helfen. Brauchst du etwas? Sollen wir dich mitnehmen nach draußen?“

Die Wellen fluteten jetzt mit gewaltiger Kraft auf Rena und Tjeri zu, wurden immer stärker. *Sie sind gesund und ich nicht. Alle können machen, was sie wollen, und ich nicht. Ich will ich will ICH WILL ICH WILL!*

„Raus hier! Wir müssen raus hier!“, ächzte Rena. Ihr Schädel fühlte sich an, als würde er jeden Moment zerbersten. Sie konnte nur hoffen, dass Tjeri das irgendwie aushielt, er war noch empfindlicher für solche Schwingungen als sie.

Alena wandte sich mit einem Ruck dem Anderskind zu, ihre Augen funkelten bedrohlich. „Hör auf damit, sofort! Lass meine Freunde in Ruhe!“

Inzwischen hatte der Junge begriffen, dass er Alena nicht schaden konnte. Er sah sie hasserfüllt an, dann drehte er sich um und versuchte wegzurennen, hinein in die Tiefen des unterirdischen Labyrinths. Doch er war kaum eine Menschenlänge weit gekommen, als seine Gedankenwellen nachließen, ganz plötzlich. Der Junge schwankte, brach zusammen und blieb bewegungslos liegen. Alena hastete auf ihn zu, streckte die Hand aus, berührte ihn vorsichtig.

„Beim Feuergeist“, sagte sie erschrocken. „Ich ... das ist ... Rena, Tjeri ... schaut euch das an!“

Der Schmerz ließ genauso schnell nach, wie er gekommen war. Rena taumelte zu Tjeri hinüber, der mit gesenktem Kopf und geschlossenen Augen an der Tunnelwand lehnte. „Bin gleich wieder in Ordnung“, flüsterte er. Rena berührte kurz seinen Arm, dann eilte sie zu dem Jungen hinüber, kniete sich neben ihn und Alena. Als sie das Anderskind aus der Nähe sah, seinen dünnen Puls fühlte, wusste sie, worüber Alena so erschrocken war. Der Junge war nicht einfach krank. Die vielen Falten, das weiße Haar, seine knochigen, mit Flecken übersäten Hände erinnerten sie an einen uralten Mann. Ihr fiel nur eine Erklärung dafür ein – er musste sehr schnell gealtert sein. Was für eine tückische Krankheit – gut, dass nur eines der vier Kinder sie hatte! Sie konnte sich vorstellen, wie sehr er die Welt und das Schicksal verflucht haben musste.

„Eines ist sicher, er ist schwer krank“, sagte Rena grimmig. „Wir müssen ihn so schnell wie möglich zu einem Heiler bringen.“

Tjeri kam heran, blickte auf den Jungen hinunter und nickte. „Vielleicht hat der Hass ihn von innen vergiftet. Es war unheimlich, mit ihm in Gedankenkontakt zu sein. Das vergesse ich nicht so schnell wieder.“

„Hass? Vergiftet? Aber davon stirbt man doch nicht.“ Alena hob den knochigen kleinen Körper vorsichtig hoch. „Bringen wir ihn nach draußen.“

Sie arbeiteten sich mit dem Jungen durch den Tunnel Richtung Ausgang. Tjeri hatte sich jede Abzweigung gemerkt und führte sie zurück, so schnell es ging. Doch bevor sie es nach draußen schafften, fühlte Rena, wie das Ich des Jungen verlosch. Sie brachten nur noch seinen Körper an die Oberfläche.

Still saßen sie eine ganze Weile neben dem toten Jungen, versuchten zu begreifen, was geschehen war. Dann machten sie sich auf den Weg zum nächsten Dorf, um dort eine Totenzeremonie zu organisieren.

Rena übernahm die Aufgabe, den Drillingen die schlimme Nachricht zu überbringen. Doch sie nahmen es ohne Trauer zur Kenntnis, dass ihr Bruder gestorben war. Sie wirkten eher erleichtert. Aber auch verwirrt und orientierungslos. Das machte Rena Sorgen.

Doch auch Alena verhielt sich seltsam. „Ich fürchte, ich brauche das Dhatla – könnte ich es mir ausleihen? Ich und Cchraskar müssen so bald wie möglich los."

„Wieso, wohin willst du denn? Zu Jorak? Weißt du, wo er jetzt ist?" Rena war aufgeregt.

Alena zögerte. „Tut mir leid. Je weniger Leute es wissen, desto besser."

Sie vertraut mir nicht mehr, dachte Rena traurig. Das habe ich verspielt.

„Sei vorsichtig", sagte Tjeri eindringlich. „Denk jeden Atemzug lang daran, dass der Attentäter dir noch auf der Spur ist!"

Nachdenklich richtete Alena die Zügel des Dhatlas und half Cchraskar beim Aufsteigen. „Ihr reist jetzt in die Felsenburg, oder? Falls der Mörder von jemandem im Rat ausgesandt wurde, ist er vielleicht bald keine Gefahr mehr."

„Ja, wir werden sofort versuchen, den Attentäter zurückrufen zu lassen. Aber solange wir nicht sicher wissen, dass wieder alles in Ordnung ist, solltest du kein Risiko eingehen." Rena wusste, dass ihre Ermahnungen arg gluckenhaft klangen. Alena zu bitten nichts zu riskieren, war ungefähr so vielversprechend wie eine Gewitterwolke zu bitten nicht zu regnen.

„Ich könnte versuchen den abtrünnigen Sucher zu finden", sagte Tjeri nachdenklich, als Alena und Cchraskar davongeritten waren. „Aber ich fürchte, das würde zu lange dauern. Er wird dort auf sie warten, wo sie jetzt hinreitet, darauf würde ich meinen Kopf verwetten. Hoffentlich schafft sie es, ihn zu stellen.“

Das hoffte Rena auch. Sonst hatte sie ihre junge Freundin vielleicht gerade zum letzten Mal gesehen.

Im goldenen Turm

Den Moment, als er Carradan zum ersten Mal sah, würde Jorak nie vergessen. Die Stadt war von schroffen grauen Bergen umgeben und lag im Carra-Tal wie einer Wiege aus Stein. Ihre Silhouette war von atemberaubender Schönheit. Die Stadtmauer und ein Dutzend kantige Türme hoben sich dunkel vom tiefblauen Sommerhimmel ab, dazwischen glänzten die Spitzen zahlloser Pyramidengebäude. Im Inneren der Stadt konnte man schmale silbrige Wege erkennen, die sich durch die Stadt schlängelten.

Türme wie diese hatte Jorak noch nie gesehen – hoch und rund wie ein Baumstamm waren sie, und an der Spitze gekrönt von einem Gebilde, das wie ein riesiger geschliffener Edelstein wirkte. Seine Farbe war ein verwittertes Gold.

Als Eryn begann, irgendetwas zu erzählen, zuckte Jorak zusammen, so versunken war er in den Anblick gewesen. „In den Schutztürmen haben sich früher die Familien der Feuerleute verschanzt – durch die Form der Dächer sind sie schwer zu erklettern“, erklärte Eryn. „Bis vor etwa zehn Wintern wurden die Außenmauern regelmäßig mit Dhatla-Fett eingerieben, damit die Säurekugeln der Wasser-Leute sie nicht beschädigen konnten.“

Finley musste lachen. „Mit Fett? Konnte man den Turm ablecken, wenn man Hunger hatte?“

Eryn ließ sich nicht auf seinen lockeren Ton ein. „Es war eine düstere Zeit. Carradan war während der Zeit der Gildenfehden ständig umkämpft. Es liegt ja an der Grenze zwischen Tassos und Vanamee. Hinter diesen Bergen da beginnt das Seenland.“

Sie näherten sich der Stadt über die große Straße, die aus dem Osten hierher führte, durch die trockene, felsige Ebene von Tassos. Einzelne Wanderer, die ihre Bündel geschultert hatten, Gruppen von Reisenden und Karawanen mit Dutzenden von schwerfällig dahinschlurfenden Dhatlas wirbelten vor ihnen Staubwolken auf. Ein Geruch von Reptil hing in der klaren Bergluft. Jorak zügelte sein eigenes Tier und reihte es hinter den anderen ein. Keiner der Reisenden beachtete ihn und seine Gefährten.

„Genieß die gute Luft", riet Finley. „Ich war mal im Winter hier und da stank es schrecklich nach Rauch, weil die Feuerleute Zorasch abfackeln, um sich zu wärmen."

Jorak nickte. Er hatte schon einmal einen Ort gesehen, in dem die dunkelbraune Flüssigkeit aus dem Boden quoll und hässliche, beißend riechende Teiche bildete. Meist wurde das Zeug im Dorf anstelle von Fett zum Schmieren verwendet oder in offenen Gefäßen verbrannt, wenn die Kälte nachts zu arg wurde.

Der Weg in die Stadt hinein führte über mehrere Brücken und mit Metall ausgekleidete Gräben hinweg. Das waren wohl die silbrigen Wege, die sie von Weitem gesehen hatten. Stirnrunzelnd musterte Jorak sie.

„In die Kanäle hat man früher während einer Fehde Zorasch geleitet und es dann angezündet", bestätigte Eryn, was Jorak schon vermutet hatte. „Da traut sich kein Wasser-Mensch drüber. Man kann die Kanäle innerhalb von sehr kurzer Zeit fluten. In der Stadt sind zwei Quellen, genug von dem Zeug ist also da."

Neike blickte sich neugierig um. „Kein Wunder, dass es den Wasserleuten nie gelungen ist, Carradan ernsthaft zu schaden."

Jorak sah sich nach dem üblichen Elendsviertel, nach den schäbigen Hütten der Ausgestoßenen außerhalb der Stadtmauern um, doch vergebens. „Wo leben eigentlich die Gildenlosen?"

„Überall in der Stadt, wo sie gerade Unterschlupf finden."

Das war erstaunlich, aber jetzt gerade sehr praktisch. Niemandem würde es auffallen, wenn ein paar Gildenlose wie Jorak und seine Freunde sich durch die Stadt bewegten.

Durchs Stadttor kamen sie ohne Probleme, die Wachen winkten sie ohne einen zweiten Blick durch. Es kamen dieser Tage so viele Gäste nach Carradan, dass keine Zeit war, sie alle zu kontrollieren. Warum auch – es herrschte Frieden, inzwischen waren alle Gilden hier willkommen.

Eine Stadtwache wies sie an, das Dhatla in einem der Ställe im Bezirk Acuella unterzubringen, nahe der Stadtmauer. In der Innenstadt waren keine Reittiere erlaubt. Also gingen Jorak und die anderen zu Fuß weiter durch Gassen, die zwischen einer Vielzahl von kleinen Pyramiden – Behausungen von Feuerleuten – hindurchführten. Jorak staunte: Diese Pyramiden bestanden nicht einfach aus schlichtem Metall wie die in anderen Orten; jede von ihnen war von kostbaren und aufwendigen Gravuren bedeckt. Dort, wo Straßen sich kreuzten, standen eigenartige Gebilde. Fasziniert betrachtete Jorak einen mannshohen Knoten aus poliertem Iridiumstahl, der an dieser Weggabelung stand. „Eryn, was, beim Nordwind, ist das?"

„Eine Skulptur." Eryn beugte sich über die kleine Plakette, die am Boden befestigt war. „Geschaffen von Gael ke Tassos. Titel: *Gedankenstrom*. Na ja, hab schon bessere gesehen. In Carradan leben eine Menge Künstler. Der Platz an den Straßenecken ist heiß umkämpft."

„Das meinst du aber nicht wörtlich, oder?", ächzte Finley. „Bei euch Feuerleuten weiß man ja nie."

Das entlockte Eryn ein Grinsen. „Na ja, vielleicht gibt´s ab und zu mal ein Duell deswegen. Aber das nützt nicht viel, geht alles über Abstimmung. Beliebte Skulturen dürfen stehen bleiben, die anderen bekommt der Künstler nach einer Weile zurück, damit Platz für neue Werke ist."

Staunend wie im Traum ging Jorak durch die Stadt. Die Kunstwerke waren aus verschiedenen Metallen, wuchtig oder leicht, geschwungen oder mit strengen, klaren Formen, rau wie direkt aus der Esse oder glatt poliert. Neben einigen standen kleine Grüppchen, die die Gebilde schweigend musterten oder hitzig diskutierten. Kein Zweifel – Kunst wurde ernst genommen in Carradan!

Alenas Vater wird es hier gefallen, ging es Jorak durch den Kopf. Die Schwerter, die er schmiedet, sind ja auch eine Form von Kunst, und wegen seiner Gedichte wird ihn hier niemand schief ansehen. Jorak überlegte, ob er Tavian besuchen, ihm von der Versammlung erzählen sollte, und entschied sich dagegen. Er vertraute Tavian, aber je weniger Gildenmitglieder Bescheid wussten, desto besser.

Wieder einmal bohrte sich der schmerzliche Gedanke an Alena in sein Herz. Jorak hatte ihr eine Nachricht geschickt und ihr darin von der Versammlung in Carradan erzählt. Doch eine

Antwort war nicht gekommen. Natürlich nicht, du Idiot, schalt er sich, sie ist wahrscheinlich weit weg, wie soll denn ein Wühler mit ihrer Nachricht unser Dhatla einholen?

Inzwischen waren sie im Phönixviertel angekommen, dem Zentrum von Carradan. Jorak lenkte sich damit ab, dass er die Vorbereitungen für die Feiern beobachtete. An den Straßen wurden Blumengirlanden aufgehängt und Fackeln angebracht, die die Stadt nachts festlich erleuchten sollten. Dort, wo Tanz und Speisen angeboten werden sollten, errichteten Helfer Marktstände und Zelte. Überall waren Lehrlinge dabei, die Außenseite der metallenen Pyramiden mühevoll per Hand zu polieren, damit die Gravierungen in aller Pracht erstrahlen konnten.

Das alles sah harmlos aus – aber Jorak fiel auf, dass sich die schaurigen Zorasch-Kanäle durch die ganze Stadt zogen. Außerdem machte es ihm Sorgen, dass viele Stadtwachen durch die Gassen patrouillierten.

Auch Neike war das aufgefallen. Sie zog ihren Umhang enger um sich, als fröstele sie. „Ganz schön viele Wachen hier."

Eryn verzog das Gesicht. „Wegen der vielen Fehden hatte die Stadt früher eine eigene Soldatentruppe. Die meisten Mitglieder tun heute als Stadtwachen Dienst."

Das hatte Eryn ihnen nicht gesagt, als es darum ging, einen Versammlungsort auszuwählen! Jorak schaute ihn an und der bärtige Hüne blickte schuldbewusst drein. „Tut mir leid, Jorak. Mir scheint, mein Gedächtnis hat Carradan im Rückblick ´n bisschen verschönert."

„He, ihr da!"

Aus dem Tonfall erkannte Jorak sofort, dass sie es mit Stadtwachen zu tun hatten. Verdammt! Langsam drehte er sich um. Ärgerlich merkte er, dass er instinktiv zusammengesackt war in die leicht geduckte, unterwürfige Haltung der Gildenlosen. Nie wieder, sagte er sich und richtete sich auf, hielt sich gerade und sah den beiden Wachen in die Augen. Sie trugen eine Uniform, die grau war wie der Fels der Berge und schwarz wie Asche. Auf dem Ärmel war das Stadtwappen Carradans eingestickt, eine blaue Flamme.

Die beiden Männer musterten Jorak, Neike und Eryn verächtlich, dann wandten sie sich Finley zu. „Meister, wisst Ihr nicht, dass das Gildenlose sind? Dass es verboten ist, sich mit ihnen abzugeben?“

Finley schluckte. Dann sagte er: „Doch, ich weiß es.“

Er musste sein Gildenamulett vorzeigen und seinen Namen zu Protokoll geben, damit die Gilde offiziell eine Verwarnung aussprechen konnte. Dann ließen die Stadtwachen ihn und die anderen laufen. Einige Passanten hatten die Szene beobachtet. Darunter auch ein alter Mann der Luft-Gilde, der seinen Insignien nach ein Meister vierten Grades und Erzähler war. Er näherte sich ihnen, blickte Finley besorgt ins Gesicht „Schön, dich zu sehen, *tanu!*“

„Hallo, Yelson“, sagte Finley vorsichtig.

„Es geht mich ja nichts an ... aber das war schon deine zweite Verwarnung, stimmt doch, oder? Dann wird´s bald ernst, Junge. Besser, du zeigst dem Rat, dass du dich bessern willst. Wär schad um dich.“

Finleys blaue Augen blitzten. „Wer hat denn gesagt, dass ich mich bessern will?“

„Wenn sie dich verstoßen, ist es das Aus für dich als Geschichtenerzähler!“

„Ich werde immer Geschichten erzählen“, erwiderte Finley trotzig.

Der alte Mann zuckte die Schultern. „Ich habe dich gewarnt. Tja, es ist *dein* Leben.“

In bedrücktem Schweigen gingen sie weiter. Jorak war nicht mehr danach zumute, sich die Skulpturen anzusehen, und auch die anderen hatten nur noch flüchtige Blicke für die Kunstwerke übrig.

Erst als sie durch einen der östlichen Bezirke gingen, schrak Jorak aus seinen Gedanken auf. Sein Blick hatte ein bekanntes Gesicht gestreift. Relgan, der Partner seiner Mutter, ging dort vorne vorbei! Er war in ein Gespräch mit einem Mann der Luft-Gilde vertieft. Ihren langen Schritten nach hatten es beide eilig. Hastig wandte sich Jorak ab, tat so, als blicke er eine Skulptur aus einer Art Gitternetz an. Er war ziemlich sicher, dass Relgan ihn nicht bemerkte hatte. Was machte der Kerl hier? Vielleicht hatte er Geschäfte zu erledigen. Oder er wollte auch zur Gipfelnacht. Egal. Er konnte unmöglich ahnen, was Jorak vorhatte.

„Was ist?", flüsterte Neike.

Resolut schob Jorak den Stoffhändler aus seinen Gedanken. „Nichts. Eryn, zeigst du uns den Treffpunkt, von dem du erzählt hattest? Diesen großen Raum?"

Eryn nickte und übernahm die Führung. Er führte sie in den weniger belebten Bezirk Moranga, der zwischen Phönixviertel und Stadtmauer lag. Jorak sah Lagerhäuser, ein paar Pyramiden ohne Gravierungen, zwischen den Gebäuden Stapel von alten, verrosteten Metallteilen und zu mannshohen Bergen aufgeschütteten schwarzsilbernen Quarzsand. Es roch nach feuchter Holzkohle, Rost und Stein. Kurz darauf kamen sie an einer Zorasch-Quelle hinter einem hohen Eisengitter vorbei, und der scharfe Gestank der Flüssigkeit ließ Jorak niesen. Drei Metallkugeln, ein Vielfaches höher als ein Mensch, umgaben die Quelle, wahrscheinlich wurde das Zeug hier gelagert.

Schließlich standen sie vor einem der goldenen Schutztürme, die Jorak schon aus der Ferne bewundert hatte. Mit einer knappen Handbewegung zeigte Eryn auf den Turm.

„Das ist der Raum, von dem du gesprochen hast? Meinst du das ernst?!" Jorak legte den Kopf in den Nacken und starrte hinauf zu dem riesigen Kristall. Aus der Nähe sah er nicht mehr ganz so prachtvoll aus, seine goldene Oberfläche war im Laufe vieler Schneewinter verwittert und stumpf geworden.

„Wieso nicht?" Eryn folgte Joraks Blick und strich sich nachdenklich über den dichten schwarzen Bart. „Die Dinger stehen die meiste Zeit über leer, sie sind ja nur für Notfälle gedacht. Es gibt zwar Pläne, sie für andere Zwecke auszubauen, aber das dauert noch. Und ich kenn jemanden, der einen Schlüssel für den Eingang hat."

Jorak, Eryn, Finley und Neike zogen sich in die Nische eines Gebäudes zurück, um den Turm in Ruhe betrachten zu können. „Wie viele Leute passen da rein?", fragte Jorak. Auch er war skeptisch, aber die Türme gefielen ihm. Sie wären ein grandioser Ort für die Gründungsversammlung.

„Fast fünfhundert, habe ich gehört."

„Das wird bestimmt reichen", sagte Jorak. Vielleicht kam sowieso nur eine Handvoll Leute. Ein winziges Grüppchen in der gigantischen Kuppel. „Kann man irgendwie von außen sehen, ob jemand im Turm ist?"

„Nein, man kann hinausblicken, aber nicht hineinsehen."

„Und, was meint ihr?", fragte Jorak die anderen und als sie nickten, sagte er: „Gut. Machen wir´s so."

Auf dem Rückweg zeigte Eryn ihnen noch die anderen zweifelhaften Attraktionen Morangas – die Brauergasse, in der es nach rohem Polliak roch und in der es einige billige Schänken gab, und die Gerberei-Gasse, in der es entsetzlich stank, in der Bottiche neben der Straße standen und Dutzende frisch gegerbter Oriak-Häute zum Trocknen aufgehängt waren.

Dann machten sie sich daran, eine leerstehende Schmiede oder Werkstatt zu suchen. Es gab noch viel vorzubereiten vor der Gipfelnacht. Nur noch ein paar Tage, ging es Jorak durch den Kopf. Dann wird sich mein Leben verändern – wieder einmal. Dann bin ich nicht mehr gildenlos. Sondern Mitglied der fünften Gilde. Was auch immer das einmal wert sein wird!

Es war ein schneller, harter Ritt gewesen, aber als sie in Carradan eintrafen, fühlte Alena vor Aufregung kaum, wie müde sie war.

Jenseits der Stadtmauer ging es nur noch langsam vorwärts – die Straßen waren voller Menschen in Feierlaune, mit Krügen in den Händen und den traditionellen rotbestickten Lederhüten auf den Köpfen. Zum Glück ergatterte Alena für ihr Dhatla noch einen Platz in den überfüllten Ställen am Stadtrand. Zum Abschied gab Alena ihrem Reittier einen freundschaftlichen Klaps auf das Vorderbein. „Gut gemacht, Großer, ruh dich aus." Erschöpft schnaufend ließ sich das riesige Tier zur Ruhe nieder.

„Puh, ausruhen klingt gut", fiepte Cchraskar.

Alena betrachtete ihn besorgt. „Ich fürchte, dazu ist nicht viel Zeit."

Sie waren gerade noch rechtzeitig gekommen. Carradan feierte drei Tage und Nächte lang. Höhepunkt und Abschluss der Feiern war der Gipfelzug. Er begann um Mitternacht im Phönixviertel. Mehr als tausend Feuer-Gilden-Mitglieder wanderten, in schwarze Kutten gehüllt, feierlich zum Gipfel der Ewigen Flamme, um dort rituelle Opfer zu bringen.

Doch das, was Alena interessierte, fand in der ersten Nacht statt. Bei Sonnenuntergang am ersten Tag der Feiern, so hatte Jorak es ihr geschrieben. Wenn Alena an Jorak dachte, konnte sie es kaum noch abwarten, ihn endlich wiederzusehen. Als seine Botschaft gekommen war, die von Carradan und seinen Plänen berichtete, hatte ihr Herz die Antwort auf die vielen quälenden Fragen gegeben. Ihr war egal, dass er gildenlos war und wahrscheinlich bleiben würde. Sie wollte ihn einfach nur zurück!

Aber jetzt kamen die Zweifel wieder hoch. Wie würde es wohl sein, ihn wiederzusehen? Liebte er sie noch genauso sehr? Trug er ihr etwas nach? Würde der Streit sofort wieder hochkochen? Würde das, was er vorhatte, etwas zwischen ihnen verändern?

Es gab nur einen Weg, das herauszufinden. Und sie durfte nicht länger warten, die Sonne stand schon tief. Das heißt, ich kann nicht vorher bei Pa vorbeigehen, dachte Alena traurig. Auch nach ihm sehnte sie sich, sie hätte ihm so gerne alles erzählt! Doch dafür war jetzt keine Zeit. Außerdem war sie nicht sicher, ob sie es wagen durfte, ihn zu besuchen, solange dieser Mörder hinter ihr her war ... er hatte sicher herausgefunden, wo Tavian wohnte ... oder hatte der Rat der Vier Gilden den Attentäter inzwischen abberufen? Rena wollte alles, was sie im Berg erlebt und vorgefunden hatten, an die Felsenburg melden. Vielleicht hatte das seinen Zweck erfüllt und die Pläne, Alena zu ermorden, gestoppt. Denn damit sollte deutlich werden, dass das missgünstige, verzweifelte vierte Anderskind hinter dem Orakel stand und es womöglich dazu verleitet hatte, Schlimmes über seine Gegner vorherzusagen. Also auch über Alena.

„Meinst du, Schlangenzahn ist dir noch auf der Spur, ist er das?“, fragte Cchraskar.

Alena schüttelte den Kopf. „Ich kann es mir eigentlich nicht vorstellen, wir sind so schnell geritten." Probeweise zog sie ihr Schwert. Die Bewegung schmerzte noch ein wenig und ihre Muskeln waren steif, weil sie keine Zeit zum Trainieren gehabt hatte. Es war dämmrig im Stall und sie sah, dass der Smaragd im Griff leuchtete. Das grüne Licht, das er verströmte, tauchte den Stall in ein geisterhaftes Licht. Alena kannte ihr Schwert inzwischen gut genug, um seine Botschaft zu verstehen. Es war richtig, nach Carradan zu kommen, dachte sie, und plötzlich war ihr ernst und ein wenig feierlich zumute. Etwas wartet hier auf mich, meine Zukunft, vielleicht mein Schicksal. Hier wird sich alles entscheiden.

Sie tauchten ein ins Gewimmel der Gassen. Es war nicht schwer, herauszufinden, wo die Gründung stattfand. Alle Gildenlosen, die sie sah, bewegten sich in eine bestimmte Richtung. Unauffällig zwar, aber Alena wusste, worauf sie achten musste. Der Weg führte sie und Cchraskar ins Viertel Moranga, auf den Schutzturm zu. Aha, dort wollten sie sich also treffen!

Doch je näher sie dem Turm kam, desto langsamer wurden auch Alenas Schritte. Die Fragen und Zweifel in ihrem Kopf wurden immer größer, immer bedrückender.

„He, wassss ist?", zischte Cchraskar. „Wiessso gehst du nicht weiter, wiesso?"

„Ich glaube, ich möchte nicht", sagte Alena schwach. Ihre Füße wollten sich einfach nicht mehr bewegen.

„Klarrr willst du! Du bist nur zu feige!"

„Ach, lass mich doch in Ruhe!"

Ein paar Funkenflüge vom Turm entfernt blieb Alena im Eingang eines Lagerhauses stehen, fast außer Sicht in einer Nische. Dort beobachtete sie, was um den Eingang des Turmes geschah. Cchraskar verbarg sich zwischen zwei Bretterstapeln aus Viskarienholz und brummte ab und zu übellaunig.

Alena war erstaunt, wie viele Menschen sich um den Turm herum eingefunden hatten. In den Straßen standen die Menschen dicht an dicht. Sie schätzte, dass es über tausend waren, und ihrer Kleidung nach stammten sie aus allen Provinzen Dareshs und aus allen Gilden. Es waren alte und junge Leute, Männer und Frauen, sogar Kinder. Gemeinsam hatten sie alle, dass man ihnen die Armut ansah, ihre Kleider waren verwaschen und fadenscheinig, ihre Gesichter verhärmt. Keiner von denen hat´s leicht gehabt im Leben, dachte Alena nachdenklich.

Sie spürte, dass die Menschen nervös waren, viele blickten sich immer wieder um. Wahrscheinlich nach Stadtwachen. Auch Alena war unruhig. Wenn jetzt eine Patrouille vorbeikam und sah, was hier los war ... Erleichtert bemerkte sie, dass nun zwei Männer – Alena erkannte sie, es waren Eryn und Haruco, die Räuber aus dem Gasthaus – die großen Türen des Turmes öffneten. Unruhig wogte die Menge um den Schutzturm herum, drängte sich durch den breiten Eingang. Bald würde die Straße wieder unverdächtig leer sein.

Alena hielt sich noch zurück, blieb, wo sie war. In ihrer Nähe standen einige Gildenlose, die es ebenfalls nicht eilig hatten. Zwei von ihnen unterhielten sich leise und Alena spitzte die Ohren, als sie ihren Namen auffing. Unauffällig zog sie sich die Kapuze ihres Umhangs über den Kopf, um nicht erkannt zu werden.

„... nein, die haben wir nach der Sache mit dem Vulkan nicht mehr gesehen, aber hast du von ihrem Auftritt vor dem Rat gehört?“

„Klar. Das war toll! He, sag mal, sind sie und Jorak eigentlich noch zusammen?“

„Nee. Das mit den beiden ist aus. Er spricht nie von ihr. Ich glaube, es läuft was zwischen ihm und dieser *tani*, wie heißt sie nochmal, Neike glaube ich ... sie ist ständig bei ihm ...“

Ein eisiges Gefühl durchrieselte Alena. *Das mit den beiden ist aus. Er spricht nie von ihr.* Wieso hatte sie eigentlich erwartet, dass Jorak ihr wieder zur Verfügung stehen würde, wenn sie geruhte zu ihm zu kommen? Wahrscheinlich nahm er ihr übel, dass sie einfach so verschwunden war. Und zu Recht. Sie war gegangen und hatte ihn mit seiner unmöglichen Prüfung, mit diesem verdammten Vulkan, allein gelassen. Wie hatte sie das nur tun können? Alena war sterbenselend zumute. Neike, ja, das war gar nicht unwahrscheinlich, so gut, wie sie und Jorak sich verstanden hatten ...

Jorak. Sie wollte ihn sehen, unbedingt und sofort. Aber sie schaffte es nicht, ihm jetzt gegenüberzutreten. Wahrscheinlich hatte er sowieso keine Zeit für sie, er würde beschäftigt sein mit der Versammlung und natürlich würde auch Neike da sein ...

Cchraskars Zähne bohrten sich durch ihren Ärmel. „Komm jetzt endlich, wir gehen mit rein“, fauchte er und zog sie mit sich. „Das ist auch deine Gilde, beim Käferdreck!“

Ja, dachte Alena beschämt. Meine Gilde und mein Schwur. Selbst wenn es stimmt, dass Jorak nichts mehr von mir wissen will – ich muss meinen Schwur halten, ihm zu helfen! Sie zog sich die Kapuze wieder vom Kopf, stieß sich von der Mauer ab und ging mit langen Schritten auf den Turm zu. Cchraskar lief voraus.

Doch beim Turm schien es Ärger zu geben. Noch war die Straße längst nicht leer, am Eingang ging es allerdings kaum mehr voran. Ein paar der Gildenlosen fluchten und drängten, aber selbst die Treppe war belegt. „Was soll das heißen, voll?“, brüllte jemand wütend. „Ich bin aus *Nerada* gekommen, um hier zu sein!“

Rostfraß, dachte Alena erschrocken, habe ich etwa zu lange gezögert? Sie stand an der Außenseite einer undurchdringlichen, gereizten Menge, es gab keine Chance mehr, in den Versammlungsraum vorzudringen. Außer man benutzte Gewalt, so wie die beiden jungen Kerle, die sich gerade rücksichtslos durchdrängelten und andere mit den Ellenbogen beiseite stießen. Doch das ließen sich die anderen Menschen nicht bieten, fest schlossen sie die Reihen vor den Rüpeln.

Ganz in der Nähe fluchte ein Mann mit wilden Augen und einem schütteren Bart vor sich hin und fuchtelte mit einem Messer herum.

„He, vorsichtig damit!“, beschwerte sich eine dickliche Frau. „Damit kommst du auch nicht schneller rein, du Idiot!“

Der Mann fluchte lauter und machte Miene, die Frau anzugreifen. Alena reagierte instinktiv. Mit zwei Schritten war sie bei dem Mann, packte ihn am Handgelenk und nahm ihm mit der anderen Hand das Messer ab. Das Ganze hatte kaum einen Atemzug gedauert. Völlig verdutzt starrte der Mann sie an.

„Alena ke Tassos“, sagte jemand und auf einmal wurde es ganz still vor dem Turm.

Die dickliche Frau fing sich zuerst. „Du musst da rein“, rief sie. „He, Leute, macht Platz für Alena ke Tassos! Schnell, sonst fangen die da drinnen noch ohne sie an!"

Mit viel Mühe schafften es die Menschen, eine schmale Gasse zu bilden, und Alena und Cchraskar konnten sich hindurchschieben bis zum Eingang des Turmes. Drinnen, hinter den Mauern aus Metall, war es kühl und dämmrig. Auch die Treppe war vollgepackt mit Menschen, Körper dicht an dicht, die Luft schon jetzt verbraucht. Entschuldigungen murmelnd schob Alena sich durch, Cchraskar auf den Fersen. Sie tappten die aus Stein gehauenen Stufen hoch, im Kreis immer höher, bis sie im großen Schutzraum waren, der goldenen Kuppel an der Spitze des Turmes. Dort fand sie einen Platz ganz hinten, nahe der Außenwand, und setzte sich zwischen die anderen Menschen auf den Boden. Auf der anderen Seite der Kuppel hing ein großes Banner mit einem Symbol, das Alena noch nie gesehen hatte, es sollte wohl für die neue Gilde stehen.

Vier Elemente – und in der Mitte der Schnittpunkt aus ihnen, die fünfte Gilde. Es gefiel ihr, aber ihre Augen schweiften ungeduldig weiter.

Jorak! Dort vorne, neben dem Banner, stand Jorak!

Trotz allem durchflutete Alena heiße Freude, ihre Kehle war wie zugeschnürt. Dünn war Jorak geworden, dünner als Alena ihn je zuvor gesehen hatte. Aus seiner Haltung und seinen Bewegungen sprach eine fast schon fiebrige Energie. Sein schmales Gesicht war durch die Zeit in Tassos tief gebräunt, und sein Blick war gerade und klar wie der eines Mannes, der weiß, wer er ist und was er will. Er trug schwarze Hosen und ein Hemd aus ungefärbter Wolle, das den Hals freiließ – jeder konnte sehen, dass er kein Gildenamulett umgehängt hatte. Direkt neben ihm standen Finley, Neike, Itai und andere Verbündete.

Neike. Seine neue Gefährtin? Nein, nein, das durfte nicht wahr sein. Und doch stand sie kaum eine Armlänge neben ihm, und nie hatte sie besser ausgesehen, sie hatte ihren Zopf gelöst und das lange honigfarbene Haar flutete ihr frei über den Rücken.

Alena Herz zersprang fast, während sie in der Menge verborgen saß und Jorak beobachtete. Keinen Moment lang ließ sie ihn aus den Augen. Sie überlegte, ob sie versuchen sollte nach vorne zu gehen. Doch selbst wenn sie gewollt hätte, sie kam jetzt nicht an ihn heran – es war zu voll. Ihr Wiedersehen würde warten müssen, bis die Versammlung vorbei war.

Wieder ließ Jorak enttäuscht und traurig den Blick über die Menschen schweifen. Wieso war Alena nicht gekommen – hatte die Nachricht sie nicht mehr erreicht oder hatte sie nicht herreisen wollen? Sie hätte hier stehen sollen, neben ihm. Weil sie zusammengehörten. Und weil diese Gilde ihre Idee gewesen war. Er brauchte sie mehr denn je, um diese Idee mit Leben zu füllen.

Wer stattdessen eingetrudelt war, war Fenk – der Schläger, der ihn in Ekaterin angegriffen hatte. Wie hatte der nur davon Wind bekommen, was hier geschah? Er saß ganz hinten am Rand der Menge, sein Gesicht wirkte mürrisch. Der hat kein bisschen vergessen, wie ich ihn in Ekaterin ausgetrickst habe, dachte Jorak.

„Wollen wir anfangen?“, flüsterte Eryn drängend und Jorak seufzte. Er konnte nicht länger auf Alena warten. „In Ordnung. Voll ist es ja sowieso.“

Jorak hob die Hand, bat um Ruhe. „Danke, dass ihr alle gekommen seid“, sagte er laut und war überrascht, wie gut seine Stimme den gewaltigen Raum füllte. „Ich glaube, ihr habt alle gehört, worum es heute geht. Eine neue Gilde, wie Alena ke

Tassos sie vorgeschlagen hat, wäre vielleicht eine Chance für viele von uns. Deshalb werden wir sie hier und heute gründen, um uns gegenseitig zu helfen. Hier sind unsere Vorschläge, wie man sie organisieren könnte ..." Jorak beschrieb, was sie am Fuß des Vulkans besprochen hatten. Alle Mitglieder würden das Verbot der anderen Gilden missachten und ihren Beruf wieder ausüben, ihre Kunden würden andere Gildenlose sein.

Zwischen verschiedenen Gilden gezeugte Menschen konnten sofort in die neue Gilde aufgenommen werden. Für Ausgestoßene betrug die Anwartschaft zwei Winter. In dieser Zeit sollten sie beginnen, sich ein neues Leben aufzubauen. Wenn nötig, mit einem kleinen Darlehen der Gilde. Außerdem mussten die Mitglieder auf Probe ihren guten Willen zeigen, indem sie anderen Gildenlosen halfen. Nach den zwei Wintern würden sie entweder abgelehnt oder als vollwertiges Mitglied aufgenommen werden.

„Was soll das für ein Darlehen sein, woher soll das Geld dafür kommen?", fragte jemand skeptisch dazwischen.

Jorak zögerte. Er hätte das gerne erst mit Alena besprochen. Denn die einzige Möglichkeit war, dass sie dafür die Schätze in Keldos Höhle, ihrem Zufluchtsort, verkauften. „Ich selbst werde das Geld beschaffen. Wie genau, darüber möchte ich jetzt noch nicht sprechen."

„Was ist, wenn man wieder ein Verbrechen begeht?", fragte ein etwa zwölfjähriger Junge aus der ersten Reihe neugierig. Er schien allein hier zu sein, keiner der Erwachsenen in seiner Nähe zeigte Interesse an ihm. Jorak sah, dass er sich die Haare, so gut es ging, selbst geschnitten hatte und ungeschickt, mit großen Stichen, versucht hatte seine Tunika zu flicken. So wie ich damals, dachte Jorak voller Mitgefühl und sagte: „Das hängt von der Tat ab, der- oder diejenige wird verwarnt oder aus der Gilde ausgeschlossen."

„Also alles wie gehabt", brüllte jemand. „Die gleiche verdammte Dhatla-Kacke!"

Es war Fenk, wie Jorak schnell feststellte, und betrunken wie üblich. Jorak entschied sich, den Zwischenruf einfach nicht zu beachten. Stattdessen widmete er sich der nächsten Frage. Die Frau, die sie stellte, zählte mindestens siebzig Winter, aber ihre

Augen waren klar und wach. „Soll es mehrere Meistergrade geben, wie bei den anderen Gilden?“, erkundigte sie sich, ihre Stimme klang höflich und gebildet. Jorak schätzte, dass sie mindestens eine Meisterin dritten Grades gewesen war.

„Ja“, sagte Jorak. „Aber bei uns kann man einen höheren Meistergrad nicht dadurch erwerben, indem man Fähigkeiten nachweist, sondern indem man anderen hilft, sich ein neues Leben aufzubauen.“

Spontaner Applaus brandete auf und auf vielen Gesichtern sah Jorak ein Staunen, ein Leuchten. Doch sofort meinte jemand: „Tut mir leid, aber ich finde, das klingt wie ein Märchen. Im Alltag wird´s dann doch so sein, dass alles über Beziehungen läuft!“

Die Leute hier haben schon so viel durchstehen müssen, dachte Jorak. Sie trauen sich nicht mehr, an Ideale zu glauben. „Wenn es nicht funktioniert, ändern wir die Regeln – so lange, bis es klappt. Eure Vorschläge sind willkommen. Auch auf einen besonderen Namen für die Gilde konnten wir uns noch nicht einigen, wir nennen sie bisher einfach die fünfte Gilde.“

„Der Name ist mir ehrlich gesagt egal“, mischte sich ein gedrungener Mann ein, der sich trotzig ins Dunkelblau seiner ehemaligen Gilde gekleidet hatte. „Viel mehr interessiert mich, was mit Fehden ist. Was tun wir, wenn wir angegriffen werden?“

Es gefiel Jorak, dass der Mann *wir* gesagt hatte. Sah so aus, als hätten sie schon mindestens einen guten Bewerber. „Die neue Gilde will friedfertig sein und keine Fehden führen“, erklärte er. „Wenn einzelne Mitglieder angegriffen werden, sollten sie sich erst um eine friedliche Lösung des Konflikts bemühen, erst dann ist es erlaubt sich zu wehren. Gruppen dürfen nur mit Genehmigung der fünften Gilde kämpfen, sonst schaukelt sich die Gewalt hoch. Wenn wir uns alle wehren müssen, weil die Regentin oder der Rat der Vier Gilden uns den Krieg erklären, tja ...“

Fenk stimmte ein irres Lachen an. „Dann lässt der gute Jorak es halt krachen. He, Baumratte, wieso gibst du uns das Geld nicht gleich, das du irgendwo versteckt hast? Bin gerade pleite, könnte es echt gut gebrauchen, *tanu!*“

Jorak hatte genug. Er sagte freundlich: „Ich glaube, da möchte jemand gehen.“

Die Menschen um Fenk herum zögerten, blickten Jorak fragend an. Dann begannen sie Fenk wegzudrücken. Ein Dutzend Paar Hände schob ihn hartnäckig in Richtung Ausgang, während Fenk fluchte und vergeblich versuchte, jemanden mit der Faust zu erwischen. Hoffentlich war´s das mit dem Ärger, dachte Jorak ohne viel Zuversicht.

Als Fenks Stimme in der Entfernung verklungen war, fragte eine Frau, die ein dunkelhaariges, schüchtern dreinblickendes Mädchen an der Hand hielt: „Was ist mit gildenlosen Kindern, wer wird sie in den Formeln unterrichten und anderen Künsten, die sie brauchen?"

„Die anderen Mitglieder der neuen Gilde", sagte Jorak fest. „Bei uns gibt es keine Geheimnisse. Jeder teilt das, was er weiß und kann, mit den anderen. Genau das wird unsere Stärke sein, das wird uns von anderen Gilden unterscheiden. Wir werden nicht einfach ein Sammelbecken für Gescheiterte sein – wir verbinden alle vier Elemente, so wie ich in mir selbst Feuer und Luft vereine!"

Ein Raunen ging durch den Saal. Jorak wusste, dass das vor allem seiner Ankündigung galt, dass Mitglieder ihr Wissen teilen würden. Die Formeln, mit denen man Feuer, Wasser, Erde und Luft beherrschen konnte, waren die am besten gehüteten Geheimnisse der Gilden. Sie unerlaubt weiterzugeben, war ein schweres Verbrechen. Und kein Ausgestoßener durfte sie verwenden, so lautete das Gesetz.

„Was ist, wenn die anderen Gilden uns deswegen zum Tode verurteilen?", fragte ein älterer Mann.

Jorak ließ die Augen durch den Saal schweifen. Er sah in allen Gesichtern die gleiche bange Frage. Würden die alten Mächte auf Daresh sie vernichten, wenn sie diese kühnen Pläne wahr zu machen versuchten? „Dann ...", begann Jorak – und stockte. Ganz hinten in der Menge hatte er ein vertrautes Gesicht erspäht, einen rostroten Haarschopf, den braun-cremefarbenen Pelz eines Iltismenschen. Joraks Herz setzte einen Schlag aus. *Sie ist da. Alena ist hier!*

Die Menge wurde langsam unruhig, wartete darauf, dass er die Frage beantwortete. Doch Jorak hatte die Frage vergessen, in seinem Kopf schossen die Gedanken wild hin und her. Alenas und seine Blicke trafen sich und hielten sich fest.

„Verdammt, sag doch was! Du machst gerade nicht den Eindruck eines selbstsicheren Anführers!“, zischte Finley ihn an.

Jorak nickte, versuchte mühsam sich wieder unter Kontrolle zu bekommen. Doch dann sagte er nur mit rauer Stimme: „Was würdest *du* tun, Alena?“

Die Köpfe fuhren herum, wieder ging ein Raunen durch die Schutzkuppel. Niemand im Saal schien bemerkt zu haben, dass Alena da war, die Menschen hatten sich auf Jorak und seine Verbündeten konzentriert, die vor ihnen standen.

Verlegen richtete Alena sich auf, räusperte sich. „Man hat mich schon einmal zum Tode verurteilt, weil ich gesagt habe, was ich denke“, begann sie. „Lustig war das nicht. Aber ich konnte nicht anders. Wenn das nun auch in Daresh passieren würde ...“ – sie stockte kurz – „... dann würde ich trotzdem versuchen nicht aufzugeben. Denn wenn man aufgibt, verliert man sich selbst.“

Es waren einfache, aber keine leeren Worte, und die Menschen schienen es zu spüren. Nach einem kurzen Schweigen brandete Applaus auf, lauter diesmal. Die Menschen riefen und klatschten so lange, bis Alena nach vorne ging.

Dann standen sie voreinander, sahen sich an. In Joraks Welt gab es keinen anderen Menschen mehr als Alena. Ihre grünen Augen leuchteten, strahlten ihn an – und doch wirkte seine Gefährtin vorsichtig, versuchte nicht, ihn zu umarmen. Wahrscheinlich war es ihr nicht recht vor all diesen Leuten. Eine große Welle der Zärtlichkeit stieg in Jorak auf und er musste seine ganze Kraft aufwenden, um Alena nicht sofort an sich zu ziehen und so lange zu küssen, bis ihnen beiden die Luft ausging. Schließlich nahm er einfach ihre Hand, drückte sie, hielt sie fest. Dann wandte er sich wieder an die Menschen vor ihm.

„Wir können es schaffen“, sagte er. „Ich bin sicher, dass wir es schaffen können. Hiermit erkläre ich die fünfte Gilde Dareshs für gegründet.“

Eryn merkte wohl, dass Jorak sich nicht mehr konzentrieren konnte, denn er übernahm es, die Schlussworte zu sprechen. „Wer will, kann sich sofort als Anwärter eintragen lassen“, rief er und fügte eindringlich hinzu: „Erzählt weiter, was ihr hier gehört habt – jeder kann sich bewerben!"

Mehrere hundert Menschen sprangen auf und drängten nach vorne. Neike, Eryn und Joraks andere Verbündeten hatten alle Hände voll zu tun, um sich die Namen und wichtigsten Informationen zu notieren, wahrscheinlich würde es bis spät in die Nacht dauern, bis alle Anwärter aufgenommen waren. Jeder bekam eines der neuen Amulette aus schlichtem Eisen, die Jorak und die anderen in einer leerstehenden Werkstatt angefertigt hatten.

Jorak achtete nicht darauf. Ganz nah stand er neben Alena. An ihrem Hals bemerkte er eine neue Narbe, beim Nordwind, was war ihr passiert?

Doch bevor er etwas zu ihr sagen konnte, unterbrach ihn Finley. Er schwang neben Neike die Schreibfeder und lachte über das ganze Gesicht. „He, Jorak, ich muss sagen, du eignest dich dafür, Menschenmassen zu begeistern! Das Einzige, was jetzt noch zu einer richtigen Volksbewegung fehlt, ist ein Märtyrer!"

Seine Worte trafen Jorak wie ein Guss kalten Wassers. Jemand, der sein Leben für die gute Sache opferte, der vom Feind getötet und so im Gedächtnis der Menschen unsterblich wurde ... nein, er konnte nur hoffen, dass seine neue Gilde keine Märtyrer haben würde. Er jedenfalls stand dafür ganz sicher nicht zur Verfügung!

In diesem Moment berührte ihn jemand am Arm. Jorak wandte den Kopf. Es war Haruco, den er als eine der Wachen eingeteilt hatte. Seine Miene war besorgt. „Unten auf dem Platz vor dem Turm geht irgendetwas Seltsames vor", sagte er. „Schau´s dir besser mal an."

Dem Tod so nah

Alena folgte Jorak und Haruco zu einer der Außenwände der Kuppel. In ihrem Kopf herrschte ein schrecklicher Tumult, alles schien unwirklich. Gemeinsam mit den anderen spähte sie nach unten, versuchte durch die verschmutzte, nur halb durchsichtige Wand etwas zu erkennen und war mit den Gedanken doch ganz woanders, bei Jorak, der so nah neben ihr stand.

„Seht ihr – da und da und da", sagte Haruco, zeigte mit dem Finger schräg nach unten, auf die Gassen und Gebäude rund um den Turm. „Mir sind mindestens ein Dutzend Leute aufgefallen, die versuchen, sich zu verstecken."

Das klang nicht gut. Alena schüttelte das Gefühl der Unwirklichkeit ab und kehrte in die Gegenwart zurück. Jetzt, da Gefahr drohte, fiel es ihr wieder leicht, sich zu konzentrieren. „Wahrscheinlich die Gildenlosen, die nicht mehr reingekommen sind und jetzt darauf warten, dass sie dich wenigstens zum Schluss nochmal sehen", meinte sie zu Jorak. Irgendwohin mussten diese ganzen Menschen ja verschwunden sein! Doch Jorak runzelte weiterhin die Stirn, schaute beunruhigt nach unten.

„Es kommt mir komisch vor, dass der Platz vor dem Turm leer ist", sagte er. „Völlig leer. Und diese Leute, die sich verstecken ... sie sind alle ähnlich angezogen, soweit ich erkennen kann."

Alarmiert blickten sich Alena, Jorak und Haruco an. Stadtwachen!?

„Wir hätten diesen Kerl Fenk im Auge behalten sollen, nachdem wir ihn rausgeworfen haben", sagte Jorak gepresst. „Verdammt, wieso habe ich daran nicht gedacht? Wahrscheinlich ist er direkt zu den Stadtwachen marschiert – und wer weiß, was er dort für Schauergeschichten über uns erzählt hat."

„Dann haben wir ein Problem", meinte Haruco. Er hatte rote Ohren vor Aufregung. „Wir wissen nicht, wie viele Soldaten es sind, und sie sind unter Garantie bewaffnet. Selbst wenn wir alle auf einmal rausstürmen, wird es Verletzte geben, vielleicht Tote."

Das heißt, wir sind in diesem goldenen Turm gefangen, dachte Alena erschrocken.

Inzwischen waren einige Menschen im Schutzturm darauf aufmerksam geworden, dass sich etwas Ungewöhnliches tat. Viele schauten ebenfalls durch die Kuppel nach unten, begannen dann leise untereinander zu reden. Noch geriet niemand in Panik, doch in einigen Gesichtern sah Alena nackte Angst. Alena konnte sich denken, warum. Einen Gildenlosen zu töten, der auf irgendeine Art Ärger machte, galt nicht als Verbrechen und wurde nicht bestraft. Kaum hatten diese Menschen bei der Versammlung neue Hoffnung geschöpft, da war der Tod schon wieder ganz nah ...

Eryn, Finley und Neike tauchten neben ihnen auf und ließen sich berichten, was geschehen war.

„Eines steht fest, stürmen können sie den Turm nicht", sagte Eryn grimmig. Seine kräftigen Hände schlossen sich so fest um eine metallene Strebe des Turmes, dass die Knöchel weiß wurden. „Ich glaube, sie rechnen damit, dass wir ahnungslos rauskommen und sie uns überraschen können. Hätte sicher auch geklappt, wenn Haruco kein so guter Beobachter wäre."

„Was ist mit einer Belagerung?", fragte einer der Umstehenden.

„Wäre schlecht für uns", meldete Neike. „Wir haben zwar für genau so einen Fall zusätzliche Nahrung hergeschafft, aber wir dachten nicht, dass heute so viele Leute kommen. Die Vorräte reichen höchstens für zwei Tage."

Neike hatte in den letzten Wochen ihre Selbstsicherheit zurückgewonnen und inzwischen klang ihre Stimme kräftig und klar. Alena schaffte es nicht, sich darüber zu freuen, und zog sich unmerklich von Neike zurück, sie konnte nicht anders.

Dann zwang Alena ihre Gedanken zurück zu den Fremden, die sich rund um den Turm versteckten. „Gibt es Notausgänge?", fragte sie nüchtern. Sie konnte sich nicht vorstellen, dass Jorak so dumm gewesen war, die Versammlung an einem Ort ohne zweiten Ausgang abzuhalten!

„Ja“, bestätigte Jorak sofort. „Aber ich befürchte fast, die lassen sie auch bewachen ... sollten wir gleich mal nachprüfen ...“

Sie rannten die breiten Stufen hinunter zum Fuß des Turmes. Alena legte die Hand auf das Metall der Tür, und mit den besonderen Sinnen ihrer Gilde spürte sie, dass sie aus Holz bestand und mit dicken Eisenplatten verkleidet war. Da kommt keiner so leicht durch, dachte sie etwas beruhigt. Gut, dass sie das Tor zu Beginn der Versammlung verschlossen und gesichert hatten, sonst wäre der Turm sicher längst gestürmt worden!

„Wenn ihr einen Freiwilligen für den Versuch mit dem zweiten Ausgang braucht – ich mach´s“, meldete sich ein junger Mann mit roten Haaren und unternehmungslustig blitzenden Augen. Der war früher mal einer von uns Feuerleuten, dachte Alena und lächelte dem Mann zu. Wer weiß, weshalb er ausgestoßen worden ist.

Der Notausgang war ein Tunnel, der, wie Eryn berichtete, unter den Gebäuden hindurchführte und an mehreren Stellen wieder an die Oberfläche kam. „Nimm die Abzweigung Süd, dann können wir gut sehen, wenn du rauskommst“, sagte er dem jungen Mann. Der nickte, zündete sich eine kleine Fackel an und ging mit schnellen Schritten in den Tunnel hinein.

Alena und die anderen rannten zur Kuppel zurück, um Ausschau zu halten. Finley hatte wie alle Menschen der Luft-Gilde sehr scharfe Augen, er sah es zuerst. „Da bewegt sich was, eine Bodenplatte! Er kommt raus!“

Geschickt hangelte der Rothaarige sich aus der Öffnung des Tunnels, blickte sich um, schlich geduckt in Richtung eines Lagerhauses ... und stürzte. Sein Körper zuckte noch einmal und lag dann still. Ein Schatten huschte auf ihn zu, durchsuchte ihn schnell, schleifte ihn dann hinter ein Gebäude und außer Sicht.

In der Kuppel des Turmes herrschte grimmiges Schweigen.

„Ich glaub´s einfach nicht“, sagte Neike schließlich entsetzt. „Die stellen ja nicht mal Fragen!“

Alena runzelte die Stirn. Etwas kam ihr an der ganzen Sache seltsam vor. Stadtwachen hatten, soweit sie wusste, Schlagstöcke und Schwerter bei sich, aber keine Waffen, mit denen sie aus der Entfernung töten konnten. Es hatte aber so ausgesehen, als habe jemand einen Dolch auf den Rothaarigen geworfen oder ihn mit einer Armbrust erschossen.

Alena öffnete den Mund, wollte es gerade zu bedenken geben, da kam ihr ein schrecklicher Gedanke. Was, wenn das keine Stadtwachen waren, wenn das alles ihr galt, wenn dort unten Schlangenzahn und seine Helfer auf sie lauerten? Vielleicht hatte er den jungen Mann getötet, weil er ihn mit ihr verwechselt hatte. Bevor Alena entscheiden konnte, ob sie den anderen von ihrer Theorie erzählen wollte, sagte Eryn: „Wir haben noch eine Chance – über den Abwasserschacht. Der ist zwar vergittert, aber ich habe Schlüssel dafür." Er zögerte. „Allerdings ist der Schacht ziemlich schmal."

Cchraskar zuckte mit den Ohren und fragte: „Wie schmal, wie?"

„Etwa so." Eryn zeichnete einen Kreis in die Luft, der doppelt so groß war wie ein menschlicher Kopf. „Kiion würde wahrscheinlich durchpassen." Er blickte seinen Gefährten an, der die skelettdünne Statur seiner Storchenmensch-Vorfahren geerbt hatte. Blankes Entsetzen verzerrte Kiions Gesicht und Eryn schien einzufallen, was Menschen der Luft-Gilde fühlten, wenn sich etwas Festes, Schweres über ihrem Kopf befand. „Ähm. Oder du, Iltismensch?"

„Klarrr. Das passt", sagte Cchraskar und grinste breit, sodass seine Fangzähne gut zur Geltung kamen.

„Sag mal, was genau willst du mit den Stadtwachen anstellen?", fragte ihn Alena kopfschüttelnd.

„Ich? Gar nichts. Aber es sind ein paar Brüder und Schwestern in der Stadt. Die fänden es bestimmt lustig, die Dörfler ein bisschen abzulenken. Dann könnt ihr raus aus dem goldenen Turm, raus."

Zweifelnd blickte Alena ihren besten Freund an. Sie hatte nicht sehr viele Halbmenschen in Carradan gesehen. „Besser, wir holen noch die anderen Gildenlosen zu Hilfe. Aber dazu brauchen wir einen Menschen. Auf dich werden sie nicht hören, Cchraskar, besonders, wenn du frisch aus einem Abwasserkanal aufgetaucht bist." Noch während sie sprach, dämmerte ihr die perfekte Lösung. „Am besten ist, ich komme mit. Ich müsste eigentlich auch durchpassen."

Falls der Hinterhalt ihr galt, konnte sie die Kerle vom Turm weglocken. Wenn nicht, würde sie einfach wie geplant Hilfe holen. Oder besser umgekehrt, sonst erwischten die Kerle sie womöglich, bevor sie jemanden alarmieren konnte. Alena wandte sich wieder Jorak zu. Sie wünschte sich nichts mehr, als dass Jorak sie begleitete, damit sie wenigstens ein paar Stunden miteinander verbringen konnten. Auch wenn es nicht sehr romantisch war, gemeinsam durch den Dreck zu robben. Aber das waren Stunden, die er nicht mit Neike verbringen konnte.

Gerade in diesem Moment trafen sich Alenas und ihr Blick. Neike blickte nachdenklich, fast grüblerisch drein. Hatte sie ein schlechtes Gewissen? Alena musste sich mit aller Kraft daran hindern, sich Jorak und Neike auf einem gemeinsamen Nachtlager vorzustellen. Verdammt, sie durfte jetzt nicht mehr an so etwas denken, sonst würde sie nie im Leben schaffen, Hilfe zu holen.

„Ich würde gerne mitkommen", sagte Jorak zu ihr. Seine grünbraunen Augen waren dunkel vor Anspannung und Sorge. „Aber ich kann nicht. Das hier sind meine Leute, ich habe die Verantwortung für sie übernommen. Ich muss es mit ihnen zusammen durchstehen."

Alena blickte ihn an und nickte. Das hatte nichts mit Neike zu tun, es war das, was sie in seiner Situation auch getan hätte. Besser, sie erzählte ihm nicht, dass ein Attentäter ihr auf der Spur war, sonst kam Jorak noch auf die Idee, sie beschützen zu müssen!

Sie umarmten sich zum Abschied. Alena schloss die Augen dabei, damit niemand sah, dass ihre Augen feucht wurden. Jorak drückte sie fest an sich und streichelte ihr Haar, es fühlte sich an, als wolle er sie gar nicht mehr loslassen.

„Bitte, pass auf dich auf", flüsterte er ihr ins Ohr. „Und komm ganz schnell wieder zu mir zurück."

„Versprochen", sagte Alena heiser. Ein letzter Kuss, dann löste sie sich von ihm, wirbelte herum und lief mit Cchraskar die Stufen hinunter. Ihre Füße tanzten wie von selbst über die Stufen. Was auch zwischen ihm und Neike gewesen war, nach diesem Kuss konnte sie wieder daran glauben, dass ihm seine Feuerblüte etwas bedeutete! Vielleicht konnten sie es schaffen, ihre Liebe zu retten. Ach, wenn sie nur die Zeit hätten, um wirklich miteinander zu reden, ganz in Ruhe und allein. Aber das musste warten, wie lange noch?

Alenas Hochstimmung verflog, als Eryn die schwere metallene Klappe aufschloss und öffnete, die zum Kanal führte. Ein widerlich modriger Geruch waberte Alena entgegen. Besonders angenehm würde diese Flucht nicht werden! „Irgendwann kommst du in einen größeren Kanal, der auch vergittert sein wird", erklärte Eryn. In einer seiner Pranken hielt er einen kleinen Schüssel, er drückte ihn Alena in die Hand. „Hier. Verlier ihn nicht und schließ wieder hinter dir ab. Sonst können sie auf diesem Weg in den Turm kommen."

Alena nickte, hakte den Schlüssel an das Lederband ihres Amuletts und steckte sich zwei kleine Fackeln in die Tunika. Außerdem lieh sie sich von Eryn ein Seil und einen Mauerhaken. Dann wand und drehte sie sich hinter Cchraskar in die erschreckend kleine, aus Ziegeln gemauerte Röhre. Der Boden des Kanals war mit glitschigem Schlamm bedeckt. Sofort war ihre Tunika durchtränkt und klebte nasskalt an ihrem Körper. Alena konnte sich kaum bewegen, die Röhre schien sie zu umklammern. Dunkelheit umhüllte sie. Wie lebendig begraben zu sein fühlte sich das hier an. Panik quoll in ihr hoch. Sie bekam keine Luft hier drin! Sie steckte fest! Bloß raus hier, raus, RAUS!

Ganz ruhig, tief durchatmen, dir passiert nichts, sagte sich Alena, immer wieder, und nach einer Weile wurde sie ruhiger. Sie krallte sich mit den Fingern in die Kanalwand, zog sich voran und stieß sich gleichzeitig mit den Füßen ab. Nein, sie steckte nicht fest, irgendwie kam sie weiter. Sie hörte Cchraskar leise Flüche in seiner Sprache ausstoßen, weil seine Pfoten nass wurden. Dabei kam er gut voran, geschickt und schnell wieselte er durch die Röhre. „Los, komm endlich, Feuerblüte!", drängte er. „Wieso bist du so langsam?"

„Weil ich ein Mensch bin und gerade – aua! – mit den Schultern stecken bleibe, verdammt!"

Alena krümmte sich, bekam die Schultern wieder frei, kroch weiter. Zum Glück wurde der Gang kurz darauf breiter, und sie und Cchraskar konnten sogar nebeneinander weiterkriechen. Kurz darauf stießen Alenas Finger auf ein Hindernis, ertasteten grob geschmiedetes Metall – das Gittertor zum nächsten Kanal! Vorsichtig, mit so wenigen Geräuschen wie möglich, zog sich Alena hindurch und schloss das Tor hinter sich und ihrem Freund. Selbst Cchraskar gab keinen Laut von sich. Er wusste genau wie sie, dass hier schon Feinde lauern konnten, wenn der Turm systematisch belagert wurde.

Im größeren Kanal konnte Alena endlich wieder aufrecht gehen. Aber es war immer noch völlig dunkel. So musste es sich anfühlen, blind zu sein! Sie streckte die Arme aus, tastete nach der Wand. Ihre Fingerkuppen streiften rauen Stein, ihre einzige Orientierung. Dicht an der Wand schlich sie entlang, während das schwarze, stinkende Wasser um ihre Knöchel schwappte. Nur hin und wieder wagte sie, ihre Fackel anzuzünden, damit sie nicht versehentlich am Ausgang vorbeiwatete.

Vorwurfsvoll hielt Cchraskar einen ertrunkenen Nachtwissler in den Schein der Fackel. „Den kann man gar nicht mehr essen!"

„Nein – oder höchstens mit ganz vielen Gewürzen", flüsterte Alena zurück und löschte die Fackel wieder. Es war ein eigenartiges Gefühl, dass über ihr Menschen feiernd durch die Straßen zogen. Hier unten hörte man so gut wie nichts davon, das Platschen der kleinen Wellen übertönte es.

Endlich kam sie zu einem Ausgang. Nach einigen Würfen verankerte sich der Mauerhaken knirschend in der Wand und Alena hangelte sich nach oben. Auch die Abdeckung zur Straße hin war mit einem Schloss gesichert und es dauerte endlos, bis sie es ans Seil gekrallt mit einer Hand geschafft hatte, aufzuschließen.

Der Kanal mündete in einen dunklen, menschenleeren Hof hinter einer Pyramide. Alena stemmte sich aus dem Schacht und rollte sich sofort in Deckung hinter einen großen hölzernen Trog. Mit allen Sinnen lauschte sie in die Dunkelheit, jeden Muskel angespannt. Aus der Straße vor der Pyramide tönte Musik, Lachen, ein Gewirr von heiteren Stimmen herüber, ab und zu hörte Alena eine Sopran-Zeruda und eine Flöte heraus. Der Geruch nach gebratenem Fleisch und Polliak hing in der Luft. Harmlos, dachte Alena. Dennoch war sie nervös, als sie zum Schacht zurückkehrte. Es kam ihr endlos vor, bis Cchraskar sich endlich das Seil um den Bauch gebunden hatte und sie ihn hochziehen konnte.

Sie säuberten sich kurz an dem Trog, aus dem wahrscheinlich früher einmal Dhatlas getränkt worden waren. Dann umrundeten sie die Pyramide und spähten vorsichtig in die belebte Straße. *Silbergasse/Londor*, las Alena das in den Boden eingelassene Straßenschild. Es durchfuhr sie heiß, als ihr einfiel, dass sich ihr Vater im Viertel Londor niedergelassen hatte. Vielleicht war er ganz in der Nähe!

Sie versuchte sich zu erinnern, was genau er ihr geschrieben hatte. *Es ist ein sehr alter Teil von Carradan – die Häuser haben die prachtvollsten Gravierungen der Stadt, alle Gäste von außerhalb sehen sie sich an.* In der Telvariumsgasse wohnt er, fiel es ihr ein. Vielleicht war das hier gleich um die Ecke. Plötzlich wünschte sie sich nichts mehr, als ihren Vater um Rat und Hilfe zu bitten, ihm zu erzählen, was passiert war.

Alena schob den Wunsch von sich, dachte stattdessen an die vielen Menschen, die im goldenen Turm festsaßen und darauf hofften, dass sie ihnen Hilfe bringen würde. Beim Gedanken daran spürte Alena, wie Verzweiflung in ihr hochstieg. Wie sollte sie das schaffen, eine kleine Armee von Rettern zusammenzutrommeln?

Alena lief los. Mitten durch das mit bunten Fahnen geschmückte, von Lichtern und Fackeln hell erleuchtete Viertel. Ziellos streifte sie durch die feiernde Menge, drängte sich durch, hielt Ausschau nach Gildenlosen und Halbmenschen. Niemand achtete auf sie, nur ab und zu rümpfte jemand die Nase und warf einen angewiderten Seitenblick auf Cchraskar und sie. Vermutlich riechen wir noch nach dem Kanal, dachte Alena, aber es war ihr egal, alles war ihr egal, sie musste Hilfe holen! Jorak brauchte sie!

Ab und zu erspähte sie eine Stadtwache und wandte sich instinktiv ab, bis ihr einfiel, dass sie nicht gesucht wurde und keinen Grund hatte, die Wachen zu fürchten. Aber Hilfe hatte sie von ihnen auch keine zu erwarten – nicht, wenn es um Gildenlose ging.

„Cchraskar, was machen wir jetzt?" In Alena staute sich hilflose Wut. Am liebsten hätte sie nicht geflüstert, sondern geschrien. „Wieso ist denn hier niemand, der uns helfen kann?"

„Ich glaube, einige meiner Brüder wollten sich den Schwertertanz anschauen – der ist im Phönixviertel", meinte Cchraskar und seiner Stimme hörte Alena an, dass auch er nervös war.

„Nichts wie hin", sagte sie. In der Ferne erkannte sie die Statue der Zwei Schwestern, der mythischen Gründerinnen von Carradan, und schwenkte in diese Richtung ab. Doch als sie das Straßenschild unter ihren Füßen las, erschrak sie. „Wir sind in der Telvariumsgasse, hier wohnt mein Vater", flüsterte sie Cchraskar zu. Unwillkürlich suchten ihre Augen nach der Pyramide West10. Er wird sowieso nicht daheim sein, dachte Alena voller Sehnsucht. Er und Sukie werden natürlich auch unterwegs sein und feiern. Aber vielleicht sind sie noch nicht losgegangen ...

Die Pyramide West10 lag in einem kleinen Hof, der durch einen Torbogen zu erreichen war. Es war dunkel dort. Doch am Eingang von West10 leuchtete einladend eine Fackel. *Risiko, es ist ein verdammtes Risiko,* brüllte ein Teil von ihr sie an. *Hast du den Attentäter vergessen?* Doch ein anderer Teil versicherte ihr, dass sie den Kerl bestimmt abgeschüttelt hatten, überlegte schon, was sie Tavian erzählen und was sie zu Sukie sagen würde. Vorsichtig, nach allen Seiten spähend, ging Alena weiter.

„Irgendwas riecht komisch hier", sagte Cchraskar beklommen, aber da war es auch schon zu spät. Alena sah aus dem Augenwinkel eine Bewegung, fuhr herum. Cchraskar fauchte schrill. Etwas fiel aus der Dunkelheit des Torbogens auf Alenas Schultern herab, eine Art Seil, rutschte dann an ihr herunter. Voll Grauen sah Alena, dass sich das Etwas auf dem Boden bewegte – eine Schlange! Und auf ihren Schultern war noch eine. Kühle Haut glitt an ihrem Hals entlang, ein einziger schlanker Muskelstrang. Und da, in der Nähe von Cchraskar, war noch eine dritte. Nein, sie hatten den Attentäter nicht abgeschüttelt – und sie war so dämlich gewesen, ihm in die Falle zu gehen!

In der Falle

Jorak überließ es Eryn und Haruco, die Feinde vor den Toren im Auge zu behalten. Er selbst bewegte sich durch den goldenen Turm, erklärte, beruhigte, beantwortete Fragen. Es rührte ihn, wie vertrauensvoll die meisten der Gildenlosen sich darauf verließen, dass er ihnen aus dieser Falle heraushelfen würde. Jorak war sich längst nicht sicher, ob er das schaffen würde. Er hatte versucht, vor der Versammlung alle möglichen Krisen zu durchdenken, doch diese hier war übler, als er befürchtet hatte.

Eine Frau mit einem dunkelhaarigen Mädchen an der Hand kam zu ihm. In ihrem Blick stand die Sorge. Jorak erkannte die Frau, die vorhin nach den Gildenformeln gefragt hatte. Ihre Tochter war sehr dünn, hatte ein spitzes, mauseartiges Gesicht und große nussbraune Augen. Sie starrte Jorak unverwandt an.

„Was können diese Menschen nur vorhaben?", fragte die Frau. „Warum lassen sie uns nicht einfach in Frieden gehen?"

„Das wüsste ich auch gerne", sagte Jorak ehrlich. Er zermarterte sich schon die ganze Zeit den Kopf darüber. Er glaubte nicht mehr daran, dass es Stadtwachen waren, die draußen lauerten, es gab einfach zu viele Anhaltspunkte, die dagegen sprachen. Stadtwachen hätten ihnen nicht aufgelauert, sondern ihnen befohlen den Turm zu verlassen, und zwar sofort. Nein, Jorak vermutete, dass die echten Stadtwachen vollauf mit der Gipfelnacht beschäftigt waren und noch gar nicht gemerkt hatten, was hier in Moranga los war.

Die Verbindungen, die Jorak bei diesen Überlegungen knüpfte, stimmten ihn traurig. Jemand, der die fünfte Gilde verhindern wollte, hatte erfahren, dass die Versammlung zu dieser Zeit und an diesem Tag stattfand. Es hatten einfach zu viele Leute von diesem Gründungstreffen gewusst. Zu viele Leute, und darunter ein paar wie Fenk. Menschen, die aus Eigennutz, Schwäche oder Verzweiflung jede Chance ergriffen, die sich ihnen bot. Auch wenn sie damit die eigenen Leute ans Messer lieferten.

Jorak wünschte sich Alena herbei, um das alles mit ihr diskutieren zu können. Ihm wurde langsam klar, dass sie der einzige Mensch war, dem er voll und ganz vertraute. Aber auch sie hatte ihre Geheimnisse. Ihm fiel die seltsame Nachricht ein, die sie ihm geschickt hatte, ihre Heimlichkeiten mit Finley. Ach, verdammt!

Jorak fiel auf, dass das kleine dunkelhaarige Mädchen immer noch zu ihm hochblickte.

„Wie heißt du?", fragte er.

„Avalea. Ich kann schon bis hundert zählen. Meinst du, ich darf jetzt auch lernen, wie man den Wind zähmt?"

„Wenn wir hier draußen sind, bringe ich es dir bei", versprach Jorak. Er beschloss Avalea noch mehr als das beizubringen, ihr auch die Formel für die drei Tornados zu schenken. Sie würde sie brauchen in dem harten Leben, das sie erwartete.

In einem anderen Bereich des Turmes war die Stimmung eher gereizt als niedergeschlagen. Jorak hörte heftige Diskussionen, und als er dort vorbeischaute, wurde er sofort angesprochen. „Sag mal, wieso lassen wir´s nicht einfach darauf ankommen?", fragte ein breitschultriger Mann, über dessen Rücken und Schultern sich Narben zogen. Jorak tippte darauf, dass er ein ehemaliger Söldner war. „Frauen und Kinder können ja meinetwegen im Turm bleiben, aber wir anderen sollten raus und kämpfen!"

Jorak blickte ihn an. Er kannte diesen Typus Mann – es musste ihm unglaublich schwer fallen, abzuwarten, es ging ihm nur gut, wenn er etwas tat. Aber jetzt war nicht der Zeitpunkt, etwas zu tun. Noch nicht. „Ich will nicht, dass es Verletzte gibt. Lasst uns noch abwarten. Alena wird uns Hilfe von außen holen, damit haben wir bessere Chancen."

„Bist du sicher, dass deine Gefährtin uns helfen kann?"

„Ich bin sicher", sagte Jorak. So sicher, wie man nur sein konnte.

Dann hörte er die Schreie. Sie kamen von den Außenseiten des Turms, dort, wo sich besonders viele Gildenlose zusammengekauert hatten, um die Umgebung im Blick zu behalten. Ohne Nachzudenken rannte Jorak los, zu den Menschen hin, die geschrien hatten. Sie krochen, stolperten hastig von der Wand weg. Eine Frau hielt sich die Hand und schluchzte, ein Mann rieb sich die Schulter und fluchte.

„Was ist los?", fragte Jorak.

„Heiß, die verdammten Wände sind heiß geworden“, rief jemand.

„Glühen schon richtig! Nicht anfassen!“

Jorak ging näher an die metallenen Außenwände heran. Er spürte die Hitze auf seinem Gesicht, nein, es war nicht nötig, sie anzufassen. Das Metall glühte noch nicht, aber lange dauern würde es nicht mehr. Schließlich war der Turm dafür gebaut worden, Angriffen der Wasser- und Luft-Gilde zu widerstehen. Dass es einmal anders kommen würde, hatten seine Baumeister nicht bedacht.

Feuerleute, dachte Jorak, es sind Feuerleute, die uns belagern. Und jetzt versuchen sie uns aus dem Turm rauszubrennen ...

Alena stand vollkommen still, wagte nicht mehr sich zu bewegen. Eine der Schlangen kroch hastig auf das Gebüsch zu und ringelte sich dort einen Strauch hoch. Doch die zweite Schlange in Cchraskars Nähe hatte sich wütend aufgerichtet und stieß zischende Laute aus, das Maul mit den gebogenen Giftzähnen halb geöffnet. Sie war kaum drei Schritt von Alenas Bein entfernt. Und die dritte Schlange kroch immer noch auf ihr herum. Alena konnte fühlen, wie das Reptil sich um ihren Arm wand, aus den Augenwinkeln sah sie, wie der hässliche dreieckige Kopf hin und her pendelte.

Felsvipern, dachte Alena. Die grau-schwarze Zeichnung und der kantige Kopf waren unverwechselbar. Tödlich. Wenn die mich oder Cchraskar beißen, ist es aus.

Wie alle Menschen, die in der Wüste von Tassos aufgewachsen waren, kannte auch Alena sich mit Schlangen aus. Sie hatte als Kind oft ungiftige Nattern gefangen, um mit ihnen zu spielen, und wäre ein paarmal fast auf eine Sandviper getreten, die perfekt getarnt auf dem Weg lag und sich sonnte. Meist hatte die Viper erschrocken das Weite gesucht.

Doch das hier war anders. Diese Schlangen waren gereizt durch ihren Sturz und sie scheuten Menschen nicht. Alena spürte, wie ihr der Schweiß ausbrach. Sie wagte nicht, etwas zu Cchraskar zu sagen oder um Hilfe zu rufen. Schon die Bewegung ihrer Lippen, das Geräusch ihrer Stimme, konnten die Felsvipern zum Angriff bringen.

Hell erleuchtet lag die Pyramide ihres Vaters vor ihnen, keine halbe Baumlänge mehr von ihnen entfernt. Alena hörte Stimmen im Inneren. Ihr Vater und Sukie waren daheim und doch in diesem Moment so furchtbar weit entfernt!

Alena sah, wie Cchraskar sich der Schlange näherte, die sich in der Nähe von Alenas Bein zusammengerollt hatte. Er wiegte sich leicht hin und her, stieß fiepende Laute aus und ließ dabei die Augen nicht von der Viper. Die Schlange zischte wütend und folgte seinen Bewegungen mit dem Kopf. Er versucht sie von mir wegzulocken, dachte Alena dankbar und hatte gleichzeitig schreckliche Angst um ihren Freund.

Ein paarmal, wenn Cchraskar ihr zu nahe kam, schnellte die Viper vor, aber Cchraskar wich ebenso flink zurück, und der Stoß ging ins Leere. Mit jeder Bewegung entfernte sich die Schlange ein Stück von Alena.

Die Schlange auf Alenas Arm spannte den Körper an, es fühlte sich an wie eine fest zupackende Hand. Langsam ringelte sie sich um Alenas Oberarm. Ihre Zunge flackerte aus dem Maul, erkundete die Umgebung. Sie beruhigt sich langsam, dachte Alena. Wenn sie loskriecht, kann ich sie vielleicht abschütteln ... aber Vipern sind verdammt schnell, was ist, wenn sie es dabei schafft, mich zu beißen?

Nach und nach merkte Alena, dass sie nicht nur die Bewegungen der Schlange auf ihrem Arm spürte. Da war noch etwas, eine Aura. Metall, wahrscheinlich ein Dolch, und ganz in der Nähe. Er ist noch da, dachte Alena. Der Kerl, der mein Leben will, ist noch hier, um sich sein Werk anzusehen! Um abzuwarten, ob die Vipern uns erwischen oder nicht.

Alena schloss die Augen, spürte der Aura nach, prägte sie sich so fest ein, wie sie konnte, um sie zu jeder Zeit, an jedem Ort wiederzuerkennen. Sie nahm Metall nicht auf sehr weite Entfernung wahr, doch durch ihre Ausbildung als Waffenschmiedin hatte sie Übung darin, Nuancen zu erkennen. Die Waffe, die sie spürte, bestand aus gehärtetem Caradium-Stahl mit Beimischungen von Titan. Wahrscheinlich eine mattschwarze Klinge. Bestens geeignet für einen Mörder, sie würde nicht im Licht aufblinken und ihn dadurch verraten.

Die Aura kam näher. Alena konnte sich denken, was der Attentäter vorhatte. Obwohl die Schlangen noch nicht zugebissen hatten, war sein Plan aufgegangen. Sein Opfer konnte sich nicht bewegen, sich nicht verteidigen, nur hilflos warten. Jetzt war Alena eine leichte Beute.

Alena öffnete die Augen wieder – und bemerkte jenseits des Torbogens eine verstohlene Bewegung, eine dunkle Gestalt, die fast mit den Schatten verschmolz. Das ist er, dachte Alena verzweifelt. Jetzt habe ich nur noch die Wahl, von wem ich umgebracht werden möchte.

Doch der Kerl hatte nicht mit Cchraskar gerechnet. Inzwischen hatte ihr Freund die Viper weit genug von Alena weggelockt. Jetzt verlor er keine Zeit mehr und schoss vor. Eine seiner Pfotenhände packte die Viper hinter dem Kopf; wütend, aber hilflos wand sich die Schlange in seinem Griff. Cchraskar brach ihr mit einem Biss das Genick und ließ den schlaffen Körper angewidert fallen. Dann hob er witternd den Kopf, blickte in die Richtung, in der Alena die Gestalt gesehen hatte.

Alenas Herz trommelte in ihrer Brust. Schnapp ihn dir, feuerte sie ihren Freund wortlos an. Doch wie es aussah, hatte der Attentäter sich schon wieder zurückgezogen, er scheute den Kampf. Cchraskar wandte sich der Viper zu, die sich im Gebüsch ringelte. Ihr Kopf pendelte drohend.

Ein Geräusch. Das Öffnen und Schließen einer metallenen Tür. Stimmen, lauter jetzt. Tavian! Sukie! Sie kamen aus dem Haus, festlich gekleidet in weiten schwarzen Gewändern mit orangegelben und roten Stickereien. Tavian legte einen Arm um seine Gefährtin, sagte etwas zu ihr. Sukie lachte. Dann gingen sie davon, in eine andere Richtung. Es schien noch einen zweiten Ausgang aus dem Hof zu geben.

Alles in Alena drängte danach, aufzuschreien, zu rufen, doch die Viper um ihren Arm war ein zu großes Risiko. Mit brennenden Augen folgte sie dem Weg ihres Vaters.

Zum Glück hatte auch Cchraskar die beiden bemerkt. Sofort begann er laut zu knurren und zu fauchen. Im engen Torbogen hallte seine Stimme wie ein ganzes Regiment von Dämonen. Verblüfft drehten sich Tavian und Sukie um, kamen mit schnellen Schritten näher.

„Alena!", rief Tavian, er hatte sie auch in der Dunkelheit an der Aura des Smaragdschwerts erkannt.

Alena konnte ihn nur anblicken, sie wagte weder, zu nicken noch zu antworten. Cchraskar übernahm es für sie. „Komm nicht näher", warnte er. „Schlangen sind hier! Töten sollen sie, töten, und eine ist noch an Alenas Arm!"

Langsam und vorsichtig näherten sich Tavian und Sukie, erfassten, was geschah. „Beim Feuergeist, das sind Felsvipern", sagte Sukie erstickt.

Die Schlange, die sich in den Strauch zurückgezogen hatte, bemerkte die nahenden Menschen. Zischend wandte sie sich der neuen Bedrohungen entgegen. Cchraskar nutzte seine Chance sofort und erledigte auch die zweite Viper.

Doch für Jubel war keine Zeit. Unruhig wand sich die dritte Schlange um Alenas Arm, begann wieder zu ihrem Hals hochzukriechen.

Mit langsamen Schritten kam Tavian näher. Sein Gesicht war ruhig und konzentriert. Er hatte sein berühmtes gebogenes Schwert gezogen, hielt es vor sich. Der Stahl glänzte im schwachen Licht unter dem Torbogen. Schweigend traten Cchraskar und Sukie zur Seite. Sukies Augen waren noch immer vor Schreck geweitet. „Du willst doch nicht etwa ...?"

Tavian antwortete nicht. Er ließ den Blick nicht von der Schlange.

Alena ahnte, was ihr Pa vorhatte. Es machte ihr keine Angst – sie wusste, wie meisterhaft ihr Vater sein Schwert führte. Niemandem vertraute sie so wie ihm. Aber das Licht war schlecht hier. Sie hoffte, dass es reichte, Raum für Fehler gab es keinen. Tu es, sagte sie ihm mit den Augen. Tu es jetzt!

Tavian war nur noch eine Armlänge von ihr entfernt. „Beweg dich nicht", sagte er ruhig. Dann flirrte sein Schwert durch die Luft, ein silberner Schatten. Ein Zucken und der kraftlose Körper der Schlange glitt von Alena herunter, klatschte auf den gepflasterten Boden. Der abgetrennte Kopf der Viper lag ein paar Schritt weiter, die Kiefer öffneten und schlossen sich noch im Reflex. Alena blickte auf die Klinge hinunter, die nur eine Daumenbreite von ihrem Hals entfernt war, und atmete tief durch.

Langsam ließ ihr Pa das Schwert sinken. Alena sah, dass er schwitzte. „Bist du in Ordnung, Allie?"

„Ja", sagte Alena. Jetzt, da die Gefahr überstanden war, wurden ihr auf einmal die Knie weich. „Aber der Kerl, der die Schlangen auf uns gehetzt hat, ist hier noch irgendwo in der Nähe."

„Dann rein ins Haus, schnell!" Nervös sah Sukie sich um.

Alena dachte an Jorak und schüttelte den Kopf. „Nein. Ich habe noch etwas zu erledigen. Etwas Wichtiges. Helft ihr mir?"

„Natürlich", sagte ihr Vater knapp, behielt dabei unablässig die Umgebung im Auge. Sukie sagte nichts, sah Alena nur an. Über die Spitzen ihrer roten Locken tanzten Funken. Einen Moment lang trafen sich ihre Blicke. Plötzlich musste Alena wieder an die Szene in Gilmor denken. *Stiefmutter*. Sie ahnte, dass auch Sukie gerade daran dachte.

Schließlich nickte Sukie. „Ja", sagte sie ernst. „Gerne. Soweit ich es vermag."

Alena legte die Hand an ihr Smaragdschwert. „Dann los!"

Jorak lief der Schweiß über die Stirn. Die glühenden Wände heizten die Luft im Turm sehr schnell auf. Wahrscheinlich loderten um die Außenwände herum Feuer, die in der Leere brannten und keine Nahrung brauchten, solange genügend Leute die passende Formel sprachen. Im schlimmsten Fall würde die Temperatur im Turm steigen, bis man es in seinem Inneren nicht mehr aushalten konnte und alles Brennbare hier in Flammen aufging. Das hing davon ab, wie viele Feuerleute sie draußen hatten und wie lange die sich konzentrieren konnten. Verdammt!

Aber, dachte Jorak grimmig, Gildenlose wissen sich auch manchmal zu helfen. Er hob die Stimme, rief: „Wer von euch war mal in Feuer? Wir müssen gemeinsam die Gegenformel sprechen!“

Sofort brachen Diskussionen los, Ratlosigkeit lag in der Luft. Jorak stöhnte innerlich, als ihm klar wurde, dass viele dieser Menschen die langen, komplizierten Formeln nicht mehr richtig beherrschten. Sie waren zu lange aus der Gilde ausgeschlossen gewesen! Doch er sah auch Entschlossenheit auf vielen Gesichtern. Und als er bemerkte, wie viele Männer und Frauen sich nach vorne drängten, schöpfte Jorak wieder Hoffnung.

„Fürchte, Ihr müsst uns die Formel vorsprechen, Jorak“, sagte ein breitschultriger Mann mit gelassenem Blick. Seine Kleidung war zerlumpt und er trug keine Waffe, aber er hatte die Haltung eines erfahrenen Schwertkämpfers. „Dann kriegen wir´s auch gleich beim ersten Versuch hin und ohne den Turm anzuzünden.“

Jorak zwang sich zur Geduld, sprach ihnen die Formel vor, einmal, zweimal, dreimal. „Achtet bitte darauf, die Betonungen richtig zu setzen“, sagte er und konnte doch nur daran denken, dass sie wertvolle Zeit verloren und endlich anfangen mussten. „Sagen wir sie gemeinsam – jetzt!“

Er schloss die Augen und konzentrierte sich, drängte Zweifel und Angst und Sorge aus seinem Kopf, zwang sich die Hitze zu vergessen und die stickige Luft, die von zu vielen Menschen geatmet wurde. Dann erst sprach er die Formel. Rings um ihn hörte er leises Murmeln, Dutzende von Stimmen. Es klappte besser, als er gehofft hatte. Nur ein paar verpatzten die Betonungen und riefen mitten im Turm kleine Feuer, die sich leicht austreten ließen.

Jorak eilte zur Wand, um die Wirkung der Gegenformel zu überprüfen. Vorsichtig näherten er und Eryn sich der Außenhülle des Turmes. „Nicht mehr ganz so heiß“, urteilte Eryn. „Aber wir müssen die Formel wiederholen, schnell, und danach wieder!“

Jorak ließ ihn die Abwehrmaßnahmen weiterführen und beriet sich mit Finley und Neike. „Wir sollten anfangen, so viele Leute wie möglich durch den Kanal nach draußen zu schleusen“, schlug Finley vor. Er war sehr blass. „Dann sind sie hier raus, wenn es zum Schlimmsten kommt.“

Jorak nickte und dachte an Avalea und ihre Mutter. „Gute Idee. Diejenigen, die schmal genug sind, um durchzupassen. Neike, organsierst du das?“

Mit festen Schritten kam der Mann mit den Narben auf dem Rücken zu ihnen, gemeinsam mit etwa zehn anderen Männern drängte er sich um Jorak. „Wir lassen uns nicht einfach ausräuchern aus dem verdammten Turm – wir müssen kämpfen!“, sagte er. „Wenn du nicht Mumm genug hast, Junge, dann überlass uns die Sache!“

Seine Respektlosigkeit brachte ihm empörte Blicke der Umstehenden ein, und Finley öffnete den Mund, um ihn anzufahren.

Doch Jorak hob die Hand, hielt ihn zurück. Er musste zeigen, dass er sich nicht provozieren ließ, dass er die Situation kontrollierte, sonst würden diese Männer ihm die Führung schnell aus der Hand nehmen. „Nein, wir werden noch nicht kämpfen“, sagte Jorak kühl. „Jetzt wäre es unklug. Wenn wir Verstärkung von außen haben, können wir die Kerle überraschen. Dann haben wir eine Chance. Bis dahin werdet ihr genau wie alle anderen helfen, den Turm zu sichern. Alle brennbaren Materialien müssen mit Wasser übergossen und die Vorräte an den tiefsten Punkt des Turms gebracht werden, damit sie nicht in der Hitze verderben.“

Es wirkte. Bei der Aussicht, endlich etwas tun zu können, entspannte sich der Mann merklich. „Na dann“, brummte er und seine Kameraden nickten.

Jorak wandte sich ohne einen weiteren Blick von ihnen ab und den anderen Menschen zu, die sich mit Fragen, Vorschlägen, Bitten in seine Richtung drängten. Doch bevor er ihnen zuhörte, nahm er sich einen Moment nur für sich, einen Moment, in dem er durch die staubige Außenhülle des Turmes über die Stadt hinwegblickte. Verzweifelt dachte er an Alena. Hoffentlich war sie sicher durch den Kanal gekommen, hoffentlich schaffte sie es, Hilfe zu holen! Bald war Mitternacht, spätestens dann musste er handeln. Aber nicht so, wie die Hitzköpfe es vorgeschlagen hatten. Sonst war es für alle Zeiten unglaubwürdig, dass die fünfte Gilde friedliche Absichten hatte. Erst würde er – er selbst, und er allein – mit einer weißen Flagge vor den Turm treten und versuchen zu verhandeln.

Er konnte nur hoffen, dass ihr unbekannter Gegner nicht einfach alle Menschen auslöschen wollte, die bei dieser Gründung dabei gewesen waren.

Alena und die anderen eilten zurück nach Moranga, wo noch die größte Chance bestand, Gildenlose zu finden. Im Laufen erklärte Alena ihrem Vater und Sukie, was geschehen war.

„Klingt, als hätten wir wirklich keine Zeit zu verlieren“, sagte Tavian. „Nehmen wir besser die Abkürzung durch den Phönixpark.“

Der Park im Herzen der Stadt war ein Stück Tassos-Landschaft, mit Silbersand, einem kleinen Hain von Phönixbäumen und einem großen Platz für Festspiele in der Mitte. Auf den freien Flächen schlenderten Zuschauer umher, in abgegrenzten Bereichen wurden Schwerttänze und Schaukämpfe aufgeführt. Ein Stück weiter war die Spielfläche, dort liefen gerade Hunderte von Kindern, die sich an der Hand hielten, im Kreis. Auf Trompetensignale hin rannten sie lachend zur Mitte, strebten wieder auseinander, wechselten die Richtung oder suchten sich kreischend einen neuen Partner.

Auch im Park ging es nicht schneller voran als in Londor. Im Laufschritt versuchten Alena und die anderen die Menge zu durchqueren, die es überhaupt nicht eilig hatte und sich so zähflüssig voranzubewegen schien wie halb erstarrte Lava. Mit dem Ellenbogen schlug Alena versehentlich einer Frau den Grillspieß aus der Hand und Flüche schallten ihr nach, als sie weiterhastete.

Für die Schaukämpfe, bei denen berühmte Meister aus allen Teilen Dareshs gegeneinander antraten, hatte Alena nur einen flüchtigen Blick übrig. Doch sie bemerkte, dass in einer der Arenen ein einzelner Feuermeister in Kampftracht wartete. Ratlos und mürrisch sah er sich um. „Der wartet auf mich“, sagte Tavian. „Moment, ich sag ihm kurz Bescheid. Bin gleich zurück.“

Alena sah, wie Tavian und der andere Meister sich kurz unterhielten. Ungehalten gestikulierte der Mann. Tavian zuckte die Schultern, zog sein Schwert, beide Männer traten sich gegenüber.

„Jetzt kämpfen sie ja doch", sagte Sukie erstaunt.

Alena trat unruhig von einem Fuß auf den anderen. Mit jedem Atemzug verloren sie wertvolle Zeit! Doch Tavian hielt sein Versprechen, gleich zurück zu sein. Er parierte den ersten Schlag, griff dann blitzschnell selbst an. Bevor die verdutzten Zuschauer begriffen hatten, was geschah, flog das Schwert des anderen Meisters in den Sand und Tavians Gegner schielte auf die gebogene Klinge dicht vor seinem Hals hinunter. Tavian grüßte kurz, steckte sein Schwert weg und drängte sich wieder durch die Menge, ohne sich die Mühe zu machen, seinen Preis entgegenzunehmen.

Durch die Spielzone liefen sie einfach mitten hindurch und einen Moment lang wimmelten vergnügend kreischende Kinder um sie herum. Ein paar versuchten Cchraskar am Schwanz zu packen. Doch Cchraskar zog nur eine Grimasse und zeigte dann, wie schnell er flitzen konnte.

Am Rand des Parks wurde es ruhiger und dunkler, hier brannten weniger Fackeln. Und dort sah Alena endlich ein paar Katzen- und Storchenmenschen, die den Feiern aus sicherer Entfernung zusahen. Freudig stürzte Cchraskar auf sie zu, und Alena, Tavian und Sukie eilten ihm hinterher. Aufgeregt tänzelnd erklärte Cchraskar seinen Brüdern und Schwestern in seiner Sprache, was los war und dass er ihre Hilfe brauchte. Sofort setzten sich die Katzenmenschen in Bewegung, huschten geschmeidig in verschiedene Richtungen davon. Mit rauschenden Schwingen flatterten die Storchenmenschen auf.

Breit grinsend kehrte Cchraskar zurück. „Sie ssagen allen Bescheid!"

Alena sandte ein Dankgebet an den Feuergeist. Gleich darauf fanden sie eine Gruppe von etwa zwanzig Gildenlosen, die am Rand des Parks hockten und gemeinsam die mageren Rationen verzehrten, die sie an den Marktständen erbettelt oder gestohlen hatten. Misstrauisch blickten sie Alena, Tavian und Sukie entgegen.

„Ich bin Alena ke Tassos", sagte Alena außer Atem. „Wer von euch weiß von der Gründung der fünften Gilde?"

Mehrere Köpfe fuhren hoch, aufgeregt sprang ein junger Mann auf die Füße. „Wir wissen davon! Hat alles geklappt damit?"

„Ja, aber Jorak und die anderen sind in Schwierigkeiten", sagte Alena und berichtete schnell, was sie wusste. „Außerdem versucht jemand mich zu töten – ich vermute, der Rat hat einen Attentäter auf mich angesetzt. Wir müssen schnell handeln!"

Als die Männer und Frauen sich etwas von ihrer Überraschung erholt hatten, waren sie außer sich vor Wut. Hastig rafften sie ihre wenigen Besitztümer zusammen und brachen auf, um andere Ausgestoßene zu suchen und sie zum Turm zu schicken. „Das dauert nicht lange – wir kennen die Orte, an denen sich Gildenlose treffen", versicherte eine kleine Frau mit strähnigen grauen Haaren Alena. „Wir kommen alle zum Turm!"

„Aber seid vorsichtig, nähert euch so heimlich ihr könnt", warnte Alena. „Ich werde euch ein Signal geben, wenn wir losstürmen und sie ablenken ... ich weiß nur nicht, was für ein Signal ..."

„Eine Säule kalten Feuers", mischte sich Sukie ruhig ein.

„Äh, eine Säule kalten Feuers", wiederholte Alena und fragte sich, ob Sukie das ernst meinte. Es kostete unheimliche Kraft, auch nur eine kleine Flamme des unheimlichen grünlichweißen Feuers auflodern zu lassen, und sie wollte gleich eine ganze Säule herbeirufen?

Es war kurz vor Mitternacht. Alena hatte den ganzen Tag über nichts gegessen, sie war durch einen Kanal gekrochen, von dem unbekannten Attentäter angegriffen worden, durch halb Carradan gerannt. Und das, nachdem sie vor nicht allzu langer Zeit schwer verletzt worden war. Jetzt spürte sie, dass es ihr vor den Augen flimmerte, dass ihr Körper nach einer Pause schrie. Aber das kam gar nicht in Frage. Nicht, solange Jorak und die anderen festsaßen!

Alena merkte, dass Tavian sie mit zusammengekniffenen Augen ansah – er hatte erkannt, wie es ihr ging. Er öffnete den Mund, wollte etwas sagen, doch Alena kam ihm zuvor. „Kommt, wir müssen uns in der Nähe des Turms umschauen!", drängte sie. „Vor dem Angriff sollten wir so viel wie möglich über diese Kerle herausfinden, die Jorak belagern."

„Gute Idee", sagte Sukie und legte ihr kurz die Hand auf die Schulter. Es war keine gewöhnliche Berührung. Sukie gab ihr Kraft ab, schwächte sich selbst, um ihr Energie zu schicken. Im ersten Moment wollte Alena ihre Hand abschütteln, stolz ablehnen, sie hatte nicht um Hilfe gebeten! Doch dann ließ sie es geschehen. Es tat so gut und sie brauchte die Kraft.

Sie bedankte sich mit einem kurzen Blick bei Sukie, und Sukie nickte. Mehr war nicht nötig und mehr hätte Alena auch nicht über sich gebracht.

„Gehen wir", sagte sie.

In Flammen

Einer der Männer opferte seine weiße Tunika für die Flagge, die Jorak nach draußen tragen wollte. Ein Stock als Halterung fand sich in den Kellern.

„Das müsste reichen. Sie werden verstehen, dass ich mit ihnen verhandeln will“, sagte Jorak zu den vielen Menschen, die ihn unruhig und angstvoll beobachteten. Aber er wusste selbst, dass es leere Worte waren. Verhandeln konnte man nur, wenn man im Austausch etwas zu bieten hatte. Jorak konnte kein Angebot machen. Es war Gnade, die er und die anderen von diesen Leuten da draußen brauchten. Alena war nicht zurückgekommen, es gab kein Lebenszeichen von ihr. Vielleicht war sie aufgehalten worden, vielleicht war ihr etwas passiert. Jorak wollte nicht daran denken.

„Sei vorsichtig“, sagte Finley nervös. „Wenn du irgendwas Verdächtiges siehst, dann komm sofort zurück!“

Jorak lächelte, so gut er es schaffte. „Natürlich. Ich bin nicht lebensmüde.“

Langsam ging er auf der Haupttreppe nach unten, den Stock mit der Flagge in der Hand. Er wandte sich nicht um, aber er hörte die vielen Füße auf der Treppe. Sie folgten ihm, alle. Aber nur er allein durfte durch das Tor nach draußen gehen.

Er allein.

Nach dem Trubel der Innenstadt erschien es Alena in Moranga unheimlich still. Es war eine gespannte, unnatürliche Stille. Es war, als hielte der ganze Bezirk den Atem an. Einzelne Passanten hasteten die spärlich durch Laternen erleuchteten Straßen entlang, als hätten sie es eilig, hier wegzukommen. Die meisten Häuser, Lager und Werkstätten waren still und dunkel.

Cchraskar führte, er bewegte sich schnell und sicher in der Dunkelheit. Er hatte fünf andere Iltismenschen bei sich. Sie unterhielten sich leise in ihrer Sprache, schwärmten dann auf weichen Pfoten aus. Ein paar Minuten später waren sie zurück, tauschten sich aus, dann kam Cchraskar zu Alena. Sie spürte den Hauch seines Atems auf der Wange, als er ihr ins Ohr flüsterte: „Es sind etwa achtzig Dörflinge. Alle gut versteckt, aber wir wittern sie, wir wittern."

Achtzig – so viele! Alena war erschrocken. „Dann macht ihr jetzt Folgendes", flüsterte sie zurück. „Jeder Halbmensch sucht sich einen Kämpfer aus, schleicht sich an ihn heran und wartet. Wenn das Signal kommt, springen wir alle gleichzeitig auf sie."

Cchraskar nickte und huschte davon. Auch Tavian suchte sich ein Opfer aus. Alena und Sukie pirschte sich an zwei Männer heran, die Cchraskar in einer Nische zwischen zwei Häusern ausfindig gemacht hatte. Beide waren dunkel gekleidet und warteten geduldig, die Augen auf den Turm gerichtet. Alena schätzte, dass der eine zur Luft-Gilde gehörte, der andere war Feuer.

Die Männer schienen sich sehr sicher zu fühlen. Sie unterhielten sich leise und Alena spitzte die Ohren.

„Ganz schön mies, die Bezahlung, was? Musste mich endlos runterhandeln lassen."

„Ja, ging mir auch so. Bei den Fehden früher hatte man besser sein Auskommen. Wo haben sie dich angeheuert, Kumpel?"

Söldner also, dachte Alena. Das überraschte sie nicht. Aber wer war es, der dieses kleine Regiment zusammengetrommelt hatte, und warum?

„In Belén, mich hat einfach jemand angesprochen", erwiderte der zweite Mann. „Klar, die Bezahlung ist mehr Asche als Kohle. Aber ich sag dir, hier mitzumischen ist immer noch besser als die Arbeit in den verdammten Bergwerken. Und wo kommst *du* her?"

„Torreventus. Hab dort ´nen kleinen Waffenhandel. Aber mir ist es lieber, mal wieder ein bisschen Gefechtsluft zu schnuppern ..."

Alena war schockiert. Belén! Torreventus! Waren womöglich Relgan, Joraks Stiefvater, und Eo in die Sache verwickelt? Schon als sie die Felsvipern gesehen hatte, war die Erinnerung an Eo und die vielen Schlangen in Belén wiedergekommen. Aber diese beiden Männer kannten sich überhaupt nicht. Oder doch? Relgans Motive jedenfalls konnte sie sich vorstellen. Alena erinnerte sich noch gut an das Gespräch mit ihm, das Jorak abgebrochen hatte. Eine fünfte Gilde, die Hoffnung für die Gildenlosen bot, passte Relgan überhaupt nicht. Dann waren die Gildenlosen nicht mehr verzweifelt genug, für einen Hungerlohn in seine Dienste zu treten. Lieber investierte er ein wenig Geld und versuchte die neue Bewegung im Keim zu ersticken.

Alena hatte eigentlich vorgehabt, weiter zuzuhören und noch ein paar Atemzüge lang zu warten, bis alle Halbmenschen und Gildenlosen in Position waren. Doch dann sah sie, wie im untersten Stockwerk des Turms ein Licht entzündet wurde. Die beiden Söldner hörten auf zu reden, hoben ihre Waffen und starrten zum Turm hinüber.

Ein einzelner Mann trat aus dem Tor. Er trug eine weiße Fahne. Alena sah nur seine Silhouette im Gegenlicht, aber sie erkannte Jorak sofort. Rostfraß, was machte er da? Eisige Furcht durchzuckte Alena. Wusste er denn nicht, in welche Gefahr er sich brachte? Schon sah sie, dass der Luft-Gilden-Söldner seine Armbrust hob, auf Jorak anlegte!

Alena dachte nicht nach. Sie sprang den beiden Männern gegen den Rücken, brachte sie aus dem Gleichgewicht. Den einen konnte sie zu Boden reißen, er prallte mit dem Kopf gegen eine Mauer und blieb benommen liegen. Der Zweite fuhr herum, hieb mit dem Schwert nach ihr. Alena fühlte den Luftzug der Klinge neben ihrem Ohr und zog selbst ihre Waffe.

Zum Glück hatte Sukie begriffen, was geschah, und einen Atemzug später erhob sich nur wenige Menschenlängen neben ihnen eine Säule – eine wabernde, fließende Säule aus bläulichgrünem Licht, so dick wie drei Menschen. Kaltes Feuer! Mit aufgerissenen Augen wich Alenas Gegner vor der tödlichen Säule zurück. Und überall in der Umgebung ertönten Rufe und Schreie – ihre Helfer hatten das Signal gesehen und griffen an! Sah so aus, als sei der Überraschungseffekt geglückt.

Inzwischen hatte sich Alenas Gegner von seinem Schreck erholt und ging auf Sukie los. Alena hob das Schwert, um ihr zu helfen. Doch Sukie blickte dem Söldner ohne jede Furcht entgegen, streckte einfach die Hand aus. Funken strömten durch ihre Fingerspitzen und hüllten den Mann ein. Er stöhnte vor Schmerzen, dennoch raffte er sich auf und versuchte sich noch einmal auf Sukie zu stürzen. Der ist ganz schön hart im Nehmen, dachte Alena. Sie selbst hätte sich in diesem Moment nicht an Sukie herangetraut. Die Freundin ihres Vaters stand vor ihrer Feuersäule wie eine Rachegöttin, auf ihrem Haar tanzten Funken und um ihre Arme wanden sich Flammen wie zahme Schlangen, orange leuchtend in der Dunkelheit. Sukie murmelte eine Formel und eine der Flammen sprang auf den Mann über, fraß sich seine Kleidung hoch. Schreiend taumelte er in eine Seitengasse davon.

Es dauerte nur wenige Atemzüge, bis die Menschen im Turm begriffen hatten, was geschah. Dann flogen die Tore auf, Gildenlose stürmten heraus. Eine Menschenmasse, die sich auf dem Platz vor dem Turm ergoss. Viele brüllend vor Wut und Angst, alle angestauten Gefühle brachen sich Bahn. Wie eine Flutwelle brandete die Menge gegen die Begrenzungen des Platzes. Doch inzwischen hatten sich die fremden Gegner von der Überraschung erholt und sie dachten gar nicht daran, das Feld zu räumen. Alena sah, dass auf dem Platz Dutzende von Zweikämpfen entbrannten, Feuer- und Luftleute mit Schwert und Axt gegen schlecht bewaffnete Gildenlose jeder Herkunft. Hier und da erkannte Alena die geschmeidigen Körper von Iltis- und Katzenmenschen, leichfüßig und mit gebleckten Zähnen griffen sie an.

Schnell schwappte der Kampf auch in die umliegenden Gassen. Und dann kamen die Stadtwachen, ein Schwall von schwarzen Uniformen, der verblüfft am Rand des Platzes verharrte und dann ausschwärmte. Rostfraß, dachte Alena. Sie hatte übersehen, dass die Feuersäule auch die Bewohner von Carradan auf den Kampf aufmerksam machen würde! Und das Schlimmste war – die Stadtwachen verstanden die Situation völlig falsch. „Ein Aufstand! Meldet dem Hauptquartier, dass hier ein Aufstand von Gildenlosen stattfindet!“, hörte Alena jemand brüllen. „Wir brauchen Verstärkung!“

Sie sah, wie Wachen einige Gildenlose packten, sie zu Boden rangen und niederknüppelten. Alena fand einen Offizier, packte ihn am Arm. „Ihr müsst aufhören!“, brüllte sie ihm über den Lärm verzweifelt ins Ohr. „Die Gildenlosen haben nichts getan, Söldner haben uns aufgelauert, sie töten unsere Leute!“

Irritiert schüttelte der Offizier ihre Hand ab, sah sie an wie ein widerliches Insekt. „Die hier auch – noch so eine Durchgedrehte!“, rief er zweien seiner Leute zu, und die Männer versuchten sie am Arm zu packen. Alena riss sich los und rannte zurück in die Mitte des Platzes.

Statt abzuflauen, als die Stadtwachen eintrafen, wurden die Kämpfe heftiger, weil nun aus den umliegenden Gassen weitere Gildenlose hinzuströmten. Sämtliche Gildenlosen der Gegend, all die Menschen, die nach Carradan gekommen waren, aber nicht in den Turm gepasst hatten. Wütend stürzten sie sich auf die Stadtwachen, auf jeden mit einer Armbrust, auf jeden, den sie zu fassen bekamen.

Hilflos und entsetzt sah Alena zu. Aus der Verteidigung war ein blutiger Aufstand worden! Wie Rena geahnt hatte.

Sie musste unbedingt nach Jorak suchen. Hoffentlich war ihm nichts passiert! Alena lief los, duckte sich unter Schwertern hindurch, stolperte mitten durch Kämpfe, drückte sich an Hauswänden entlang, und hielt Ausschau nach ihrem Gefährten. Es kam ihr endlos vor, bis sie Jorak endlich gefunden hatte – er schob gerade ein paar Frauen mit Kindern in eine kleine Seitengasse. „Schnell, hier lang! Lauft bis zum Stadtteil Londor, da seid ihr sicher!“

Als er Alena bemerkte, sah sie Erleichterung in seinen Augen, aber es war nicht mal Zeit für eine Umarmung. „Wir müssen das Ganze irgendwie wieder unter Kontrolle bekommen“, stieß Alena hervor. „Es werden ständig Menschen verletzt!“

Seine weiße Fahne hatte Jorak längst verloren, sie lag dreckig und zerrissen irgendwo auf dem Boden. Aus den Verhandlungen war nichts geworden. Und auch nichts aus seiner Hoffnung, dass sie die Gründungsversammlung ohne Blutvergießen beenden konnten. Was für ein Glück, dass sie wenigstens geschafft hatten, alle Kinder rechtzeitig aus dem Turm zu lotsen.

„Ja, es ist ein einziges Chaos – wir müssen etwas tun, aber ich habe keine Ahnung, was“, sagte Jorak und stützte sich erschöpft an einer Hauswand ab. Sein Kopf fühlte sich an wie mit Sand gefüllt, kein einziger Gedanke, keine Idee hatte mehr darin Platz. Menschen rannten an ihm und Alena vorbei, Schreie und Gebrüll hallten in der Gasse, es roch nach Blut. Auch ein ebenso widerlicher, beißender Gestank lag in der Luft.

Zorasch, dachte Jorak. Irgendwo hier ist Zorasch ausgelaufen.

„Da!“, schrie Alena. Sie deutete auf die andere Seite der Gasse. Dort verlief einer der silbernen Kanäle, die sich durch die ganze Stadt zogen. Doch er war nicht mehr silbern. Eine schwarze Flüssigkeit strömte hindurch, mit jedem Atemzug wurde der unheimliche, übel riechende Strom breiter.

Jorak und Alena blickten sich verzweifelt an. Die Verteidigungskanäle wurden geflutet! „Ich wette, die Stadtwachen wollen das Viertel abriegeln“, stöhnte Jorak. „Wir müssen unsere Leute hier rausbringen! Ganz raus aus Moranga. Sie müssen fliehen, so lange noch Zeit ist.“

Er und Alena rannten zurück zum Platz, schwenkten die Arme, schrien sich die Kehle heiser. „Sie fluten die Kanäle! Raus aus dem Viertel!“

Doch kaum jemand hörte sie über dem Lärm und nur wenige folgten dem Ruf. Lediglich die Halbmenschen verschwanden lautlos und geschmeidig, ihre Aufgabe war erfüllt. Die Vollmenschen waren nicht so vernünftig. Ein Mann rempelte Alena aus dem Weg, rannte weiter, ohne nach rechts und links zu sehen, warf sich einem Gegner entgegen. Dabei schien niemand eine Ahnung zu haben, wie viele Feinde überhaupt noch da waren.

Die Stadtwachen dagegen waren besser organisiert. Einige laute Kommandos, und sie zogen sich zurück. Jorak sah, dass die Gildenlosen stutzten – jetzt schienen manche zu begreifen, dass etwas Unheimliches geschah.

Aber es war zu spät. Flammen tanzten über die Oberfläche der Kanäle, schneller als ein Mensch laufen konnte. Ein Kanal nach dem anderen wurde zur glühenden Linie, dann zur Feuerwand. Innerhalb von wenigen Atemzügen verwandelte Moranga sich in eine lodernde Hölle. Dicker schwarzer Rauch wälzte sich himmelwärts und mischte sich in die kühle Nachtluft. Jorak musste husten, er bekam kaum noch Luft. Hitze schlug sengend gegen sein Gesicht, drang durch seine Kleidung. Der Schweiß lief an ihm herab.

Dann erkannte Jorak Neike. Sie floh nach Norden, in Richtung Londor. Entsetzt sah Jorak, dass ein Armbrustschütze, der auf dem Dach eines Lagerhauses stand, sie ins Visier genommen hatte. Kühl folgte der Schütze ihren Bewegungen mit der Waffe, wartete auf den richtigen Moment zum Abdrücken. Nun stockte Neike, sie war an einen der Zorasch-Kanäle gekommen. Es war einer der wenigen, die langsamer fluteten, vielleicht war er defekt. Die Flamme auf seiner Oberfläche war klein genug, um sie zu überspringen und sich im Nachbarviertel in Sicherheit zu bringen. Wild blickte sich Neike um, sah die Armbrust, die auf sie gerichtet war – und sprang.

Fast hätte sie es geschafft. Doch aus einem Leck im defekten Kanal war Zorasch ausgelaufen. Neike rutschte auf der glitschigen Lache aus. Sie stürzte in den Kanal, versuchte sich wieder hinauszuziehen, glitt zurück. Ihr ganzer Körper war mit der dunklen Flüssigkeit bedeckt.

Jorak und Alena rannten los, um ihr zu helfen. Aber inzwischen schoss immer mehr Zorasch in den Kanal, aus dem Rinnsal wurde ein Strom. Flammen loderten hoch, erfassten Neike, hüllten sie ein. Schreiend warf sie die Arme hoch, einen Moment lang sah Jorak ihre Silhouette gegen den Hintergrund der orangegelben Feuerwand. Dann stürzte sie und war verschwunden.

Was haben wir getan?, dachte Jorak und das Grauen schüttelte ihn. Wir stecken Daresh in Brand. Meine Schuld ist es, meine, ich hätte diesen Menschen nie Versprechungen machen sollen, sie nie bitten dürfen, herzukommen! Er fühlte sich wie gelähmt.

Alena packte ihn an der Hand, riss ihn mit sich auf der Suche nach einem Fluchtweg. Doch überall stießen sie auf die tödlichen

Kanäle. Das ganze Viertel stand in Flammen! Und die Taktik der Stadtwachen wirkte – die Wut der Gildenlosen schlug um in Furcht, es wurde kaum noch gekämpft. Kopflos stürzten die Menschen in verschiedene Richtungen, suchten nach einem Ausweg und fanden keinen. Aus versteckten Stellungen in den Häusern jagten Armbrustbolzen in die Menge, Jorak hörte Schreie. Jetzt konnten ihre Feinde sie in Ruhe einen nach dem anderen erledigen!

Dann krallte sich plötzlich jemand in Alenas Schulter. Jorak erkannte Sukie, Tavians Gefährtin. Er hatte sich schon gedacht, dass sie hier war, wer sonst hätte die Säule aus kaltem Feuer rufen können? „Vielleicht schaffe ich es, das zu löschen", sagte sie. „Wenn ihr es schafft, eure Leute anschließend von hier wegzubringen."

Ungläubig starrte Alena sie an. „Löschen?", wiederholte sie.

„Die Kanäle!", sagte Sukie ungeduldig. „Ich kann Feuer rufen, es aber auch ersticken."

Jorak fing sich als Erster. „Erst brauchen wir nochmal die Säule aus kaltem Feuer. Sukie? Schaffst du das?"

Sukie nickte. Aber selbst im Schein der Flammen sah Jorak, dass sie sehr blass war, als sie die Formel murmelte. Schweißnass hingen die roten Locken ihr um das Gesicht. Aber es gelang ihr tatsächlich – noch einmal glühte die unheimliche Säule über Carradan.

Die Taktik wirkte. Verblüfft wandten sich die Gildenlosen um, blickten einen Moment lang alle in Joraks und Alenas Richtung. Jorak sprang auf einen Steinpfosten, sodass jeder ihn sehen konnte. „Gleich wird das Feuer aus sein", schrie er mit aller Kraft, seine Stimme übertönte gerade so das Donnern der Flammen. „Dann müssen wir fliehen – in verschiedene Richtungen! Verteilt euch, verkriecht euch, verlasst die Stadt, sie dürfen uns nicht erwischen!"

„Es lebe die fünfte Gilde!", brüllte jemand zurück, und die anderen nahmen den Ruf auf, bis der ganze Platz davon widerhallte.

Und dann war es plötzlich dunkel, auf einen Schlag. Das Röhren der Flammen verstummte und Jorak schien es, als sei er taub geworden, nichts war mehr zu hören.

Die Gildenlosen folgten seinen Worten. Sie rannten los, schleppten sich davon, die Stärkeren halfen denen, die kaum noch laufen konnten. So gut es ging, sprangen sie über die erloschenen Kanäle und verschwanden in Seitengassen. Es waren zu viele für die überraschten Stadtwachen, die von der Dunkelheit irritiert ihre Laternen suchten.

Jorak, Alena und Cchraskar verloren keine Zeit und flohen ebenfalls. In der Nähe der Kanäle fühlte sich der Boden heiß an unter ihren Füßen, Cchraskar jaulte auf vor Schmerz. Dann waren sie aus der Gefahrenzone heraus und liefen weiter nach Norden.

„Sie werden davonkommen“, keuchte Alena. „Die meisten werden davonkommen. Niemand wird es mehr schaffen, unsere Gilde aufzuhalten.“

Jorak liefen die Tränen über die Wangen. Er weinte um diejenigen, die nicht davongekommen waren. Noch schaffte er es nicht, an die Zukunft zu denken, Pläne zu machen. Wieder und wieder drängte sich die Szene, wie die Flammen Neike erfasst hatten, vor sein inneres Auge. Hoffentlich waren wenigstens Eryn, Haruco und Kiion in Sicherheit! Er hatte sie schon bald aus den Augen verloren und sie im Getümmel nicht mehr entdecken können. Waren auch sie tot, umgekommen in den Flammen?

Alena hatte Jorak noch nie weinen sehen. Im ersten Moment wäre sie fast vor ihm zurückgewichen. Doch sie bremste sich noch rechtzeitig, wütend auf sich selbst. Vergiss doch endlich, was man dir beigebracht hat, dass Weinen tabu ist, dachte sie. Wart nur ab, deine Trauer fällt über dich her, wenn die Gefahr vorbei ist.

Alena legte ihm wortlos die Hand auf den Arm. Mehr wagte sie nicht, im Trösten war sie nicht besonders gut. Und vielleicht wollte Jorak jetzt gar keinen Trost von ihr. Er weinte ja um Neike, um eine andere Frau. Alena traute sich nicht, darüber nachzudenken; sie hatte das Gefühl, dass sie sonst einfach zusammenbrechen würde.

Jorak schien zu verstehen, wie Alena die Geste meinte. Nach einer Weile schien es ihm besser zu gehen. Seine Stimme schwankte nur noch ein wenig, als er sagte: „Was jetzt, erst mal zum Haus deines Vaters?"

Alena wollte gerade nicken – da spürte sie etwas in ihrem Geist, wie eine Berührung. Eine Aura, die sie kannte. Der sie vor Kurzem schon einmal begegnet war. *Schlangenzahn ist hier!* Er musste ganz in der Nähe sein. Selbst ins brennende Moranga war er ihr gefolgt. Im ersten Moment fühlte sie sich furchtbar hilflos, wie ein Nachtwissler in den Krallen eines Adlers. Wieder Flucht? Wieder Angst? Nein. Nein! Diesmal nicht! Wut und Trotz loderten in ihr hoch, verdrängten die Furcht. Ein altes Sprichwort der Feuer-Gilde ging ihr durch den Kopf. *Wer keine Beute sein will, der lernt das Beißen.*

„Nein, nicht zu meinem Vater", sagte Alena zu Jorak und zog das Smaragdschwert. „Vorher gehen wir auf die Jagd."

Schlangenzahn

Ungläubig starrte Jorak Alena an, als sie ihm die Sache mit dem Attentäter erklärte. Wie erwartet war er entsetzt. „Ich hatte ja keine Ahnung ... ich dachte, du warst noch wütend auf mich ... dabei hätte ich dich fast verloren ... ich darf gar nicht daran denken! Und jetzt willst du versuchen den Kerl zu stellen? Das ist verrückt!"

Es tat Alena gut, dass Jorak sich nachträglich Sorgen um sie machte. Aber das änderte nichts an dem, was sie jetzt tun musste. „Nein. Es ist genauso gefährlich, ihn *nicht* zu stellen. Und Tjeri hat mir geraten den Kerl rauszulocken, zum offenen Kampf zu zwingen." Alena fühlte, wie leicht das Smaragdschwert in ihrer Hand lag, willig ließ es sich führen. Selbst ihre friedliebende Waffe war der Meinung, dass dieser Kampf notwendig war!

„Du hast recht", musste Jorak zugeben. Er verzog das Gesicht. „Jetzt die Stadtwachen zu alarmieren würde nicht gerade viel bringen."

Alena horchte in sich hinein, versuchte der Aura der fremden Waffe nachzuspüren. Es war nicht einfach, die Richtung festzustellen, aus der sie kam. Und es kostete Alena Überwindung, die Augen zu schließen, um sich zu konzentrieren. Die Haut zwischen ihren Schultern kribbelte. Vielleicht lauerte der Kerl hinter der nächsten Hausecke, die Corzeesas schon in der Hand.

„Cchraskar, es ist besser, wenn du Tavian und Sukie holst", sagte Alena und bemühte sich um eine nüchterne, beherrschte Stimme. Nein, sie war nicht verrückt, sie wusste, was Schlangenzahn für ein Gegner war. Sie brauchte starke Verbündete gegen ihn. Warum hatte sie Idiotin Rena und Tjeri nicht gesagt, dass sie nach Carradan ritt? Gerade Tjeri wäre jetzt eine echte Hilfe gewesen!

Cchraskar verkniff sich jede Bemerkung, er nickte und schoss davon.

Die Aura bewegte sich von ihnen weg in Richtung der östlichen Stadtmauer. Schlangenzahn hatte gemerkt, dass sie ihm auf der Spur waren! Sah so aus, als wolle er ausweichen, sich ihnen entziehen! Das machte Sinn, Attentäter wie er schlugen aus dem Hinterhalt zu, und wenn das nicht klappte, machten sie, dass sie davonkamen.

Alenas Herz pochte wie nach einem Sprint, während sie leise und schnell seiner Aura folgte. Sie und Jorak bewegten sich jetzt parallel zur Brauergasse, durch Hinterhöfe, an gestapelten Holzfässern, Bottichen und prallen Getreidesäcken vorbei.

Alena spitzte die Ohren, doch sie hörte nichts, keine Schritte, kein Atemgeräusch. Auch auf dem Boden fand sich keine Spur, kein Fußabdruck. Trotzdem fühlte sie die Aura von Schlangenzahns Waffe noch. Sie wurde fast überlagert von anderen Eindrücken, all dem Metall, das hier in der Nähe war, aber Alena spürte sie trotzdem deutlich. Eine Gänsehaut überzog ihre Arme. Sie hoffte, dass ihr Pa, Sukie und Cchraskar bald kamen.

„Es ist, wie einen Dämon zu jagen", flüsterte sie Jorak zu. „Ein Wesen, das sich unsichtbar machen kann, wenn es will."

„Aber er ist ein Mensch, oder?"

„Ja. Rena hat ihn in Karénovia gesehen. Sie hat gemeint, dass er wahrscheinlich zur Wasser-Gilde gehört. Tjeri glaubt sogar, dass er ihn kennt."

Schließlich konnten sie die Stadtmauer sehen, wie ein dunkler Wall ragte sie vor ihnen auf. Dazwischen lagen nur noch ein paar Schuppen. Auf der anderen Seite verlief ein Zorasch-Kanal, bis zum Rand gefüllt, aber nicht gezündet. Die Stadtwachen gingen auf Nummer sicher und hielten sich zur Verteidigung bereit ...

Da keuchte Jorak plötzlich auf. „Zur Wasser-Gilde? Moment mal! Vielleicht können wir ihn gar nicht sehen!" Er deutete auf den Zorasch-Kanal, keine zwei Menschenlängen entfernt.

Widerlich braun und trüb war die Flüssigkeit in den Kanälen, ihr beißender Geruch stieg Alena in die Nase. Es war schwer zu glauben, dass sich ein Mensch dort hinein begeben würde. Trotzdem wusste Alena sofort, dass Jorak recht hatte. Deswegen wurde die Aura der Waffe so stark von anderen Metallen überlagert! Schlangenzahns Pech, dass Alena sie trotzdem noch spüren konnte. Und dass sie von Tjeri erfahren hatte, wie lange ein Mensch der Wasser-Gilde ohne Luft auskommen konnte.

„Jetzt haben wir den Kerl“, sagte Alena und spürte, wie sich ihr Herzschlag beschleunigte. „Wir bleiben bei den Kanälen, bis er auftauchen muss, und dann kriegen wir ihn.“

„Oder er uns“, murmelte Jorak.

„Genau – aber ich fürchte, das müssen wir jetzt riskieren.“

Alena überlegte, ob sie den Zorasch im Kanal anzünden sollte. Doch dann entschied sie sich dagegen. Das Feuer würde sich wieder durchs ganze Viertel fressen und sie wollte nicht, dass noch mehr Unbeteiligte verletzt wurden.

Die Aura wanderte weiter, von ihnen fort. Alena blickte sich um. Der Kanal verlor sich in der Dunkelheit. „Welches Viertel liegt dort vorne?“, fragte sie hastig. „Wo will er hin?“

„Vielleicht zum Außentor Ost. Er könnte versuchen aus Carradan zu entkommen. Dann hat er es nicht weit bis zum Seenland – dort findet ihn niemand mehr.“

Sie beschleunigten ihre Schritte, liefen am Kanal entlang. An manchen Stellen war die Flüssigkeit in Bewegung, bildete kleine Strudel. Schlangenzahn schwamm jetzt schnell, versuchte kaum noch sich zu verbergen. Vielleicht hatte er gemerkt, dass er entdeckt worden war.

Vor ihnen ragte ein rundes, fensterloses Gebäude mit gemauerten, weißgekalkten Wänden auf. Alena rief sich eine Karte von Carradan ins Gedächtnis. Das Wasser-Reservoir der Stadt.

Jorak runzelte die Stirn. „Wir müssen ihn abfangen, bevor er dort reinkommt! Sonst kann er vielleicht durch irgendwelche Rohre in einen anderen Teil der Stadt fliehen.“

Besorgt erinnerte sich Alena an Tjeris Warnung, den Kerl nicht in die Nähe von Wasser kommen zu lassen. Aber sollten sie die Jagd jetzt abbrechen? Sie hatten ihn beinahe!

„Alena!“ Die Stimme ihres Vaters. Er eilte mit schnellen Schritten heran. Erleichtert sah Alena ihn kommen. Ihr Vater war einer der besten Schwertkämpfer Dareshs, dieser Attentäter hatte nicht den Hauch einer Chance gegen ihn. Selbst wenn er noch irgendwo ein paar Vipern versteckt hatte. Wo Sukie wohl war? Hoffentlich nicht beim Aufruhr verletzt worden.

Cchraskar hinkte hinter ihrem Vater her. Besorgt blieb Alena stehen, blickte ihm entgegen. „Hab mir eine Tonsccherbe eingetreten, eine Scherbe“, fauchte er missmutig. „Icch folge, so schnell ich kann, wartet nicht auf mich.“

„Und Sukie?“

Tavian seufzte „Sie hat sich während des Kampfes überanstrengt und liegt im Bett. Aber keine Sorge, in ein paar Tagen ist sie wieder in Ordnung.“

Betroffen blickte Alena ihn an. Das hatte Sukie davon, dass sie so viel Kraft abgegeben und ihnen aus dem Bezirk herausgeholfen hatte. „Es tut mir leid“, sagte Alena aus ganzem Herzen.

„Besuch sie mal“, sagte ihr Vater. „Sie freut sich bestimmt darüber.“

Einen kurzen Moment lang hatte Alena Schlangenzahn fast vergessen. Nun wandte sie sich um, nahm die Spur wieder auf. Da, ein Stück weiter sah sie kleine Wellen an der Oberfläche des Kanals! Rostfraß, dieser Kerl konnte schwimmen! So sehr sie sich auch beeilte, sie war noch zehn Menschenlängen entfernt, als sie eine geduckte Gestalt aus dem Zorasch kriechen sah, dunkle Flüssigkeit troff von ihrem Körper. Schlangenzahn sah sich kurz nach ihnen um, richtete sich auf und hastete zum Eingang des Wasser-Reservoirs, verschwand lautlos in den Schatten.

Alena raste hinterher, das Schwert in den Händen. Sie hörte die Schritte ihrer Freunde dicht hinter sich.

Der Eingang des Wasser-Reservoirs bestand aus einem unverschlossenen Tor, hinter dem ein kurzer Tunnel zu einem Gewölbe führte. Alena bremste ab, schlich durch den Tunnel ... und hörte ein lautes Rasseln hinter sich. Sie zuckte zusammen, fuhr herum.

Hinter ihr fiel ein zweites Tor, ein Gittertor, herunter. Die Zacken an seiner Unterseite bohrten sich mit einem heftigen *Klonk* in den Boden. Jorak und Tavian warfen sich von außen gegen das schwere Eisengitter, rüttelten an den Stäben. Von der anderen Seite aus blickte Alena ihnen ratlos entgegen. Jetzt endlich begriff sie.

Schlangenzahn hatte nicht versucht zu fliehen. Er hatte sie hergelockt.

Die Angst kroch in sie zurück, packte sie mit eisigen Klauen.

„Verdammt, dieses Gitter ist ganz schön massiv", knurrte ihr Vater. Er sah besorgt aus. „Alena, kannst du es von innen irgendwie hochziehen?"

Mit dem Schwert in beiden Händen blickte Alena sich um. Ihr Herz hämmerte wie wild. „Ich sehe die Kette, mit der das Tor bewegt wird", sagte sie und ging rückwärts darauf zu, damit niemand sie von hinten angreifen konnte. Doch schnell merkte sie, dass sie es alleine niemals schaffen würde, das Tor wieder hochzuziehen. „Der Mechanismus dafür scheint blockiert worden zu sein."

Doch der dafür verantwortliche Kerl war nirgends in Sicht. Wo konnte er sein? Mit ein paar gemurmelten Worten rief Alena eine Flamme aus der Luft, um sich umsehen zu können.

Das Innere des Wasser-Reservoirs war ein großer, runder Raum aus glatt poliertem, dunklem Lavastein. Über ihm wölbte sich eine Kuppel. Aus einem kleinen Oberlicht fiel tagsüber wohl etwas Helligkeit ins Innere, jetzt aber sah man nur einen kleinen Ausschnitt des Nachthimmels. An der Wand des Innenraums befand sich alle paar Schritte eine Nische, gerade groß genug für eine Person – die Dinger sollten wohl bei Angriffen Schutz bieten. Mitten im Raum auf zwei mannshohen Steinsäulen waren Drehräder und Instrumente aus poliertem Messing angebracht. Von hier aus wird kontrolliert, wie viel Wasser in die öffentlichen Brunnen strömt, dachte Alena. Wahrscheinlich haben sich früher während einer Fehde Wachen hier drin verbarrikadiert, um das Reservoir zu schützen ...

Die Luft war kühl und feucht und roch leicht nach Zorasch. Alena fröstelte. Alle paar Atemzüge fiel ein Tropfen von der Decke und traf mit einem leisen *Plopp* auf dem Boden auf. Der Boden war von Pfützen übersät. Zum Glück bestand er aus rauem Stein und bot trotzdem guten Halt für die Füße. Aber Spuren erkannte man darauf nicht, dafür war der Boden zu nass.

Von außen war Jorak dabei, das Gitter vor dem Ausgang systematisch zu untersuchen. „Keine Sorge, wir finden einen Weg, dich hier rauszuholen!", rief er und Alena hörte, dass er Angst um sie hatte, große Angst.

„Ja, ich glaube, das fände ich gut", sagte Alena, ihre Stimme echote in dem riesigen Raum.

„Vielleicht könnte man einen Teil des Gitters wegschmelzen", hörte Alena Tavian murmeln, doch sie achtete nicht darauf. All ihre Sinne waren in Alarmbereitschaft, keinen Moment lang ließ sie das Innere des Reservoirs aus den Augen.

Gegenüber dem Eingang senkte sich der Boden über drei Stufen in ein Becken ab. Das Wasser darin wirkte wie ein schwarzer Spiegel. Der größte Teil des Beckens lag hinter einem weiteren, wie ein Torbogen geformten Gitter. Dahinter erstreckte sich die Wasserfläche weiter, als Alenas Flamme reichte, und verlor sich in der Finsternis.

Da drinnen ist er, nicht in einer der Nischen, dachte Alena. Es ist sein Element. Es täuschte sie nicht, dass die Oberfläche des Wasser so still war und keinen Hinweis darauf gab, dass jemand noch vor wenigen Atemzügen hineingesprungen war. Sie hatte selbst gesehen, wie Tjeri Wellen gerufen hatte – und jede Formel konnte auch ins Gegenteil verkehrt werden.

Wer keine Beute sein will, dachte Alena. Ihre Nerven waren zum Zerreißen gespannt. Langsam und vorsichtig näherte sie sich dem Wasser, riskierte einen Blick. Doch es war schwer zu erkennen, was sich unter der Oberfläche befand ...

Mit lautem Rauschen schoss eine Gestalt seitlich von ihr aus dem Wasser heraus, stürzte sich auf sie. Eisiges Wasser strömte von Schlangenzahns Körper, durchtränkte Alenas Tunika, klatschte in ihre Augen. Auf einmal war alles voller Lärm und Echos. Obwohl Alena mit dem Angriff gerechnet hatte, steckte sie schon jetzt in Schwierigkeiten. Verdammt, der Mann krallte sich an ihren Arm, sodass sie nicht mit dem Schwert ausholen konnte! Wie ein Stein hing er an ihr! Sie versuchte, die Klinge zu ihm hinunterzudrücken, doch es ging nicht.

Alena warf sich mit aller Kraft nach hinten, schaffte es, den Mann mit sich zu reißen. Mit einem hässlichen schleifenden Laut traf das Smaragdschwert auf den Steinplatten auf, sie musste es loslassen. Aber jetzt waren sie an Land, auf ihrem Terrain!

Schlangenzahn versuchte die Hände um ihren Hals zu legen, doch schon als Kind hatte Alenas Vater ihr beigebracht, wie man diesen Griff löste. Sie hebelte Schlangenzahns Arme beiseite, rollte sich weg, zog rasch ihr Messer aus dem Gürtel.

Schlangenzahn schlug es ihr aus der Hand und wirbelte herum, zum Wasser zurück. Er packte Alena am Fuß und versuchte sie zum Becken zu schleifen. Eine tiefe Urangst vor dem fremden Element stieg in Alena auf. Da drin hatte sie keine Chance, er konnte sie einfach unter Wasser drücken, bis sie ertrank! In Panik trat sie um sich, wand sich mit aller Kraft, um freizukommen. Sie fühlte ihre Füße treffen, doch der Mann gab keinen Laut von sich. Seine Schultern und Arme fühlten sich an wie Eisen. Alena rief eine Flamme, um ihn damit zu versengen, doch es war zu viel Feuchtigkeit um ihn herum.

Sie krallte die Finger in den Steinboden, versuchte mit der anderen Hand ihr Schwert zu erreichen. Doch Schlangenzahn zog sie weiter. Ihre Füße berührten schon das Wasser. Es war eisig kalt.

Verzweifelt umklammerte Jorak die Eisenstangen, die ihn aus dem Reservoir aussperrten. Dort drinnen kämpfte Alena um ihr Leben und er konnte nichts tun, nichts! Wie wild versuchte Cchraskar, sich durch das Gitter zu quetschen. Doch es war zu eng für ihn und er hätte sich um ein Haar den Kopf darin eingeklemmt.

Tavian hielt eine Fackel hoch und das Wasser ließ helle Linien auf der Kuppel tanzten. Trotzdem konnten sie wenig erkennen, nur ab und zu streifte das Licht zwei dunkle, nassglänzende Gestalten, die ineinander verkrallt durch das Gewölbe rollten. Doch das helle Klirren, als Alenas Schwert über den Steinboden schlitterte, hörten sie deutlich.

Jorak stöhnte, doch Tavian sagte: „Noch hat sie ihr Messer."

Das brachte Jorak auf eine Idee. Er nahm seinen Dolch in die Hand und streckte den Arm durch das Gitter, so weit es ging. Im Messerwerfen war er gut. Aber verdammt, er sah kaum etwas! Und der Kampf im Reservoir war so wild und schnell, dass er riskierte, Alena zu treffen!

„Ich hoffe, du weißt, was du tust", knurrte Tavian. Jorak hörte, dass er eine Formel murmelte, noch einmal versuchte, einen Teil des Tors wegzuschmelzen.

Jorak antwortete nicht. Gerade hatte sich der Mann im Wasser aufgerichtet, er hielt Alena fest, die flach auf dem Boden lag. Da war sie, die Chance! Jorak schickte ein schnelles Gebet an alle Götter, die er kannte, und warf. Der Mann im Wasser zuckte zusammen. Joraks Dolch hatte ihn am Kopf gestreift. Mit einem heftigen Ruck schaffte Alena es, sich loszureißen, wegzurobben vom Becken. Sie stürzte sich auf ihr Smaragdschwert, riss es hoch, war fast im selben Moment auf den Füßen und in Kampfstellung.

Zu Joraks Überraschung verließ der Mann sein Element, kam ihr nach. Zum ersten Mal konnte ihn Jorak deutlich erkennen. Das Wasser hatte die Schicht Zorasch auf seinem Körper nur zum Teil abgespült, und im Licht der Fackeln wirkte er wie ein nur halb menschliches Wesen aus den Tiefen der Ozeane, schleimbedeckt und bösartig. Er und Alena umkreisten sich in geduckter Haltung, eine der Steinsäulen mit den Messinginstrumenten zwischen sich.

„Wieso willst du mich töten, Schlangenzahn?", fragte Alena plötzlich, ihre Stimme echote in der großen Halle.

„Weil es mein Auftrag ist, Mädchen", knurrte der Fremde. Er hatte eine ganz gewöhnliche Stimme, amüsiert klang sie jetzt. „Nimm´s also nicht persönlich."

„Du bist eine Schande für alle Sucher!"

„Mag sein. Aber Leute zu töten ist viel besser bezahlt und ehrlich gesagt auch viel spannender."

„Wer hat dir den Auftrag gegeben? Mich umzubringen?"

„Erwartest du wirklich, dass ich dir das sage? So was sehen meine Kunden gar nicht gerne." Der Mann schoss vor, doch ein Hieb des Smaragdschwerts konnte ihn zurückdrängen. Sofort griff Alena ihrerseits an, schnell wie ein Iltismensch, doch der Mann reagierte ebenso rasch. Zwei Corzeesas flirrten durch die Luft. Eine prallte gegen die Steinwand und fiel klappernd zu Boden, die andere traf ihr Ziel. Alena keuchte auf und Jorak litt mit ihr, fast konnte er den Schmerz in seinem eigenen Arm spüren.

„Darf ich raten?“, fragte Alena gepresst. „Ist es der Gildenrat, der dich schickt?“

Überraschtes Schweigen. Anscheinend hatte sie falsch geraten.

Tavian murmelte: „Beim Feuergeist, ich hoffe, sie ist aus diesen verdammten Flüchtigkeitsfehlern rausgewachsen. So was kann sie sich jetzt nicht erlauben.“

Alena beachtete ihre Verletzung nicht. Sie griff noch einmal an, schnell und hart, mit voller Konzentration. Ihr Schwert und sie waren eins, ein silberner Schatten in der Dunkelheit des Reservoirs. Schlangenzahn musste zurückweichen, bis er in einer der Wandnischen kauerte. Wie ein Tier, das in die Ecke getrieben worden ist, versuchte er vorzustoßen, doch Alenas Schwert trieb ihn jedes Mal zurück.

„Ich glaube, jetzt ist doch der richtige Zeitpunkt, die Stadtwachen zu rufen“, sagte Alena kühl. „Euer Auftraggeber wird nicht zufrieden sein mit Euch, Schlangenzahn.“

„Das stimmt.“ Die nüchterne Stimme eines Mannes. Alena zuckte zusammen, als sich aus einer der anderen Wandnischen eine Gestalt löste, auf sie zuging. Jorak stöhnte. Warum hatte sie nicht daran gedacht, auch die anderen Nischen zu überprüfen?

„Eo!“ Alena klang verblüfft. „Aber was ...“

Wer zum Teufel war dieser Eo? Woher kannte Alena ihn? Soweit Jorak im schlechten Licht erkennen konnte, hielt er eine Armbrust aus weißem Holz – und er zielte damit auf Alena. Aber er sprach in Richtung des anderen Mannes. „Drei Versuche hattest du, Fischkopf, und hier steht sie, lebendig wie eh und je! Ein Versager bist du, sonst nichts. Lass dich besser Wühlerzahn nennen in Zukunft! Dein Auftrag ist hiermit beendet, ich erledige die Sache selbst.“

„So, wie ihr die fünfte Gilde erledigen wolltet, du und Relgan?“, fragte Alena kalt.

„Sieh an, das hast du also rausgekriegt.“ Eo lächelte dünn. „Wir haben nicht damit gerechnet, dass diese Gildenlosen so schwer zu töten sind. Fast wie Baumratten. Zähe Biester.“

Schlangenzahn hatte Eo nicht geantwortet. Aber seine Lippen bewegten sich. Stumm vor Schreck sah Jorak, dass sich hinter Alena das Wasser des Beckens aufbäumte. Eine Welle, die bis zur Kuppel des Reservoirs reichte, kippte auf Alena und den zweiten Mann herab. Die Welle brach über ihnen, fiel donnernd in sich zusammen. Von einem Moment auf den anderen verwandelte sie das Reservoir und den Gang in einen wirbelnden, reißenden Strom.

Jorak und Tavian wurden von den Füßen gerissen, klammerten sich an den Eisenstäben fest. Das Wasser zerrte an ihnen. Cchraskar paddelte hilflos fiepend umher, wurde weggeschwemmt in Richtung Stadtmauer. Eine Welle schwappte über seinen Kopf hinweg, drückte ihn unter Wasser. Jorak konnte ihn gerade noch mit einer Hand am Nackenfell packen und festhalten. Eine kleine Ewigkeit kämpften sie darum, sich an der Oberfläche zu halten. Dann war das Wasser verschwunden, wieder abgelaufen oder zurückgeschwappt ins Reservoir.

Der zweite Mann und Alena lagen am Boden und regten sich nicht mehr. Schlangenzahn erlaubte sich ein kleines Lächeln, als er auf seinen ehemaligen Auftraggeber herabblickte. Dann stand er über Alena, stieß sie mit dem Fuß an.

„Alena!“, brüllte Jorak. Nein! Sie konnte nicht tot sein! Was war passiert? Hatte der Kerl sie erstochen oder war sie ertrunken, so wie anscheinend dieser Eo? Tränen strömten über Joraks Gesicht. Tavian hielt die Fäuste um die Gitterstäbe gekrampft, sein Blick verließ die beiden Gestalten im Reservoir keinen Moment lang. Cchraskar fauchte verzweifelt.

Der Mörder beachtete Jorak und Tavian nicht. Er blickte dem ablaufenden Wasser nach und murmelte eine Formel. Dann beugte er sich – den Dolch noch in der Hand – nach unten, streckte die Hand nach Alenas Gesicht aus. Was wollte er tun?

Jorak hielt den Atem an. Er sah, was Schlangenzahn von seiner Position aus nicht erkennen konnte, und ihm wurden die Knie weich vor Erleichterung. Alenas Finger, die eben noch schlaff neben ihrem Smaragdschwert gelegen hatten, bewegten sich. Ganz langsam und vorsichtig. Sie tasteten nach dem Griff, schlossen sich fest darum. Genau in dem Moment, als der Mann sich über sie beugte, stieß sie das Schwert mit einem kurzen Ruck nach oben. Es drang in seinen Bauch und blieb darin stecken.

Schlangenzahn ächzte. „Du ... miese ... Natter ...", stieß er hervor.

Er tastete nach dem Schwert und versuchte vergeblich es herauszuziehen, schwach glitten seine Finger über das Metall. Dann brach er zusammen, und sein Blut sickerte über den Boden, vermischte sich mit dem Wasser des Reservoirs.

Joraks Beine waren wackelig vor Erleichterung. Alena war nicht tot – und endlich, endlich war ihr Attentäter besiegt! Eines ist sicher: Carradans Trinkwasser wird in nächster Zeit nicht allzu gut schmecken, ging es ihm durch den Kopf.

Mühsam hinkte Alena zum Tor, drückte sich dagegen, berührte ihre Hände, die sie ihr durch das Gitter entgegenstreckten.

„Du lebst", stammelte Jorak.

Alena nickte müde. „Tjeri hatte mir den Tipp gegeben ... dass Schlangenzahn das Wasser als Verbündeten benutzen würde. Ich habe mir schon gedacht, dass er es mit einer Welle probieren würde ... also habe ich rechtzeitig die Luft angehalten ... und später .... er war ein Profi ... ich wusste, er würde mein Auge berühren ... um sicherzugehen, dass ich wirklich tot bin. Er musste sich über mich beugen. Ich habe an seinem Dolch gespürt, wann es soweit war. Es war sein großer Fehler, eine Waffe aus Metall zu tragen."

Es schien endlos lange zu dauern, bis sie es geschafft hatte, den Mechanismus zum Heben des Gittertors wieder in Gang zu bringen. Mit letzter Kraft schleppten sie sich zu Tavians Pyramide. Jorak und Alena hatten kaum noch die Kraft, sich aus ihren dreckigen, zerfetzten Kleidern zu schälen, dann fielen sie auf die Schlafmatten. Cchraskar wachte neben ihnen. Jorak war froh darüber – in letzter Zeit kam es ihm manchmal so vor, als hätten es alle Menschen auf ihn abgesehen.

„Weißt du was?", sagte Alena in der Dunkelheit neben ihm. Ihre Stimme klang verzerrt, sie weinte. „Eines macht mir Sorgen – es war leichter diesmal. Es hat mir nichts ausgemacht, ihn zu töten. Das ist schlimm."

„Ich weiß", sagte Jorak leise und tastete nach ihrer Hand. Auch er hatte sich manchmal gesorgt, was das harte Leben auf der Straße aus ihm machte. Doch jetzt war er einfach froh, dass Alena überlebt hatte.

„Hat sie dir viel bedeutet?" Alenas Stimme noch einmal, sehr leise diesmal. „Glaubst du, du kannst sie vergessen?"

„Von wem genau redest du?" Jorak richtete sich auf einen Ellenbogen auf. Er war wieder hellwach.

„Von Neike. Ich habe gehört ... dass da etwas zwischen euch war."

Jorak war entsetzt. Ach du große Wolkenschnecke, *das* hatte sie die ganze Zeit geglaubt? Kein Wunder, dass sie im Goldenen Turm so zurückhaltend gewesen war! „Neike? Was für ein Blödsinn. Ich mochte sie gern, sie hat mir sehr geholfen, aber mehr war da nicht. Während du weg warst, habe ich mich gefühlt wie jemand, dem man das halbe Herz herausgeschnitten hat. An eine andere Frau hätte ich im Leben nicht gedacht."

Ohne ein Wort rollte Alena sich zu ihm herüber und umschlang ihn so fest mit den Armen, als hinge ihr Leben davon ab. Jorak vergrub das Gesicht in ihren Haaren, die noch ein wenig feucht waren und nach Rauch rochen, und schloss einfach die Augen.

Zwischenreich

Es war eine besondere Nacht. Die Gipfelnacht. Der grobe Stoff der Kutte schabte auf seiner Haut, aber Jorak achtete nicht darauf. Er passte seine Schritte den vielen Menschen an, die mit ihm feierlich den Bergpfad hinaufgingen. Fackeln erleuchteten den Weg, tauchten die Felsen in zuckendes Licht. Niemand sprach, Jorak hörte nur das schwere Atmen derer, die keine körperliche Anstrengung mehr gewohnt waren. Weit unten, im Tal, konnten sie die Lichter von Carradan sehen.

Irgendwo in der Nähe waren Tavian, Sukie und Eryn, und in der schwarzen Kutte neben ihm steckte Alena. Und dann standen sie auf dem Gipfelplateau, legten den Kopf in den Nacken und staunten die gewaltige blaue Flamme an, die aus dem Boden herausfauchte und hoch in den Nachthimmel loderte. Heller als die Sonne war sie. Sich ihr auf mehr als hundert Schritt zu nähern war unmöglich. Jorak konnte sich gut vorstellen, warum die Feuer-Leute dieses ewige Feuer als heilig verehrten.

Als alle Teilnehmer eingetroffen waren, begann die Zeremonie. Aus tausenden Kehlen erschollen die alten Gesänge, vibrierten durch Jorak hindurch. Andächtig beobachtete er, wie ausgewählte Pilger den Kreis großer Hitze rund um die Flamme überwanden und symbolische Gegenstände in die Flamme warfen, um den Feuergeist milde zu stimmen. Eine Handvoll Getreide, ein Lederwams, ein aufwendig geschnitztes Holzschwert.

Jorak und Alena hatten ihr eigenes Ritual. Alenas grüne Augen lächelten ihn unter dem Rand der Kapuze hervor an, ein schmales, aber kräftiges Handgelenk schob sich aus ihrem Ärmel. Langsam und feierlich nahm Jorak den Calonium-Armreif aus dem isolierenden Kästchen aus Nachtholz. Dann legte er ihr den Reif an, den sie so lange nicht hatte tragen können. Das Symbol ihrer Liebe, das sie sich in Rhiannon gegenseitig geschmiedet hatten. „Ich liebe dich“, flüsterte er ihr ins Ohr. „Jetzt und für immer.“

Alena strich mit den Fingern über den Reif. „Ich werde ihn nie wieder abnehmen!"

„Das ist Blödsinn", widersprach Jorak. „Versprich mir, dass du ihn wenn nötig wieder versteckst. Ich will nicht, dass das Ding dich in Gefahr bringt." Schon jetzt drehten sich ihnen Köpfe zu, versuchten Pilger neugierig herauszufinden, woher die ungewöhnliche Aura kam.

Alena nahm den zweiten Calonium-Armreif und wiederholte die Zeremonie mit Jorak. „Na gut", sagte sie. „Aber heute Nacht tragen wir sie." Auf einmal war ein verschmitztes Funkeln in ihren Augen. „Und weißt du was? Ich liebe dich auch. Sehr."

Jorak musste lächeln. Und als sie sich küssten, schien es ihm, dass ihre Lippen noch nie so süß geschmeckt hatten wie in dieser Nacht.

Einen Monat später stand Alena wieder vor dem Rat der Vier Gilden. Diesmal waren sie und Jorak gemeinsam hier.

Seit der Gipfelnacht hatte sich viel getan. Als sich die Verbündeten wieder versammelten – Haruco, Kiion und Itai hatten genau wie Eryn die Nacht der Flammen überlebt –, erhob Alena eine förmliche Anklage gegen Relgan. Es war ein Verstoß erster Ordnung, dass er mitten in Carradan Söldner eingesetzt und eine Fehde angezettelt hatte. Noch war er nicht im Kerker gelandet, doch seine Geschäfte mussten ruhen, solange die Anklage untersucht wurde. Einer der Söldner hatte sich – wohl als Rache für die schlechte Bezahlung – als Zeuge gemeldet. Es sah nicht gut aus für Relgan. Doch warum Eo versucht hatte, sie töten zu lassen, wusste Alena noch immer nicht. Würde sie es je herausbekommen, jetzt, da er tot war, im Reservoir ertrunken? Relgan hatte geleugnet, Eo zu kennen.

Alena und Jorak hatten Rat und Regentin eine offizielle Botschaft geschickt und darüber informiert, dass es nun eine fünfte Gilde gab, deren Mitglieder bestimmte Regeln befolgten. Seither hatten Jorak und Alena kaum einen Tag am gleichen Ort zugebracht, sie blieben ständig in Bewegung, um Feinden kein Ziel zu bieten. Ihre Calonium-Armreifen hatten sie schon nach einem Tag wieder abnehmen müssen.

Wühler, und damit auch Nachrichten, fanden trotzdem zu ihnen. Es kamen Tausende von Mitgliedsanträgen, sie zu sichten würde eine ganze Weile dauern. Beschimpfungen und Morddrohungen waren auch schon viele eingetroffen. Die von Hass triefenden Botschaften dienten jede Nacht dazu, ihr Kochfeuer anzufachen. Drohbriefe zu prüfen, war Alenas Aufgabe. Wenn sie die Botschaften sorgfältig las, spürte sie instinktiv, ob man sie ignorieren konnte oder es besser war, die anderen zu warnen. Immerhin: Bisher lebten sie alle noch.

Am Rande bekam Alena mit, was für einen Aufruhr nicht nur die fünfte Gilde, sondern auch ihre Entdeckungen in der Höhle verursacht hatten. Ihre Funde hatten sich in Windeseile herumgesprochen und nun wurde landauf, landab darüber diskutiert. Schließlich war zum ersten Mal etwas über die Entstehung Dareshs bekannt. Eine zweite, von der Regentin ausgesandte Expedition erforschte den Berg und die Ruine darin genauer und brachte weitere Dokumente zum Vorschein.

Doch das interessierte Alena nur am Rande, die fünfte Gilde war ihr wichtiger. Sie genoss die Zeit enger Gemeinschaft mit den anderen. Manchmal verschwanden Alena und Cchraskar in die Dunkelheit, um zu jagen, aber die meisten Abende verbrachten sie alle zusammen. Finley kümmerte sich ums Essen und erzählte dabei Geschichten, Jorak schnitzte aus einem Vogelknochen eine Flöte, Alena und Eryn polierten die neuen Gildenamulette, die sie während des Tages angefertigt hatten, oder spielten mit Itai und Haruco Kelo oder Telzan, ein Brettspiel aus dem Seenland. Alena und Jorak nahmen ihren Schwertunterricht wieder auf – und schon bald hatte Alena zwei neue Schüler. Auch Eryn und Itai hatten Lust, von ihr zu lernen.

Und dann war die Einladung des Rates gekommen, hatte sie mit nüchternen Worten in die Felsenburg gerufen. Alena und Jorak hatten sich entschieden, dem Ruf zu folgen und zur Burg zu reisen. Es hing viel davon ab, dass ihre Gilde anerkannt wurde.

Rena hatte sie in der Burg begrüßt und ihr leise berichtet, was inzwischen geschehen war. „Ich war den ganzen letzten Monat hier und habe für euch gesprochen“, sagte sie und ihr Gesicht war grau vor Erschöpfung. Unter ihren Augen lagen Schatten. „Ihr habt starke Verbündete, aber manche anderen hier wollen, dass ihr besser heute als morgen vernichtet werdet. Nach dem blutigen Chaos in Carradan dachten viele, ihr seid gefährliche Unruhestifter. Es ist hoch her gegangen im Rat, das kann ich euch sagen. Die Delegierten haben die ganze letzte Nacht beraten, ich weiß auch nicht, wie sie entschieden haben. Jetzt bleibt mir nur noch, euch viel Glück zu wünschen!“

„Danke“, sagte Alena schlicht. „Ich glaube, ich habe dir Unrecht getan. Du hast uns sehr geholfen.“

„Hast du wirklich gedacht, ich würde es nicht tun?“

„Nur ganz kurz“, log Alena.

Der Zuschauerraum war voll bis auf den letzten Stehplatz, dort drängten sich die Menschen aus allen Gilden und viele der bekanntesten Geschichtenerzähler Dareshs. Tavian, Sukie und Finley waren da. Erstaunt und erfreut sah Alena, dass auch Joraks Mutter und Schwester aus Nerada gekommen waren. Sie wusste, dass das Jorak viel bedeuten würde.

Aber auch außergewöhnlich viele Wachen waren rund um den Saal postiert, schwer bewaffnete Farak-Alit mit wachsamen Augen. Die Stimmung war angespannt und Alena hoffte, dass sie nicht in Gewalt umschlagen würde. Genau aus diesem Grund waren Eryn, Haruco und Itai nicht mit zur Burg gekommen. Wenn es hier ein Blutbad gab, wenn Alena und Jorak getötet wurden, dann durfte die fünfte Gilde nicht ohne Anführer bleiben.

Anführer. Ja, das waren sie jetzt wohl. Alena warf einen Seitenblick auf Jorak und er schenkte ihr ein kurzes Lächeln. Alena musste an das erste Mal denken, als sie ihn im Schwarzen Bezirk gesehen hatte, ein zerzauster Streuner mit durchdringendem Blick. Und sie dachte auch daran, wie zurückhaltend und verbittert er bei seiner ersten Audienz in der Burg gewesen war, nach ihrer Rückkehr aus Rhiannon. Er hatte sich verändert seither. Es gab keine Bitterkeit mehr in ihm, er wirkte ruhig und selbstsicher.

Wenn der Rat oder die Regentin sich entscheiden gegen die fünfte Gilde zu kämpfen, werden sie einen starken Gegner haben, dachte Alena. Einen, für den die meisten Gildenlosen durchs Feuer gehen würden. Dieser neue Jorak wird es nie wieder nötig haben, sich mir zu beweisen oder sich meiner unwürdig zu fühlen!

Alena hatte für die Anhörung wieder einmal auf die Farben ihrer Gilde verzichtet, sie trug ein dunkelgrünes ärmelloses Hemd, enge schwarze Hosen und Keldos dunkelblauen Umhang. Aber sie hatte es nicht über sich gebracht, ihr Feuer-Amulett abzulegen. Sie trug es weiterhin, auch wenn sie inzwischen ein Abzeichen der fünften Gilde besaß und Ehrenmitglied war. Finley dagegen war den Weg bis zum Ende gegangen – ohne die dritte Verwarnung abzuwarten, hatte er sich von den Luft-Leuten losgesagt.

„Friede den Gilden", begann Bilgan, der Vorsitzende des Rates. „Seid gegrüßt, Alena und Jorak ke Tassos. Vor einiger Zeit habt Ihr, Alena, hier ein Anliegen vorgebracht. Inzwischen haben wir darüber entschieden."

Angespannte Stille senkte sich über den Saal. Alena bemühte sich ein ausdrucksloses Gesicht zu wahren. Sie wollte nicht, dass man ihr die Aufregung, die Furcht anmerkte.

Bilgan begann wieder zu sprechen und seine Stimme war ernst, fast feierlich. „Wir haben gemeinsam mit der Regentin entschieden, dass die Gründung der fünften Gilde eine gute Idee war. Deshalb erkennen wir sie hiermit in aller Form an. Es bleibt abzuwarten, ob sich das Problem der Gildenlosen dadurch löst. Das wäre sehr zu hoffen."

Im Saal brach ein Tumult los. Viele Menschen jubelten, andere stießen Schmähungen aus und schimpften lauthals. Beide Gruppen wurden von den Farak-Alit ohne großes Zartgefühl aus dem Saal entfernt. Alena selbst atmete nur tief durch, nahm Joraks Hand. So lange hatten sie gehofft und gebangt. Jetzt kam es ihr unwirklich vor, dass sie ihr Ziel erreicht hatten.

Als die Wachen die Ruhe wiederhergestellt hatten, fuhr Bilgan fort: „Eine große Rolle hat dabei gespielt, was Ihr, Alena ke Tassos, und Rena ke Alaak, über die Ursprünge Dareshs herausgefunden habt. Nach den alten, den ursprünglichen Regeln wärt Ihr nicht gildenlos, Jorak. Im Gegenteil, da Ihr sogar mehrere Elemente beherrscht. Von Rechts wegen sollte Euch erlaubt sein, einer Gilde eurer Wahl beizutreten." Bilgan verzog den Mund. „Doch das wollen besagte Gilden weiterhin nicht akzeptieren. Deshalb ist es erfreulich, dass es in Zukunft eine andere, neue Möglichkeit für Menschen wie Euch gibt. Bitte wählt baldmöglichst drei Delegierte, die hier in der Felsenburg Eure Interessen vertreten sollen."

„Wir danken Euch", brachte Jorak heraus.

„Aber das Problem der Ausgestoßenen ist dadurch nicht gelöst", mischte sich eine kühle Stimme ein. Ujuna, die Delegierte der Wasser-Gilde! „Was passiert mit den Menschen, die in der fünften Gilde keine Heimat finden?"

Ganz plötzlich ließ Navarro, ein Delegierter der Feuer-Gilde, die flache Hand auf den Tisch niedersausen. „Klingenbruch, wieso schaffen wir nicht einfach ab, dass jemand, der ein Verbrechen begangen hat, deswegen ausgestoßen wird? Wieso bestrafen wir denjenigen nicht anders, genügen nicht Geldstrafen, Kerker oder Verbannung? Oder wie wäre es zusätzlich mit neuen Strafen, zum Beispiel dass derjenige seine Gildenformeln eine Zeitlang nicht benutzen darf?"

Verblüfftes Schweigen senkte sich über den Saal. „Wir werden darüber nachdenken", sagte Bilgan und an seiner Stimme hörte Alena, dass ihm der Vorschlag gar nicht so schlecht gefiel.

Jorak und Alena verbeugten sich und verließen mit gleichmäßigen Schritten den Saal. Draußen war es dann vorbei mit ihrer Würde, halb lachend, halb weinend lagen sie sich in den Armen. Cchraskar fiepte vor Freude in den höchsten Tönen und tänzelte um sie herum. Ihre Freunde folgten ihnen, drängten sich um sie. Plötzlich waren Sukie und Tavian neben ihnen. Sukie strahlte über das ganze Gesicht. „Ich glaub´s nicht, ich glaub´s nicht!", schrie sie und umarmte Jorak und Alena. „Daresh hat fünf Gilden! Ihr zwei seid einfach unglaublich."

Alena erwiderte die Umarmung übermütig. Sie wusste, dass sie Sukie nie als Stiefmutter sehen würde, sondern einfach als Freundin. Eine Freundin, von der sie vielleicht eine Menge über

Feuer lernen konnte – was sie in Carradan geleistet hatte, machte ihr so leicht keiner nach!

Alena sah, dass sich Jorak mit seiner Mutter und seiner Schwester unterhielt, und überlegte, ob er sie jetzt an seiner Seite brauchte oder nicht. Zwar hätte sie zu gerne gehört, was sich Jorak und seine Mutter zu sagen hatten – doch stören wollte sie auf keinen Fall. Solange jemand aus der Feuer-Gilde dabei war, würde sich Nola nie entspannen können.

Auf dem Weg von der Felsenburg zu Renas Heimatdorf drückte Alena noch einmal aufmunternd Joraks Hand, dann ging sie voraus. Schnell war sie außer Hörweite.

Bei Renas Verwandten im Weißen Wald konnten sie am Abend ihren Sieg feiern. Viele Freunde und Verbündete waren gekommen. Alena genoss es, ausgiebig mit Rena und Tjeri plaudern zu können, und mit Renas Cousins verstand sie sich auf Anhieb. Erdleute galten als altmodisch und nicht gerade aufgeschlossen, doch hier ließ niemand Jorak spüren, dass er noch vor Kurzem ein Ausgestoßener gewesen war.

Jorak war entspannter und glücklicher, als Alena ihn je erlebt hatte, er lachte, riss Witze und ließ sich sogar überreden, sein Dolch-Kunststück zu zeigen. Er hatte so gute Reflexe, dass er ein Messer, das auf eine Scheibe geworfen wurde, aus der Luft fangen konnte. Es freute Alena, dass selbst ihr Vater beeindruckt war.

Doch sie fand es schwer, in Feierlaune zu bleiben. Sie sehnte sich danach, alleine zu sein. Nach einer Weile ließ sie ihren Polliak-Krug stehen und stieg die Treppe nach oben. In der Dunkelheit lehnte sie sich an die grasbewachsene Seite des Erdhügels und atmete tief die Luft ein, die nach feuchter Erde und Blättern roch. Über ihr brannten die Sterne, kalte Lichtpunkte auf dem Schwarz des Nachhimmels.

Jetzt habe ich also meinen Schwur erfüllt, Jorak geholfen, dachte Alena und vergrub die Hände in den Taschen. Was das Orakel mir vorhergesagt hat, ist eingetreten – ich habe Daresh für immer verändert. Mit etwas Glück wird es in Zukunft ein besserer Ort sein. Warum fühle ich mich dann so leer, so unzufrieden? Was ist nur mit mir los? Alle sind fröhlich, nur ich nicht!

Ihre rechte Hand stieß sie auf ein kleines, hartes Objekt. Es war durch ein Loch in der Tasche tief in den Saum ihrer Tunika gerutscht. Sie hatte keine Ahnung, was das sein konnte, und erst als sie es hervorholte, erinnerte sie sich, was es war. Ein Glasfläschchen ...

Das Tiefenelixir, das Finley ihr beschafft hatte! Sie hatte es völlig vergessen. Doch jetzt schloss sie die Hand fest darum, und plötzlich wusste sie, was ihr fehlte. Jorak hatte seine Ziele erreicht – aber was war mit *ihr* und *ihren* Zielen? Sie war ihrer Mutter kaum einen Schritt näher gekommen, und auf einmal war die alte Sehnsucht wieder da, stärker denn je. Hinzu kamen viele neue Fragen. Was war wirklich zwischen Eo und Alix geschehen? Warum hatte Eo Alena töten lassen wollen?

Plötzlich wusste Alena, was sie tun würde, tun musste. Sie würde das Elixir nehmen. Jetzt. Niemand hatte bemerkt, dass sie sich von der Feier weggeschlichen hatte, nicht mal Jorak. Es würde nicht schwer sein, einen leeren Raum zu finden, in dem sie ungestört sein würde. Alena erinnerte sich an Finleys Warnung, aber Angst hatte sie keine mehr. Dafür war zu viel geschehen in den letzten Wochen, war sie zu oft in Lebensgefahr gewesen und verletzt worden. Das Zeug konnte unmöglich schlimmer sein als Schlangenzahn.

Alix treffen. Schon bald! Auf einmal hatte Alena es eilig. Sie ging zurück ins Erdhaus, tastete sich die schlecht beleuchteten Gänge entlang und fand schließlich hinter einer geschnitzten Holztür das, was sie gesucht hatte. Einen stillen Raum mit Schlafmatten aus dickem Baumbast auf dem Lehmboden.

Alena streckte sich auf einer der Matten aus. Dann zog sie den Korken aus dem Fläschchen und setzte es an die Lippen. Das Elixir schmeckte süßlich und brannte auf ihrer Zunge. Alena merkte, wie ihr schwindelig wurde. Das Fläschchen fiel ihr aus der Hand, aber Alena merkte es schon nicht mehr.

Ihre Seele war auf der Reise zu einem ganz anderen Ort.

Jorak hatte darauf gehofft, ja, fast damit gerechnet, dass seine Mutter zu der Anhörung kommen würde. Doch sie dann wirklich im Zuschauerraum zu sehen hatte ihn stärker mitgenommen, als gedacht. Keinen Moment lang vergaß er, dass sie da war. Und sie hatte Cheris mitgebracht! Jetzt kam es ja nicht mehr darauf an, was Relgan dachte. Der Stoffhändler war allerorten in Ungnade gefallen, was er von Gildenlosen hielt, war nicht mehr von Bedeutung. Soweit Jorak wusste, schmorte er noch immer in irgendeiner Arrestzelle in Carradan.

Im Trubel nach der Anhörung war kaum Zeit und so konnte Jorak nur wenige Worte mit seiner Mutter wechseln. Doch es waren die Worte, auf die er gehofft hatte. „Ich bin stolz auf dich, unheimlich stolz", sagte sie und nahm sein Gesicht in beide Hände. „Kannst du mir verzeihen?"

„Nola ...", sagte er, suchte nach einer Antwort. Sein Blick fiel auf das kleine blonde Mädchen, das neben ihr stand und ihn verwirrt anblickte. Nein, Cheris wusste immer noch nicht, dass er ihr Bruder war!

Seine Mutter bemerkte seinen Blick und ahnte wohl, was er dachte. Noch nicht, sagte sie ihm mit Blicken. Nicht jetzt! Jorak verstand, dass sie auf eine ruhigere Minute warten wollte. Und doch war er wütend und furchtbar enttäuscht. An ihrer Stelle hätte ich es ihr schon daheim in Nerada gesagt, dachte er. Wollte sie womöglich abwarten, wie die Sache vor dem Rat ausgeht? Ob ich und meine neue Gilde anerkannt werden?

Wieder drängten sich die Menschen um ihn und Alena. Jorak schaffte es gerade noch, seiner Mutter ein „Wir treffen uns später – frag Rena, wo die Feier stattfindet!" zuzurufen. Dann waren sie und Cheris in der Menge verschwunden. Jorak versuchte die vergifteten Gedanken wegzudrängen. Doch erst als Alena den Arm um ihn legte, ihn knuffte und aufs Ohr küsste, kehrten die Freude und Erleichterung über ihren Sieg zurück.

Im Weißen Wald, auf dem Weg zum Dorf von Renas Verwandten, kam dann endlich die Gelegenheit, länger mit Nola und Cheris zu reden. Sie gingen auf dem breiten Waldweg nebeneinander, und Alena und Cchraskar liefen voraus, um „den Weg auszukundschaften". Jorak war ihnen dankbar dafür.

Cheris war noch nie im Weißen Wald gewesen, sie rannte und hüpfte staunend über den Pfad, um alles anzuschauen und bloß nichts zu verpassen. Für die Erwachsenen hatte sie kaum einen Blick übrig. Jorak beobachtete sie lächelnd. Cheris´ Neugier gefiel ihm; so wie er selbst liebte sie es, die Welt zu erforschen. Er prägte sich alles an ihr ein, um es nie zu vergessen – ihr seidig-feines blondes Haar und ihr zartes Gesicht, zu dem der breite Mund nicht recht zu passen schien. Aber es war ein Mund, der gerne lächelte, und aus Cheris´ nussbraunen Augen leuchtete die Wissbegierde.

„Du warst nie gerne ein Einzelkind", sagte seine Mutter, riss ihn aus seinen Gedanken. „Aber hast du nicht mal gesagt, dass du einen Bruder willst?"

Jorak nickte, erinnerte sich. „Das lag vor allem daran, dass ich niemanden hatte, der mit mir, einem Gildenlosen, spielen wollte. Mit einem Bruder wäre ich nicht mehr alleine gewesen ... an eine Schwester habe ich irgendwie nie gedacht ..."

„Du wolltest jemanden finden, der ist wie du – bist du deswegen nicht nach Torreventus zurückgekommen? Es war eine schreckliche Zeit für mich. Du warst noch so jung. Ich habe viele Nächte wachgelegen, an dich gedacht und Angst gehabt."

Es war das erste Mal, dass sie ihm das beichtete, und es berührte Jorak tief. „Mir ist es genauso gegangen, und ich habe dich schrecklich vermisst", sagte er. „Aber ich konnte nicht zurückkommen. Ich musste lernen, wie man als Ausgestoßener überlebt. Und das ging nur in einer Stadt wie Ekaterin."

Auf einer Lichtung rasteten sie, setzten sich auf den sonnenwarmen Boden. Zwischen dem dichten Gras wuchsen hellrote Brixiras und gelbe Sternblumen. Jetzt hatte Jorak die Chance, mit Cheris zu reden, sie kennenzulernen. So lange hatte er auf diesen Moment gewartet – und nun wusste er nicht mehr, was er sagen sollte. Wie redete man überhaupt mit Kindern? Und Cheris tollte sowieso schon über die Wiese davon.

Aber diesmal kam sie schon nach wenigen Augenblicken strahlend zurück, zwei Sternblumen in der Hand. Eine gab sie ihrer Mutter, die andere streckte sie schüchtern Jorak entgegen.

„Die ist für mich?", fragte Jorak und Cheris nickte.

Jorak bedankte sich, nahm die Sternblume und steckte sie sich vorsichtig an die Tunika. „Ich habe auch etwas für dich", sagte er. Seit er die fünfte Gilde gegründet hatte, seit er wusste, dass er kein Ausgestoßener mehr sein würde, arbeitete er an der Flöte für Cheris. In der Hoffnung, dass er sie ihr irgendwann geben konnte. Schön war sie geworden, die Flöte, zart und weiß, und sie hatte den hellen, reinen Klang eines Singvogels.

Jorak holte das Instrument aus einer Innentasche und hielt es Cheris hin. „Die habe ich für dich geschnitzt, weil ich gehört habe, dass du Musik magst. Ich habe auch so eine, nur größer."

Cheris betrachtete die Flöte fasziniert. Doch als sie danach greifen wollte, stutzte sie, warf einen schnellen Blick auf Nola. „Ma hat gesagt, ich darf nichts von Fremden annehmen."

„Er ist kein Fremder", sagte Nola ruhig. „Er gehört zur Familie. Ich hätte es dir schon viel früher sagen sollen."

Erstaunt, aber vor allem neugierig blickte Cheris Jorak an. „Wieso? Wer bist du denn?"

„Dein Bruder", sagte Jorak leise. „Ich war lange fort. Deswegen wusstest du nicht, dass es mich gibt."

„Ach so", sagte Cheris und schnappte sich die Flöte. „Wie spielt man darauf? Und woraus hast du sie geschnitzt?"

Jorak musste lachen und Nola stimmte ein. Kinder waren manchmal wunderbar unkompliziert!

Er zeigte Cheris, wie man eine Flöte spielte, dann sang Cheris ihm stolz ein paar Lieder vor, und schließlich stellte sie doch noch eine Menge Fragen. Wo er denn so lange gewesen sei (erst in Tassos, dann in Ekaterin), ob Relgan auch sein Vater sei (nein!) und ob Jorak jetzt mit ihnen in Torreventus leben würde (wahrscheinlich nicht).

Sie kamen zu spät zur Feier bei Renas Verwandten und niemand störte sich daran.

Alena hat das Gefühl zu fallen, in die Unendlichkeit zu fallen – dabei weiß sie nicht einmal, wo oben und unten ist. Dann wird es heller um sie. Sie scheint in einem Ort der Erd-Gilde zu sein – an der Oberfläche sind nur ein paar Hütten der Luft-Gilde zu sehen, aber Luftröhren an der Oberfläche verraten, dass der Boden voller Tunnel ist. Alena findet den Eingang, tastet sich in die Dunkelheit der Gänge, bis sie zur Taverne kommt.

Selbst durch die Tür hört sie den Lärm. Drinnen ist die Luft stickig. Alena sieht sich um – und erstarrt. An einem Tisch in einer Ecke sitzt eine Frau mit langen kupferroten Haaren, sie trägt ein elegant geschnittenes Leinenkleid. Sie spielt Kelo mit zwei Händlern. Und der hohe Stapel Münzen neben ihr und die verdrießlichen Gesichter der Männer sprechen eine klare Sprache!

Langsam beginnt Alena auf die Frau zuzugehen. Sie blickt nicht nach rechts und links dabei. Neben der Frau bleibt sie stehen.

„Alix", flüstert sie.

Die Frau sieht sich um, lächelt sie überrascht an. „He, Alena, was machst du denn hier?"

Alena spürt, wie ihr Tränen in die Augen steigen. Vielleicht sollte sie ganz der fünften Gilde beitreten – für eine Frau der Feuer-Gilde weint sie entschieden zu oft!

„Lass uns gehen", sagt Alix, wendet sich noch einmal kurz den Händlern zu. „Jederzeit wieder, Jungs, und das nächste Mal dürft ihr auch gerne euren Kopf mitbringen."

Die Männer antworten nicht und ihr Ausdruck wird noch finsterer. Alix grinst breit und steckt das Geld ein. Dann gehen sie und Alena hinaus aus der Taverne, durch die Gänge, bis in den Wald.

Alena spürt Alix neben sich, so groß und so wirklich. Sie hört das leise Kratzen ihrer Sandalen auf dem Boden, ihr Kleid riecht nach Rauch und Erde. Alena kann sogar das Metall des Kettenhemds unter Alix' Kleid und die Aura ihres Schwerts fühlen. Das ist kein Traum, durchfährt es sie, ich bin hier und sie ist hier, und gleich werden wir miteinander reden. Eine tiefe Freude, die fast schmerzt, breitet sich in ihr aus.

„Ich wünschte, Pa wäre auch hier – er hat dich so geliebt", sagt sie. Und im gleichen Moment wird ihr klar, dass dieser Wunsch ein Fehler wäre, dass Tavian niemals herkommen darf. Dass es ihn und sein neues Leben zerstören würde, Alix wiederzusehen.

„Verdammt, ja, genau wie ich Tavi geliebt habe", sagt Alix rau. „Hundertmal mehr als Eo, und der hat mir damals ordentlich den Kopf verdreht, als ich jung und dumm war."

„Was hat dir an Eo gefallen?"

„Seine ruhige Kraft, glaube ich. So etwas mochte ich schon immer. Beeindruckt hat mich auch, was er über Metalle wusste, und dass er Wolken und Wind beherrscht hat. Er sah damals auch ziemlich gut aus. Leider bleibt eine Ratte eine Ratte, auch wenn sie in einem edlen Pelz steckt!"

„Was ist damals wirklich passiert, vor der Fehde von Belén? Er hat behauptet, diese mächtige Familie hätte ihn töten lassen, wenn er euren Treffpunkt nicht preisgegeben hätte ..."

Alix verzieht das Gesicht. „Von dem großen Auftrag, den er anschließend bekommen hat, und dem fetten Posten als Stadtkämmerer hat er wohl nichts erzählt. Sein Leben war nie in Gefahr. Sie haben ihm einfach gedroht seinen Metallhandel zu ruinieren. Das hat gereicht, er ist sofort eingeknickt. Keine Ehre im Leib, diese Windhunde."

Aha, so war das also!, denkt Alena. „Mag sein, dass das für viele gilt – aber ich kenne einen, der seine Ehre gefunden hat."

„Dann würde er wahrscheinlich tot umfallen, wenn er erfährt, was Eo bis vor Kurzem getan hat. Er hat mit Pfadfindern gehandelt. Ein fast undenkbarer Frevel in seiner Gilde. Wäre er aufgeflogen, hätten sie ihn nach Socorro verbannt."

Mit Pfadfindern? Den Vögeln, mit denen Menschen der Luft-Gilde sich geistig verbinden? Alena ist entsetzt. Das ist so verwerflich, wie das Schwert eines Toten zu behalten und nicht in den Turm des Gildenrates zu bringen! „Aber wer hat die Vögel denn gekauft?"

„Ach, Kunden gab´s genug. Verzweifelte Leute. Man bekommt nämlich höchstens zwei Pfadfinder im Leben und dann muss man sehen, wo man bleibt."

Plötzlich ergibt alles einen Sinn. In dem Gespräch, das sie mitgehört hat, ist es nicht um Frauen gegangen. Sondern um Pfadfinder – um einen dieser Vögel, der sich geweigert hat, eine Verbindung mit seinem neuen Besitzer einzugehen. Wahrscheinlich ist der Pfadfinder deswegen getötet worden. Vermutlich stammte die Feder, die Eo in den Fingern gehalten hat, von ihm.

Alena denkt: Deswegen kam mir das, was er zu mir gesagt hat, so seltsam vor. Eo wollte herausfinden, wie viel ich von der Luft-Gilde weiß, ob ich begriffen hatte, was ich zufällig gehört hatte. Und ich Idiotin habe ihm er-

zählt, dass ich mit einem Mann der Luft-Gilde reise. Eo musste befürchten, dass ich dem Luft-Mann von meiner Beobachtung erzählen und der zwei und zwei zusammenzählen würde. Also hat er Kontakt aufgenommen mit dem Mann, den die Halbmenschen Schlangenzahn nannten ...

„Weißt du, woher Eo Relgan kennen könnte?“, fragt Alena.

„O ja, das weiß ich. Relgan hat damals ein Mädchen geschwängert und versucht sie zu töten. Er stammt aus einer reichen, mächtigen Familie und wurde nicht verurteilt für seine Tat. Also habe ich ihm selbst gezeigt, was ich von solchen Dingen halte. Danach wollte seine Familie sich an mir rächen.“

„Relgan war das! Eo hat mir von der Sache erzählt, aber ohne Namen zu nennen ...“

„Es war Relgans Familie, mit der Eo nach dem Verrat an mir so gute Geschäfte gemacht hat.“ Alix lacht, es klingt spröde. „In manchen Momenten hatte ich große Lust, Eo zu töten. Aber ich habe es nicht über mich gebracht. Stattdessen habe ich in der Fehde von Belén gekämpft wie rasend. In jedem von uns wohnt ein Dämon, Alena, und ihn zu beherrschen ist nicht immer leicht.“

Alena zögert. „Stimmt es, dass du die Luft-Gilde gehasst hast?“

„Eine Weile konnte ich die Kerle nicht ausstehen. Aber du hast vielleicht schon gehört, dass bei unserer Friedensreise mit Rena damals auch jemand aus Luft dabei war. Rowan. Er war sehr nett und mir hat´s bald keinen Spaß mehr gemacht, ihn und seine Gildenbrüderfür Eos Fehler büßen zu lassen.“

Alix bleibt kurz stehen, schaut mit zusammengekniffenen Augen direkt in die Sonne. Dann richten sich ihre Augen wieder auf Alena, ganz warm blicken sie und traurig. „Weißt du, dass du zurück musst, bevor die Nacht hereinbricht? Bevor dein Herz fünfhundertmal geschlagen hat? Sonst musst du hierbleiben, für immer.“

Alena erschrickt. So wenig Zeit haben sie? Die Sonne wandert stetig in Richtung Horizont. Lange wird es nicht mehr hell sein.

Steh still!, befiehlt Alena der Sonne, schlag langsamer! ihrem Herzen.

Doch sie denken nicht daran, zu folgen.

Zu Beginn der Feier konnte Jorak kaum die Augen von Alena lassen. Er fand sie begehrenswerter denn je. Seltsam – manchmal war nach einem Streit mit jemandem, den man liebte, alles noch viel schöner und intensiver ...

Doch dann stellte ihm Tjeri eine Frage nach der anderen und Alena driftete davon, um mit Rena und Haruco zu reden. Cchraskar begann sich zu langweilen und verabschiedete sich, um auf die Jagd zu gehen. Jorak winkte ihm zu und vertiefte sich mit Finley in eine hitzige Diskussion über die Vor- und Nachteile eines festen Hauptquartiers für die fünfte Gilde. Als Jorak sich wunderte, wo Alena war, stand der dritte Mond schon am Himmel.

„Sie ist vor einer Weile rausgegangen“, meinte Finley. „Aber du hast recht, so viel frische Luft kann sie nicht brauchen.“

„Ich schaue mal nach“, meinte Jorak und stand auf. Er hatte schon einen Krug Polliak geleert, fühlte sich aber noch klar im Kopf und sicher auf den Füßen.

Als er Alena vor dem Erdhaus nicht fand, begann Jorak sich Sorgen zu machen. Die eisige Erinnerung an die Anschläge, die sie knapp überlebt hatte, und an all die Drohbriefe kam zurück. Hastig suchte er die Umgebung des Hauses ab. Verdammt, wo konnte sie sein? War sie weggegangen, und wenn ja, wohin? Jorak kehrte ins Erdhaus zurück. Vielleicht war sie noch hier irgendwo. Er holte sich eine Laterne, öffnete dann alle Türen, die er fand. Finley hatte sich an seine Fersen geheftet. „Schade, dass du keine Metalle spüren kannst“, meinte er. „Sonst würdest du sie über ihren Calonium-Armreif sofort finden ...“

Gerade öffnete Jorak die Tür zu einem der Schlafräume. „Ah, da ist sie“, flüsterte er. „Hat sich wahrscheinlich ein Weilchen hingelegt. Nach überstandener Gefahr ist sie immer furchtbar müde.“

Finley spähte an ihm vorbei. „Meinst du, sie hat zu viel getrunken?“

„Glaube ich nicht, das sähe ihr nicht ähnlich.“ Vorsichtig, um sie nicht zu wecken, ging Jorak zum Bett und legte seine Hand auf Alenas Arm. Und erschrak, wie kalt sich ihr Körper anfühlte. Hier war etwas nicht in Ordnung!

Er kniete sich neben Alena, rüttelte sie. Ohne Erfolg. Was war los? Beunruhigt hob Jorak die Laterne, entdeckte neben dem Bett einen glänzenden Gegenstand. Ein winziges Glasfläschchen, in dem noch ein paar golden schimmernde Tropfen klebten. „Beim Nordwind, was ist das?"

„Ach du Scheiße", stöhnte Finley. „Das hatte ich ganz vergessen."

Jorak fuhr herum und packte Finley am Kragen der Tunika. „Was ist mit ihr?", brüllte er ihn an. „Was weißt du darüber?"

Zum ersten Mal, seit er Finley kannte, begann der Geschichtenerzähler zu stottern. „Sie wollte ein Elixir ... um ins Zwischenreich zu kommen, um ihre Mutter zu treffen ... ich habe es ihr besorgt ... sieht so aus, als hätte sie es genommen ..."

Auf einen Schlag wusste Jorak, was für ein Geheimnis Alena und der Geschichtenerzähler die ganze Zeit miteinander gehabt hatten. Wenn er es nur früher herausbekommen hätte!

Er ließ Finley los, eilte zurück zu Alena, kniete sich neben sie. Ihr Puls war kaum fühlbar. Es machte Jorak eine Höllenangst, sie so zu sehen. „Was stellt dieses Zeug mit ihr an?"

Finley zögerte mit der Antwort. Er sah besorgt aus. „Ich weiß nicht, wann genau sie das Elixir genommen hat, aber normalerweise ist man nach zehnmal zehn Atemzügen wieder draußen aus dem Zwischenreich. Wundert mich, dass sie noch nicht zurück ist."

„Was heißt das?" Joraks Herz trommelte wie wild in seiner Brust.

„Man kann sich auch verlieren im Zwischenreich ... aber ich habe sie gewarnt, sie wusste, dass sie ein Risiko eingeht!"

„Du miese Baumratte, willst du damit sagen, du hast ihr dieses Zeug besorgt, obwohl du wusstest, dass es sie umbringen kann?"

„Ja, habe ich, und ich wünschte, ich hätt´s nicht getan!" Jetzt wurde auch Finley laut. „Verdammt, damals kannte ich euch kaum, ich habe mir nicht weiter den Kopf darüber zerbrochen ... und später habe ich völlig vergessen, dass sie das Zeug noch hat ... außerdem passiert meist überhaupt nichts Schlimmes, wenn man es nimmt."

Inzwischen hatten ihre Stimmen andere Gäste aufmerksam gemacht. Besorgt steckte Tavian den Kopf durch die Tür, dann kamen noch Rena, Tjeri und Kiion hinzu.

„Holt einen Heiler, schnell!", bat Jorak sie. Er hielt Alenas Hand, die so schrecklich kühl war. Sollte er sie nach all dem, was sie durchgemacht hatten, jetzt noch verlieren? Es wäre eine so sinnlose Art zu sterben! Und wie sollte er weiterleben, wenn es sie nicht mehr gab?

Moment mal, bremste sich Jorak mühsam. Keine Panik, Jo. Sie wird nicht sterben, davon ist keine Rede, sie ist erst mal nur ohnmächtig. Die Heilerin wird wissen, was zu tun ist, ihr einen Trank geben, dann ist es überstanden, morgen schon werden wir über die ganze Sache lachen können. Ganz bestimmt!

„Hat der Rat sie vergiften lassen?", hörte Jorak Kiions Stimme. „Wenn sie stirbt, werden wir Rache nehmen, es wird einen Aufstand geben, wie Daresh ihn noch nie gesehen hat!"

Jede Bewegung braucht einen Märtyrer, dachte Jorak mit eisiger Klarheit. Wenn Alena jetzt stirbt, wird sie für die Gildenlosen zu einer Legende ... aber sie ist keine Legende, sondern die Frau, die ich liebe, und *verdammt nochmal*, sie wird nicht sterben!

„Dieser Trank ist kein Gift und sie hat ihn selbst genommen", fuhr Jorak Kiion an. Aber Kiion schien ihn gar nicht zu hören. Beschwörungen murmelnd kniete er sich in eine Ecke des Zimmers. Er ließ die Augen nicht von Alena.

Tavians Gesicht wirkte wie versteinert. Er legte seiner Tochter die Hand auf die Stirn, strich sanft über ihre Wange. Dann legte er ihre schlaffen Finger behutsam um den Griff des Smaragdschwerts. „Es kann ihr Kraft geben", erklärte er heiser. „Und es hat die Macht, ihr in Träumen beizustehen."

Zum Glück kam schon kurz darauf die Heilerin, eine große, ruhige Frau der Erd-Gilde. Mit einem Blick erfasste sie die Situation. Sie hockte sich neben Alena und untersuchte sie schnell. „Sieht nach Tiefen-Elixir aus. Wann hat sie es genommen?"

„Wir wissen es nicht genau, aber es ist eine Weile her, sie hätte längst aufwachen müssen", berichtete Finley nervös. „Könnt Ihr etwas für sie tun?"

Doch die Erd-Frau hatte schon die Augen geschlossen und legte ihre Hände an Alenas Schläfen. Jorak war froh, dass die Heilerin das Sondieren beherrschte, und schwieg, um sie nicht abzulenken. Voller Angst wartete er auf die Antwort. „Sie ist sehr tief unten“, sagte die Heilerin und sah Tavian und Jorak mitfühlend an. „Von dort kommen nur wenige wieder. Aber ich werde sehen, was ich tun kann.“

Verzweifelt blickte Jorak sie an. „Alena hat mir davon erzählt, dass sie in Rhiannon etwas Ähnliches gemacht hat. Eine Freundin ist ihr in den Traum gefolgt und hat sie zurückgeholt. Wäre das eine Möglichkeit?“

Die Heilerin blickte ihn entgeistert an. Doch immerhin schüttelte sie nicht gleich den Kopf. Nachdenklich nahm sie das Glasfläschchen, hielt es gegen das Licht. „Hm. Es ist noch genug Elixir da für einen Versuch. Aber wie kannst du die Reise ihrer Seele teilen, woher solltest du den Weg kennen? Außerdem bräuchte der Helfer einen Anker, der ihm wieder zurückfinden hilft. Sonst ist die Gefahr groß, dass beide verschollen bleiben.“

„Ich werde sie holen“, sagte Tavian entschlossen. „Wahrscheinlich könnte ich über das Smaragdschwert in ihren Traum gelangen. Was würde sich als Anker eignen?“

„Alles mögliche, was Euch mit dieser Welt verbindet, zum Beispiel eine vertraute Stimme, ein Geruch, Musik ...“

Auch Jorak hatte sich entschieden – und er handelte sofort. Die eine Hand legte er über Alenas Finger und den Schwertgriff. Mit der anderen riss er das Glasfläschchen an sich, trank die wenigen Tropfen darin. „Tut mir leid, Tavian. Ich mache das selbst.“

Jemand schrie auf. Rena. „Jorak, nein!“

Aber es war schon zu spät. Jorak spürte, wie er wegdämmerte, wie seine Seele Flügel bekam und sich anschickte, auf die Reise zu gehen. Eine Reise, die ihn hoffentlich zu Alena führen würde.

„Du brauchst einen Anker!“, brüllte Finley, Jorak hörte es wie durch Watte. „Was soll dein Anker sein?“

„Erzähl mir eine Geschichte“, murmelte Jorak und lächelte abwesend. Dann war die Welt um ihn herum verschwunden und er tauchte ein in seinen Traum.

Alix schnippt mit den Fingern und auf einmal sind sie nicht mehr in der Erd-Gilden-Stadt, sondern auf einer Ebene irgendwo in Tassos. Doch der Sand ist nicht schwarzgrau - er glitzert wie tausend Diamanten. Alena muss die Augen zusammenkneifen, um nicht geblendet zu werden.

„Zeig mir dein Schwert“, sagt Alix.

Alena zieht blank und hält das Smaragdschwert vor sich. Es fühlt sich lebendiger an denn je, ist ein Gefährte, ist ein Teil ihres Arms.

Mit einem traurigen Lächeln fährt Alix über die flache Seite der Klinge, liest das Gedicht darin, betrachtet den grünen Edelstein im Griff. „Eine von Tavians schönsten Arbeiten. Besser hätte ich´s auch nicht hingekriegt. Und ich weiß noch, wie wir diesen Stein aus dem Smaragdgarten mitgenommen haben.“

In Alenas Kehle ist ein großer Kloß. Im Smaragdgarten ist Alix gestorben, ermordet worden. „Kannst du mir noch einen Rat geben – so wie damals in Rhiannon? Ich habe meinen Weg immer noch nicht gefunden ...“

Alix lacht leise. „Doch, das hast du. Du hast es nur noch nicht gemerkt.“

„Oh, Rostfraß, du klingst wie das Orakel – man wird nicht schlau draus“, entfährt es Alena.

Alix grinst. Dann wird sie wieder ernst, legt Alena die Hand auf die Schulter. „Denk einfach daran, dass du eine Menge zu geben hast.“

„Ich hoffe, du meinst nicht, dass ich ständig irgendwie versuche die Welt zu ändern.“

„Nein. Das hast du schon geschafft.“

Verzweifelt sieht Alena, dass die Sonne schon den Horizont berührt. Sie muss zurück, sehr bald schon. Aber es gibt noch so vieles, über das sie mit Alix reden möchte. Es macht süchtig, bei ihr zu sein. Alena mag alles an ihr, ihre geschmeidigen Bewegungen, ihre Katzenaugen, ihr kühnes Lachen. Und jedes Mal, wenn sie ihre Mutter anblickt, fühlt es sich an, als würde sie etwas von sich selbst erkennen, ein älteres Ich sehen. Jetzt endlich weiß sie, warum so viele Menschen sie mit Alix verglichen haben.

Alena schafft es nicht, sich loszureißen. Die Welt, die sie zurückgelassen hat, verblasst in ihr, erscheint ihr immer weniger eine Rückkehr wert.

Jorak musste nicht einmal die Augen schließen, die Reise begann einfach. Es war nicht so, wie zu träumen. Es war, wie in ein tiefes, dunkles Meer zu sinken ...

Dunkelheit umgibt Jorak. Blind dreht er sich um sich selbst, streckt die Hände aus und ertastet nur Leere. Ach du große Wolkenschnecke, wo ist er denn hier gelandet? Dort, wo alle Träume aufhören? Man sagt, dass nach dem Tod nur das Nichts kommt. Wenn das stimmt, wird er Alena niemals finden, dann hat sie sich in diesem Nichts verloren! Verzweifelt lauscht Jorak, vielleicht sind wenigstens seine Ohren hier zu etwas nutze. Ja, er hört eine Stimme. Ganz leise, ganz fern. Aber nicht Alena. Finley.

Dann wird es plötzlich hell, gleißend hell. Jorak reißt den Arm hoch, um seine Augen zu schützen. Es glitzert um ihn herum! Die Wüste von Tassos, auf einmal ein Meer aus Licht.

„Eine von Tavians schönsten Arbeiten", sagt jemand.

Jorak begreift, dass ein Teil von ihm mit dem Smaragdschwert verbunden ist. Jetzt kann es ihm den Weg weisen, zu ihr. Er schließt die Augen, damit der Glanz ihn nicht blendet, und geht mit schnellen Schritten los, auf die Stimmen zu. Er meint, Alenas Berührung zu spüren.

Auf einmal – der Klang von Metall auf Metall. Ein Vibrieren, ein Schauer der Freude geht durch das Smaragdschwert, durch Joraks Körper. Alix und Alena kreuzen die Klingen. Sie teilen die Kunst, die ihnen beiden so viel bedeutet, vollziehen ein altes Ritual der Verbundenheit.

Die Dämmerung hat begonnen und es sind nur Silhouetten, die Jorak sieht. Sie wirbeln über den Sand, ab und zu fängt eine der Klingen das rotgoldene Licht der Abendsonne ein – ist es ein Kampf oder ein Tanz? Fasziniert sieht Jorak einen Moment lang zu. Es sieht so mühelos aus, so schnell und kraftvoll. Pure Schönheit. Ihm scheinen die beiden Frauen einander ebenbürtig. Alix ist größer und erfahrener, aber Alena ist jung und leichtfüßig und eine brillante Kämpferin.

Ein Traum, nur ein Traum! Jorak blinzelt ein paarmal, versucht wieder einen klaren Kopf zu bekommen. Wirklich ist, dass Alena in einem Erdhaus liegt und kaum noch atmet, erinnert er sich. Wer weiß, wie viel Zeit ihr noch bleibt. Er muss dazwischengehen, den Kampf beenden, vielleicht kostet er Alena die letzte Lebenskraft!

Er schafft es, sich ganz vom Ich des Schwertes zu lösen. Auf einmal ist er wieder er selbst, kann gehen, kann sprechen. Doch als er sich den beiden Frauen nähert, beachtet ihn Alena gar nicht. Sie ist völlig versunken, in Trance, konzentriert nur auf das Ritual des Kampfes.

„Alena! Bitte komm zurück", ruft Jorak.

Sie reagiert nicht. Vielleicht ist sie schon zu weit fort von ihm. Er schreit noch einmal ihren Namen. Nichts!

Bald ist es dunkel. Vielleicht hören sie dann auf zu kämpfen? Er kann einfach warten, bis sie das Ritual abgeschlossen haben. Auch in der Dunkelheit wird er den Weg zurück finden. Finleys Stimme flüstert in der Ferne, wird ihm den Weg weisen. Jorak setzt sich in den warmen, glitzenden Sand, sieht zu. Er vergisst die Zeit, verliert sich in der Schönheit von Alenas Bewegungen.

Doch in ihm nagt etwas. Eine innere Unruhe. Er will nicht hier sein, wenn es dunkel ist. Schon jetzt sind die Schatten bedrohlich, scheinen nach ihm zu greifen. Jorak muss an das Land jenseits der Grenze denken, an die Wesen, denen dort die Nacht gehört. Furcht steigt in ihm auf. Nein, er darf nicht mehr warten.

Es gibt nur eine Möglichkeit. Jorak geht los – schreitet mitten zwischen die beiden Frauen, zwingt sich, die wirbelnden Klingen nicht zu beachten. Stattdessen lässt er den Blick nicht von Alenas Gesicht. Glück strahlt aus ihren grünen Augen, sie sieht jung aus und stark und im Einklang mit sich selbst.

Jorak wartet auf einen sengenden Schmerz, doch die beiden Frauen haben ihn rechtzeitig bemerkt, lassen die Schwerter sinken.

Erst jetzt scheint Alena ihn zu erkennen. Ihre Augen sehen ihn an und zugleich durch ihn hindurch. Dieser Blick jagt Jorak einen Schauer über den Rücken.

„Bitte komm mit mir zurück", sagt er.

„Warum?", fragt sie.

„Weil ich dich brauche."

Das zieht nicht, er sieht es. Sie blickt ihn immer noch genauso an, regt sich nicht. Und?, sagt dieser Blick. Du kannst ja auch bleiben. Es ist herrlich hier.

Hilflose Wut quillt in Jorak auf. „Du wolltest es mich lehren, weißt du noch?", sagt er und deutet auf das Schwert. „Wer sonst kann es mir beibringen so wie du?"

Ein Ruck geht durch Alena. Sie nickt langsam.

„Geh", sagt Alix sanft. „Du gehörst nicht hierher. Auch wiederkommen darfst du nicht. Der Feuergeist sei mit dir!"

Jorak spürt, wie die Wüste um ihn in der Dunkelheit versinkt. Schatten beginnen ihn zu umfangen. Ihm wird klar, dass sie ihn nie wieder loslassen werden, wenn er sich jetzt nicht wehrt. Jenseits dieser Grenze wirkt auch das Elixir nicht mehr!

Alena bewegt sich immer noch nicht. Verzweifelt macht Jorak einen Satz auf sie zu, packt sie an der Hand. Rennt los, reißt sie mit sich, auf den fernen Klang von Finleys Stimme zu ...

Als Jorak erwachte, spürte er sofort, dass Alenas Finger sich bewegten. Mühsam raffte er sich auf, kam auf die Knie, nahm Alenas Gesicht in die Hände. Und das Wunder geschah. Alena schlug die klaren grünen Augen auf und blickte ihn an. Ganz ruhig und ein wenig traurig.

Sie waren zurück.

Noch immer hörte Jorak Finleys Stimme. Finley kniete neben ihrer Matte und erzählte heiser irgendeine Göttersage aus dem Seenland, in der ein tapferer Held und eine Menge Fische vorkamen. Erst als er sah, dass sie sich regten, verstummte er und seufzte tief. „Beim Nordwind, ihr seid wieder da!"

„Ja, das sind wir", sagte Alena und richtete sich auf einen Ellenbogen auf. Noch immer blickte sie Jorak an. „Danke."

Jorak nickte einfach. Dann wandte er sich an Finley. „Waren wir lange weg?"

„Ach, nicht sehr lange, nur die halbe Nacht", krächzte Finley, und Jorak legte ihm kurz die Hand auf den Arm. Sie tauschten einen Blick, und Finley schaffte ein Lächeln. Er wusste, dass Jorak ihm verziehen hatte.

Als Jorak und Alena sich etwas erholt hatten, gingen sie hinüber in den großen Wohnraum. Dort warteten ihre Freunde und Verbündeten, still und niedergedrückt saßen sie herum. Als sie Alena sahen, ging ein hörbares Seufzen der Erleichterung durch den Raum, auf vielen Gesichtern erschien ein Lächeln. Alena lächelte verlegen und etwas schuldbewusst zurück.

„Alle noch da", murmelte Finley. „Richtig erleichtert, alle."

„Ohne dich hätten wir es nicht geschafft", sagte Jorak zu ihm. „Ich habe zwar keine Ahnung, was du erzählt hast, aber wir haben deine Stimme gehört."

„Komisch, das die Nacht vorbei sein soll", sagte Alena. „Draußen dämmert es schon, aber ich bin gar nicht müde!"

Finley antwortete nicht. Er hatte den Kopf auf den Tisch gelegt und war eingeschlafen.

Drei Kinder und ein Baum

Rena hielt es nicht lange in der Nähe der Felsenburg. Für sie gab es noch etwas zu erledigen. Sie und Tjeri wanderten weiter in Richtung des Orakels. Die erste Überraschung erwartete sie, als sie über das Tal hinwegblickten. Wo einst rund um den Tempel die Feuer und Zelte von Dutzenden von Wartenden gewesen war – nichts. Nur eine zertrampelte Wiese, verlassene Feuerstellen.

Auch der Tempel wirkte leer. Keine Wache war in Sicht.

Beunruhigt blickte Rena sich um. „Was ist hier bloß passiert?"

„Sieht nicht gut aus", sagte Tjeri grimmig.

Rena klopfte ans Tor und wartete. Sie machte sich schwere Vorwürfe. Nachdem das vierte Anderskind gestorben war, hätte sie hier unbedingt so bald wie möglich nach dem Rechten sehen sollen! Schon in Carradan hatte sie immer wieder an die Drillinge gedacht, aber dann hatte sie sich um die Verhandlungen in der Felsenburg kümmern müssen und keine Zeit gehabt, sie zu besuchen. Nun überfiel die Sorge sie mit spitzen Krallen.

Beim zweiten Klopfen merkte Rena, dass das Tor leicht vor ihrer Hand nachgab – es war offen. Mit vereinten Kräften stießen sie und Tjeri es auf. Im Garten sah Rena niemanden. Eilig ging sie zum Tempel hinüber. Drinnen war es sehr still. Keine Spur von den Kindern und auch Ellba war nicht in Sicht. Im Tempel herrschte völliges Chaos, überall lagen halb verfaulte Schalen von Coruba-Früchten und Gemüsereste herum, über der Feuerstelle gammelte ein schmutziger Kochtopf vor sich hin.

„Taio!", rief Rena. „Daia, Xaia, wo seid ihr?"

Ein klägliches Wimmern ertönte aus einem der hinteren Räume. Rena hastete hin und zog drei verschreckte Kinder aus einer großen Vorratskiste, in der sonst Winteräpfel aufbewahrt wurden. Alle drei quietschten vor Freude, als sie Rena erkannten, und klammerten sich an sie.

Rena lachte vor Erleichterung. „Habt ihr euch immer da drin versteckt, wenn jemand kam?“ Sie war überrascht, wie sehr sie sich über das Wiedersehen freute. Was für ein Glück, dass den dreien nichts passiert war. Eigentlich sahen sie sogar gesund aus, ihre Haut wirkte nicht mehr so furchtbar durchscheinend. Vielleicht lag das aber auch nur an der dicken Dreckschicht.

„Wir hatten Angst!“, erklärte Xaia. „Ein bisschen jedenfalls. Die Soldaten haben gerufen, aber wir sind nicht rausgekommen.“

Rena wunderte sich über Xaias ungewohnte Gesprächigkeit. „Wo ist Ellba? Ihr ist doch nichts passiert, oder?“

„Ellba ist weggegangen“, erklärte Daia, als sei es das Selbstverständlichste der Welt. „Weil wir nicht mehr weissagen können. Das war eigentlich Er, der es konnte, weißt du? Immer wenn der erste Mond aufgegangen ist, ist er dicht unter die Oberfläche gekommen, sodass wir seine Gedanken nicht nur gespürt, sondern ganz klar gehört haben. Gut, dass Er jetzt weg ist. Er war nicht nett.“

Rena brauchte eine Weile, um das zu verdauen. Das unheimliche vierte Anderskind war das eigentliche Orakel gewesen! Das hieß, es war vorbei mit den Vorhersagen. Aber das war keine Entschuldigung für Ellbas Verhalten. Rena schickte einen besonders üblen Fluch in Richtung der ehemaligen Haushälterin. Die miese Natter hatte sich die ganze Zeit über im Abglanz des Ruhms gesonnt, ihre Wächterrolle genossen, aber die Drillinge selbst waren ihr egal gewesen!

„Tja, das war´s, es gibt das Mond-Orakel nicht mehr“, sagte Rena zu Tjeri.

„Jetzt wundert mich nicht mehr, dass die Ratsuchenden weg sind“, bemerkte Tjeri.

Bisher hatte er sich im Hintergrund gehalten und war von den Kindern nicht beachtet worden. Nun blickten sie ihn furchtsam an, versuchten wohl zu entscheiden, ob sie vor ihm Angst haben mussten oder nicht.

„Ich bin meistens ganz nett. Aber immer, wenn ich wütend werde, verwandle ich mich in ein grässliches, schleimiges Monster“, behauptete Tjeri, ohne eine Miene zu verziehen.

„Wirklich?“, fragte Taio interessiert.

„Nein, nicht wirklich." Tjeri tat so, als müsse er nachdenken. „Ich glaube, es war umgekehrt. Wenn ich wütend werde, bin ich eigentlich nett, und wenn ich nett sein will, verwandle ich mich in das Monster. Na ja, das müsst ihr einfach selbst rausfinden."

Die Drillinge kicherten.

Rena traute ihren Ohren kaum. Das war eben ein ganz normales Gespräch gewesen. Etwas so Normales hatte sie in den Tagen, die sie mit den Kindern verbracht hatte, nie gehört. Was war mit den Drillingen geschehen? Hatte der Tod ihres Bruders einen Fluch von ihnen gehoben? Hieß das, dass mit der Gedankenverbindung zum vierten Anderskind auch ihre Bosheit, ihr Spaß daran, anderen zu schaden, ein Ding der Vergangenheit war?

„So, jetzt bringen wir euch erst mal zur Felsenburg", kündigte Rena an. „Dort gibt es sicher ein gemütliches Zimmer für euch und etwas Gutes zu Essen."

Die Drillinge horchten auf. „Bleibst du da? Erzählst du uns dann wieder Geschichten?"

„Na klar", sagte Rena. „Tjeri kann das aber genauso gut, vielleicht darf er auch mal?"

„Ja, in Ordnung", bestätigte Daia großmütig. Als sie hinausgingen, nahm sie Tjeris Hand, Xaia schnappte sich die andere. Taio hängte sich an Rena.

Was auch immer mit ihnen passiert ist, es ist ein Wunder, dachte Rena dankbar und tauschte ein schnelles Lächeln mit Tjeri.

Als sie zwei Tage später in der Felsenburg ankamen, stellten sie fest, dass der Rat kein Interesse an Waisenkindern ohne spezielle Fähigkeiten hatte. Offiziell gehörten sie der Luft-Gilde an und es wurde erwartet, dass sich die Gilde jetzt um sie kümmerte. Rena war wütend. „Als sie noch das Orakel waren, habt ihr sie mit allen Mitteln umgarnt, und jetzt lasst ihr sie fallen?"

„Es tut mir ja auch leid", sagte Dorota hilflos. „Vielleicht kann ich sie als Helfer in unseren Küchen unterbringen, dann können sie in der Burg bleiben und haben ihr Auskommen."

„Dorota, die drei sind gerade mal neun Winter alt!" Rena schüttelte den Kopf.

„Tja, dann kommt nur ein Waisenhaus der Luft-Gilde in Frage."

„Vielleicht weiß ich eine andere Lösung. Gib mir ein paar Atemzüge Zeit, um mich mit meinem Gefährten zu besprechen."

Seit sie wusste, dass sie keine Kinder bekommen konnte, fehlte in ihrem Leben etwas. Es war ein leiser Schmerz, der immer da war, und manchmal wurde er unerträglich. Auch für Tjeri war es hart, das war ihr klar. Sie hatten schon darüber nachgedacht, ein Waisenkind anzunehmen, doch es hatte nie eine Gelegenheit gegeben ... bis jetzt.

Schon bevor sie ihn beiseite nahm, ahnte Tjeri, worum es ging. Er war sehr ernst. „Gleich drei Kinder auf einmal, das ist ganz schön viel. Ein bisschen unerwartet ist es natürlich auch. Aber ich mag die drei. Dass sie einer anderen Gilde angehören als wir, ist mir egal."

„Ist dir klar, dass sie wahrscheinlich ihre richtigen Eltern umgebracht haben?"

„Ich glaube, als sie das getan haben, waren sie anders als jetzt und standen unter dem Einfluss des vierten Drillings", sagte Tjeri nachdenklich. Eine grün schillernde Libelle hatte sich auf seinem Arm niedergelassen und Tjeri strich abwesend über ihre zarten Flügel. „Falls es dich beruhigt, ich spüre nichts Böses in ihnen. Lass es uns mit ihnen versuchen."

Rena nickte. Sie vertraute Tjeris Instinkten. Seine Fähigkeiten, die die *Quelle* in ihm geweckt hatte, hatten sich im Laufe der Winter immer stärker entwickelt. Inzwischen war er manchmal fähig, Gedanken und Gefühle nicht nur von Tieren, sondern auch von anderen Menschen aufzufangen. Und wenn er als Sucher jemanden sondierte, tauchte er tief in dessen Geist ein.

„Selbst wenn die Grausamkeit weg ist, es sind immer noch Anderskinder", warnte Rena ihn. „Wir wissen nicht, was in ihnen steckt."

Ihr Gefährte grinste breit. „Das macht die Sache spannender."

„Lass es uns tun", sagte Rena.

Sie umarmten sich fest. Renas Augen füllten sich mit Tränen, vor Freude und weil sie auf einmal wieder an das Kind, ihr Kind, denken musste, das vor langer Zeit kurz nach der Geburt gestorben war.

Schließlich ließen sie sich los und wischten sich beide verstohlen über die Augen. „Jetzt müssen wir nur noch die drei fragen, ob wir ihnen überhaupt recht sind!“, meinte Rena.

Sie war nervös, als sie den Drillingen gegenüber das Wort „Eltern“ erwähnen musste. Das hatte ihr am Anfang ganz schön Ärger eingebracht! Doch diesmal reagierten die Kinder nicht mit Wut. Sprachlos starrten sie Rena an, ließen dann den Blick zu Tjeri und zurück zu Rena wandern.

„Neue Eltern?“, fragte Daia unsicher.

„Ja, äh, natürlich nur, wenn ihr wollt. Ihr würdet mit uns im Seenland leben, an der Grenze von Vanamee und Alaak. Wir haben ein Haus, das groß genug ist für uns alle. Ich muss allerdings gestehen, dass Tjeri ab und zu das Essen anbrennen lässt.“

Auch die Drillinge zogen sich kurz zurück, um sich zu besprechen. Kein Gedankenkontakt mehr, sie müssen miteinander reden, dachte Rena und wartete gespannt. Schon nach wenigen Atemzügen stellten die Kinder sich nebeneinander auf. „Ja, wir wollen“, sagten sie feierlich. „Das mit dem Essen macht nichts.“

„Na, dann lasst uns gehen“, sagte Tjeri und lächelte.

Es war warm in der Schmiede und der vertraute herbe Geruch nach Rauch und heißem Metall lag in der Luft. Alena beobachtete, wie ihr Vater an seiner ersten Skulptur arbeitete. So würde ein Gedicht aussehen, wenn man es in Metall gießen könnte, dachte sie und hoffte, dass er damit eine der Straßenecken von Carradan eroberte.

Auch Jorak sah fasziniert zu. Seine Hand lag warm in ihrer und Alena genoss es, ihm nahe zu sein. An seinem Gürtel war das Schwert befestigt, das sie ihm geschmiedet hatte. Es war ein Meisterschwert aus Iridiumstahl und würde sich mit seinem Geist verbinden; die Prägungsphase hatte schon begonnen.

Alena hatte ihm einen leichten Zweihänder mit gebogener Klinge angefertigt, der genau zu seiner Körpergröße und seinem Stil passte. Da Alena protzige Waffen nicht leiden konnte, hatte sie dem Schwert einen schlichten, aber edlen Griff gegeben. Dort, wo die Klinge in die Parierstange überging, hatte sie einen Stein eingefügt, der auf den ersten Blick schwarz aussah, in dessen Tiefen es aber blau schimmerte. Den Knauf schmückte das Symbol der fünften Gilde.

Sie hatte sich entschieden, die Tradition ihres Vaters fortzuführen und in jede ihrer Waffen ein Gedicht zu gravieren. Lange hatte sie darüber gebrütet, was sie für Jorak schreiben würde. Als sie es ihm gezeigt hatte, war er zum Glück sofort davon begeistert gewesen. Und nun stand es in feinen, kaum sichtbaren Buchstaben auf der Klinge.

Kein Weg hat jemals so geschmerzt
Wie der, auf dem du Liebe fandest
Und die Kraft, anders zu sein.

Cchraskar würde es nie lesen können, die Menschenschrift war ihm ein Rätsel. Gerade hockte er auf einem der Tische und starrte träumerisch in die Flammen. Ganz plötzlich begann er zu sprechen. „Ich glaube, es ist Zeit für mich, ein Weibchen zu suchen“, verkündete er. „Welpen zu haben, viele Welpen.“

Alena wusste, dass ihr Freund sich schon lange eine eigene Familie wünschte. War es jetzt Zeit für ihn, seine menschliche beste Freundin zu verlassen, andere Wege zu gehen? Ein schrecklicher Gedanke. Wie sollte sie ohne ihn auskommen? „Wo wirst du dich umschauen?“, sagte sie und hörte selbst, dass ihre Stimme erstickt klang. „Im Weißen Wald? Rena hat erzählt, dass hier viele Caristani leben.“

„Lieber dort, wo meine Geschwister wohnen, in Tassos und überall. Lange habe ich sie nicht mehr besucht, lange!“

Alena entschied sich schnell und wunderte sich, dass sie nicht früher darauf gekommen war. „Wenn du möchtest, begleite ich dich“, sagte sie. „Falls auch Jorak mitkommt.“ So lange hatte ihr Iltismenschen-Freund sich nach ihr gerichtet – jetzt war sie dran, ihm auf seinen Wegen beizustehen! Für sie und Jorak war es in den nächsten Wintern sowieso nicht wichtig, wo sie lebten.

Cchraskar blickte sie an und seine Augen leuchteten wie die Sonne. „Ich möchte, Feuerblüte", sagte er und Jorak nickte ebenfalls.

„Weißt *du* denn nun, wo und wie du leben willst, Allie?", fragte Tavian sie, ohne von seiner Arbeit aufzusehen. „Du hast deinen Weg so lange gesucht und ich konnte dir nicht helfen dabei."

Alena nickte. „Das macht nichts. Ich musste ihn selbst finden." Es hatte nach ihrer Begegnung mit Alix nicht lange gedauert, bis sie wusste, wohin dieser Weg sie führen sollte. Nun fühlte sie sich so gut wie selten zuvor. Zum ersten Mal seit langer Zeit lag die Zukunft klar und offen vor ihr, war die quälende Unsicherheit weg.

„Ich werde ein paar Winter lang helfen, die fünfte Gilde aufzubauen, und währenddessen versuchen, es bei den Feuer-Leuten bis zu einer möglichst hohen Meisterschaft zu bringen", sagte Alena langsam und lächelte Jorak an. „Wenn ich genug Erfahrung habe und so gut bin, wie ich jemals werden kann, will ich weitergeben, was ich gelernt habe. Dann baue ich eine Schule auf, wie es sie auf Daresh noch nicht gibt. Eine Schule für Schwertkampf."

Mit zusammengezogenen Brauen blickte ihr Vater sie an. „Von denen gibt es in Tassos einige."

„Aber meine ist nicht nur für Feuerleute da", sagte Alena ruhig. „Sie wird offen sein für jeden, der lernen will – egal, welcher Gilde er angehört oder nicht angehört." Ihre Hand glitt wie von selbst zum Griff des Smaragdschwerts. „Doch das Wichtigste ist etwas anderes. In anderen Kampfschulen lernt man, wie man tötet. Ich werde meine Schüler lehren, wie man *nicht* tötet."

Fast hatte sie erwartet, dass Tavian lachen würde. Doch er tat es nicht. Er nickte nur und arbeitete weiter an seiner Skulptur. „Das ist eine gute Idee", sagte er. „Und eine hohe Kunst. Aber wird irgendjemand so etwas lernen wollen?"

Jorak sagte nichts. Er drückte ihre Hand nur ein wenig fester. Alena wusste, was er ihr damit sagen wollte.

Einen Schüler hatte sie schon!

Es war früher Morgen und die Vögel zwitscherten aus voller Kehle in der Dunkelheit. Rena saß im taufeuchten Gras auf dem Hügel hinter ihrem Haus. Von hier aus konnte man über die glitzernde Fläche des Seenlands hinwegblicken, die sich bis zum Horizont erstreckte.

Es war ein guter Ort.

Noch war es kühl, aber Rena merkte es kaum. Sie konzentrierte sich auf die starke, ruhige Aura der Erde und betrachtete die Silhouette der jungen Viveca vor sich. Es war genau einen Winter her, dass sie dieses Geschöpf des Weißen Waldes hier zwischen all dem Grün gepflanzt hatte. Noch waren seine hellen Zweige zart und dünn. Es würde noch lange, sehr lange dauern, bis der Baum so groß und prachtvoll war wie ihre erste Viveca. Aber das machte nichts. Eines Tages würden die Kinder ihrer Kinder auf seinen Ästen herumklettern können.

Als Sonnenstrahlen über den Horizont lugten, war es Zeit für den ersten Kontakt. Rena streckte die Hand aus und legte sie sanft auf die Rinde der Viveca. Ihre Aura war jung und heiter. Lautlos grüßte Rena den Baum, stellte sich ihm vor und seine silberweißen Blätter flüsterten eine herzliche Antwort im Wind.

Lange saß sie dort auf der Kuppe des Hügels. Vom Haus klang das Gelächter der Drillinge herauf, das Klatschen eines Paddels auf dem See, Tjeris Stimme.

Vielleicht ist Glück das, was man findet, wenn man am wenigsten damit rechnet, dachte Rena. Vorsichtig befestigte sie den grünen Stoffstreifen mit ihrem Namenszeichen am Stamm ihrer zweiten Viveca. Dann stand sie auf, um zurückzugehen.

Dank

Es ist nicht ganz leicht, einen neuen Roman fertigzustellen, wenn man gerade ein Kind bekommen hat. Ich danke meinem Mann Christian für die liebevolle Unterstützung und sein Verständnis dafür, dass ich manchmal unbedingt weiterschreiben wollte;

Isabel Abedi für ihre vielen Mails aus der Ferne, ihre wertvollen Hinweise zu Handlung und Manuskript und ihr untrügliches Gespür für Liebesgeschichten;

Anna Thaler für die weißen Adler und Daniel Beaujean für Haruco;

meiner Schwester Sonja, Lena Först (Cassandra), David Nagel (Sinthoras), Daniel Westermayr und Patrick Wöckel für ihre sehr hilfreichen Kommentare zum Manuskript; meinen jugendlichen Testlesern Lisa Olschewsky und Sophie Wallner für ihr Feedback und ihre spontane Begeisterung.

Und nicht zuletzt danke ich meiner Lektorin Joanna Storm für die tolle Zusammenarbeit.

Für die E-Book-Ausgabe danke ich meinem Korrektor Jan Müller für seinen beeindruckenden Fleiß und seine Begeisterung!

Weitere Romane von Katja Brandis

Kampf um Daresh I: **Der Verrat der Feuer-Gilde**
Fantasy ab 12, 408 Seiten, *E-Book 2,99 Euro*

Schon immer hat sich die Rena gewünscht, zur stolzen Feuer-Gilde zu gehören statt zur friedlichen Erd-Gilde. Als sie auf die Schwertkämpferin und Schmiedin Alix trifft, glaubt sie bei den Feuerleuten eine Chance zu haben. Doch Alix hat ganz andere Pläne, sie ist auf der Suche nach einem Verräter in ihrer Gilde, der geheime Informationen an die Herrscherin von Daresh weitergibt. Durch Alix wird Rena hineingezogen in die Fehden zwischen den vier Gilden. Ein Bürgerkrieg scheint unvermeidlich, denn die Regentin spielt die Gilden gegeneinander aus.
Rena sieht nur eine Chance, ihn zu verhindern: Alix und sie müssen versuchen, die verfeindeten Gilden an einen Tisch zu bringen, damit sie gemeinsam gegen die Regentin vorgehen können. Eine gefährliche Reise beginnt, bei der sich ihnen noch Rowan von der Luft-Gilde und Dagua von der Wasser-Gilde anschließen. Eine Reise, auf der Rena Freundschaft und Liebe kennenlernt, aber auch Machtgier und Skrupellosigkeit…

Kampf um Daresh II: **Der Prophet des Phönix**
Fantasy ab 12, 323 Seiten, E-Book 2,99 Euro

Seit sie Daresh Frieden gebracht hat, ist Rena berühmt und sitzt als Ratsmitglied in der Felsenburg. Doch etwas lässt ihr keine Ruhe – sie will unbedingt herausfinden, was aus ihrer alten Freundin Alix geworden ist, die schon seit einem Winter spurlos verschwunden ist. Und dann taucht auch noch ein geheimnisvoller Prophet auf, der etwas Furchtbares zu planen scheint und in der Feuer-Gilde immer mehr Anhänger gewinnt. Rena geht das Wagnis ein und schmuggelt sich unter falschem Namen in sein Lager ein. Wider willen ist sie wie so viele andere fasziniert von seiner charismatischen Persönlichkeit. Doch sie erfährt auch, dass das Geheimnis seiner Macht bei den Sieben Türmen zu finden ist, einer düsteren Gegend jenseits von Daresh. Werden sie und ihre Freunde Rowan und Alix es schaffen, das Rätsel der Sieben Türme zu lösen und den Propheten rechtzeitig zu stoppen?

***Kampf um Daresh III*: Der Ruf des Smaragdgartens**

Fantasy ab 12, 360 Seiten, E-Book 2,99 Euro

Ii'beru von den friedlichen Storchenmenschen hat ein hohes Mitglied des Gildenrates ermordet. Die Gilden glauben an eine Verschwörung und bald werden die scheuen Halbmenschen überall im Land gejagt und getötet. Rena, die junge Vermittlerin, und die Schwertkämpferin Alix müssen den Mord aufklären, bevor ein Krieg zwischen Menschen und Halbmenschen ausbricht. Ihre gefährliche Mission führt sie tief in die geheimnisvollen Welten der Halbmenschen – zu den Storchenmenschen in den eigenartigen Lixantha-Dschungel, ins Unterwasserreich der Krötenmenschen und schließlich zum Smaragdgarten, wo sich Erde, Wasser und Himmel treffen und die Seele Dareshs verborgen liegt. Doch Rena muss auch ein ganz privates Rätsel lösen: Wer ist Tjeri, der gut aussehende Fremde, der sie auf ihrer Mission begleitet? Angeblich ist er ein Agent der Wasser-Gilde, aber sie spürt, dass er etwas verbirgt …

Der Sucher

Fantasy ab 12, 345 Seiten

Otherworld Verlag, gebundene Ausgabe 18,95 Euro, E-Book 6,98 Euro

"Der Sucher" ist ein Prequel – ein abgeschlossener Einzelroman, der zeitlich vor der Kampf-um-Daresh-Trilogie spielt.

Sucher werden. Jemand, der durch seine besonderen Fähigkeiten Dinge, Menschen und manchmal auch Träume finden kann, die verlorengegangen sind. Das ist der sehnlichste Wunsch von Tjeri aus der Wasser-Gilde. Nach dem Motto „Frechheit siegt" erobert er sich eine Lehre beim Großen Udiko, dem berüchtigsten Sucher Dareshs. Nach seiner ungewöhnlichen Ausbildung tritt er in den Dienst seiner Gilde, um für sie schwierige Aufgaben in ganz Daresh zu lösen. Sein erster großer Auftrag: Unter strenger Geheimhaltung soll er für den Rat eine unscheinbare silberne Schale finden, die schon lange verschollen ist. Tjeri ahnt nicht, dass der Rat ihm etwas verschweigt: Die Schale birgt ein tödliches Geheimnis und ist der Schlüssel zur Macht in Daresh…

Zur gleichen Zeit lebt und arbeitet eine Katzenfrau namens Mi´raela, genannt Staubflocke, als Sklavin in der Felsenburg, dem Regierungszentrum Dareshs. Sie erlebt mit, dass die alte Regentin kränkelt und die Intrigen um ihre Nachfolge beginnen. Mi´raela weiß nicht, dass ihre einzige Hoffnung auf Freiheit ein junger Mann der Wasser-Gilde ist, dem die Halbmenschen den Namen Jederfreund geben: Tjeri ke Vanamee…

Fantasy unter dem Pseudonym Siri Lindberg:

Nachtlilien

Fantasy ab 16, 591 Seiten,
TB-Ausgabe 12,99 Euro, E-Book 4,99 Euro

Seit Generationen lastet auf der Familie der jungen Bildhauerin Jerusha KiTenaro ein schrecklicher Fluch: Alle Frauen des KiTenaro-Clans sind dazu verdammt, den Mann zu verraten, den sie lieben. Jerusha droht das gleiche Schicksal, als sie Kiéran begegnet, einem Krieger, der nach einem schweren Gefecht erblindet ist. Jerusha verliebt sich in ihn, doch sie will ihn auf keinen Fall ins Unglück stürzen. Sie trifft die Entscheidung, den Bann zu brechen – auch wenn es sie das Leben kosten könnte…

Weitere Romane von Katja Brandis
auf www.katja-brandis.de

17273808R00237

Printed in Poland
by Amazon Fulfillment
Poland Sp. z o.o., Wrocław